La croix blanche et l'épée

de Camille Bouchard

est le mille ving

publ

VLB ÉI

Direction littéraire : David Clerson
Révision linguistique : Gervaise Delmas
Design de la couverture : Bruno Ricca

Catalogage avant publication de Bibliothèque et Archives nationales du Québec et de Bibliothèque et Archives Canada
Bouchard, Camille, 1955-
La croix blanche et l'épée
ISBN 978-2-89649-523-8
I. Titre.
PS8553.O756C764 2014 C843'.54 C2013-942722-8
PS9553.O756C764 2014

VLB ÉDITEUR
Groupe Ville-Marie Littérature inc.*
Une société de Québecor Média
1010, rue de La Gauchetière Est
Montréal (Québec) H2L 2N5
Tél. : 514 523-7993, poste 4201
Téléc. : 514 282-7530
Courriel : vml@groupevml.com
Vice-président à l'édition : Martin Balthazar

DISTRIBUTEUR :
Les Messageries ADP inc.*
2315, rue de la Province
Longueuil (Québec) J4G 1G4
Tél. : 450 640-1234
Téléc. : 450 674-6237
* filiale du Groupe Sogides inc., filiale de Québecor Média inc.

VLB éditeur bénéficie du soutien de la Société de développement des entreprises culturelles du Québec (SODEC) pour son programme d'édition.
Gouvernement du Québec – Programme de crédit d'impôt pour l'édition de livres – Gestion SODEC.
Nous reconnaissons l'aide financière du gouvernement du Canada par l'entremise du Fonds du livre du Canada pour nos activités d'édition.
Nous remercions le Conseil des arts du Canada de l'aide accordée à notre programme de publication.

L'auteur tient à remercier le Conseil des arts et des lettres du Québec pour son appui financier.

Dépôt légal : 1er trimestre 2014

www.editionsvlb.com

LA CROIX BLANCHE ET L'ÉPÉE

Vous pouvez communiquer avec l'auteur via son site internet, CamilleBouchard.com, ou par courriel à l'adresse suivante :
camillebouchard2000@yahoo.ca

Camille Bouchard

LA CROIX BLANCHE ET L'ÉPÉE

roman

vlb éditeur
Une société de Québecor Média

À la mémoire de ma grand-mère
Marie-Louise, qui, des années durant,
devant le carré de mer
que découpait sa fenêtre,
a attendu.

Généalogie des Valois

(avec les titres que portaient les futurs rois en 1572)

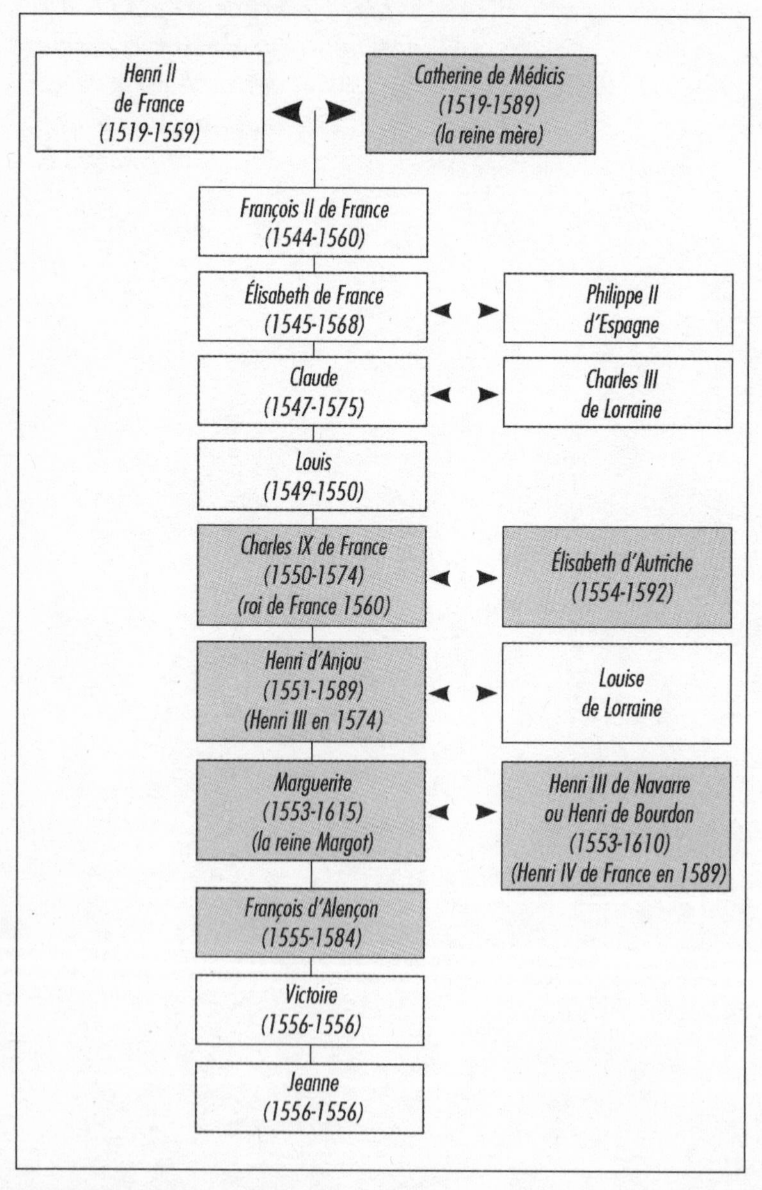

Les personnages du roman sont identifiés par des cases grises.

« Que de sang et que de meurtres !
Ah ! que j'ai suivi un méchant conseil !
Ô mon Dieu ! pardonne-moi, et me fais miséricorde. »

Charles IX, roi de France, sur son lit de mort,
moins de deux ans après le massacre de la Saint-Barthélémy

« Le papier pleurerait si nous
y mettions tout ce qui se fit. »

Un témoin du massacre

Prologue

Au-dessus du ciel de Paris, ce n'était pas encore tout à fait l'aube, quoique l'aura lustrée d'un soleil encore invisible détrempait à mesure d'amples laizes d'étoiles. De cela, je me souviens très bien. Comme je me souviendrai toute ma vie des événements qui ont suivi. Le vingt-quatrième jour de ce mois d'août caniculaire de l'an de grâce 1572 s'annonçait fidèle aux journées précédentes : humide, lourd, chaud…

Et rempli de fureur.

Antoine Dubois m'a raconté que, en cette heure matinale, la ruelle qui s'ouvrait devant lui, entre une blanchisserie et une boulangerie, ruisselait pareille au lendemain d'une nuit d'averses. Les rigoles pleines déversaient leurs flots le long des trottoirs, entraînant dans leurs cascatelles les déchets de la chaussée.

Sauf que, sur toute la France, il n'avait pas plu depuis des semaines.

Les pavés de la capitale dégorgeaient de sang. Antoine avait l'impression de parcourir l'intérieur d'une veine géante appartenant à quelque ogre de l'Antiquité.

Les écoulements s'entendaient en dépit des cloches sinistres de l'église Saint-Germain-l'Auxerrois qui marquaient les appels aux meurtres. Par toutes les rues avoisinantes, les hurlements forcenés des agresseurs s'accordaient aux cris des agonisants.

Les morts jonchaient les seuils des maisons et les croisées des voies. Si quelques curieux, quelques catholiques enthousiastes étaient aux fenêtres, aiguillonnant les tueurs, les stimulant, les portes restaient hermétiquement closes. Pour le moment.

— Par ici ! lança un homme grassouillet de son balcon à l'intention de deux escrimeurs marqués de la croix blanche. J'ai vu un hérétique fuir par cette traboule, là ! Et mon voisin ! La porte à côté. C'est un protestant !

Antoine appuya le dos à la façade pierreuse de la boulangerie. Il était à bout de souffle. Son toupet trop long pendait en mèches crasseuses devant son visage. Il porta la main gauche à son épaule opposée ; il venait de prendre conscience d'une raideur à l'articulation. Une raideur due à la fatigue. Son poing qui tenait le poignard tremblait à force d'avoir frappé. De la pointe de la lame jusqu'au milieu du coude, il était couvert de sang.

Incrédule, il fixa son bras un bon moment avant de tourner les yeux vers la vitre qui jouxtait la porte du commerce. Il sursauta. Son reflet lui ressemblait si peu que, pendant un instant, il crut se trouver face à quelqu'un d'autre. Un ennemi, par exemple.

Son visage exprimait davantage l'hébétement que la rage, la folie que la bravoure. Ses cheveux, poissés de sueur et de sang, masquaient à demi ses paupières rondes d'ahurissement. Des lignes écarlates s'entrecroisaient sur ses traits, traversant son front, son nez et sa bouche, suggérant les cicatrices d'une flagellation, mais ce n'étaient que les giclées rouges des blessures qu'il avait infligées aux autres.

Les autres.

Antoine tressaillit de nouveau. Un homme passait en courant près de lui. Il arrivait d'une venelle transversale. Antoine eut à peine le temps de l'apercevoir que, déjà, le fuyard se fondait derrière l'angle d'une échoppe et disparaissait dans un passage qui menait Dieu sait où. Les pas de sa course décrurent à mesure qu'il s'éloignait.

Ce n'était pas le fugitif qu'Antoine poursuivait. Celui-là avait réussi à s'échapper. Il avait dû se réfugier dans quelque encoignure, et le jeune homme l'avait doublé sans le voir.

Alors, cet autre ? Catholique ? Protestant ? Antoine n'eut pas même le loisir de relever si, comme lui, l'homme avait tracé une croix à la craie blanche sur son pourpoint. C'était le signe choisi pour se distinguer, eux, les hommes du duc de Guise. Eux, restés fidèles au pape ainsi qu'à la foi catholique, apostolique et romaine.

Contrairement à ces maudits huguenots, adeptes d'un culte diabolique, avec leurs complots pour s'emparer du pouvoir…

Le grassouillet n'était plus à son balcon. Il ne saurait pas renseigner Antoine sur le fuyard.

Le jeune homme passa sa main gauche sur son visage, tant pour en essuyer le sang que pour en chasser l'expression ahurie que lui renvoyait son reflet. Comme si, par ce simple geste, il retrouvait l'Antoine Dubois qu'il connaissait. L'Antoine Dubois qu'il était en réalité : un garçon de dix-sept ans, rieur et jovial, honnête et travailleur, tout ce qu'il y avait de plus normal et authentique…

Pas ce tueur à l'aspect inconnu, ensanglanté, aux traits las, aux épaules affaissées, aux vêtements déchirés, au poignard tremblant, qu'il voyait devant lui.

Brusquement, Antoine quitta son image pour pivoter, la lame braquée à la hauteur de la poitrine. Un mouvement dans la vitre lui avait fait craindre un assaut par-derrière. Un couple de pigeons, effrayés par la frénésie inhabituelle qui agitait les rues de Paris, passaient à tire-d'aile. Le cœur du garçon battit au rythme d'un cheval au galop.

Il devait retourner vers le Louvre. Là où tout avait commencé.

À la poursuite du huguenot qui s'échappait, il s'était éloigné des siens et s'exposait à croiser un ennemi armé d'une épée, voire d'une arquebuse !

Il pivota d'un côté… puis de l'autre…

Il prit tout à coup conscience que le quartier où il avait abouti était celui où habitait Anne. Anne Sagedieu. La fille qu'il entendait épouser.

Moi. À qui, plus tard, il confierait les rares événements dont je n'ai pas été témoin.

Antoine ne s'était même pas rendu compte d'avoir traversé les rues Saint-Honoré puis Coquillière.

« Anne, se disait-il, je ne laisserai pas les protestants souiller de leur haleine pourrie l'air que tu respires. »

Il se remit à marcher, parcourant des pavés que lui comme moi connaissions bien. À la croisée de deux venelles, des hommes gisaient par terre. Ils étaient trois. Blessés à mort. Un bruit de course fit se retourner Antoine. Il vit passer deux pourpoints rouges marqués de la croix blanche. Quatre yeux le scrutèrent, relevèrent son propre insigne, puis disparurent dans l'ombre d'une traboule.

— Pitié, par le Christ !

Antoine revint aux trois victimes. L'un des agonisants tendait vers lui une main aux cinq doigts tremblants. Il s'agissait d'un homme dans la trentaine, barbe clairsemée, blonde peut-être, ou rousse, il y avait trop de sang pour en juger avec certitude, prunelles grises, cils et cheveux pâles...

— Pitié, répéta-t-il.

— Catholique ou huguenot ? demanda Antoine en pliant les genoux face à lui.

— Que t'importe, répliqua le blessé en saisissant l'avant-bras du garçon de sa main ensanglantée. Je suis chrétien. Et j'implore ta charité chrétienne.

— Catholique ou huguenot ? redit Antoine en refusant de se laisser attendrir par ses traits déformés par la douleur. Jure que le pape est le vicaire de Jésus-Christ et que, comme successeur de saint Pierre, il le représente à la tête de l'Église. Jure que tu crois au culte des saints, à tous les sacrements, à la présence du Christ dans l'hostie, au caractère sacré de la messe. Jure.

— Non, ne me demande pas ça. Aie seulement grâce pour...

Cette nuit-là, ce matin-là, il n'y avait plus de place pour la compassion. Le roi, guidé par Dieu, avait donné l'ordre :

les protestants avaient suffisamment ébranlé la vraie foi. Il fallait en expurger le monde.

La lame du poignard d'Antoine pénétra la poitrine du huguenot et trouva immédiatement son cœur.

— Que Dieu ait pitié de ton âme.

Les yeux rivés sur ceux de son assassin, la victime souffla :

— Anne…

Et mourut.

Le propre cœur d'Antoine, dans la seconde, se figea, et il oublia de respirer. Un émoi le secoua avec une vigueur telle qu'il en tomba presque sur le séant. Pourtant, c'était la dixième, douzième, quinzième occasion qui lui était offerte d'occire un hérétique depuis que les cloches de Saint-Germain-l'Auxerrois avaient sonné l'assaut. Mais c'était la première fois qu'il lui pesait de sentir sa victime s'éteindre.

Pour une raison qu'il ignorait. Peut-être à cause de ce que le blessé avait eu le temps de prononcer avant de mourir…

« Anne… »

Sa femme, peut-être. Sa sœur. Une simple amie. Mais baptisée du même prénom que moi, la femme dont Antoine était épris.

« Anne… »

L'écho du dernier souffle de la victime ne cessait de résonner dans le crâne de son assassin.

Antoine éprouva soudain la perte, la disparition, non pas d'une âme souillée, mais d'une vie. Une vie d'homme. Pas celle d'un monstre. Sans plus rien de l'odieux d'un chrétien renégat.

À cause du lien qui se faisait avec mon prénom, cet inconnu qui, comme ses coreligionnaires, était venu à Paris pour assister au mariage de la très catholique Marguerite de Valois avec le très protestant Henri de Bourbon, cet étranger, donc, tout à coup, prenait un visage humain. En dépit de son hérésie, quelque part, il avait une mère qui l'attendait, un père, des sœurs et des frères sûrement, une épouse sans doute, des enfants peut-être… Une famille, des amis, qui l'espéreraient en vain.

À jamais.

Pour la première fois, l'esprit de son ennemi interpellait Antoine.

Afin de chasser le goût de vomi qui montait dans sa gorge, en gestes rageurs, il renfonça sa lame dans la poitrine du huguenot.

« Ne manquerait plus, songea-t-il, que je remette en question la mission, le rôle que Dieu m'a confiés par l'entremise du duc de Guise et de ses fidèles catholiques. Avec ma croix blanche et mon poignard, je suis l'instrument du divin, le bras de Jésus. Je suis béni. »

Et promis au paradis.

XXIe siècle au Québec

I

La panne électrique

Les luminaires du plafond s'éteignent soudain, et toute la bibliothèque plonge dans le noir. Moi, Félix Fontaine, je suis brusquement ramené à la réalité. Au XXIe siècle.

Les fenêtres jettent sur les tables dépolies des carrés de lumière remplis de poussière. L'aiguille des secondes de la grande horloge au-dessus du bureau de Mme Karine, à l'entrée, s'immobilise. L'heure se fige à seize heures quarante-cinq, mais le temps, lui, ne s'arrête pas pour autant. Dans quinze minutes, la place fermera et…

— On ferme.

— Déjà ?

Dans un geste machinal, je passe ma main gauche sur mon avant-bras droit, comme pour en éponger le sang qui n'existe que dans mon esprit. Il me semble entendre l'écho de l'agonie des huguenots.

— Inutile de rester ici, lance Mme Karine du haut de ses cent cinquante centimètres. On n'y voit pas assez pour lire et mon ordinateur ne fonctionne plus.

Comme pour bien indiquer que sa décision est irrévocable, la voilà qui replace sur un chariot près d'elle les livres qu'elle étiquetait. Elle presse le bouton de sa lampe endormie. Je crois qu'elle n'est pas fâchée de pouvoir terminer son travail quinze minutes avant l'heure.

Je me lève de ma chaise en refermant le gros volume que je consultais. À une table de biais, vaguement en face de moi, une jeune fille m'imite. Je m'empresse de baisser les yeux dès que je constate qu'elle tourne le visage dans ma direction.

J'ignore son prénom, mais je sais que son père s'appelle Rachid Mansouri. Et son oncle, Mohamed Mansouri. Pas difficile. Dans notre village perdu de trois mille âmes, sur une île isolée du fleuve Saint-Laurent, à la hauteur de cette région encore plus égarée qu'est la Côte-Nord du Québec, une famille – ou plutôt deux familles, puisqu'ils sont deux frères, avec femme et enfants –, deux familles, donc, nouvellement établies, de surcroît de confession musulmane, ça ne passe guère inaperçu.

Et ça fait jaser.

Alors, celle-là, avec son voile qui lui couvre toute la tête en masquant ses cheveux et ses oreilles, on devine tout de suite d'où elle sort. Elle ne porte quand même pas une capuche d'hiver. Nous sommes en juillet.

— Bonjour, madame Karine. À demain.

— À demain, me répond la bibliothécaire sans me regarder, fourrageant dans son sac à main à la recherche de ses clés.

Je dépose mon gros livre sur le chariot des bouquins à classer. Je fais un pas en direction de la sortie…

— Oh, Félix.

Je m'arrête pour fixer Mme Karine. Elle a toujours la main dans son sac, mais n'y fouille plus. Elle a levé le regard sur moi sous des sourcils un brin froncés. Sur le mur derrière elle, à demi masquée par des affiches de séries jeunesse à la mode, une grande tache jaunâtre en forme de croix indique l'ancien emplacement d'un crucifix géant. Jusqu'à il y a encore trois ans, le visage d'un Christ abîmé de douleurs dominait la salle.

— Pourquoi perds-tu tes journées ici au lieu de profiter des maigres moments ensoleillés des vacances d'été pour vivre dehors ? demande-t-elle en m'indiquant, d'un mouvement de la tête, la lumière poussiéreuse qui tombe des fenêtres.

Je vais répondre quand la musulmane passe à notre hauteur, le nez à demi penché vers le sol, les pupilles baissées sur le comptoir.

— Bonjour, dit-elle en nous croisant avec une voix aussi menue que celle d'une mésange.

— Bonjour, Soltana, réplique Mme Karine. À la prochaine.

Soltana, donc, sort comme soulagée de n'avoir plus à nous regarder. J'ai noté que son foulard un peu serré faisait rebondir ses joues. Elle a une jolie peau bronzée. Elle…

— N'empêche que si tu préfères les livres à la pêche, poursuit Mme Karine en retirant avec une grimace de victoire les clés de son sac, tu pourrais lire dehors au lieu de respirer les acariens du sous-sol de l'église, non ?

Tandis qu'elle contourne le comptoir pour me rejoindre, je réponds avec un air moqueur :

— Pas de ma faute si la bibliothèque municipale crèche ici. Et puis…

Elle place une main potelée sur mon dos pour m'inviter à marcher avec elle. Nous grimpons les trois marches qui mènent à la lourde porte de la sortie. Je reprends :

— Et puis, vous refusez que je sorte les registres de la bâtisse, alors je n'ai pas le choix de bouquiner à l'intérieur.

— Tu sais bien que tu peux emprunter *tous* les livres de cette pièce… sauf, justement, ces anciens grimoires qui appartiennent à la paroisse. C'est déjà beau que le curé… je veux dire, *monsieur* le curé, l'abbé Dion, nous autorise à les consulter. Enfin, je présume que tu trouves ces vieux écrits… intéressants, parce que sinon, j'ai tous ces nouveaux romans jeunesse…

Je m'arrête sur le seuil pour la regarder dans les yeux. C'est drôle, car même si la bibliothécaire a le double de mon âge, je fais quinze centimètres de plus qu'elle. À la clarté du jour qui entre par l'embrasure de la porte, je distingue les premiers cheveux blancs s'attaquant à son toupet. Elle a une couperose en forme d'étoile sur le nez, peut-être le vestige d'une ancienne chute. Ses lèvres sont refermées en une ligne mince qui dessine une expression concernée.

— Ils sont plus qu'intéressants, madame Karine. Je viens d'y découvrir un secret qui va ébranler toute notre communauté, qui va…

— L'électricité !

La femme tourne brusquement sa silhouette carrée vers le sous-sol, d'où a jailli une vive lumière. En redescendant les marches, elle lâche :

— J'étais en train d'oublier d'éteindre, moi. Je suis bien contente que le courant revienne maintenant, tiens. Il me l'aurait reproché, l'abbé Dion !

Je perçois le déclic des commutateurs qu'elle ferme dans mon dos tandis que je m'élance à l'extérieur. Le soleil de fin d'après-midi, réverbéré par le fleuve qui s'étend à perte de vue, plus large que bien des mers, m'aveugle un instant.

— Tu y as découvert quoi, disais-tu ? lance la voix de Mme Karine alors que je marche déjà dans le stationnement. Un secret ?

Je fais semblant de n'avoir pas entendu et m'éloigne en la laissant seule sur le seuil tandis qu'elle verrouille la lourde porte.

Août 1572 en France

2

Le retour des pêcheurs

Anne Sagedieu, c'était mon nom en cette année agitée de 1572 que traversait le Paris. Loin des complots que tramaient les puissants Guise, Montmorency et Valois, d'un côté, contre les Coligny, Condé et Montgommery, de l'autre, je ne rêvais que du jour où je pourrais m'appeler « Mme Anne Dubois ». Antoine, ce garçon dont j'étais follement éprise, était le fils de Toussaint Dubois, un brave forgeron dont on disait que nul mieux que lui ne maîtrisait l'art de ferrer un cheval en sachant corriger les défauts d'aplomb, les encastelures, les bleimes et les abcès. Voilà pourquoi, contrairement à bien des roturiers, le père de mon amoureux recevait souvent des marques de reconnaissance de la part des riches qui utilisaient ses services.

Notre famille, par exemple.

Antoine, en plus d'être considéré comme le digne héritier des dons de son père, était fort bon marin. Du moins, c'est ce que prétendait son oncle Jacques. Ce dernier, chaque année, demandait que son neveu l'accompagne à bord de son navire baptisé *Les deux amours* jusqu'aux bancs de morues des terres neuves, par-delà la grande mer.

Voici ce que je sus de leur arrivée au pays, à la mi-août de ce terrible été de chaleur et de disette de 1572.

Antoine et l'oncle Jacques auraient pu revenir à Paris par la route à partir du Havre-de-Grâce, mais ils ont préféré louer la patache d'un ami au port, remplir les cales d'une partie de leur pêche dûment séchée et salée – le reste ayant été abandonné aux revendeurs locaux –, avant d'entreprendre de remonter la Seine jusqu'à Paris.

— Jarnidieu qu'y fait chaud ! jurait l'oncle Jacques à intervalles réguliers. Jamais connu un pareil mois d'août. On s'croirait dans les Indes occidentales.

De chaque côté du fleuve, les champs assoiffés finissaient de brûler au soleil. La misère était partout. Dès que la patache amorçait les manœuvres pour aborder une berge pour la nuit, Antoine et son oncle étaient harcelés par les campagnards qui leur demandaient à manger...

— Si on continue à faire la charité à ce rythme-là, grogna Thomas, un matelot qui revenait aussi chez les siens à Paris, il ne nous restera plus rien à vendre une fois dans la capitale.

Un jour, mon promis était accroupi au bastingage, paré à lancer une poignée de petits harengs salés à une famille de paysans qui l'imploraient, quand un homme à cheval apparut.

— Pas à eux ! lança-t-il dans sa direction. Pas à ces sales hérétiques. C'est de leur faute si Dieu nous fait souffrir cette maudite famine.

Et, du pied, il repoussa un homme déjà à moitié écroulé de faiblesse. Un fils voulut défendre son père, mais il eut droit à son tour au goût des semelles. Les femmes poussèrent des cris moins révoltés que plaintifs.

— Laissez-les crever et ne nourrissez que les bons catholiques ! Avec cela que Paris s'apprête à accueillir toute la racaille huguenote venue de Navarre !

Sans même prendre la peine de s'assurer qu'Antoine et son oncle Jacques répondraient à ses directives, estimant sans doute que leur patache du nom de *Très Sainte Vierge Marie* suffisait à prouver leur respect envers l'Immaculée Conception, le cavalier fit pivoter son cheval et s'alla rejoindre deux autres compagnons, dont les montures attendaient sur la route. Les paysans, les hommes à quatre pattes, les femmes autour d'eux, regardèrent l'embarcation s'éloigner. Leurs yeux vides exprimaient déjà la mort.

— Vaut mieux point nous attarder, laissa échapper Thomas, un brin de nervosité dans la voix. On risque d'être victimes de pillards.

L'oncle Jacques posa sa grosse main calleuse de pêcheur sur l'épaule de mon promis. Il le questionna comme si celui-ci devait connaître la réponse :

— Qu'est-ce qui s'est passé, Antoine, pendant qu'on lançait nos filets à morues sur les bancs de Terre-Neuve ? Y a point deux mois qu'on est partis. La Navarre nous aurait déclaré la guerre ?

— J'ai hâte qu'on atteigne Paris, mon oncle, répliqua-t-il. Je suis inquiet pour papa et maman.

Et pour moi, Anne Sagedieu, bien sûr. Même s'il ne le précisa pas.

— T'as point à t'mettre martel en tête, rétorqua le frère de sa mère en le secouant un peu de cette manière virile qui était la sienne. Paris est une ville catholique où les huguenots ne sont qu'une minorité. Si Navarre a dessein de la soumettre, il lui faudra tenir un long siège. Et avec la famine qui semble s'être abattue sur le pays, il ne saura ravitailler ses troupes pour maintenir le bouclage.

Dans la chaleur humide qui les enveloppait, son front gouttait d'une sueur grasse. Il ressemblait bien peu à la mère d'Antoine, avec son ossature de géant et sa grosse bouille brunâtre. À trente-cinq ans, il n'avait presque plus de dents et ses lèvres restaient fendillées en permanence, exposées depuis trop d'années au sel de la mer. L'oncle Jacques avait perdu sa femme quand celle-ci avait cherché à mettre au monde leur premier enfant. Épouse et fille n'avaient pas survécu, et l'homme ne s'était jamais remarié.

Voilà peut-être pourquoi il appréciait son neveu comme son fils. Voilà pourquoi il obtenait de ses parents, depuis quatre ans, qu'il participe à la saison des pêches dans les terres nouvelles.

Une barque à la bôme mal brassée les croisa, la voile faséyant. Les matelots, alignés le long du pavois, les observèrent sans répondre à leurs salutations, le regard noir, les épaules affaissées.

— Ce ne sont pas des pêcheurs, mais des passeurs, fit remarquer Thomas. Sinon, ils n'auraient pas ces mines d'affamés.

L'un d'eux cria quelque chose en direction de la patache, mais dans un patois que les trois Parisiens ne comprirent pas. L'oncle Jacques, à tout hasard, exhiba le large coutelas qui lui servait à couper les têtes des morues. Le message sembla passer, car si les marins ricanèrent et lancèrent des obscénités, ils ne se risquèrent point à les aborder – si telles étaient leurs intentions, comme de raison.

Antoine et son oncle furent fort contents d'atteindre enfin Paris après plusieurs jours de navigation tendus. Mon promis se réjouit de constater qu'il n'y avait point la guerre comme ils l'avaient appréhendé un moment. Ils décelèrent bien quelques mouvements inhabituels, mais ils n'auraient su dire en quoi ils se révélaient anormaux. L'impatience encore plus grande des Parisiens près des jetées, peut-être ? Ou les clameurs de la rue, dont le niveau sonore leur paraissait amplifié ? Après des semaines passées en mer, à n'entendre que le vent, les vagues et les pailles-en-queue, comment être certain ?

L'une des sœurs d'Antoine, lavandière près du quai, fut la première à accueillir son frère. Elle poussa des cris de joie en le reconnaissant tandis qu'il tirait sur le câble d'amarrage. Son fils de huit mois coincé sous un bras, elle embrassa son cadet sur la joue avec transport.

— Quel plaisir de te revoir, frérot ! Mère se morfond pis que de coutume à attendre ton retour. Holà ! Salut, mon oncle ! Tu nous l'as ramené vivant, cette fois encore.

— T'es pas trop déçue, ma nièce, j'espère, lâcha dans un rire leur parent en sautant sur la jetée. Surtout que, grâce à lui, vous aurez de la morue salée à manger pour des semaines.

Antoine profita de ce que l'oncle et la nièce se faisaient la bise pour demander :

— Et Anne ? Elle va bien ? Tu l'as vue ?

— Anne Sagedieu ? Assurément, frérot. Elle vient au quai tous les trois jours pour la lessive et me harcèle pour savoir si la famille a des nouvelles de toi. Je parie qu'elle est très amoureuse.

Antoine rougit en détournant la tête, feignant de s'assurer de la solidité de l'amarre qui retenait la patache.

— Idiote ! laissa-t-il échapper. Je ne me suis point encore déclaré.

Sa sœur pouffa de rire en nouant son bras libre autour de son cou, l'obligeant à lui faire face de nouveau.

— Tu es beau, mon frère ! L'air du large t'a réussi. Je la comprends, la jolie Anne.

— Mais y s'passe quoi dans Paris ? demanda l'oncle en pointant son pouce en direction des murs de la cité. (Les piques d'une compagnie de soldats se distinguaient de l'autre côté des remparts.) Tout le monde me paraît bien nerveux.

Le visage de la sœur s'assombrit. Elle prit le temps de replacer son fils au creux de son coude avant de répondre :

— La place grouille de réformés. Les fidèles d'Henri de Navarre ont suivi leur chef pour assister à son mariage avec la perle des Valois, la princesse Marguerite.

— La princesse épouse un protestant ? s'étonna Thomas, qui venait de récupérer ses affaires et s'apprêtait à prendre congé. Ils sont devenus fous au Louvre, ou quoi ?

— J'crois que ça fait partie des ententes du traité signé à Saint-Germain, voilà deux ans, quand y z'ont mis fin à la dernière guerre civile, dit l'oncle Jacques en gardant un regard songeur sur la ville qui les dominait. Le roi, la reine mère et l'amiral de Coligny, y s'sont entendus pour admettre les protestants aux fonctions publiques. En mariant la princesse catholique au chef des réformés, y z'espèrent rallier ensemble les tenants des deux religions. J'suis certain qu'en plus, y pensent convaincre les huguenots de revenir à la foi d'leurs ancêtres.

— Sans compter qu'il y a des rumeurs voulant que les troupes royales s'amassent à la frontière des Flandres pour prêter main-forte aux insurgés de là-bas, ajouta la sœur en faisant une moue de dédain, le nez tourné, elle aussi, en direction des murs de la ville.

— Sont protestants, les Flamands, fit remarquer Thomas comme si on l'ignorait.

— Mais révoltés contre la couronne d'Espagne, lui lança un matelot qui les croisait, un rouleau de cordage sur l'épaule.

— Merci, compère ; c'que t'es savant ! grogna Thomas en se désintéressant du marin qui poursuivit sa route. Donc, les armées françaises catholiques s'allient aux révoltés flamands protestants pour combattre l'Espagne catholique.

— Pendant qu'la fille de notre reine mère catholique marie le souverain d'la Navarre protestante, renchérit l'oncle Jacques en dodelinant la tête. Y a d'quoi y perdre son latin… quand on l'a, ben sûr.

— Père dit que c'est plus politique que religieux, fit la sœur en se penchant pour ramasser son panier de linge au sol. Le pape a refusé d'accorder sa dispense pour le mariage royal, mais il semble bien qu'on va s'en passer. On veut toucher l'Espagne par ses colonies au nord et par sa frontière avec la Navarre. L'amiral de Coligny est influent auprès du roi, et comme c'est un réformé…

— On pourrait pas cesser de parler politique ? lâcha Antoine en plaçant sur son dos le sac de ses affaires. On vient à peine d'arriver, là. Moi, j'ai envie de revoir mère. Et père.

Sa sœur éclata de rire en concluant :

— Et Anne Sagedieu, pas vrai ?

3

Moi, Anne Sagedieu

Moi, Anne Sagedieu, j'étais alors une jouvencelle pareille à toutes les autres, plus soucieuse des banalités touchant ma petite personne que des agitations alarmant Paris.

Quand ma mère avisa son époux que Toussaint Dubois aimerait profiter du fait qu'il nous ramènerait lui-même un cheval – dont nous lui avions confié le ferrage – afin de discuter de l'alliance possible entre les enfants de nos deux maisonnées, mon père répliqua :

— Un homme de ma qualité, qui a des entrées à la cour, ne devrait point accepter de remettre la main de sa fille au rejeton d'un simple ouvrier.

— Ce garçon est voué à hériter d'une forge à l'excellente réputation, lui rétorqua maman, ainsi que d'un bateau de pêche tout à fait rentable... Bateau que nous pourrions modifier et qui servirait à aller quérir nous-mêmes nos étoffes dans les Indes orientales, paracheva-t-elle comme un duelliste frappant d'une dernière estocade l'adversaire déjà touché.

— Fort bien, abdiqua mon père. Restons fidèles à nos origines roturières même si, comme tout parent, j'aspirais pour ma fille à une ascension sociale, à une alliance avec une famille plus riche que la nôtre, voire nobiliaire.

Car, sans être issue de la noblesse, notre maison n'en avait pas moins accumulé une certaine fortune en important de fins tissus d'Orient et en habillant de mieux nantis que nous.

— Nous ne pouvons échanger le bonheur de nos enfants contre une telle ambition, dit ma mère. Ce serait là péché de vanité.

Ma bonne maman, Bernadette Sagedieu, petite et réservée, avait une personnalité qui contrastait hautement avec celle de mon père, Augustin Sagedieu. Eux aussi, vingt ans plus tôt, avaient contracté un mariage d'amour. Ils se complétaient exactement selon le principe voulant que les contraires s'attirent. Du moins, c'était une théorie que clamait l'une de mes tantes à tout venant. S'il s'agissait là d'une caractéristique de l'affection véritable, je me demandais ce qui nous distinguait tant, Antoine et moi, pour que nous fussions aussi épris l'un de l'autre. La mer, peut-être, pour laquelle l'attrait de mon amoureux m'étonnait au plus haut degré.

Ma mère, une servante et moi, retranchées dans notre salle de couture, écoutions les hommes deviser dans le petit salon, derrière les lourds rideaux qui séparaient les deux pièces. En fait, en ce qui me concerne, je les épiais plutôt par une mince ouverture. Je discernais M. Toussaint Dubois, puis mon père – mon bon, mon dévoué, mon riche père –, qui avait consenti à recevoir le forgeron, et enfin Antoine, qui, bien qu'il se trouvât à leurs côtés, demeurait muet en digne fils respectueux.

— Anne, murmura ma mère. Ça ne se fait pas. Viens ici.

— Chhhut, maman, répliquai-je sans bouger d'un pouce.

— Je crains qu'il ne faille bien se barricader chez soi durant les prochaines nuits, du moins tant que dureront les festivités, dit Toussaint Dubois.

Des cris d'ivrognes nous parvenaient par les fenêtres bien que nous fussions à trois étages de la rue. Le père d'Antoine, l'épaule appuyée contre le chambranle de la croisée, le nez en direction des bambocheurs en contrebas, faisait ce triste constat.

Je ne pouvais détacher mon regard de mon amoureux. Comme son père, il portait le haut-de-chausses dont il se parait à l'atelier, mais s'était départi de son lourd tablier de cuir. Par-dessus sa chemise de tissu écru aux larges bouillons, il avait revêtu une veste sans manches.

— C'est là le résultat, hélas ! des politiques accommodantes de nos souverains, soupira papa qui, pour sa part, était habillé de coton fin pour impressionner le parent de celui qui courtisait sa fille. En temps normal, Paris, avec ses trois cent mille habitants, ne compte pas quatre pour cent de huguenots. Seulement... avec tous ces Navarrais venus assister au mariage de leur roi avec notre princesse Marguerite...

Il fit un ample geste du bras au-dessus de sa tête comme on chasse un taon obstiné.

— Baste ! Et tout Paris est en ébullition avec cette famine, le prix du setier de blé qui a encore augmenté de vingt pour cent en moins de deux mois, les taxes qu'on nous tire, à vous et à moi, Toussaint, pour payer la milice dont le rôle est d'assurer la sécurité de notre ville. Mais ces pauvres reîtres, justement, contribuent à exalter les tensions dans la capitale. Car ils sont frustrés, pardieu ! De ces redevances, ils ne touchent guère un sou.

Toussaint Dubois allait répliquer quand mon père, entreprenant de marcher de long en large dans la pièce, reprit :

— Ces engagés voient plutôt notre argent alimenter les troupes royales qui, poussées par les huguenots de la cour, s'apprêtent à fondre sur les catholiques des Flandres... Bon, des Espagnols, je vous l'accorde, mais catholiques tout de même ! Ah non, moi, je vous le dis, Toussaint, ça n'augure rien de bon, l'arrivée de ces hérétiques dans un Paris déjà enfiévré.

— Tout cela est fort triste, en effet, monsieur Sagedieu, fit Dubois. Et au risque de vous déplaire davantage, il me faut maintenant prendre congé de votre excellente compagnie. Tant de travail m'attend à la forge.

Mon père parut revenir de là où son exaltation l'avait mené.

— Bien sûr, cher Toussaint. Pardonnez-moi de laisser ainsi la politique balayer la plus élémentaire bienséance en empiétant sur votre temps précieux.

Il fit un mouvement de la main vers Gontran, notre grand domestique borgne, qui s'apprêtait à quitter la pièce avec un plateau. Il proposa :

— Aimeriez-vous que l'un de mes serviteurs vous raccompagne jusqu'à chez vous ? Pour plus de prudence ?

Toussaint Dubois eut un vague geste de refus tout en déposant sur une table proche le gobelet vidé du vin coupé d'eau qu'on avait offert à lui et à mon promis.

— Non, merci. Antoine et moi saurons bien nous ouvrir un chemin parmi cette racaille huguenote qui souille nos rues. Et puis, la milice que, précisément, vos propos mentionnaient ne serait que trop contente d'intervenir si quelque réformé de Paris ou de Navarre cherchait noise à deux estimables catholiques de notre race.

Mon père martela l'air de son index.

— Tut-tut-tut ! Je m'en voudrais d'être responsable d'un malheur arrivé au meilleur forgeron de Paris parce qu'il a eu l'obligeance de ramener lui-même, chez moi, un cheval confié à ses bons soins.

— Oh, c'était chose bien naturelle, monsieur Sagedieu, étant donné que mon fils tenait tant à ce que je vous parle de ses projets touchant votre fille.

— Augustin, cher Toussaint. Appelez-moi Augustin. Si nous devons devenir l'un et l'autre beaux-pères de nos enfants, brisons là toutes ces convenances immodérées.

— Puisque vous m'en offrez l'occasion, cher Augustin, ce sera avec plaisir, rétorqua le forgeron qui, au lieu de redresser les épaules et de tendre la main ainsi qu'on se devrait d'agir face à un pareil, préféra encore s'incliner, incapable d'ignorer la frontière imaginaire qui séparait le vulgaire ouvrier du riche marchand.

— Gontran, dit papa à notre serviteur borgne, munis-toi d'un large couteau que tu glisseras bien en vue à ta ceinture. Greffée à ta carrure et à ta sale tête, cette lame devrait suffire à éloigner les plus malveillants de ces maudits hérétiques.

Le domestique acquiesça d'un bref hochement du menton.

— Puis-je retrouver votre femme et votre fille dans la pièce voisine afin de prendre congé, monsieur ? demanda Antoine lorsqu'il constata que nos parents respectifs s'ébranlaient vers l'escalier menant à la rue.

Je reculai d'un pas pour abandonner le rideau, mon cœur lancé comme un clocher à toute volée.

— Et déposer un baiser d'adieu sur la main d'Anne, coquin, pas vrai ? répliqua aussitôt mon père en éclatant d'un gros rire. Fort bien, fort bien, allez ! Nous t'espérerons en bas, n'est-ce pas, Toussaint ?

— Mais ne tarde pas trop, crut bon d'ajouter ce dernier. Beaucoup de travail nous attend à la forge.

Il me sembla que, à partir du moment où la servante ouvrit le rideau sur Antoine, mon muscle cardiaque, soucieux de ne pas me cahoter plus que je ne l'étais déjà, s'arrêta de palpiter. Il ne se remit point à battre quand mon amoureux balbutia je ne sais trop quelle formule pour prendre congé, ni quand il se pencha pour saisir ma main et y poser les lèvres, encore moins lorsque je respirai ses effluves d'homme, de cheval et de cuir mélangés.

Ce ne fut que lorsque Antoine s'engagea dans l'escalier au bas duquel l'espéraient mon père, mon futur beau-père et Gontran, que je sentis enfin mon cœur reprendre du service.

J'étais amoureuse folle et croyais le rester jusqu'à notre mort.

J'ignorais alors les terribles épreuves qui nous attendaient.

4

Paris, de neuf vêtu

Ma mère, à l'opposé de sa nature habituelle, était fort énervée en ce matin du jeudi 21 août.

— Anne, viens là. Myriam, veuillez m'apporter ce paquet de taffetas... Non, pas lui, l'autre, oui... Mais grouillez-vous à la fin ! Anne, je voudrais... Corinne, d'où tenez-vous ces affreux rubans ? Non, prenez ceux de la chambre mansardée. Anne, suis-moi.

Elle m'entraîna à l'écart de la salle de couture, dans le petit salon où, justement, deux jours plus tôt, s'étaient réunis nos pères, à Antoine et à moi, afin d'établir le premier contact qui mènerait à l'union de nos deux familles.

— Nous venons de recevoir la commande d'une pièce de soie fine que j'avais moi-même présentée à Mlle La Vergne, dans notre boutique en bas.

— La suivante de la princesse Marguerite ?

— De la *reine* Marguerite. Reine de Navarre, maintenant, ne l'oublie pas. Alors, bon, Mlle La Vergne a envoyé un page, ce matin, mais la couleur demandée était à notre entrepôt, pas ici. Comme le garçon de courses n'avait pas le temps d'attendre, j'ai promis que nous irions nous-mêmes livrer la marchandise au Louvre avant la fin de la matinée. C'est toi qui t'en chargeras.

— Moi ? Livrer des tissus ?

— Je n'ai personne d'autre sous la main, Anne. Toutes nos servantes sont débordées par les commandes à préparer. Les festivités qui durent depuis trois jours, depuis les noces royales, en fait, font en sorte que tout Paris semble vouloir se vêtir de neuf pour ne point paraître plus d'une fois avec la même robe ou le même foulard. De plus, Gontran a envoyé son fils nous aviser qu'il s'est cassé une jambe. Enfin, pas le fils, mais lui-même, notre brave serviteur borgne.

— Gontran s'est…

— Comme si on pouvait se permettre de perdre du monde ! Mais bon, pauvre homme, il doit souffrir assez sans qu'on ait à ajouter nos frustrations à ses malheurs.

— Mais je n'ai guère le temps non plus, mère. Je devais coudre la mantille de…

— La mantille attendra. Va retrouver ton père en bas, dans la boutique. Il te remettra le paquet.

— J'irai seule ?

— Je sais, avec tous ces Navarrais qui empoisonnent les entours du palais, ça ne m'enchante guère, mais Jehan, notre voisin, t'accompagnera.

— Le petit Brissier n'est qu'un enfant, maman.

— Il est huguenot. Entre hérétiques, je présume qu'ils se ménageront.

Je rigolai un brin en m'engageant dans l'escalier qui menait à l'étage du commerce. En réalité, j'étais excitée de retourner au Louvre, dont j'avais déjà franchi les portes, mais toujours en l'absence de la famille royale. Peut-être aurais-je la chance d'apercevoir une duchesse, voire une reine, au détour d'une haie.

Je croisai quelques serviteurs fébriles qui montaient ou descendaient dans un va-et-vient entre le magasin et les ateliers de couture…

— Bonjour, mademoiselle Anne.

… me saluaient, essoufflés…

— Comment allez-vous, mademoiselle, ce matin ?

… en proie à la frénésie apportée par le surplus de travail.

— Ah ! Anne ! s'exclama mon père à mon arrivée dans la boutique. Vite, ma fille. Il y a ce paquet que tu dois porter au Louvre. Ta mère t'a avisée ?

— Oui, père.

À l'entrée du commerce, Jehan Brissier, le fils du voisin, âgé de onze ans, traînait sa patte folle derrière lui. On disait que, lorsqu'il n'avait que quatre ans, la roue d'un carrosse l'avait renversé dans la rue. Le baron responsable n'avait pas même daigné s'arrêter, ne serait-ce que pour s'excuser.

— Bonjour, mademoiselle Anne.

— Tu me serviras de protecteur, Jehan, si on cherche à attenter à ma vie ? En récitant des thèses de Luther ?

Les joues du garçon, sous le noir de sa crasse, rougirent fortement. Je craignis un instant que l'intonation avec laquelle j'avais prononcé mon trait manquât d'humour, mais ce n'était que la timidité qui affectait mon pauvre petit voisin.

— Personne n'attentera à ta vie, grommela mon père en me tendant quatre paquets de derrière un comptoir. Premièrement, les Navarrais, depuis trois jours qu'ils festoient avec leur roi hérétique, sont trop saouls, et deuxièmement, Jehan n'est ici que pour t'aider à porter les ballots et agir à titre de chaperon.

— De chaperon ? Je ne comprends pas.

— Ton véritable protecteur sera plutôt ce gentilhomme-ci.

Je me tournai dans la direction indiquée par les doigts de mon père et, en reconnaissant la personne qui m'attendait près de l'entrée, au milieu du va-et-vient des employés, je faillis m'évanouir.

— Antoi… Monsieur Dub… bois ! bredouillai-je devant le mari que mon âme convoitait.

— Ce forgeron – déjà fort habile, ma foi – est venu apporter de bons ciseaux à tissu en espérant flatter le cœur de son futur beau-père, aussi me suis-je permis d'abuser de sa visite. De quelle meilleure escorte pourrais-tu profiter que celle du garçon qui a tout intérêt à veiller sur ton honneur ?

— Mademoiselle Anne, fit Antoine en s'avançant d'un pas et en inclinant le menton, vous me voyez très honoré de la confiance que m'accorde monsieur votre père et réjoui de l'opportunité de vous servir de protecteur. Mes bras et ma vie sont à votre service.

— Voilà donc qu'il parle comme un seigneur, en plus, lança mon père en éclatant du gros rire dont il nous étourdissait à l'occasion. J'espère que je n'aurai point à me repentir de la bonne humeur que m'apportent toutes ces généreuses commandes du palais. Surveille-les bien, mon Jehan, qu'ils ne se touchent pas même les mains quand ce jeune homme, à n'en point douter, offrira à sa belle de lui remettre ses ballots pour les transporter à sa place.

— B... bien, monsieur, approuva le petit boiteux, l'air de se demander en quelle manière il pourrait s'acquitter de sa tâche sans s'attirer du déplaisir de ma part ou de celle de mon père.

Car à l'évidence, ce brave garçon, tout huguenot qu'il fût, était de la meilleure graine. Nous l'appréciions beaucoup, autant que ses parents, deux honnêtes travailleurs de la teinturerie non loin de notre commerce de tissus.

Et ce fut ainsi que, ce matin-là, accompagnée du fils Brissier et du garçon avec qui je comptais célébrer mes épousailles, je m'ébranlai pour le palais du Louvre, deux paquets de soie fine sous les bras.

5

Au Louvre

— Le mariage d'une princesse catholique avec un roi huguenot est un sacrilège ! Le pape lui-même a refusé sa dispense. Le cardinal de Bourbon n'avait point autorité pour les unir devant Dieu. Honte !

Un prédicateur franciscain, vêtu de la bure marron de son ordre, haranguait la foule sous l'œil tolérant de la milice. On se pressait autour de lui, mendiants comme marchands, étudiants comme larrons, afin de mieux l'entendre. Plusieurs l'approuvaient en répétant ses dernières paroles ou en y allant d'une farce grasse qui, en général, touchait soit le caractère austère des protestants, soit les prétendues mœurs trop libres prêtées à la princesse Marguerite.

— Les membres du Parlement de Paris ont refusé la mascarade ! hurla une voix aiguë. Ils n'ont point assisté au mariage. Sans compter que toutes ces dépenses royales nous coûtent la peau du cul.

Des rires fusèrent.

— Le roi de Navarre n'a pas même voulu entrer dans Notre-Dame, ricana un vieil homme en s'accrochant à deux mains à son bâton de marche. Trop romaine à son goût. Il fallait voir les épousés sur le parvis de l'église en train de suer sous le soleil.

— C'est un scandale de voir la dignité cardinalice opérer hors des lieux sanctifiés, ajouta un compère non loin. Honte aux Bourbons ! Honte aux Valois ! Honte aux Coligny et Condé, à tous ces nobles qui méprisent le sacré !

— Vive Henri de Guise, le défenseur de la vraie foi !

— Vive la messe !

Antoine, qui portait mes ballots, me repoussa doucement avec l'avant-bras. Je m'adossai à un mur de pierres afin de livrer passage à un trio de réformés – reconnaissables à leurs habits sombres – qui couraient pour échapper à deux cavaliers. On leur cherchait visiblement querelle. Jehan se réfugia derrière ma jupe.

— Décidément, se moqua Antoine une fois que nous pûmes reprendre la marche dans la rue, c'est plutôt aux huguenots de craindre les catholiques et point l'inverse.

Et, disant cela, il donna un léger coup de pied dans l'arrière-train du jeune Brissier. Avec sa patte folle, le garçon eut peine à ne point tomber, et je me sentis choquée par le comportement d'Antoine – même si son geste fut fort désinvolte et bien peu violent.

Je me reprochai aussitôt d'éprouver de l'irritation envers celui qui avait la bonté d'aspirer à passer sa vie entière à mes côtés.

Nous arrivâmes par la rue de l'Autruche à l'entrée principale du Louvre. Là, les gardes du palais entendaient moins à rire et ne toléraient ni prêche ni désordre aux abords de la résidence royale. Je n'irais pas jusqu'à prétendre que le calme régnait, car une multitude de livreurs, de pages et de courtisans de petite noblesse se pressaient autour de la soldatesque ; toutefois, les mouvements de piques et les revers du plat de l'épée éloignaient ceux qui espéraient apporter l'agitation antiréformiste. Les huguenots en profitaient pour s'agglutiner en nombre dans les rues voisines.

— Que venez-vous faire au palais ? nous demanda un sergent d'une voix bourrue, visiblement fatigué de l'effervescence autour de lui.

Les cernes sous ses yeux rouges témoignaient d'ailleurs d'une nuit peu reposante.

— Nous sommes de la maison de tissus d'importation Augustin Sagedieu, dis-je en fléchissant légèrement les genoux dans une quasi-révérence qui ne pouvait que flatter le militaire. Mlle La Vergne, suivante de la reine Marguerite, a commandé les ballots que vous voyez çà. Sans doute avez-vous un homme sous vos ordres ou un page qui pourrait en prendre livraison et les apporter à…

— Qu'est-ce que vous croyez, la belle ? Que j'ai suffisamment de monde pour tenir la rue et, en plus, jouer les courriers auprès de ces précieuses de la cour ? Allez porter vous-mêmes vos marchandises à La Vergne.

— Mais j'ignore… nous ignorons dans quelle aile nous rendre, sergent.

— C'est bien le diable si vous ne trouvez point un galant oisif derrière quelque colonne qui saura vous informer du chemin.

Tandis qu'il nous livrait passage sous le haut porche, je l'entendis conclure :

— S'il n'est point trop saoul, comme de raison.

Nous franchîmes un pont dormant puis parcourûmes un préau encadré d'arches. Les portes donnaient sur différentes ailes du château. Ici aussi, une grande activité régnait. Des gens allaient, venaient, s'interpellaient, se regroupaient, se séparaient, en échangeant des expressions qui me paraissaient un brin soucieuses pour un palais en fête.

— Mlle La Vergne ? fit un courtisan vêtu de vert et d'orangé, indiquant par l'audace de ses couleurs son appartenance à la foi catholique. C'est dans l'aile des Navarrais, maintenant.

— Ah, mais pas du tout, le démentit un de ses pareils qui nous croisait à cet instant. La reine Marguerite n'a point passé encore du côté des huguenots ; elle est restée dans ses quartiers.

— Sans doute a-t-elle préféré consacrer sa nuit de noces à son amant, le duc de Guise, ricana à mi-voix le premier, ce qui amena son compagnon à éclater d'un rire franc.

Celui-ci enroula un bras autour des épaules de son compère et l'entraîna avec lui, nous abandonnant là.

— Informons-nous auprès de ces hommes vêtus de pourpoints noirs et de collerettes, proposai-je en lorgnant un groupe plus calme. Ce sont des huguenots, des Navarrais, probablement. Ils nous indiqueront où trouver les appartements de leur nouvelle reine.

— Interrogeons plutôt la femme là-bas, suggéra Antoine en pointant le menton en direction d'une servante qui avançait sous un lourd paquet de draps.

— Pardon, madame.

Elle se tourna vers nous, et je constatai qu'elle n'était guère plus âgée que moi. Les durs labeurs, toutefois, avaient déjà remodelé sa silhouette en celle d'une mouquère plus vieille de quinze ans. Elle eut une œillade mi-intriguée mi-méprisante à l'égard de Jehan, qui traînait sa patte folle deux pas derrière Antoine et moi.

— Nous cherchons à livrer ces ballots à Mlle La Vergne, suivante de la reine de Navarre. Pourriez-vous nous indiquer le chemin ?

Elle renifla bruyamment avant de donner un coup de tête en direction d'un couloir qui faisait angle.

— Par là, répondit-elle rapidement. Mais vous n'y trouverez guère de monde. Tous sont au tournoi.

— Quel tournoi ? s'informa Antoine.

— Dans la cour, de l'autre côté de ce corps de logis. Ça fait partie des festivités de la noce. Ça n'arrête point depuis des jours. Hier, c'était une pantomime, avant-hier, un bal chez le duc d'Anjou, une soirée au palais... Ils vont nous faire mourir avec tous ces invités qui peuplent le château, ces étrangers du Béarn, les commandes qui ne cessent d'entrer...

— Merci, madame, dis-je en entraînant Antoine par le coude pour mettre fin à la litanie. Tu viens, Jehan ?

Je n'avais pas besoin de convaincre notre jeune chaperon de nous suivre, car il ne se tenait jamais hors de portée de ma jupe – je crois qu'il crevait de peur au milieu de la faune nobiliaire qui nous entourait. La femme posa sur sa patte folle un regard dédaigneux.

— Tous ces infirmes, l'entendis-je murmurer pendant que nous nous éloignions. On jurerait qu'ils se multiplient. Ça présage malheur, je vous le dis.

XXIe siècle au Québec

6

Les caprices des musulmans

— Tu veux bien remettre l'horloge du four à micro-ondes à l'heure ?

Je quitte mon bouquin des yeux pour constater que les voyants de l'appareil encastré sous l'armoire affichent quatre zéros. Mon père en est plus près que moi, il n'aurait qu'à étirer le bras, mais il est occupé à convaincre le repas de ne pas coller au fond de la poêle. Une épaisse fumée grasse l'enveloppe pareille à une aura viciée. Le ventilateur de la cuisinière, à bout de souffle, peine à recracher les vapeurs à l'extérieur.

Je me lève, abandonne l'héroïne de Martine Latulippe face au siège de la berçante – pour ne pas perdre ma page – et me dirige vers le micro-ondes. Le roman me plaît, mais je crois qu'il s'adresse davantage aux filles. Je devrais l'offrir à Marie-Maude, tiens. Ça me donnerait le prétexte idéal pour aller la voir, ce soir, après souper.

— C'est à cause de ces maudits islamistes, fait la voix de papa en me tirant de ma rêverie.

— Hum ? Comment ?

Mon père me jette un rapide coup d'œil avant de revenir à son brasier. Il reprend :

— Ce que tu es lunatique, toi, ces jours-ci ! J'ai l'impression de vivre avec un fantôme.

— Excuse-moi, p'pa. C'est à cause de mon travail de recherche.

Pas question que je lui parle de Marie-Maude.

— Quelles recherches ? demande-t-il en versant dans un plat en verre ce qui me semble être des légumes sautés – à moins que ce ne soit du steak haché ?

La fumée s'accroît et le ventilateur halète tel un vieil asthmatique. Je finis de reprogrammer l'horloge du four à micro-ondes avant de répondre :

— Un après-midi, en aidant Mme Karine à replacer de lourds volumes sur les plus hautes tablettes de la bibliothèque municipale, je suis tombé sur de très anciens registres. Ils parlent des premières familles du village.

Pendant que je retourne à la berçante, mon père pivote à demi vers moi en détachant le tablier rose bonbon noué à sa taille. Un tablier que maman, dans sa razzia post-divorce, a négligé de prendre, tandis qu'à peu près tout le reste…

— Ça remonte à quelles années ? demande-t-il, un sourcil plus haut que l'autre, ce qui, chez lui, dénote un air relativement intéressé.

— Vraiment aux toutes premières années de la colonisation de notre île. J'y ai même percé le fameux secret de…

— Maudits islamistes !

Relativement intéressé.

Du coin de l'œil, il vient de capter l'image que renvoie le téléviseur muet posé sur le meuble d'angle. Réglé sur une chaîne de nouvelles en continu, l'écran affiche les scènes frénétiques d'un attentat contre une centrale électrique du New Jersey.

— Le type était un employé du service d'entretien, raconte mon père en jetant des regards alternatifs sur la télévision et sur la préparation brunâtre qu'il verse par-dessus les légumes – ou le steak – dans le plat en verre. Ce salaud a profité de son autorisation d'accès à l'un des bâtiments principaux pour se faire exploser au milieu de la salle de contrôle. Il croyait sans doute semer le chaos dans toutes les villes de la région – dont New York – en les privant d'électricité. Mais ça n'a pas… Merde ! J'ai mis trop de sauce !

Il dépose le pot-verseur et entreprend de pencher le plat en verre au-dessus de l'évier. Un épais liquide s'en écoule. Quoique affairé à son travail de récupération, il reprend :

— Mais ça n'a pris que quelques secondes avant que les branchements de secours n'entrent en action. La demande brusque a fait flancher un moment nos réseaux au Québec – vu que nous sommes le principal fournisseur en énergie électrique de la Nouvelle-Angleterre –; toutefois, pour ce qui est du chaos espéré par l'extrémiste : tintin !

Il a un petit ricanement qui se veut sans doute méchant, mais ça n'est guère convaincant. Mon père est foncièrement pacifiste. Et accommodant. Il suffit de lire les papiers du divorce d'avec maman pour s'en persuader. Pas pour rien qu'il lui a abandonné notre grand condo de Québec pour se contenter de la vieille maison de mes grands-parents décédés, ici, sur cette île perdue de Saint-Barthélémy-de-la-Côte-Nord. Même si les gestes radicaux des terroristes le mettent en rogne, papa serait le premier à s'asseoir avec eux pour discuter de la manière de régler les litiges pacifiquement.

Il place son récipient en verre sur un sous-plat au centre de la table où assiettes et ustensiles indiquent déjà nos emplacements face à face. Si j'ai retrouvé le roman de Martine Latulippe, je n'ai pas repris ma lecture. Je regarde plutôt mon père s'affairer à éponger avec une serviette en papier un amas brun laissé par la sauce sur la nappe.

— Ironie de la chose, poursuit-il, ce soir, au conseil municipal... Viens manger, c'est prêt.

Je dépose une fois de plus mon livre derrière moi et rejoins mon père tandis qu'il ajoute :

— Ce soir, à la réunion des échevins, nous aurons à débattre justement de la demande des frères Mansouri, qui aimeraient que, à défaut d'une mosquée dans le village, l'un des locaux inoccupés de l'hôtel de ville serve de salle de prière.

Je m'assois à ma place habituelle, dos au comptoir. Papa remplit son verre d'eau minérale, mais avant de le porter à ses lèvres, il s'entête à préciser :

— Déjà que nous avons une église et un temple protestant pour trois mille habitants, ne manquerait plus qu'une synagogue et un sanctuaire bouddhique pour que le tableau soit complet.

— N'oublie pas les hindous.

Mon père boit en levant les yeux au plafond. Il n'y a ni hindou ni bouddhiste à Saint-Barthélémy. Quoiqu'il y ait une famille de témoins de Jéhovah. Et un raëlien. Et la vieille Martha qui communique avec les anges, mais celle-là...

Je me rappelle la silhouette de l'ancien crucifix restée imprimée sur le mur de la bibliothèque. Je dis :

— Je croyais que, selon les règles de notre municipalité, tous les locaux destinés à l'usage des citoyens devaient être laïques, qu'ils ne devaient pas même comporter de signes religieux.

Papa dodeline de la tête en avalant sa gorgée. Il pose son verre sur la table et répond :

— Là, le problème est différent. On parle de consacrer une salle à des activités de culte ; c'est comme si on demandait de transformer un édifice inutilisé en... en église, par exemple. Bon sang ! rage-t-il en prenant sa fourchette dans un mouvement brusque, comme s'il l'attrapait au vol. Avec la Révolution tranquille, le Québec pensait bien avoir relégué la religion là où elle devrait être : chez les individus, pas sur la place publique. Maintenant, surtout avec les immigrants d'autres cultures, j'ai l'impression que la société recule.

— Et tu appuieras la demande des Mansouri ou tu voteras contre ?

— Contre. Archicontre, répond-il sans hésiter.

Pendant les secondes qui suivent, nous restons silencieux, méditant sur la gravité de ces paroles. Papa est rarement aussi catégorique.

Il est vrai que, à mesure que le Québec diversifie ses traditions, les choix d'avant ne reflètent plus nécessairement les valeurs de ses nouveaux citoyens. Même Noël a dû être transformé, devenant non plus une célébration chrétienne, mais une « fête de fin d'année ».

— Très… hum… très bons, tes légumes, papa, que je finis par dire comme pour alléger une atmosphère qui me paraît inutilement tendue.

Mon père lève vers moi un visage à l'expression indéfinissable. Il réplique :

— Ce sont des pâtes.

7

Chez Marie-Maude

La porte s'ouvre sur la mère de Marie-Maude. Sous certains aspects, elle ressemble à maman, notamment à cause de son nez un peu épaté et de ses yeux globuleux. La façon de se coiffer également, avec un amas de cheveux plus porté d'un côté que de l'autre. Aussi, je m'étonne de la voir sourire si facilement, de ses paroles de bienvenue, de son empressement à me faire entrer dans la maison.

Ma mère n'accueille personne de la sorte. Pas même mes amis les plus proches. Alors, une vague connaissance de son enfant…

— Marie-Maude est au sous-sol avec une copine. Tu n'as qu'à descendre les rejoindre.

De la musique classique provient en sourdine d'un haut-parleur sur l'étagère du salon. Un ordinateur est allumé dans un coin. À l'écran, un graphique coloré ondule au rythme de la mélodie. La lumière du soleil couchant, en filtrant par la fenêtre aux rideaux clairs, trace des lignes dorées sur les meubles.

— Merci, madame.

La femme m'indique l'escalier à gauche avec sa rampe en érable verni.

— Tu peux m'appeler Marie-Josée, dit-elle en pivotant sur ses talons pour marcher en direction de la pièce voisine.

— D'accord, madame Marie-Josée.

Elle éclate de rire tandis que je descends les marches donnant accès à l'étage inférieur. Un grand miroir couvrant le mur d'angle me rassure sur mon aspect. J'ai enfilé un chandail qui met en évidence mes nouvelles épaules. On dirait qu'elles ont doublé de largeur dans les derniers mois, donnant à ma silhouette une allure athlétique qui n'est pas pour me déplaire. Surtout que je ne suis pas sportif. Je porte aussi mon jean le plus à la mode et des espadrilles pas trop abîmées par la route de gravier qui mène chez moi.

J'étire mes lèvres – un peu trop pulpeuses pour un garçon – et la grimace que je me renvoie me tranquillise sur la blancheur de mes dents. J'ai oublié de les brosser avant de partir et des reliefs éventuels du souper auraient pu gâcher définitivement mes efforts de séduction. Elles sont belles, mes dents, oui, mais bon sang qu'elles sont grandes ! Surtout les incisives. Je ressemble à Bugs Bunny.

Et puis, j'ai un petit sillon au milieu du menton qui me donne un air bébé. J'ai trop de sourcils. Et ces yeux bruns hérités de mon père ! Pourquoi n'ai-je pas les iris bleus de ma mère ? Au moins, ma tignasse fournie est restée à peu près coiffée telle que j'ai pris la peine de la démêler avant mon départ de la maison.

J'abandonne le miroir en tournant l'angle de l'escalier. À mesure que je descends, l'atmosphère change. Le moelleux éclairage solaire fait place à la dureté d'une ampoule au néon. Même le sofa aux profondeurs accueillantes et aux coussins épais, même les murs décorés de larges affiches de cinéma, même le tapis aux motifs colorés, ne parviennent pas à rendre la même chaleur que celle de l'étage supérieur.

La lumière provient d'une lampe sur un bureau accolé à la cloison du fond. Un autre ordinateur, ouvert sur un logiciel de traitement de textes, y trône. Une imprimante posée sur une table voisine crache des feuilles dans un cliquetis régulier.

Un grand fauteuil pivote vers moi.

— Félix ! Quelle bonne surprise !

— Allô, Marie-Maude !

La fille pour qui j'ai un petit béguin se lève. En dépit de ce pantalon de jogging trop ample et de ce t-shirt jaunasse taillé pour une personne quatre fois plus large, elle est magnifique. Son imposante chevelure brune s'allie à ses yeux noirs dans le plus heureux des mariages. Je m'émerveille de son nez à la ligne parfaite, de ses joues au modelé parfait, de ses lèvres parfaites autour de ses dents parfaites et au-dessus de son menton parfait…

On dirait que je manque d'adjectifs.

— Tu connais Soltana ?

J'abandonne mon inventaire admiratif pour remarquer tout à coup, au bout des doigts tendus de Marie-Maude, ce que j'avais d'abord pris pour un pan du rideau au mur. La fille de l'un des Mansouri, engoncée dans un vêtement aussi ample que celui de Marie-Maude – mais beaucoup moins coloré –, les mains appuyées sur le rebord du bureau – de toute évidence, elle fixait l'écran –, à son tour, se tourne vers moi.

— Oui, je… Enfin, non… je…

Pourquoi je balbutie, moi ? Je savais que Marie-Maude ne serait pas seule, sa mère me l'avait appris.

— Soltana, Félix. Félix, Soltana, dit Marie-Maude en faisant passer ses doigts de la musulmane à moi.

Soltana pose à peine les yeux sur ma personne avant de les baisser sur le tapis.

— Bonjour, murmure-t-elle.

Je reconnais la voix de mésange.

— Salut.

Je reste là à considérer sa silhouette imprécise dans une robe à la confection quelconque. Sa tête est complètement enveloppée dans un voile de facture semblable au vêtement et qui masque cheveux et cou. L'éclairage en biais tombant de la lampe ne me permet d'apprécier de sa figure que le satiné de sa peau, le rebondi d'une joue, la délicatesse de ses cils, le nez un peu fort et les lèvres charnues comme des cerises.

— Soltana est venue me donner un coup de main pour préparer mon oral en français, fait Marie-Maude en se laissant retomber dans le fauteuil pivotant. Je parlerai de la guerre d'Algérie.

— Ah ? Ce... c'est chouette.

Je m'ébroue soudain et, sourcils froncés, demande :

— Comment ça, ton oral en français ? Tu es en rattrapage ?

Mon béguin fait une grimace en hochant la tête d'une épaule à l'autre. Même avec cette mimique exagérée, je lui trouve un charme fou. Elle confesse :

— Ouais. Plutôt poche, hein ? Mon examen est la semaine prochaine. Soltana est vraiment chic de gâcher une partie de ses propres vacances pour m'épauler.

— Mais non ! proteste la voix de mésange. Ça me fait... J'ai là le prétexte idéal pour ne pas rester à m'ennuyer chez moi.

— T'ennuyer ? s'exclame Marie-Maude en faisant pivoter son fauteuil face à Soltana. Avec tes deux frères et tes quatre sœurs ? Ça doit être génialoïde chez toi, au contraire. Pas comme ici où, à part la musique classique de maman et les grogneries de papa, on n'a droit qu'au silence des îles.

Marie-Maude, d'un mouvement expert des pieds, revient face à moi. Sautant du coq à l'âne, elle m'apprend :

— Selon ton prof... je veux dire, ton *ex*-prof de français, Soltana devrait se trouver dans ma classe en septembre. Dommage que tu passes en cinquième secondaire, tu aurais pu te joindre à l'équipe de travail qu'on prévoit former. Soltana a des notes explosives en français.

— Je serais meilleure en arabe, plaisante la musulmane en levant les yeux du tapis pour les poser sur notre amie commune.

— Maintenant, dit Marie-Maude, il ne nous reste plus qu'à nous acoquiner avec une étudiante ferrée en math et on balaiera tous les records de quatrième secondaire.

Et elle éclate de rire en se renversant dans le fauteuil. Sa bonne humeur m'émeut sans que j'en saisisse le pourquoi. Est-ce ainsi que ça se passe quand on tombe amoureux ?

Je mets plusieurs secondes avant de remarquer que, libérée d'une partie de sa timidité, Soltana s'est esclaffée aussi, les pupilles dirigées vers moi.

C'est la première fois que je peux constater la beauté un peu irréelle de sa bouche quand elle s'ouvre dans un rire. La forme dessinée par ses lèvres, l'alignement sans défaut de sa dentition, la blancheur de ses dents exaltée par l'ambre de sa peau, tout cela lui donne un visage nouveau que je n'avais pas deviné. J'essaie de l'imaginer sans ce voile qui lui enserre la tête, avec une cascade de cheveux noirs bouclés tombant sur ses épaules, ou même avec une simple coiffure rasant le lobe de ses oreilles, et il me semble qu'elle serait jolie.

Quand la musulmane constate que je l'observe avec insistance, son amusement se désintègre à demi. Marie-Maude sent peut-être qu'un malaise risque de s'installer et, se redressant en partie, mais sans quitter son fauteuil, elle me dit :

— Alors, Félix ? C'est rare que j'aie le privilège de t'accueillir chez moi. J'espère que tu ne vas pas me dire que tu es venu me voir seulement parce que tu passais devant la maison.

Je me rappelle tout à coup Martine Latulippe, que je serre entre mes mains.

— Euh, non, bien sûr ! que je réplique en tendant le livre vers Marie-Maude. J'ai terminé ce roman et j'ai pensé que ça te plairait de le lire à ton tour.

Mon béguin, au lieu d'exprimer son ravissement – ou, du moins, de le feindre pour me faire plaisir –, plisse le nez dans une moue ennuyée. Elle se renfonce profondément dans le dossier du fauteuil en agitant les doigts à la hauteur du visage…

— Bof ! fait-elle. Contrairement à toi, je ne me sens pas très branchée par les bouquins.

… puis poursuit son mouvement dans la direction de son amie.

— Soltana, par contre, adore la lecture. Pas vrai, Sol ?

Quoi ? Elle refuse mon…

— Je dois le confesser, répond la voix de mésange. En particulier les romans de Martine Latulippe.

Même si j'essaie de froncer le moins souvent possible ces vilains sourcils qui, au-dessus de mes yeux, me paraissent comme deux grosses chenilles déjà trop poilues et trop visibles, cette fois-ci, je ne peux m'y soustraire. Je tourne vers la musulmane une expression mêlée de déception et de perplexité.

— Ah ? Tu…

Je reste indécis, Martine Latulippe jalousement serrée entre mes mains.

— Si ça ne t'ennuie pas de me le prêter, dit Soltana en inclinant la tête dans un mouvement charmant, je te le rendrai dès que je l'aurai terminé.

Finalement, elle est moins timide que je le croyais au départ.

— Et à la vitesse à laquelle elle lit, tient à préciser Marie-Maude, tu n'en seras pas séparé longtemps, de ton bouquin.

Sans trop savoir par quel détour il est passé, je constate que le présent que je comptais offrir à ma belle ne se trouve plus entre mes doigts, mais caressé par ceux de Soltana. Celle-ci le fixe avec une expression béate.

— Génial ! C'est son dernier. Je ne l'ai pas lu. Merci. T'es vraiment gentil.

Quand je retrouve le chemin qui mène chez moi, sous les premières étoiles qui piquettent le ciel toujours trop clair de l'été, à travers les embruns aux odeurs de blanchailles, je ne suis ni aigri, ni déçu, ni fâché, ni peiné, encore moins dévasté.

Étonné, toutefois. Étonné que la fille dont je suis si entiché et qui n'est pas indifférente à ma personne – du moins, je le pense – n'ait démontré à mon égard ni les attentions auxquelles je m'attendais ni l'intérêt que j'espérais.

Je suis étonné, surtout, de ne m'en trouver ni aigri, ni déçu, ni fâché, ni peiné, encore moins dévasté.

Août 1572 en France

8

Dans les quartiers des suivantes

Antoine, mon promis, le petit Jehan Brissier avec sa patte folle et moi-même, après avoir parcouru un moment les préaux du Louvre avec nos ballots de tissus sous le bras, trouvâmes enfin la section du Louvre consacrée aux quartiers de la reine Marguerite et de ses favorites. Contrairement à l'extérieur, les couloirs du palais étaient plutôt déserts et de nombreuses pièces avaient les fenêtres fermées par des rideaux.

— C'est pour une livraison ? Des cadeaux de noces ? Posez ça sur les tas que vous voyez là-bas.

La jeune femme qui venait de parler affichait une poitrine quasi dénudée et se moquait éperdument des regards d'Antoine et de Jehan. Une camériste s'affairait à renouer les lacets dans son dos. Sa coiffure tombait en ruine, ses yeux étaient bouffis et le rouge de ses lèvres molles s'étendait sur une partie de ses joues. De toute évidence, la nuit avait été courte… ou trop longue.

— Ce n'est pas un cadeau, mademoiselle, répliquai-je en refaisant une révérence, mais plus soutenue, cette fois. Il s'agit d'une commande pour Mlle La Vergne.

— Oh, celle-là…

Les mots furent à peine murmurés – sans doute à l'intention de la domestique –, mais je les entendis fort bien.

La suivante inspira profondément en grimaçant – pour chasser ce que je conclus être une attaque de nausée – puis, comme elle allait me donner davantage de renseignements, un homme surgit, les cheveux ras et la barbe brouillonne, l'épée ballante au côté, la braguette à demi refermée.

Je me courbai plus encore en invitant de la main Antoine et Jehan à lui livrer passage ; nous retraitâmes contre le mur voisin.

— Nous sommes en retard pour le tournoi, mademoiselle, lança le noble sans nous prêter attention et en tapant une fesse de la jeune femme au passage. Si vous tenez à éviter les gorges chaudes ou les reproches de la chère Margot, vous avez intérêt à activer votre joli popotin.

— Allez porter vos ballots dans la pièce au fond, nous proposa la femme sans même répliquer au gentilhomme qui s'éloignait. Derrière ce rideau, vous trouverez une porte. C'est là que La Vergne a ses quartiers. Déposez vos… Aïe ! Doucement, Béatrice, avec ce nœud… Plus serré que ça et je vomis.

— Navrée, mademoiselle.

— Je disais quoi ? Ah, oui, reprit-elle après une dernière grimace, déposez vos effets où vous jugerez bon de le faire.

J'inclinai tout le corps en guise de remerciement et entraînai les deux garçons avec moi, trop heureuse de quitter la compagnie de cette suivante qui me semblait bien peu digne de fréquenter les grands de la cour.

Nous franchîmes la lourde tenture servant de seuil, traversâmes une antichambre puis atteignîmes une porte qui devait correspondre à celle des appartements de Mlle La Vergne. Le silence des lieux, après la frénésie de la cour extérieure et des préaux, nous parut aussi étouffant que les odeurs des vases de nuit dont le contenu stagnait dans la chaleur des recoins.

— C'est ici, tu crois ?

Antoine indiquait du menton le lit aux draps défaits, la commode couverte de pots de crème, de poudre, d'articles de beauté, les robes jetées çà et là dans un amas que les lavandières s'apprêtaient sans doute à venir prendre.

— Oui, je suppose que c'est la pièce qu'on nous a désignée. Tiens, ouvrons les ballots pour étendre les tissus sur ce fauteuil. Ainsi, ils seront bien visibles, et Mlle La Vergne trouvera sans mal sa marchandise dès son arrivée. Elle saura que nous avons répondu vitement à sa commande.

Jehan aida Antoine à exécuter mes directives. Une fois les fines étoffes placées bien en vue, je ne demandai pas mieux que de m'en retourner au plus vite. Le lieu, en dépit de la présence de deux familles royales en ses murs, ne m'inspirait pas la majesté des fois précédentes où j'étais venue. Sans doute à cause du désordre occasionné par les festivités du mariage.

— Combien peut valoir ce pendule décoré de pierres de couleurs et qui…

— Antoine ! Partons.

Je tirai mon amoureux par la saignée du coude – sans manquer d'apprécier la dureté de ses muscles qui se contractèrent dans le mouvement. Je précisai en murmurant :

— Nous n'avons pas à nous attarder ici.

Antoine par le bras, Jehan par la main, j'entraînai mes deux compagnons vers l'antichambre.

— Je ne voudrais point qu'on nous… Ah !

Mon cri bref et plaintif ressemblait à celui d'un oisillon. Devant nous, trois hommes à la mine revêche firent un pas de côté, tout aussi surpris que nous de se trouver en présence les uns des autres.

— Par saint Denis ! jura non pas le plus grand, mais le mieux habillé des trois. Qui sont ces drôles ?

Et il dégaina son épée dans un chuintement de métal si sinistre que j'en tressaillis des tempes aux chevilles. Avant que nous puissions répondre, les deux gentilshommes qui l'accompagnaient s'armèrent, l'un d'un pistolet, l'autre d'un coutelas.

— Mes… sires…, finis-je par balbutier une fraction de seconde avant qu'Antoine, dans une réaction plus inconsciente que brave, s'avance d'un pied devant Jehan et moi.

C'est lui qui plaida :

— Messeigneurs, nous ne sommes que des marchands de tissus venus livrer une commande dans la chambre de Mlle La Vergne. Nous n'ambitionnons que de regagner les portes du palais afin de quitter la place.

Au lieu de se calmer, celui qui me semblait être le chef du trio – un homme dans la mi-vingtaine, plutôt séduisant, yeux clairs, barbe et moustaches en pointe – étira le bras pour pointer sa lame en direction de la gorge de mon amoureux. Je poussai un second cri d'oisillon.

— Qu'avez-vous entendu ? demanda-t-il, la bouche tordue dans un rictus mauvais qui réduisait à néant la beauté des traits de son visage.

— Plaît-il ? s'étonna Antoine.

— Qu'avez-vous entendu de ce que nous venons de dire ?

Antoine n'avait pas à simuler l'incompréhension, attendu que, en effet, nous n'avions rien saisi de l'échange entre le gentilhomme et ses compères.

— Mais rien, monseigneur. Nous ignorions que vous étiez ici puisque votre présence nous a surpris.

— Je n'en suis point si certain, drôle.

L'homme relevait les lèvres en une grimace menaçante, comme un chien s'apprêtant à mordre.

Ses deux compagnons, persuadés que nous ne représentions guère un danger en matière de combat, baissèrent leurs armes. Toutefois, ils gardaient le même air farouche que leur chef – en beaucoup moins séduisants –, et je ne savais de quelle formule user afin de convaincre ces trois querelleurs de notre bonne foi.

— Tu es catholique ou huguenot ? demanda l'élégant, à brûle-pourpoint.

— Me... moi, monseigneur ? balbutia Antoine. Mais... euh... catholique.

— Jure. Jure sur l'Évangile que tu es fidèle au pape ainsi qu'à la religion apostolique et romaine.

— Je le jure, monsieur. Je suis catholique, tout comme ma promise, ici, que j'ai accompagnée pour la livraison de la commande, tout comme ce…

Il s'interrompit juste avant de commettre le sacrilège, ayant oublié un instant la foi réformée de la famille Brissier. Cependant, les hommes ne parurent point s'en rendre compte, et le plus grand parmi eux, d'une voix basse, dit :

— Point de risque à prendre, monsieur le duc. Nous ignorons ce qu'ils ont saisi de l'échange. Débarrassons-nous de ces gêneurs.

Sans modifier l'expression de son visage, l'élégant, disposé à suivre la recommandation de son acolyte, plia légèrement le coude et s'apprêta à ficher la pointe de son épée dans la gorge d'Antoine.

Je n'eus même pas le temps de pousser un cri qu'une autre voix tonna dans l'antichambre :

— Vous n'irez tout de même pas jusqu'à répandre du sang catholique dans les quartiers de la reine de Navarre, monsieur de Guise !

Tous les six, nous nous tournâmes d'un seul mouvement en direction d'une femme de bonne carrure qui venait de surgir dans la pièce. Antoine, Jehan et moi serions restés paralysés si nous n'avions pas vu les trois hommes s'incliner profondément devant l'apparition. Aussitôt, nous les imitâmes en mettant un genou à terre et en baissant la tête.

Sur le moment, j'étais trop étourdie et angoissée pour bien comprendre ce qui se déroulait autour de nous, mais une chose me frappa : l'étrangère, vêtue de noir, avait parlé avec un très fort accent italien.

— Madame, Votre Majesté nous surprend simplement à interroger des intrus dans les appartements d'une favorite de sa fille.

Un hoquet faillit m'obliger à pépier encore une fois. Il avait dit « Votre Majesté » ? « Favorite de *sa fille* » ?

La femme qui venait de surgir si inopinément n'était donc nulle autre que Catherine de Médicis, la reine mère !

9

La reine mère

Catherine de Médicis était encadrée par deux caméristes silencieuses, au visage fermé. Jeune vingtaine, regard fixé droit devant elles, mains croisées sur leur jupe, on aurait dit qu'elles étaient étrangères à ce qui se déroulait autour d'elles.

— Monsieur de Guise, j'attends que vous m'éclairiez sur vos intentions.

Guise ? Le duc Henri de Guise ? L'homme qui avait failli planter son épée dans la gorge d'Antoine était le puissant chef de la faction catholique ? L'idole de tout Paris ? Celui qu'on prétendait l'amant de la princesse Marguerite, maintenant souveraine de Navarre ?

— Ces trois manants, qui n'ont rien à faire dans les quartiers de Margot... pardon, de la reine Marguerite, ont surpris une de nos conversations secrètes, madame. Nous ne pouvons les laisser en liberté.

— Il n'est point utile pour cela, monsieur le duc, que vous et vos deux amis... Monsieur de Maurevert, n'est-ce pas ?

— Madame, salua le plus grand des trois, celui qui avait un pistolet.

— Et monsieur Attin ? Qui appartient au duc d'Aumale ?

— Au service de Votre Majesté.

— Il n'est point utile, donc, messieurs, de souiller les appartements du Louvre pour si peu, reprit la reine mère sans que je susse si elle nous regardait ou non, vu que je gardais les yeux sur le plancher de bois ciré. Nous avons des prisons dans les profondeurs du château.

— Si fait, madame.

La prison ? Oh, mon Dieu ! Je me sentais à la fois étourdie et figée telle une mare sous la glace de février.

— Bien. Je passerai outre au fait que vous n'assistiez point en ce moment au tournoi qui occupe toute la cour, bien que, contrairement à moi, vous n'ayez point de deuil à souffrir chaque fois qu'on joute.

Personne n'ignorait que la reine mère ne s'était jamais remise de la perte du roi Henri II, son mari, mort à la suite de terribles blessures infligées lors d'un tournoi célébrant les noces de leur fille Élisabeth avec le roi Philippe II d'Espagne. C'était la raison pour laquelle, depuis une douzaine d'années, elle ne se vêtait que de noir.

— Aussi, poursuivit Catherine de Médicis, me contenterai-je plutôt de connaître les détails à propos de cette conversation gravissime pour laquelle vous faites tant de cas. En quoi était-elle si capitale que les jeunes gens ici présents, l'ayant surprise, méritent la mort ? Car voilà bien ce que j'ai cru pouvoir en conclure, n'est-ce pas ? En aucun cas, ils ne doivent la colporter à l'extérieur ?

Le silence qui suivit l'interrogation de la reine mère me parut si long que je relevai un peu le menton. Oh, à peine ! Juste ce qu'il faut pour toiser le duc. Je constatai que lui et ses deux compagnons, bien qu'ils gardassent une attitude fort humble, ne penchaient plus le corps en guise de déférence. Je considérai alors que, tout en conservant un genou à terre, je pouvais redresser la tête.

Le moment s'éternisait. Guise consultait ses acolytes du regard, visiblement à la recherche d'un faux-fuyant pour n'avoir pas à répondre à la question de la mère de notre roi Charles.

— Eh bien, messieurs ? s'impatienta cette dernière. Encore un peu et vous me ferez attendre.

— Madame, se risqua enfin le duc, nous étions à converser à propos de l'amiral de Coligny et des complots que lui et ses pareils, les Navarrais et les huguenots de toutes les provinces, fomentent contre les catholiques des Flandres.

— Ce ne sont point là ce que j'appelle des secrets, duc. Toute la France connaît les ambitions de notre bon amiral et son désir de nuire à notre ennemi héréditaire, l'Espagne. De quoi d'autre vous entreteniez-vous donc pour justifier la mort de ces jeunes marchands ?

— Madame, de rien d'autre que ce que je viens de vous révéler, répliqua le gentilhomme avec une mauvaise foi évidente.

Même moi, qui le rencontrais pour la première fois, je pouvais déceler le mensonge dans son ton. J'osai tourner le nez en direction de la reine mère et pus remarquer que, si cette dernière ne croyait pas non plus un mot des propos de son interlocuteur, elle conservait une attitude calme et une totale maîtrise de la colère que devait susciter chez elle une telle conduite. Elle fixait son sujet intensément avec un air de majesté qui, oui, correspondait parfaitement à la fonction royale que lui avait consentie la Providence. Elle riposta en prononçant chaque syllabe lentement, et son accent italien semblait magnifier la dignité de ses paroles.

— Monsieur le duc, connaissant de longue date le cours impétueux qu'empruntent souvent vos pensées, et étant instruite des talents guerriers des deux gentilshommes à vos côtés, j'en déduirais que ces…

Elle nous désigna, Antoine, Jehan et moi.

— … que ces trois jeunes citoyens ont plutôt surpris vos propres complots contre ledit amiral de Coligny. Suis-je dans l'erreur ?

Guise hésita juste le temps de permettre à la reine mère d'ajouter :

— Henri, ne me mentez point de nouveau, j'en serais fort contrariée.

Le duc s'inclina profondément en plaçant une main sur sa poitrine.

— Madame, Votre Majesté maîtrise si bien l'art de lire dans mon cœur que, cette fois, je lui épargnerai la dissimulation d'une vérité trop crue sous un mensonge. Nous parlions, en effet, de la fortune dont la France profiterait si l'amiral de Coligny, par quelque faveur divine, mourait dans les prochaines heures.

Et, en terminant sa phrase, il battit une paupière nerveuse dans ma direction. Si séduisant fût-il, la seule lumière de ses pupilles sur ma peau me fit me sentir sale. Ce coup d'œil le trahissait. Il savait que nous n'avions pas surpris sa conversation ; nous l'en avions convaincu. Maintenant, il était trop tard. En même temps que la reine mère, nous apprenions que les trois hommes s'étaient regroupés dans une partie du château qu'ils croyaient désertée pour comploter l'assassinat du chef politique des protestants.

— Vous n'ignorez pas, messieurs, fit Catherine de Médicis avec un ton à la colère contenue, que non seulement l'amiral est membre du Conseil de France, mais il est garant de la paix signée à Saint-Germain-en-Laye pour mettre fin aux guerres de religion qui nous ont tant meurtris. Il a l'oreille et l'affection du roi, mon fils. Il m'appert que ce dernier serait violemment mécontenté s'il prenait connaissance des méchantes pensées qui agitent votre esprit et qui ne s'expliquent que par votre haine de la Réforme…

Elle fit un pas vers Guise, imitée par ses suivantes, avant d'ajouter :

— … ou par votre envie de venger votre père tué voilà plus de dix ans par un bras armé, affirmez-vous, par Coligny.

Henri de Guise, devant la perspicacité de la femme, se borna à s'incliner sans mot dire. Maurevert et Attin, menton sur la poitrine, n'osaient plus bouger. Je voyais les muscles de leurs mâchoires se contracter sous leur vilaine barbe.

Ma respiration se bloqua en plein milieu d'une inhalation quand je pris tout à coup conscience que le regard de Catherine de Médicis était tourné vers moi ! Je déglutis avant de pouvoir reprendre mon souffle, tant ma gorge se trouvait soudain asséchée.

— Quel est votre nom, jeune fille ? demanda-t-elle.

— An... Anne Sagedieu, madame, finis-je par répondre après avoir humecté une fois de plus mes cordes vocales.

— De la maison de tissus Sagedieu, n'est-ce pas ?

— Ou... oui, madame.

— Je connais cette boutique. J'apprécie la richesse de la soie que fournit votre père à un prix honnête. Et ce jeune homme ?

— Ma... dame ? hésita Antoine quand, après deux bonnes secondes, il constata que les pupilles de la reine mère étaient posées sur lui.

— Votre nom.

— An... toine Dubois, madame. Forgeron. Et marin.

La femme laissa échapper un petit rire qui, d'une autre gorge, aurait pu apparaître comme un hoquet.

— Voyez-vous cela : un forgeron marin. Voilà qui est inusité.

— Je pratique pourtant les deux métiers, madame.

— Je sais. Je peux lire la vérité...

Elle se tourna un instant vers le duc de Guise avant de poursuivre :

— ... ou le mensonge dans les cœurs de tous ceux qui composent mon entourage. Je ne suis pas sorcière, tant s'en faut, mais je suis reine, mère et belle-mère de rois, mère et belle-mère de reines, et Dieu m'a gratifiée de talents dont ne peuvent se targuer mes sujets... fussent-ils nobles.

Elle revint à Antoine.

— Et je présume que le forgeron marin est l'époux de la mercière ?

— Son promis, madame. Si Dieu le veut, comme de raison.

— Tiens donc ? Et vous allez aussi librement ensemble par les rues de Paris, bien que vous ne soyez point encore mariés ?

— Nous avons un chaperon, madame, répliquai-je vitement à la place d'Antoine, sentant mon honneur plus intimement mis en cause que celui de mon compagnon. Voici Jehan Brissier, un voisin de notre maison.

La reine mère bougea à peine un cil en direction du garçon avant de poser de nouveau son regard sur moi.

— Bien, jeune fille. Vous me paraissez tous trois de fort bons sujets de votre roi, et je suis aise de vous avoir rencontrés. Cependant, je suis du même avis que monsieur le duc de Guise : il n'est point possible que les propos que vous avez ouïs puissent être diffusés hors de ces murs.

— Oh, soyez assurée de notre discrétion, madame. Jamais nous n'en divulguerons un mot.

— Cela ne saurait être aussi simple, hélas !

Je me retins de froncer les sourcils tandis que je l'observais. Catherine de Médicis eut une expression lasse sur laquelle elle s'empressa de souffler afin de retrouver l'air de majesté qu'elle arborait depuis son arrivée.

— Que pouvons-nous faire, madame, commençai-je, pour...

— Emparez-vous d'eux ! ordonna prestement Guise à ses deux compagnons.

Quand Maurevert me contourna, je sentis ses mains se refermer sur mes bras telles deux pinces métalliques. Je me débattis inutilement et vis qu'Attin posait la lame d'un couteau sur la gorge d'Antoine pour le convaincre de n'entreprendre aucune initiative malheureuse. Paralysé d'effroi, Jehan était dos contre le mur, les yeux ronds et la bouche bée. Je suppliai :

— Madame, je vous en conjure, nous ne dirons rien de ce qui s'est passé ici.

— Il n'est point indispensable de les tuer, monsieur le duc, fit la mère du roi en tournant vers Guise une expression de souveraine autorité.

— Nous les laisserons dans les cachots du château le temps que les choses se tassent, madame. Dieu ne saurait permettre que cela dure plus qu'il ne le faut.

— Ce n'est point une façon de remercier de loyaux sujets, duc.

Tout en gardant son regard sur Guise, la reine mère pointa une main dans ma direction.

— Cette jouvencelle appartiendra à ma suite pour la durée que j'estimerai nécessaire avant de la retourner à son père et à ses tissus. Quant à ce jeune homme et au garçon, vous en ferez des palefreniers. Je présume qu'un bon forgeron peut toujours être utile dans vos écuries, n'est-ce pas ?

— Certes, madame.

Je pensai à mes pauvres parents et à l'inquiétude qui allait les ronger quand ils constateraient que je ne rentrais point à la maison. J'osai exprimer une amorce de protestation :

— Mais... madame... je ne... Nous ne pouvons...

— Vous préférez croupir dans une cellule, mademoiselle ? demanda la reine mère en posant sur moi des pupilles emplies de tant de glace et de feu à la fois qu'une gifle ne m'aurait point mieux terrassée.

Je me contentai de baisser le nez sur mon genou encore à terre.

— Nous... sommes honorés... de... de servir nos princes, balbutia Antoine, la voix entrecoupée par la pression que la lame exerçait sur sa pomme d'Adam.

10

Dans la suite de la reine mère

— Mais… quelle tâche lui confiera-t-on ? s'inquiéta Charlotte de Beaune-Semblançay, la marquise de Noirmoutier, en me voyant paraître aux côtés de Louise, l'une des caméristes de la reine mère.

Je ne sus trop son rang dans l'entourage de Catherine de Médicis – dame d'honneur, d'atour ou de compagnie. Mon bref passage à la cour ne me permit point de reconnaître les différents titres.

— Sa Majesté a dit : toute corvée pour laquelle elle se montrera douée, répondit Louise.

Je me découvris aussi vulnérable vis-à-vis de la dizaine de filles qui m'observaient que lorsque je m'étais trouvée sous la poigne rude de Maurevert, une heure plus tôt. Je me sentais bête et surtout bien mal fagotée devant la qualité des tissus qui habillaient les dames d'atour et même les simples servantes de la suite de Catherine de Médicis.

Le tournoi auquel les hommes avaient participé était terminé, et les habitués du Louvre recommençaient à donner vie aux couloirs et aux ailes du château. Les femmes d'abord, avec leurs pépiements et le froufrou de leurs robes, réanimèrent les corridors avant que le corps de logis s'emplisse du martèlement des bottes et des éclats de rire des gentilshommes.

La marquise, joli visage et peau satinée, me toisa un moment de ses iris pers en hochant confusément le chef de gauche à droite. Puis, poussant un soupir, elle me demanda :

— Eh bien, ma fille ? En quoi pourrions-nous vous rendre utile ?

— Je l'ignore, madame, répondis-je en la fixant directement dans les yeux. Je ne suis...

— Baissez la tête, m'ordonna Louise.

— Je ne suis qu'une mercière, madame, repris-je en dirigeant le menton vers ma poitrine. Et je ne sais pour combien de temps on me retiendra ici.

— Oui, mais j'en connais qui se sont retrouvés au cachot pour des raisons sans doute moins graves que celles qui vous poussent parmi nous, répliqua sèchement la marquise. Cela vaut mieux pour vous, n'est-ce pas ?

Puis, d'un ton déjà adouci, elle poursuivit :

— J'ignore pourquoi la reine Catherine a jugé nécessaire de vous joindre à nous, mais on trouvera à vous occuper. Mercière, disiez-vous ? Vous savez l'art de coudre, alors ?

— Sans doute, madame.

Elle fit un pas vers moi et m'obligea à relever la tête en plaçant son index sous mon menton.

— Vous êtes plutôt jolie. Enfin... pourriez l'être si on vous fardait un peu. Et assez bien tournée. Il suffirait d'une plaisante robe... Êtes-vous vierge ?

La question me heurta tel un soufflet.

— Madame ! Je vous... Je ne suis point mariée. Je ne... le péché de chair...

— Oui, bon, cela ne répond point à mon propos. Êtes-vous vierge, oui ou non ?

— Absolument, madame ! m'écriai-je presque tout en ayant un mouvement de recul.

— Et vous tenez à le rester jusqu'au soir de vos noces ?

— Ma... dame, je suis une fille honorable !

Les gloussements que j'entendais autour de moi me blessaient autant que l'interrogatoire.

— Bien. Simple curiosité qui titillera sûrement ces messieurs que vous croiserez dans les prochains jours. N'en faisons pas un drame. Je les tiendrai éloignés de vous.

— Madame, tout ce que je désire est de retourner chez mes parents en compagnie de mon promis et du fils de nos voisins aussitôt que Sa Majesté le jugera bon. Je vous prie de croire que nous n'avons rien fait de mal…

— Je sais. Vous étiez sans doute au mauvais endroit au mauvais moment.

— Et par le fait même, madame, je ne demande qu'à me rendre utile à Sa Majesté pour sa générosité à notre égard. Je tiens aussi à retrouver les miens sans autre rapport avec les seigneurs de la cour que les relations qui les lient avec le commerce de mon père.

— Fort bien, fort bien, s'irrita la marquise en reculant et en se désintéressant de mon visage et de ma silhouette. Louise, vous pouvez vous retirer. Diane…

La camériste disparut en saluant, et une suivante s'approcha jusqu'à faire une petite révérence.

— Madame.

— Veuillez conduire mademoiselle auprès de Mme de Ramefort, qui lui confiera ses tâches.

Nouvelle courbette. La dénommée Diane me fit un mouvement de la tête pour m'inviter à la suivre, mais je ne bougeai point, souhaitant m'adresser une dernière fois à la marquise.

— Madame, me serait-il possible de transmettre un mot à mes parents afin de les rassurer sur mon sort ?

— Vous savez écrire ? s'étonna la femme en levant de hauts sourcils redessinés.

— Si fait, madame. Je vous serais des plus redevable si vous me permettiez cette faveur afin d'apaiser l'inquiétude de mon pauvre père et de ma chère mère.

— Soit. Je n'y vois pas d'inconvénient, à la condition que je puisse lire votre message pour m'assurer que vous ne révélez rien des choses qui, précisément, vous retiennent ici.

— Oh, merci, madame ! Vous m'enlevez un grand souci du cœur.

Réconfortée à l'idée de pouvoir aviser mes parents de notre sort à Jehan, Antoine et moi, je fis à mon tour une rapide courbette en guise de salutations et emboîtai le pas à la suivante.

* * *

Mme Françoise de Ramefort, gouvernante des filles, me parut plus lasse que méchante. Elle était assise sur une chaise à l'aspect minuscule sous son gros derrière. L'étoffe qui l'auréolait était si fournie que, de prime abord, je me figurai que la femme avait pris place sur un amas de rideaux.

— Qu'est-ce que la Noirmoutier veut que je fasse de vous ? me demanda-t-elle sur le même ton que la marquise, mais d'une voix plus sèche.

Elle s'était coiffée tout en hauteur et ses cheveux étaient trop blonds pour être vrais.

— Je peux coudre, madame. Dans les garde-robes de la mère de notre roi, il y a certainement quelques réparations à effectuer sur les...

— Que pensez-vous ? Quand Sa Majesté juge une pièce de tissu indigne d'être portée, elle s'en défait.

— Ce peut être des nappes, des rideaux, de la literie...

— Nous avons déjà lingères et lavandières, m'interrompit-elle avec une expression aussi désemparée qu'agacée, de même qu'un tailleur et son aide-tailleur ; des filles de chambre plus qu'il n'en faut... Et où vous logerai-je ? Nous n'avons plus un lit vacant.

— Dans le quartier des servantes des filles damoiselles, commença Diane, qui était restée à mes côtés, il y a toujours...

— Peut-être, coupa de nouveau la femme, mais cette jeune fille doit demeurer dans notre aile du palais, d'où il n'est possible de sortir que sous le nez des gardes. Ah ! Quelle idée a-t-elle eu là, notre reine mère, de nous obliger à jouer les geôlières !

— Je peux m'accommoder de bien peu, madame, dis-je, puisque je ne suis ici que pour quelques jours.

Je prononçai ces paroles tant sur le ton assuré de celle qui ne doute pas qu'avec l'espoir de n'avoir pas été dupée. Françoise de Ramefort m'observa un long moment avant de se mettre à balancer la tête dans un lent mouvement de considération.

— Au moins, fit-elle, vous n'avez point ces manières rustres dont usent les filles de marchands que nous avons coutume de croiser dans les rues.

Ne sachant trop si je devais prendre le trait pour un compliment, je restai silencieuse.

— Comment vous appelez-vous ? demanda-t-elle en joignant les mains sur ses cuisses.

— Anne Sagedieu, madame.

— De la maison de tissus du même nom ?

— Oui, madame, confirmai-je, fière que la renommée du magasin de mon père fût si bien reconnue à la cour.

Elle soupira avec force, mais sans ouvrir la bouche, si bien que je craignis une seconde que la morve ne lui vînt aux narines. Elle jeta :

— Ma pauvre enfant ! Dans quelles embrouilles vous trouvez-vous donc mêlée pour vous retrouver ici ? Non ! Ne me répondez point. Ce n'était qu'une formule. Je ne veux rien avoir affaire avec les secrets de ceux qui vous ont mérité votre sort.

II

La première nuit au palais

Le soir venu, je me retrouvai sur un matelas mince, quoique confortable, sur le plancher d'un réduit sans fenêtre qui tenait lieu de chambre à une certaine Ninon, aide-lingère. Quinze ans à peine, ma cooccupante affichait des yeux noirs immenses dans un minois plutôt joli. Elle souriait facilement, le plus souvent une main devant sa bouche pour masquer la canine manquante de sa dentition. Une grosse masse de cheveux charbon se déployait de chaque côté de sa tête à mesure qu'elle retirait les peignes de sa coiffure.

— Prends ma couverture. En cette chaleur, je ne m'en sers guère.

Le seul courant d'air qui nous parvenait arrivait d'un angle du plafond où deux planches disjointes laissaient filtrer des relents de fientes de souris. Une chandelle de mauvais suif nous dispensa un peu d'éclairage dès que le soir tomba sur les couloirs sans luminaires.

— On nous apporte à manger, annonça Ninon en entendant les pas de deux gamins chargés de distribuer aux servantes les restes des repas des cuisines.

Je fus surprise de la quantité de nourriture qu'on nous porta – volaille, bœuf, légumes, biscuits et gâteaux – tandis que, dans Paris, on criait famine. Ce soir-là, mes parents, mes frères et mes sœurs, comme chaque jour, devaient certainement se contenter d'un bout de pain, d'une soupe claire mitonnée avec les reliefs ménagés au dîner précédent et, peut-être, puisque nous étions riches, d'un poulet ou de quelques œufs achetés à quatre fois leur prix.

Je me résignai plus facilement à mon sort de captive en songeant que ma part du souper familial pouvait être répartie parmi les autres bouches de la tablée.

— Tu sais écrire? s'étonna Ninon quand je lui contai que la marquise de Noirmoutier m'avait permis de rassurer mon entourage à l'aide d'un billet.

Du jus de cuisson coulait sur son menton tandis qu'elle enfournait avec les doigts un morceau de gras de bœuf.

— Mon père paie un précepteur. Il veut que tous ses enfants, une fois adultes, puissent lire les contrats qui régissent la vie: mariage, location de propriétés, liens commerciaux, etc. Nous ne sommes point nobles, mais mon père a un grand sens des affaires. Il a su faire fructifier le magasin familial au point que nous pouvons nous prétendre riches.

— Que fais-tu là, alors, à partager le petit matelas d'une aide-lingère sur le plancher de cet horrible réduit du château?

* * *

Peut-être parce que je ne pouvais m'imaginer qu'on me garderait longtemps dans ce milieu qui n'était pas mien, et pour une faute qui n'était pas mienne non plus, je dormis assez bien. Au matin, je fus éveillée par Ninon qui se soulageait accroupie au-dessus du pot de chambre, sa mince jupe faisant corolle autour d'elle.

— À quoi t'occupera-t-on? me demanda-t-elle une fois les premiers bonjours échangés et après qu'elle se fut redressée en agitant les pans de son vêtement.

— Je ne sais trop encore, répondis-je. Mme de Ramefort veillera à me trouver une tâche pour tirer profit de ma présence parmi les employées du palais.

— Viens, fit Ninon en me prenant par la main. Nous avons un peu de temps devant nous. Je vais te montrer… quelque chose.

Nous quittâmes notre local exigu pour nous faufiler au milieu des premiers serviteurs qui commençaient à animer les couloirs. Nous pénétrâmes dans un espace fort étroit, dégagé entre deux murs mal juxtaposés, dans lequel s'amoncelaient des tas de torchons, d'ustensiles de ménage…

— C'est un débarras pour les femmes de chambre.

— Aïe !

… et qui était divisé par des tablettes désalignées.

— Prends garde à ta tête, ricana Ninon tandis que je me frottais le front, et approche ton œil du trou, là.

Un interstice illuminait l'angle de la cloison du fond. Encore deux planches mal alignées. Je me penchai pardessus trois seaux superposés pour apercevoir dans la mince ouverture un second réduit. Quoique tout aussi sombre que celui où nous nous trouvions, il faisait face à une embrasure donnant sur une pièce baignée par la lumière de larges fenêtres.

Je repérai les pans de rideaux fleurdelisés d'or et l'extrémité d'un lit sculpté.

— Tu vois des gens ? s'enquit Ninon.

— Non… Ah, si ! Une dame qui tient une robe dans ses mains… Elle la présente à… Attends… Une deuxième dame la rejoint… Ensemble, elles soulèvent le vêtement devant elles… Quelles belles toilettes elles portent !

— Tu ne distingues pas une autre fille ?

— Si. De dos. Elle est nue. C'est pour elle qu'on exhibe la robe.

Je discernais en effet la silhouette bien tournée d'une femme, les cheveux longuets, plus foncés que pâles, l'échine d'une cambrure parfaite, le rein creusé, la fesse ronde et satinée, la jambe fine, taillée pour faire soupirer les hommes…

— C'est la princesse Marguerite, m'apprit Ninon.

— Quoi ? faillis-je m'écrier en pivotant vers ma complice. La sœur de notre roi ? La nouvelle reine de Navarre ?

— Et la maîtresse du duc de Guise, ricana l'aide-lingère, une main sur sa bouche.

Je me dis que, oui, les rumeurs étaient sans doute vraies, puisque cette femme était bien digne de susciter l'envie chez un partenaire aussi séduisant que le – méchant – duc dont j'avais eu le malheur, la veille, de croiser la route.

Mais une reine pouvait-elle vraiment souiller sa personne sacrée par des outrages tels que la fornication et l'adultère ? Bien sûr que non. Ce n'était là que ragots répréhensibles pour bas esprits. Je m'apprêtais à sermonner Ninon sur le sujet quand une large silhouette vint occuper tout l'espace de la porte du débarras.

— Que faites-vous là, jeunes filles ?

Ninon abandonna son air amusé et inclina la tête, mais sans faire de révérence. Je l'imitai.

— Rien, madame.

— Vous cherchiez à vous dérober à vos devoirs, oui, corrigea la femme qui semblait détenir une certaine autorité. Au lieu de perdre votre temps, allez vitement aux cuisines manger une bouchée et empressez-vous de vous consacrer à vos tâches.

— Oui, madame, répondîmes-nous en chœur.

Et, sans demander notre reste, nous filâmes dans le corridor réservé aux domestiques.

* * *

Après avoir gobé aux cuisines l'un des quignons de pain réservés au personnel, je quittai le voisinage de Ninon pour me présenter à Mme Françoise de Ramefort. Je dus patienter plus de deux heures dans une antichambre, la femme ayant des « montagnes de problèmes d'intendance » à régler – selon ses dires – avant d'avoir loisir de se pencher sur « l'embarras supplémentaire » que j'incarnais à ses yeux.

Par les fenêtres ouvertes, à mesure que le temps passait, j'entendais croître les rumeurs dans la cour du Louvre. Les pavés résonnaient du martèlement des sabots de chevaux pressés. Des cris et des appels d'hommes me parvenaient également, mais il ne m'était pas possible de distinguer ce qui se disait.

Je me surpris à chercher à identifier le nom ou la voix d'Antoine, estimant que, peut-être, parmi cette agitation, les palefreniers étaient mis à contribution afin de parer les montures. Mais je ne perçus rien qui me permît d'apprendre quoi que ce soit sur le sort de mon bien-aimé ou sur sa première nuit entre les murs du château. Je souhaitais vivement que, comme promis par le domestique de Mme la marquise, le mot que j'avais préparé pour mes parents, la veille, se fût bien rendu à destination et que mon père eût informé celui d'Antoine – et de Jehan – des raisons de notre absence.

Mme de Ramefort finit par me convoquer auprès d'elle afin de me confier à la responsabilité d'une certaine dame Percheron, couturière que je n'eus point loisir de côtoyer puisque, dès ma sortie du cabinet de la gouvernante des filles, un page fort essoufflé fit irruption.

— Mademoiselle Sagedieu ? lança-t-il, après avoir fait la même demande à toute jeune servante qu'il croisait. Pardon, madame, se reprit-il avec une révérence rapide devant Mme de Ramefort. Savez-vous où je puis trouver Anne Sa... ?

— Mais... ici, mon garçon, l'interrompit la grosse femme, le visage plissé dans une grimace exprimant l'irritation. C'est la jeune fille que vous voyez çà.

Le domestique n'avait guère plus de douze ans. La figure aussi rouge que sa livrée était bleue, le cheveu blond, il transpirait par tous les pores visibles.

— Mademoiselle, commença-t-il en me faisant la même révérence qu'à Mme de Ramefort – car de toute évidence, il ignorait mon rang –, veuillez me suivre, s'il vous plaît. Vous êtes attendue.

— Comment cela, « attendue » ? s'exclama la gouvernante avant que j'aie le temps d'ouvrir la bouche. Mais cette jeune personne est dépêchée chez Mme Percheron, la…

— Vous me voyez navré, madame, la coupa le page en se tournant vers elle. Je reçois mes ordres de Sa Majesté la reine mère. Et c'est elle qui réclame la présence de Mlle Anne Sagedieu.

12

Le terrible matin

Tandis que, en compagnie du page dépêché par Catherine de Médicis, je traversais les couloirs du Louvre, je ne manquai pas de m'étonner de la frénésie autour de moi. Bien sûr, l'agitation du palais ne m'était pas familière, mais il me semblait que dans les chuchotements mêlés d'éclats de voix, dans les regards hantés et les expressions préoccupées, un remous inhabituel se dessinait.

— On l'a tué, murmura un domestique à l'oreille d'un collègue, d'une voix si forte que je considérai que même de l'autre extrémité du corridor on avait dû entendre sa confidence.

— Blessé seulement, paraît-il.

— Une balle de mousquet, renchérit un troisième serviteur qui croisait les premiers.

J'allais m'enquérir de qui ils parlaient quand mon cœur partit au galop. Mon esprit venait d'associer cet échange à la convocation de la reine mère. « Grand Dieu, me dis-je, se pourrait-il qu'il s'agisse d'Antoine ? »

Mes jambes vacillèrent et un faux pas me fit perdre pied. Je me rattrapai en plaçant une main contre le mur, évitant de tomber, mais je ralentis suffisamment pour que le page se tournât en fronçant les sourcils.

Les valets étaient déjà loin. Je réprimai l'envie de les héler pour m'informer de leurs propos. D'ailleurs, ma gorge s'était asséchée de façon si rapide que je n'aurais pu prononcer une parole.

— Vite ! m'enjoignit le garçon en agitant les doigts devant mon nez. Sa Majesté n'aime point attendre.

Je pris une grande inspiration en fermant les paupières à demi. Il me parut alors que les regards des domestiques que nous croisions se posaient sur moi avec une curiosité malsaine, un chagrin détaché, cette compassion distante réservée aux endeuillés anonymes, mais en qui l'on se reconnaît par l'universalité de la perte d'un être cher. Je me sentais glacée et, pourtant, je suais comme jamais.

« Anne, ma pauvre Anne, tu t'inquiètes pour rien. Personne ne connaît Antoine ni ne te connaît, toi. Aussi, nul ne parle de lui ni ne peut te relier à lui. »

Voilà de quelle façon je reprenais de l'assurance au moment de pénétrer dans le cabinet où se trouvait Catherine de Médicis.

Dans la pièce, une dizaine de femmes au moins entouraient la mère du roi. Cinq ou six gentilshommes, penchés vers elle, l'écoutaient avec respect. Les expressions étaient graves, les épées tressaillaient à la ceinture, les mains sur les pommeaux. À peine fus-je entrée que les escrimeurs sortirent à reculons par une grande porte différente de celle que le petit page et moi avions empruntée. Ils disparurent sans même s'être redressés.

Je m'intéressai aux dames et notai que l'une d'elles se démarquait par sa fraîcheur et par la richesse de ses vêtements. Dans la seconde où je la détaillai – avant de baisser les yeux –, j'estimai son âge à moins de vingt ans. Jolie, visage doux, iris noisette... Je me rappelai la vision du matin dans le débarras, la jeune femme vue de dos. Je conclus alors me trouver en présence de la reine Marguerite de Navarre, sœur cadette de notre roi Charles.

Je me prosternai pour faire une révérence, gauchement sans doute, car je n'avais jamais appris le protocole à suivre devant les reines et les princesses. Pendant les instants où je restai inclinée – en attendant qu'on me demande de me relever –, j'entendis glousser les favorites.

Une voix les réprimanda dans une langue que je ne saisissais pas. Ce n'était pas de l'italien, car je connaissais la musique de cet idiome – un banquier de mon père était piémontais. De l'allemand ?

— Mesdemoiselles, Sa Majesté n'aime point qu'on se moque des visiteurs, quel que soit leur rang, traduisit une dame près de la jolie jeune fille.

Sa Majesté ? Celle qui avait parlé dans une langue étrangère et qui avait eu besoin d'une traduction ? Ce fut à ce moment que je compris être en présence, non pas de la sœur, mais... de la femme du roi : Élisabeth d'Autriche, la reine de France elle-même !

Notre souveraine, de la dynastie habsbourgeoise, s'exprimait en allemand, en italien, en espagnol et en latin, mais pas en français. On la disait toujours accompagnée de Marguerite de La Marck-Arenberg, une comtesse qui lui servait d'interprète.

— Relevez-vous.

Cette fois, c'était la voix et l'accent familiers de Catherine de Médicis. Je pris tout de même le temps de lever prudemment le nez et de vérifier qu'on s'adressait bien à moi avant d'obtempérer.

La reine mère lâcha quelques mots à sa bru en italien et celle-ci, courtoise et obéissante – je croyais pourtant l'épouse du roi supérieure en hiérarchie –, inclina respectueusement la tête. Sans un regard pour personne, elle pivota en balayant de sa robe les carreaux de céramique et se dirigea vers la même issue que les hommes. Dans un froufrou de dentelles et un claquement de petits talons, le cabinet se vida.

— Laisse-nous seules, dit Catherine de Médicis au page. Avise le secrétaire que, dans exactement deux minutes, il pourra ouvrir pour faire entrer mon premier solliciteur.

Quand la porte se referma sur le jeune domestique, mon cœur repartit au galop, car je savais le moment grave. Rien que les mines des visiteurs me l'avaient confirmé. J'essayais de ne pas penser à Antoine, au fait qu'il était peut-être l'objet de cette convocation, et je souffrais mille morts. Je ne pouvais pas presser la reine mère de parler afin de mettre fin à mon supplice ; l'usage en compagnie d'une personne de rang royal était de patienter en silence tant que celle-ci ne prenait pas d'abord la parole.

— Voulez-vous vous asseoir ? demanda-t-elle après ce qui me sembla des siècles – mais qui ne devait guère être plus de deux ou trois secondes.

Elle me désigna l'une des trois chaises à haut dossier qui faisaient face au gros bureau en chêne sculpté trônant au centre de la pièce. Elle contourna le meuble et s'inséra – c'est le bon mot – entre les deux appuie-bras d'un fauteuil géant.

— Madame, osai-je en m'approchant des sièges, mais en restant debout, je vous en supplie, mon cœur est en émoi. Notre entretien a-t-il à voir avec la frénésie qui se ressent dans le palais, ce matin ? Cela concerne-t-il Antoine, mon compagnon ?

— Et pas qu'un peu ! répliqua la femme sèchement.

— Oh, par le ciel ! Il lui est arrivé malheur ?

— Non, mais cela ne saurait guère tarder si nous le laissons aller au milieu des huguenots.

— Plaît-il ?

La reine mère posa sur moi un regard hivernal. Je me sentis défaillir et acceptai finalement de m'asseoir dans la chaise la plus près. Je ne saisissais pas en quoi les réformés pouvaient représenter un danger pour Antoine. Du moins, pourquoi ce matin plus qu'hier ?

— À toute chose malheur est bon, fit la femme en secouant la tête dans une mimique d'abdication : il n'y a plus de raison pour que l'on vous retienne au palais. Au contraire, votre présence est devenue un embarras à cause de tous ces hôtes de la suite du roi de Navarre que nous hébergeons.

— Je... je ne comprends vraiment rien, madame. Pardonnez-moi. Puis-je vous demander d'être...

Ma voix s'étrangla à demi. Catherine de Médicis échangea sa mine vaguement irritée contre une sincère expression de pitié à mon égard. Je crois qu'elle éprouvait une réelle sympathie pour la situation dans laquelle Antoine et moi nous trouvions. De son visage rond aux prunelles vives, au nez comme un cep de vigne, aux lèvres minces et au menton volontaire se dégageait une bienveillance teintée d'autorité qui lui conférait autant de charme que de majesté. Même le noir de ses vêtements qu'elle s'entêtait à porter, s'il diffusait une certaine austérité – qui devait plaire aux huguenots –, ne parvenait point à gommer la lumière émanant de sa personnalité.

Elle lâcha :

— Henri de Guise a trouvé le moyen parfait de vous empêcher de répandre la moindre parcelle d'information au sujet de ce que vous avez pu saisir hier. Il vous a impliqués jusqu'au cou, vous et votre... promis... Comment s'appelle-t-il déjà ?

— An... Antoine Dubois, madame.

— Eh bien, votre Antoine Dubois, en moins de vingt-quatre heures, s'est attiré la reconnaissance du duc de Guise, mais aussi la haine éternelle du roi, mon fils.

— Antoine ?

Le regard froid comme une bise de décembre revint une seconde, mais céda aussitôt la place à une expression désabusée.

— Antoine, mécontenter son roi ? Madame, je ne sais quelle erreur a pu se...

— Jeune fille, il n'y a pas d'erreur quand un duc affirme. Et Henri de Guise soutient que son pistolet a été dérobé par un nouveau laquais d'écurie dont le nom est précisément celui de votre amoureux.

— Antoine ? Un voleur ? Jamais ! m'écriai-je en frôlant la malséance. Ce méchant duc… Pardon, madame. Ce duc ment afin de vous contraindre à jeter Antoine au cachot ! Il…

— Nul ne contraint la reine mère, mademoiselle, hormis le roi ! Et si votre Antoine n'était accusé que de vol de pistolet, ce serait là bien peu dans les circonstances, je vous en donne ma parole.

— Mais… mais de quoi est-il soupçonné, alors ?

— Ma fille, l'amiral de Châtillon, Gaspard II de Coligny, chef politique des protestants, ce membre du Conseil royal que mon propre fils, le roi Charles IX, appelle « mon père », ce matin, a été abattu près de chez lui par Antoine Dubois.

13

Le chemin des écuries

Tous les couloirs, tous les préaux, tous les jardins du Louvre étaient en pleine effervescence. Des Navarrais, reconnaissables à leur vêture sombre et à leur mine furieuse, circulaient à pas vifs de l'entrée du palais à l'aile où résidait leur roi, Henri de Bourbon. Des gentilshommes de la cour les croisaient, les uns souriant, les autres affichant sans ambages leur mépris. Les tensions entre catholiques et protestants semblaient plus profondes que jamais. Si les duels dans le voisinage du Louvre n'étaient pas interdits, combien d'escarmouches auraient éclaté sous ce cuisant soleil du vendredi 22 août!

Libérée de ma captivité par Catherine de Médicis, sans recommandation particulière sinon celle de m'en retourner chez moi, j'avais choisi de courir d'abord aux écuries. J'entretenais l'espoir d'y trouver Antoine et de l'obliger à se terrer au plus vite à la forge, voire au bateau de son oncle, avant que les huguenots le localisent eux-mêmes et cherchent à venger leur chef abattu.

Même si je me refusais à croire en la culpabilité de mon amoureux, je savais très bien que la rumeur affirmant que le puissant maître des protestants avait été tué par un simple roturier enflammerait les esprits et que chacun la tiendrait pour vraie, allié comme opposant à la foi réformée.

— Coligny n'est que blessé, annonça un page d'une voix essoufflée tandis qu'il revenait près de son maître.

— Tu es sûr ? s'informa le gentilhomme en prenant le garçon par la manche.

Je fis halte à un pas pour écouter. Nous étions dans une allée bordée de pierres entre deux ailes du château. Deux soldats qui discutaient plus loin tendirent l'oreille – dont un capitaine appartenant au duc de Guise, si je me fiais au manteau rouge que, malgré la chaleur, il avait jeté sur son dos. Des lavandières, panier sous le bras, s'arrêtèrent de même et, tous ensemble, nous nous intéressâmes au petit serviteur.

— Il a reçu un coup d'arquebuse dans l'épaule, il a perdu deux doigts, mais il est vivant. Des médecins sont à le soigner.

J'en éprouvai un grand soulagement. Je me dis que la colère des huguenots s'apaiserait sans doute un brin, et peut-être les moins fanatisés abandonneraient-ils leurs projets de revanche. Même les plus acharnés réduiraient leurs efforts pour rechercher Antoine. Et puis, une arquebuse, ce n'était plus un pistolet…

— Sait-on qui est responsable ? demanda le noble à son page.

— Non, monsieur. Après le tir, le coupable a pris la fuite grâce à un cheval préparé et tenu pour lui par un écuyer du duc de Guise.

— Qui est cet écuyer ? m'écriai-je. Quel est son nom ?

Le gentilhomme me jeta un regard contrarié avant de faire signe à son serviteur de ne point se soucier de moi. Mais j'insistai :

— Ce n'est pas lui qui a tiré, donc ! On dit qu'un pistolet du duc de Guise a été volé par un laquais d'écurie. Que ce laquais y aurait eu recours pour faire feu sur l'amiral. Mais c'est faux, si on a usé d'une arquebuse.

— Mademoiselle, fit le noble en me présentant la paume de sa main pour m'obliger à me taire, dans des événements de la sorte, de nombreuses rumeurs circulent et s'entremêlent avant que nous ne connaissions la vérité.

Je sentais l'excitation me gagner en proportion avec mon espoir de voir Antoine épargné. Le page reprit :

— Si on ignore encore qui a tiré, on est assuré que le coup est parti d'un bâtiment appartenant au chanoine de Villemur.

— Un proche du duc, laissa échapper le gentilhomme à mi-voix en affichant un air songeur.

— Ah ! Nous en étions certains ! s'écria un passant vêtu de sombre avec l'accent du Béarn. Ce maudit Guise a ordonné l'attentat. Nous demanderons à notre roi Henri d'exiger réparation au monarque de France.

— Tout doux, monsieur ! lui rétorqua le seigneur du domestique. Ce n'est point parce qu'un tireur s'abrite sous un toit que cela fait du propriétaire de la maison un complice. Ce n'est point parce qu'un laquais retient la monture d'un criminel que cela fait de son maître un coupable.

— Cette jeune fille prétend qu'un garçon au service des Guise aurait usé d'un pistolet du duc pour...

— Si le duc de Guise est le commanditaire d'un tel acte, il m'étonnerait qu'il ait confié la tâche à un vulgaire palefrenier, lança le gentilhomme en étendant les bras de chaque côté de son corps et en effectuant un mouvement du torse pour montrer qu'il s'adressait à tous les curieux l'entourant. Cela l'innocenterait même, si vous voulez mon avis ! L'attentat pourrait tout aussi bien être l'œuvre des Espagnols qui, on le sait, n'apprécient point la cabale de l'amiral de Coligny en vue de prêter assistance aux insurgés des Flandres.

Un autre Navarrais, large comme un buffet et poilu comme un chien berger, saisit le page à l'épaule pour l'obliger à le regarder.

— Il faut soumettre à la question cet écuyer du duc afin qu'il révèle l'identité du tireur ! Où est-il ?

— On l'ignore, monsieur.

— Sauf le duc de Guise, sans doute, grogna le Navarrais en relâchant le garçon d'un geste rageur.

— Vous accusez à tort, monsieur, rétorqua le maître du page, une main sur le pommeau de son épée. Et si ce n'était l'interdiction des duels au Louvre, je vous…

— Vous m'auriez fait quoi, monsieur ? l'interrompit le gros huguenot en avançant son visage couvert d'une barbe touffue. C'est moi qui vous aurais fait bouffer vos mignonnettes avant même que vous pussiez mettre votre fleuret au clair.

— Messeigneurs, du calme je vous prie, ordonna un capitaine des gardes que j'avais vu s'approcher lentement à mesure que notre rassemblement forcissait. J'ai le pouvoir de faire arrêter quiconque porte atteinte à la sécurité du palais et de ses entours.

Je n'en pouvais plus. Je repartis en courant en direction des écuries, laissant derrière moi les rumeurs de l'attroupement. Mes espoirs venaient de retomber avec la colère lue dans le regard vengeur des Navarrais. Qu'Antoine ait tiré avec le pistolet du duc de Guise ou qu'il n'ait servi que de laquais au criminel, pour les partisans de Coligny et les protestants en général, il était mouillé jusqu'au cou dans le complot. Chacun voudrait le localiser, soit pour le tuer, soit pour le torturer afin de connaître le nom du véritable commanditaire.

— Holà, ma petite demoiselle ! Où vous précipitez-vous ainsi ?

Un sergent d'armes, sourcils froncés et rictus mauvais, me bloquait le chemin menant aux étables. Derrière lui, deux hallebardiers nous guignaient, l'air sévère.

— Je dois retrouver un palefrenier, sergent. S'il vous plaît, laissez-moi…

— Désolé. Personne ne se rend aux écuries sans affaire quand le roi y est.

— Le roi ? Ah ? J'ignorais…

Voyant que je m'assagissais, le gradé perdit un peu de sa mine agressive. Il grogna en tournant les yeux vers les bâtiments où se dessinaient les mouvements nerveux de plusieurs pages et écuyers.

— Le roi va rendre visite à Coligny. Vous saviez qu'on avait attenté à la vie de l'amiral, ce matin ? Oui, bien sûr, tout le monde est au courant. Je ne saisis pas pourquoi notre monarque aime tant ce huguenot. Mais bon, ce n'est point à nous de comprendre les alliances qui lient les grands, n'est-ce pas ?

— Et si j'attendais que la suite du roi ait quitté les alentours, sergent, me permettriez-vous par après de…

Je m'interrompis de moi-même en tournant machinalement les yeux vers la gauche, là où un mouvement avait attiré mon regard.

Près de la margelle d'un puits d'où l'on tirait l'eau pour les chevaux, je vis courir un jeune garçon. Il émergeait d'un angle aveugle formé par un mur et une charrette de foin. Bien qu'il fût de dos, je le reconnus aisément à sa façon de traîner derrière lui sa patte folle.

Je m'élançai à sa poursuite.

14

Le retour dans Paris

— Jehan !

— Mademoiselle Anne !

— Où est Antoine ?

— Je l'ignore, mademoiselle, je ne l'ai plus revu depuis hier soir.

Le garçon avait les traits tirés, les vêtements encore plus défraîchis que la veille.

— Il n'était point avec toi aux écuries ?

— Si fait, mais des hommes du duc sont venus le chercher peu après notre arrivée. Je l'ai attendu toute la nuit sur le tas de paille qu'on nous avait assigné. Ce matin, des écuyers du roi ont obligé tous les palefreniers à sortir des écuries. Et un gentilhomme que je ne connais point, mais habillé de rouge, m'a dit de partir, qu'on ne voulait plus de moi dans les entours des chevaux de son maître.

— Mais Antoine... Où se trouverait-il, alors ?

— Une chose est certaine, mademoiselle Anne, il n'est point aux écuries.

Nous nous faufilâmes au milieu de la masse frénétique des gens de la cour qui allaient prendre des nouvelles ou en revenaient. Coligny était vivant et réclamait vengeance, selon les uns. Coligny était vivant et exigeait indulgence, selon d'autres. Il avait un bras cassé, il avait une jambe arrachée, il avait la tête ouverte, sur la foi des rumeurs qui se contredisaient à qui mieux mieux.

— Peut-être Antoine a-t-il regagné la forge de son père et s'y terre-t-il ?

— Les partisans du duc l'auront sans doute libéré comme nous, en effet.

Une chose était sûre, qu'Antoine fût ou non mêlé à l'attentat contre Coligny, il valait mieux pour lui ne point moisir au Louvre, où tant de protestants, venus pour les noces, bénéficiaient de la faveur du roi. Je conclus donc que mon amoureux devait être auprès de sa famille.

Jehan et moi sortîmes à l'extérieur du palais, où régnait un brouhaha encore plus indescriptible qu'à l'intérieur. Les huguenots originaires de toutes les provinces s'agglutinaient au pied des remparts, exigeaient dans tous les accents qu'on leur donnât des nouvelles de leur chef.

— Le roi est parti à son chevet, hurlaient des sergents en mal de patience, nerveux, encadrés de piquiers suisses à la mine mauvaise. Nous n'en savons pas plus que vous.

— Il a demandé à son médecin personnel de soigner votre Coligny. Le roi se soucie de ses sujets réformés autant que des catholiques. Il punira le coupable.

Le long des rues, on se toisait avec haine et méfiance. Des éclats de voix, parfois, criaient au déshonneur, à la trahison, appelaient à la vengeance, jamais à l'indulgence.

Nous parvînmes devant chez moi pour y trouver mes parents et ceux de Jehan qui nous accueillirent avec pleurs et soulagement.

— Anne, ma petite fille ! s'exclama ma mère en fondant en larmes et en m'ouvrant les bras.

Je m'y précipitai mais, trop inquiète pour Antoine, je ne pouvais me réjouir autant qu'elle de nos retrouvailles.

— Anne, fit simplement la voix émue de mon père, qui plaça sa grosse main sur mon épaule.

Près de moi, la famille de Jehan se livrait aux mêmes embrassades et sanglots.

— Ho ! Les huguenots ! Dieu a enfin épanché sa colère sur votre amiral de Châtillon ! hurla notre quatrième voisin à la famille Brissier.

Il s'agissait d'un homme détestable, toujours accompagné de son petit chien jappant. Il avait été menuisier, jadis, avant qu'un mauvais mouvement de scie ne lui emportât une main. Il partageait avec bien des gens du quartier la haine typique que les Parisiens vouaient aux réformés.

— Vive de Guise ! hurla-t-il en pointant son moignon vers le ciel, son roquet calé dans la saignée de son autre bras. Bravo au héros de Paris !

— Vive la messe ! répondirent à l'unisson d'autres voisins en guise d'approbation.

Mme Brissier, sans paraître les entendre, ferma à demi les yeux tout en serrant Jehan plus fort contre elle – elle utilisait un seul bras, car dans l'autre, elle tenait son dernier-né. Je retournai un regard méprisant aux chahuteurs puis, en m'arrachant aux étreintes de maman, demandai :

— Savez-vous si Antoine est revenu aussi ?

— Ce bon Toussaint est venu hier puis ce matin, répondit mon père. Il espérait son fils avec force, comme de raison. Peut-être, dans l'intervalle, est-il rentré comme vous auprès des siens.

— Vous savez qu'on l'accuse d'avoir tiré sur Coligny ?

Mon père et celui de Jehan ouvrirent de grands yeux stupéfaits. Ma mère plaqua cinq doigts sur sa bouche.

— Que dis-tu là ? s'informa Joseph, mon frère cadet qui, à quinze ans, jouait les nobliaux, se hanchant sur la jambe droite, la main sur sa cuisse gauche comme si elle reposait sur le pommeau d'une improbable épée.

En quelques phrases, je leur racontai les péripéties qui, la veille, nous avaient valu notre nuit forcée au Louvre. Après mon récit, mon père lâcha :

— Il faudrait aller vérifier auprès de Toussaint si Antoine est revenu à la forge et, surtout, si celui-ci est au courant des rumeurs qui circulent au Louvre à son endroit. S'il ne l'est pas, nous l'en préviendrons afin qu'il coure se cacher, le temps que l'amiral de Coligny avise ses parpaillots… Oh, pardon, Brissier !

Le père de Jehan, maigrelet et tout en angles, inclina simplement la tête pour signifier qu'il ne se formalisait point du terme « parpaillot ». Mon père reprit :

— Le temps que l'amiral de Coligny avise ses… *partisans* que son assaillant a peu à voir avec un jeune garçon n'appartenant même pas au duc de Guise.

— Je m'en charge, père ! émis-je avec toute l'énergie et l'angoisse qui m'animaient.

— Certainement pas… Ou plutôt, si. Mais je t'accompagne.

— Ainsi que moi, père, intervint Joseph, en accentuant davantage sa posture empruntée de gentilhomme.

— Et moi, dit Jehan.

Mais sa mère riposta :

— Non. Trop dangereux de se promener dans ces rues exaltées.

— Je suis de cet avis également, approuva mon père. Joseph et Anne suffiront largement. Et, en tant que catholiques, nous sommes moins exposés.

— Partons, alors ! lançai-je, impatiente d'apprendre ce qui était advenu de mon amoureux.

Après avoir balayé de la main les hésitations de maman, papa nous entraîna mon frère et moi en direction de la rue aux Ours, au coin de laquelle s'affichait le nom des Dubois sur une enseigne en bois verni. On y pouvait discerner aussi un dessin vaguement maladroit où s'entrelaçaient une enclume et un fer à cheval.

Ce quartier de la ville était moins soumis aux mouvements observés près du Louvre, mais les conversations que nous saisissions au passage ne variaient point : l'attentat contre Coligny, la probable implication des Guise, la visite de la suite royale au blessé… Les nouvelles couraient à la vitesse d'un chasseur au galop, mais nul ne mentionnait le nom d'Antoine. C'était déjà ça.

— Cher Augustin ! Mademoiselle Anne ! s'exclama Toussaint Dubois en nous apercevant à la porte de son atelier. Quel soulagement de vous voir !

Il portait son grand tablier de cuir, avait roulé les manches de sa chemise jusqu'aux biceps et, un ferretier dans les poings, secondait deux apprentis munis d'un frappe-devant et d'un hachard qui s'acharnaient sur des pièces en métal. Il abandonna aussitôt son travail pour nous accueillir. Il demanda, l'œil chargé d'espoir :

— Et Antoine ? N'est-il point avec vous ?

— Nous escomptions que vous nous renseigneriez à son sujet, répondit mon père en prenant un air navré et en glissant sa main blanche de tisserand dans la paume noire du forgeron. Anne a reçu son congé de la bouche même de la reine mère, et nous nous attendions à ce que le duc de Guise ait fait de même avec Antoine. Nous pensions le retrouver auprès de vous.

Le visage de M. Dubois me parut blêmir, bien qu'il fût noir de sueur et de suie.

— Mais… non. Je n'ai point revu… mon fils…

— Même le petit Jehan est retourné chez lui.

Le père d'Antoine tourna vers moi des yeux aussi chagrins qu'inquiets. Une mince pellicule humide s'y dessinait.

— Mademoiselle Anne, commença-t-il, dans quel guêpier êtes-vous donc tombés ?

— C'est ma faute, Toussaint, répondit mon père à ma place. C'est moi, au fond, qui ai demandé à Antoine de servir d'escorte à Anne pour aller au palais.

— Qu'est-ce à dire ? Mais où c'est qu'est mon n'veu ?

Un homme d'une bonne carrure, avec une grosse tête brune, émergea d'un débarras dont les tablettes croulaient sous les pièces de métal et les bandes de cuir. La mi-trentaine, il avait une bouche aux lèvres craquelées et à la dentition quasi inexistante. C'était la première fois que je me trouvais en présence de l'oncle Jacques.

— Voici Jacques, le pêcheur, le frère de ma femme, nous annonça M. Dubois. Jacques, voici M. Sagedieu, le plus grand tisserand de Paris... Mais si, mais si, je vous en prie... Et voici son fils... euh...

— Joseph, monsieur.

— Joseph, voilà. Et sa fille, Anne.

— Jarnidieu ! jura l'homme sans attrition. V'là donc celle qui fait tant rêvasser mon n'veu, le soir, accoudé au bastingage. Mais qu'est-ce à dire, hein ? Il est où, là, mon matelot ?

Avec le moins de phrases possible, je racontai les aventures que nous avions vécues dans les dernières heures. Quand j'eus terminé, un long silence tomba sur la forge. Même les apprentis avaient cessé de cogner sur leurs fers pour nous observer.

— Vous avez été reçue par la Médicis ? s'étonna M. Dubois en me présentant des yeux plus ronds et plus grands qu'une lune d'octobre.

— Si fait, monsieur.

— Et vous avez vu le roi ?

— Non, monsieur, mais la reine Élisabeth et la princesse Marguerite. Quoique de dos seulement pour cette dernière...

— Mais, jarnidieu ! ça signifie quand même qu'vous avez l'oreille d'la reine mère ?

— Je ne dirais point cela, mais elle me reconnaîtrait, pour sûr.

À ma grande surprise, M. Dubois se jeta à mes pieds, un genou à terre.

— Mademoiselle Anne, je vous en prie, usez de vos entrées au Louvre et de votre relation avec la mère du roi. Allez plaider pour mon fils ! Ramenez-le-moi ! Ramenez-le-nous !

Je ne demandais pas mieux, c'est certain, cependant il me semblait que le forgeron me prêtait un pouvoir dont je ne disposais pas.

— Mais… monsieur, je ne…

— Que dites-vous là, Toussaint ? s'alarma mon père. Vous ne pouvez inciter Anne à retourner dans ce nid de serpents où chacun complote la mort de l'autre !

— De grâce, Augustin, insista M. Dubois en se tournant vers mon père, vous avez aussi un fils ; vous n'ignorez point ce qu'il en coûte à nos cœurs de les savoir en danger. De ne point connaître leur sort. Resongez seulement à votre inquiétude de la nuit passée tandis qu'Anne n'était point sous la protection de votre toit.

Je n'osai point ajouter à son tourment en mentionnant les rumeurs du Louvre au sujet d'un certain écuyer des Guise impliqué dans l'attentat contre Coligny. Toutefois, ce détail supplémentaire achevait de me ronger, moi.

— Monsieur, fit l'oncle Jacques en se plaçant directement face à mon père, laissez-moi servir d'protecteur à la promise de mon n'veu, qu'est comme mon propre fils. Ce s'ra un honneur, morbleu. Et j'vous jure, sur ce poignard que vous voyez çà, qu'y lui arrivera miette.

— Mais… mais qu'attendez-vous d'elle ? s'inquiéta mon père en m'attirant à lui, son bras entourant mes épaules. Une fois au Louvre ?

— Qu'Anne quémande la faveur d'la Médicis, puisqu'elle en a l'oreille. Que la reine mère oblige les Guise à libérer notre Antoine.

15

L'entrée bien gardée

Finalement, sur le chemin du retour au Louvre, je me trouvais escortée de mon père, de mon frère et de l'oncle Jacques. Un fier trio armé d'un seul poignard qui aurait pu prêter à rire si je ne m'étais sentie tant alarmée par le sort du garçon dont j'étais éprise. De plus, il fallait dissimuler la lame aux soldats du guet que nous croisions, car dans la crainte des troubles, un édit royal interdisait aux citoyens de la capitale de s'armer dans les rues – édit, faut-il le préciser, qui n'était guère respecté.

Mon inquiétude croissait à mesure que nous approchions des abords du palais et qu'augmentait le flot de huguenots dans les rues. Ces pauvres gens, venus assister aux noces qui devaient sceller la réconciliation entre protestants et catholiques, étaient en nombre trop important pour ce que Paris avait de chambres à offrir. Aussi les trouvait-on installés le long des trottoirs, au seuil des maisons des réformés de la capitale, ou simplement là où ils se dénichaient un carré de pavés disponible.

Pas étonnant que tout Parisien soupçonneux vît en eux une horde d'agresseurs potentiels disposés à fondre sur les citadins à la première occasion.

— Holà, mes beaux merles ! Où croyez-vous donc aller comme ça ?

Le même sergent que la veille, mais encadré cette fois d'une milice de quinze Suisses, gardait l'entrée du palais. S'y pressait une faune agitée et bruyante de huguenots qui enguirlandaient les catholiques de passage, insultant et réclamant justice pour l'attentat du matin. La soldatesque était nerveuse.

— Nul n'est autorisé à franchir ces portes sans sauf-conduit, annonça le gradé à mon père et à l'oncle Jacques. Alors, inutile de me faire ces gueules-là. Retournez-vous-en.

— Mais, sergent, ne me reconnaissez-vous donc point? fis-je en m'avançant pour me placer sous son regard tendu.

Il me paraissait plus fatigué que la veille; une nuit supplémentaire à mal dormir et une situation encore plus instable creusaient ses rides et lui donnaient plus que son âge.

— Désolé, ma jolie. Des jeunes filles, j'en vois des cents dans une journée, et toutes aussi belles que toi. Conséquemment...

— Je suis de la suite de dame Percheron. J'ai été engagée hier par Mme de Ramefort à qui j'avais été recommandée par la marquise de Noirmoutier, dame Charlotte de Beaune-Semblançay.

À l'énoncé de ces noms prestigieux que je lui lançais à la figure, il daigna me toiser plus sérieusement. Sans se rappeler que j'étais venue en simple qualité de livreuse d'étoffes, il finit sans doute par replacer vaguement mes traits.

— Et comment se fait-il que la Percheron laisse ses couturières se balader hors les remparts sans sauf-conduit pour rentrer au bercail?

— Qu'en sais-je, moi? répondis-je avec une assurance qui ne manqua point de m'étonner moi-même. Ces dames de la suite de la reine mère ont-elles vraiment à rendre des comptes au régiment des rues?

Son visage s'empourpra tandis qu'il me livrait passage. Il ragea:

— Absolument, mademoiselle! Rapportez à vos mignonnes maîtresses que si elles mènent une existence tranquille et sûre en leurs murs, c'est grâce aux hommes comme moi qui savent faire leur travail à l'entrée du palais.

— Bien sûr, sergent, répliquai-je sur un ton plus doux afin de ne point m'en faire un ennemi. Nous connaissons toutes, au château, le courage de nos sous-officiers, secondés de leurs braves piquiers comme ces…

— Pas vous !

Le sergent venait d'indiquer à un garde de pointer son arme d'hast vers la poitrine de l'oncle Jacques. Mon père, qui avait déjà le pied levé pour faire un pas, s'immobilisa en empêchant Joseph d'avancer à son tour.

— Avec la donzelle, je veux bien être indulgent, grogna le gradé, mais pas question pour ces drôles d'entrer.

— Mais enfin, sergent, je suis son père, protesta papa, et un père protège sa f…

— Si elle est d'accord avec le fait que nous faisons bien notre travail, coquin, c'est qu'elle n'a point besoin de toi pour sa protection. Passe ton chemin.

— Mais point du tout. Je…

— Hé, là ! Calme, les Béarnais ! l'interrompit le soldat en pointant un index en direction de deux inconnus qui s'empoignaient non loin. Ou je fais danser les piques de mes Suisses, moi, hein !

— Monsieur le sergent…

— Vous êtes toujours là, vous ? Vous me dégagez l'entrée, oui ?

— Ça va, père ! dis-je en m'alarmant un brin des hasts que je voyais se hérisser en direction de sa poitrine et de celles de Joseph et de l'oncle Jacques. À l'intérieur, je ne cours aucun risque.

— Allez, circulez, circulez ! s'impatienta le sergent tant à mon égard qu'à celui de mes accompagnateurs.

— Nous t'espérerons ici, Anne, tout près de…

— Circulez !

— Ne m'attendez point, père, lançai-je alors que j'étais repoussée vers l'intérieur par des gentilshommes qui sortaient bruyamment et d'autres qui entraient en exhibant leurs sauf-conduits. Il y a trop d'agitation. Je reviendrai avec Antoine et, qui sait…, avec une garde royale.

J'éclatai de rire pour les rassurer, mais je ne ressentais ni amusement ni quelque espoir que ce fût de bénéficier d'une protection particulière à mon retour du Louvre.

* * *

Tandis que je traversais les préaux menant à l'aile du palais occupée par la reine mère, je ne manquai pas de m'intéresser à tout ce qui se disait autour de moi, notamment de la part des gentilshommes arborant quelque tissu rouge au pourpoint, couleur favorisée par les partisans du duc de Guise – que leurs opposants ou les simples jaloux appelaient les « guisards ». Si quelqu'un connaissait le sort d'Antoine, il fallait que ce fût un des leurs.

— Le nouveau palefrenier du duc ? s'étonna un courtisan guère plus âgé que moi et que j'avais osé aborder, car il marchait seul en provenance de l'allée conduisant aux écuries. (Il portait une écharpe carminée à l'épaule.) Je sais de qui tu parles, mais j'ignore où il se terre. On l'accuse d'avoir prêté main-forte à celui qui a attenté à la vie de Coligny.

— Mais c'est faux ! J'en suis persuadée. Antoine n'est point…

— Dame ! Ton Antoine est un héros catholique, si tu veux mon avis. Tu n'as point de souci à te faire. Qu'importe où il s'abrite, il est sous la protection de notre duc Henri.

Je n'étais point sûre de devoir me réjouir du statut héroïque qu'on prêtait au garçon dont j'étais amoureuse. Encore moins qu'il fût sous la « protection » du duc de Guise qui, bien que tout Paris le célébrât pour ses faits de guerre et sa détermination à défendre notre foi apostolique, m'avait semblé suffisant, méprisant, dur, cruel, même en son insistance à chercher à se débarrasser d'Antoine et moi. Il était pourtant certain que nous n'avions rien ouï de ses méchants complots avec ce... Maurevert et cet Attin. La reine mère elle-même en était convaincue.

Et puisque c'était elle qui m'avait paru la plus sage et la plus clémente, c'est entre les mains de Catherine de Médicis que je voulais remettre nos sorts, une fois de plus.

Je pouvais circuler assez librement – et anonymement – à l'intérieur du palais à condition de me contenter d'utiliser les couloirs dévolus aux domestiques et de raser les murs des corridors empruntés par les courtisans. Je me perdis plus d'une fois dans les multiples recoins et labyrinthes qui menaient d'une aile à l'autre, mais je n'osais m'informer auprès des servantes, caméristes, pages, et encore moins des demoiselles de compagnie que je croisais.

— La reine mère? En quoi Sa Majesté s'intéresserait-elle à une... *fille* de votre race?

La femme qui venait de m'intercepter avait prononcé le mot « fille » avec une expression de dédain, comme si mon sexe différait du sien par quelque souillure dont je n'avais pas le moindre entendement. Elle me repoussait de vifs mouvements de son éventail comme si j'étais un insecte qui dérange. Sa suivante me toisait avec morgue, ayant rencontré plus pauvre qu'elle. Nous nous trouvions dans les quartiers autrement déserts de Catherine de Médicis, que j'avais atteints non sans mal.

— Elle m'a fait appeler, madame, répliquai-je en reculant de deux pas et en faisant une courbette qui, pour une fois, me parut naturelle. Je la croyais ici.

— Quelle sotte vous faites! Voilà qui définit bien les *filles* de votre espèce. Sa Majesté la mère de notre divin roi est présentement chez la reine de Navarre. Si elle vous a mandée, c'est là qu'elle vous espère.

— Je... je suis désolée. Merci, madame.

Et, après une nouvelle révérence, je fis volte-face et repartis en sens inverse, me demandant, une seconde trop tard, si l'étiquette ne me commandait point de sortir d'abord à reculons.

Je quittai les quartiers de la veuve de l'ancien monarque Henri II et filai par le passage des domestiques en direction de ce qui me semblait être l'aile de la princesse Marguerite. Je me retrouvai plutôt au milieu de la frénésie des filles sous la gouverne de Mme de Ramefort. Je m'empressai de pivoter sur mes talons une fois de plus avant que la gouvernante elle-même ne me remarque et ne m'interpelle. Je croisai la dénommée Diane, la servante qui m'avait tenu lieu de guide la veille, et feignis d'éternuer dans mes deux mains afin qu'elle ne me replace point. Puis je reconnus la porte de la chambre de Ninon, l'aide-lingère avec qui j'avais dormi la nuit précédente.

C'est alors qu'il me vint une idée qui allait tout faire basculer.

XXIe siècle au Québec

16

Un rocher à l'ombre

Un sentier le long de la plage tient lieu de front de mer à notre village de Saint-Barthélémy-de-la-Côte-Nord – sur l'île du même nom. Le ruban de gravier fume comme un coureur après un marathon. Il est rare qu'il fasse aussi chaud chez nous, même en plein cœur de l'été. Sur la grève, des enfants jouent au ballon, d'autres construisent des châteaux de sable, sous l'œil soucieux de quatre ou cinq mamans. Nous sommes un lundi après-midi.

Un pêcheur solitaire se profile au bout de la jetée. Je le reconnais ; c'est notre deuxième voisin. Un monsieur à la retraite. Sur ses épaules, faussées par la distance, trois silhouettes minuscules de crevettiers semblent reposer. Pareil à un mauvais signal de télévision, l'air humide fait onduler leur image.

Le bruit de moteur d'un tout-terrain se distingue par-dessus celui des vagues. Pendant un instant, je crains que des villégiateurs n'aient accaparé le rocher à l'ombre d'un tremble où j'ai l'habitude de venir lire quand la bibliothèque est fermée. Mais il n'en est rien. Le véhicule traverse le sentier pour s'engager dans une trouée d'herbes hautes. Mon coin privilégié paraît libre.

Un Andrée Poulin et deux briques de Maude Royer et d'Hervé Gagnon dans mon sac à dos, je m'y dirige.

— Ah, ben zut, finalement ! que je murmure entre mes dents serrées.

Lorsque je coupe l'angle de la route, j'aperçois une fille adossée contre le tronc de l'arbre, deux enfants près d'elle. Les restes d'un piquenique retiennent encore une étroite nappe sur le sol. Je m'apprête à rebrousser chemin pour trouver un autre lieu retiré quand elle se tourne vers moi.

Je reconnais d'abord son hijab avant de replacer les traits de Soltana Mansouri.

Même si son sourire se fait bref, elle me fait un petit salut avec la main. Je ne peux quand même pas m'éloigner sans lui dire un ou deux mots. Le sac en bandoulière, je m'approche.

— Allô ! Tu... euh... Ça va ?

Pourquoi est-ce que je balbutie chaque fois que je m'adresse à cette fille ? Ce doit être ce fichu voile qui me met mal à l'aise.

— Oui, merci, Félix. Et toi ?

Sa voix de mésange paraît flotter au-dessus de celle des vagues. Je suis surpris de constater que, si elle a bien noué son hijab sur sa tête, elle n'a pas revêtu sa longue robe habituelle. Au contraire, elle porte un t-shirt – large, mais quand même, on peut deviner ses formes – et un short qui laisse découvrir le bronze de sa peau, entre les genoux et le bout de ses pieds nus.

— Ça baigne, comme dirait mon père. Tu as... Vous avez fait un piquenique ?

Elle sourit en jetant un bref regard aux restes de nourriture puis aux deux enfants qui, à quatre pattes, suivent une ligne de fourmis. Il s'agit de deux fillettes d'environ dix ans. Vêtues de tissus colorés, elles se ressemblent comme deux sœurs, sauf que l'une arbore des cheveux longs, et l'autre, courts. Elles m'ont à peine lancé un coup d'œil quand je me suis approché.

— Oui. Je m'occupe de ma cadette et de notre cousine. Oh ! J'y pense...

Soltana se tourne à demi pour fouiller dans un fourre-tout posé à ses côtés. Elle en extirpe le Martine Latulippe que je lui ai prêté, deux jours plus tôt. En me le tendant, elle déclare :

— Merci. Je l'ai dévoré. C'est mon auteure préférée.

— Rien ne pressait. Pour me le rendre, je veux dire.

— Je sais. Mais puisque je l'ai terminé et que tu es là...

Je saisis le livre pour le placer dans mon sac en compagnie des autres. Je m'efforce de trouver une formule de politesse pour prendre congé quand Soltana me désigne le rocher.

— Tu aimerais te joindre à nous ? Il reste des jus de fruits si ça te tente.

— Non. J'ai... Je n'ai pas... En fait, je cherche un endroit tranquille pour lire.

— Je t'ai déjà aperçu ici. J'ai pris ta place, pas vrai ?

Finalement, elle a un sacré joli sourire. Ça contrebalance la rudesse de sa mâchoire un peu forte. Je porte une main sur ma nuque et me gratte le crâne. Je fais montre malgré moi d'une attitude embarrassée, mais j'ignore si c'est parce qu'elle a deviné ma contrariété ou parce que son accueil désinvolte me la présente moins timide que je l'ai toujours crue.

— Je ne suis pas propriétaire de ce coin d'ombre, que je réplique en m'efforçant de paraître détaché. Je vais m'installer plus loin, c'est tout.

— Bon, j'aurais voulu qu'on jase, mais je comprends. Moi aussi, j'aime lire.

Je n'entreprends aucun mouvement pour m'en aller. Je demande :

— À part Martine Latulippe, tu lis quoi ?

— Tout.

— Même les étiquettes des pots de cornichons ?

Elle éclate de rire.

— Je ne savais pas que tu avais le sens de l'humour, fait-elle en affichant un air trop surpris pour être crédible.

— Je ne savais pas que tu étais si sûre de toi.

Ce coup-ci, son expression étonnée est sincère.

— Ah bon ?

— Je te croyais timide. Chaque fois que je t'ai croisée jusqu'à maintenant, tu osais à peine lever les yeux, et tu as cette voix…

— Qu'est-ce qu'elle a, ma voix ?

— On a l'impression d'écouter le pépiement d'un oiseau.

Décidément, son sourire me plaît bien. Ça donne de la lumière à ses iris qui, déjà, partagent la même couleur que le fleuve, derrière elle.

— C'est vrai, admet-elle. J'ai parfois des bouffées de timidité. Mais ça m'arrive de moins en moins souvent. C'est parce que je commence à m'affirmer, dit ma mère. À développer l'esprit rebelle des adolescents québécois, prétend plutôt mon père.

Je n'ai toujours pas bougé. Est-ce parce que je ne parviens pas à me détacher de l'éclat de ses prunelles… ou parce qu'elle représente un lien – ténu, peut-être, mais un lien quand même – qui me rapproche de Marie-Maude ?

— Bon, alors, tu te décides ? demande-t-elle en tapotant le rocher. Pomme ou raisin ? Le jus, bien sûr. Il n'y a plus de fruits.

Je pose mon sac par terre et m'assois en conservant une bonne distance avec elle. Je réponds :

— Ce que tu voudras.

Elle me tend la première boîte à portée de sa main. Je l'accepte.

Pomme.

— Tes parents… Ton père, du moins, ça ne… Il ne te grondera pas si tu passes du temps avec… Je veux dire : vous êtes musulmans, non ?

Ses yeux couleur du Saint-Laurent me fixent un moment tandis qu'elle penche un peu la tête de côté. Une brise molle agite son voile.

— Tu crois qu'en apprenant que j'ai partagé un jus de fruits avec un ami masculin sur le bord de la plage, il va m'égorger ?

Je ne sais trop si elle est sérieuse ou pas. Mon père raconte parfois des choses sur l'intransigeance des adeptes de l'islam. Peut-être que ma question est bête. Je n'ai pas le temps de m'excuser que Soltana reprend :

— Remarque, je peux te comprendre. Avec l'image que donnent de nous les malades qui se font exploser au nom d'Allah…

Elle fait un petit geste rapide avec sa main tournée vers moi.

— Sois sans inquiétude, papa ne me frappera pas à cause de ça.

Elle avance la lèvre inférieure dans une moue pour poursuivre :

— Toi, par contre…

Je dois afficher une belle mine d'abruti, car de nouveau, elle éclate de rire.

17

Naître sans voile

— Tu n'as pas chaud à toujours porter ce foulard, même pendant une journée comme aujourd'hui ?

Soltana hausse les épaules en jetant un rapide coup d'œil aux deux fillettes. Ces dernières ne s'intéressent pas à nous et continuent de suivre le travail des fourmis dans le sable.

— Si, bien sûr, répond-elle. Mais ça fait partie de ma culture.

— De ta religion, tu veux dire.

Elle fronce des sourcils mi-rieurs mi-sérieux dans ma direction.

— Qu'est-ce que tu connais, toi, de l'islam ?

Je lève les épaules à mon tour.

— Ce que j'en ai lu, ce que m'a raconté mon père de ses propres lectures.

— Les exagérations des journalistes, quoi. Tu aimerais qu'on en discute ?

Je ne suis pas certain de la sincérité de son offre. Je rétorque :

— Non.

Mais ne peux m'empêcher de poursuivre :

— Mais je pense que si ton Dieu… Allah, avait voulu que les femmes portent un hijab, vous seriez nées avec.

— Pourquoi tu ne te promènes pas tout nu, alors ?

Avant que je détermine si sa réplique est dictée par l'irritation, voire la colère, elle éclate de rire.

— Notre famille n'est pas extrémiste, Félix. Ni mon père, ni maman, ni mon oncle et ma tante. Si on prie régulièrement, ce n'est pas cinq fois par jour, mais le vendredi. De préférence dans une mosquée. Mais ici, il n'y en a pas. On espère que le village acceptera la requête de mon père et de mon oncle afin que nous puissions nous recueillir ailleurs que dans nos cuisines. Et tu sais quoi ? Ce ne sont pas les hommes de la famille qui imposent le port du voile à leurs épouses et à leurs filles. C'est notre choix à nous, maman, ma tante, ma cousine de douze ans, moi... C'est notre façon de conserver un peu de notre culture nord-africaine.

— Ah bon ? Depuis combien de temps êtes-vous ici ? Enfin, personne n'ignore au village que vos deux familles sont arrivées sur l'île l'an dernier, mais au pays...

— Après notre arrivée en Amérique, nous sommes restés seulement six mois dans la région de Montréal. Ma mère et ma tante n'aimaient pas le quartier où nous nous sommes retrouvés. Quand mon père et mon oncle se sont vu offrir la possibilité de travailler sur le traversier qui relie Saint-Barthélémy au continent, ils n'ont pas hésité.

— Vous regrettez ? C'est quand même minuscule, notre communauté. Pas seulement par rapport à Montréal ou Québec, mais aussi aux villes de la Côte-Nord.

— Au contraire. Nos deux familles adorent ça, être ici. La tranquillité, le rythme de vie... Et puis, la mer. Enfin, le fleuve. Si large. Ça nous rappelle la côte de la Méditerranée...

Elle a de nouveau un petit éclat de rire avant de poursuivre :

— En moins chaud.

— Sauf aujourd'hui.

Elle hoche la tête en parcourant le ciel des yeux.

— J'avoue que, en juillet et en août, le climat est très agréable.

Elle repose les pupilles sur moi, mais puisque ni l'un ni l'autre ne trouvons à ajouter quoi que ce soit, elle fait semblant de porter plus d'intérêt aux jeux des fillettes. Ces dernières creusent des ouvertures à l'entrée de la fourmilière à l'aide de branchettes. J'aspire à la paille plantée dans ma boîte de jus et, malgré moi, produis un bruit de succion. Je cherche à m'excuser, mais j'ai la bouche pleine de liquide. Soltana fait comme si elle n'avait pas remarqué.

— Et toi ? finit-elle par demander.

— Que… Quoi, moi ? que je réplique en terminant d'avaler ma gorgée.

— Ton père et toi êtes nouveaux aussi sur l'île, non ?

— Ça fait quand même deux ans.

— Vous étiez où avant ?

— Québec. Mon père et ma mère ont divorcé. Comme je m'entends beaucoup mieux avec papa… Enfin. On a tout laissé à maman et on est venus s'établir ici, dans la maison héritée de mes grands-parents à leur mort.

— C'est quoi, son métier, à ton père ?

— Traducteur. De documents scientifiques. Il peut travailler de n'importe où dans le monde pourvu qu'il ait une bonne connexion internet. Donc, la décision de revenir aux sources de son enfance n'a pas été si difficile.

— Et toi ? répète-t-elle. Ça te plaît aussi ?

— Vivre sur l'île plutôt qu'à Québec, tu veux dire ?

Elle hoche la tête dans un mouvement rapide pour acquiescer. Je fais une moue pour signifier mon indifférence.

— Ouais. C'est quand même minuscule, *notre* communauté, se moque-t-elle en répétant mot à mot ma propre réponse d'il y a une minute. Pas seulement par rapport à Montréal ou à Québec, mais aussi aux villes de la Côte-Nord.

Je ris à mon tour avant de rétorquer, un peu à sa manière :

— C'est bien avec la mer omniprésente, la tranquillité, l'air pur, le…

Comme pour me contredire, le tout-terrain aperçu plus tôt choisit exactement ce moment-là pour repasser sur le sentier. Ses pétarades et la puanteur qu'il dégage m'obligent à interrompre mon énumération des bienfaits de Saint-Barthélémy-de-la-Côte-Nord. Encore une fois, je peux apprécier le charme du rire de Soltana.

Quand le calme revient, je m'informe :

— Tu vas fréquemment chez Marie-Maude ?

Le rictus amusé qu'elle maintient presque en permanence depuis mon arrivée se perd un peu dans le repli de ses joues poupines. À mon avis, elle prend une seconde de trop avant de répondre. Qu'est-ce qui la dérange dans ma question ?

— De temps à autre, oui. C'est une excellente amie à moi.

— Ah. C'est bien.

— Pourquoi ?

— Pourquoi quoi ? Pourquoi c'est bien, ou pourquoi je t'ai demandé si tu la voyais souvent ?

— Tu t'intéresses à Marie-Maude ?

— Elle est gentille, non ?

— Sûr, sinon ce ne serait pas mon amie. Elle est jolie aussi, tu ne trouves pas ?

Soltana me fixe par en dessous comme si elle cherchait à capter dans mon regard des choses que je tiendrais à dissimuler. Sur ce point, elle n'aurait pas tort. Je ne voudrais quand même pas que tout le monde soit au courant de mon béguin pour Marie-Maude avant que j'en aie moi-même parlé avec elle. Mais comment répondre sans mentir ?

L'une des fillettes vole à mon secours en poussant un cri si strident que les oreilles m'en font mal. Soltana et moi tressaillons avant de bondir sur nos pieds. La gamine sautille sur place pendant que sa cousine la frappe à grands coups de sa branchette.

— Mais qu'est-ce qui vous prend ? s'exclame Soltana en arrachant le rameau des mains de l'enfant.

— Les fourmiiiis ! hurle la sœurette – ou la cousine – en tapant sur ses cuisses. Elles grimpent sur moi.

— Il ne pouvait pas en être autrement, grogne l'adolescente, mais sans malice. Viens là que je les enlève. Et arrête de gigoter comme ça !

Une fois les insectes de retour au sol – et la fillette calmée –, j'ai déjà mon sac en bandoulière. Je ne me rassois pas.

— Tu pars ? demande Soltana avec, il me semble bien, un peu de déception dans son ton.

— Oui. Je veux… Je vais lire au parc.

— Ah. D'accord. Eh bien… à une prochaine, alors.

— Oui, à une prochaine. Bye.

Je tourne les talons et remonte la pente qui mène au sentier. Dans mon dos, j'entends un murmure prononcé par une voix de mésange :

— Elle a bien de la chance, Marie-Maude.

Mais je ne suis pas certain d'avoir bien compris à cause du bruit des vagues.

Août 1572 en France

18

Le dialogue des deux reines

Dans le Louvre, j'étais à la recherche de Catherine de Médicis afin de réclamer son aide pour retrouver Antoine. Plutôt que de me perdre de nouveau dans les couloirs en circulant au hasard – au risque de me faire intercepter –, je pensai qu'il valait mieux vérifier par le débarras des femmes de chambre si la reine mère se trouvait bien dans les appartements de sa fille Marguerite. Je repérai donc le réduit aux murs disjoints dont la trouée permettait d'épier dans les quartiers de la reine de Navarre.

Je m'enfermai dans le nid sombre, malodorant et à la chaleur suffocante. Je m'avançai à tâtons entre les tablettes désalignées, heurtai un seau du genou, une étagère du front – encore une fois –, une serpillière du coude, jusqu'à ce que mes yeux s'habituent au faible éclairage et m'autorisent à mieux reconnaître mon environnement.

Comme la première fois, la lumière venait de l'embrasure de la pièce voisine, une penderie à la porte ouverte et qu'ensoleillaient les fenêtres de la chambre contiguë. Le peu d'angle de vision dont je disposais ne me permettait de distinguer personne, rien que les rideaux fleurdelisés et une partie du lit en bois ouvragé. Toutefois, j'entendais fort bien les voix de trois personnes : la première douce et fragile, la deuxième parlant une langue étrangère vaguement gutturale, et la troisième que je reconnus pour être celle de la comtesse d'Arenberg – qui servait d'interprète aux deux autres. Je compris dès lors être en train d'épier la nouvelle reine de Navarre, Marguerite de Valois, sœur de notre roi Charles IX, et l'épouse même de ce dernier, Élisabeth d'Autriche, la reine de France.

— Guise vous avait-il fait part de ses intentions ? demanda la comtesse après la question en allemand de sa maîtresse.

— Mais, madame, pourquoi Votre Majesté…

— Élisabeth, je te prie, appelez-moi Élisabeth, la coupa sa belle-sœur en français avec un accent gros comme une montagne.

— Hors du protocole de la cour, renchérit la comtesse d'Arenberg, Sa Majesté apprécie les marques de familiarité entre parents. Vous êtes comme des sœurs, après tout.

— Eh bien… Élisabeth, reprit Marguerite avec une certaine hésitation, pourquoi pensez-vous que je suis au courant des projets du duc ?

La réplique en allemand commençait par « Margot », mais la version d'Arenberg fut :

— Marguerite, ma chère sœur, il n'est un secret pour personne qu'Henri de Guise est… *fut* votre amant… avant votre mariage. Par amitié pour vous, ou par mégarde devant vous, il aurait pu laisser échapper quelque confidence…

— Quand bien même cela serait, en quoi cela concerne-t-il d'autres que moi ?

Après l'interprétation de la comtesse, la reine Élisabeth poussa un petit soupir qui pouvait autant signifier l'irritation que l'affliction. Sa voix me parut lasse, intonation qui ne se manifesta point dans le ton de la traductrice :

— En rien, je vous l'accorde. Mais je m'inquiète pour vous. Nous autres femmes ne sommes que des pions dans le jeu des hommes, et j'ai tant peur de nous trouver mêlées à quelque complot qui entacherait nos âmes.

— Qu'importe la fourberie, Élisabeth, si elle naît hors notre volonté ; Dieu ne saurait nous en tenir rigueur.

Il y eut un bruit de jupe frôlant du bois, et je vis apparaître une épaule qui s'immobilisa dans l'angle que j'épiais.

Un bouillonnement de tissu bleu ciel chatoyait dans la lumière avec le plus bel effet.

— Vous avez raison sur ce point, traduisit la comtesse pour la reine de France. Le duc de Guise ne se vantera pas devant le roi d'avoir attenté aux jours de Coligny, mais hors sa présence, il ne s'en cache point. Pour sauver les apparences, il a fait arrêter et enfermer ce palefrenier. En le sachant toutes deux et en n'intervenant point en faveur de ce jeune homme, ne jouons-nous pas le jeu de ceux qui pêchent contre Dieu ?

Mon cœur se mit à battre si fort que je craignis un instant qu'il ne s'entendît à travers les cloisons. Antoine serait donc au cachot ?

— Je ne saurais dire, fit la voix de Marguerite de Navarre en réponse à la question de sa belle-sœur et non à la mienne, bien sûr.

La robe bougea de nouveau et je reconnus dans le rayonnement venant des fenêtres le visage doux et pâle de la reine de France. Elle dit, toujours par la bouche de son interprète :

— Mon époux, le roi, est fort mécontent. Il aime vraiment cet amiral de Coligny, tout huguenot qu'il soit. Il l'appelle « mon père », vous l'avez entendu ?

— Souvent.

— Mon mari est… fragile. Vous êtes accoutumée comme moi à ses crises de rage qui l'emportent lorsqu'une situation lui échappe. Je redoute sa réaction.

Pourquoi ne parlaient-elles plus d'Antoine ? Je voulais en connaître davantage sur son sort, sur ce qu'on attendait de lui. Me mordant les lèvres, je continuai à écouter.

— Vous craignez la riposte de mon frère au sujet de mon prétendu *amant*, Votre Ma… Élisabeth ? Le duc de Guise n'est point ce que vous pensez.

— Marguerite, je vous en prie.

Là encore, la reine autrichienne avait plutôt dit « Margot ». Elle reprit :

— Je tiens seulement à ce que vous usiez de votre influence auprès de M. de Guise afin de lui suggérer de s'éloigner un moment de Paris, le temps que les choses se tassent. Pour lui éviter la colère du roi. C'est tout ce que je vous recommande.

Il y eut un instant de silence avant que la voix de la reine de Navarre s'élève de nouveau, mais plus douce :

— C'est vraiment l'unique motif de cette visite, Élisabeth ? Me demander de protéger mon ami ?

— Bien que souveraine de France, c'est le seul pouvoir que je détienne vraiment, ma sœur : prévenir ceux que je soupçonne d'être en danger. Pour la sauvegarde de mon âme et de celle du roi… quoiqu'en ne trahissant jamais celui-ci, comme de raison.

— Trahir un homme oint par le pape serait trahir Dieu.

— C'est là parole d'évangile.

Il y eut deux petits rires à l'unisson.

— Une autre chose, aussi, que je me dois de vous dire et qui ne saurait déplaire au roi. En fait, c'est peut-être là la principale raison de ma présence dans vos quartiers.

— Vous m'intriguez, Élisabeth.

— Votre mari, le roi de Navarre, recommandez-lui une extrême prudence.

— Ce n'est point un conseil qui vous oblige beaucoup, ma chère sœur, répliqua la fille de Catherine de Médicis en éclatant d'un rire plus railleur qu'amusé. Tout le monde sait que mon époux huguenot doit surveiller ses arrières à Paris.

— Je suis très sérieuse, Marguerite (« Margot »). Plusieurs de mes favorites ont vu circuler une grande quantité d'armes dans le Louvre. Surtout depuis ce matin. On a profité de l'absence du roi et de son escorte – dont son cadet, Henri d'Anjou, et votre mère, Mme Catherine – pour accélérer le trafic. Je crains qu'une action d'envergure ne se prépare contre nos hôtes navarrais.

— Ce serait trahir le roi, mon frère ! s'exclama Marguerite, qui apparut soudain dans mon champ de vision alors qu'elle contournait son interlocutrice.

J'apercevais son visage pour la première fois. En dépit de son expression alarmée, je la trouvai d'une beauté époustouflante. La nouvelle reine de Navarre possédait vraiment les atouts imparables pour faire perdre la tête à un homme aussi séduisant que le duc de Guise… que les potins concernant sa vie dissolue fussent vrais ou faux.

La comtesse d'Arenberg traduisit une fois de plus les paroles de sa maîtresse :

— Je ne crois point qu'on s'attaquerait aux invités du roi de France dans les murs mêmes de son palais et sans son approbation. Cependant…

Élisabeth d'Autriche pivota sur elle-même afin de mieux faire face à la reine Marguerite, et je pus considérer son profil enfantin, son nez vaguement retroussé, son menton mignon… Je retrouvai cet air fort aimable qu'il m'avait semblé lui reconnaître lorsque je l'avais croisée la première fois.

— Cependant, Marguerite (« Margot »), je redoute qu'on parvienne à convaincre mon trop inégal époux de provoquer l'impensable : s'en prendre aux huguenots logés au Louvre. Aussi je vous en conjure, pour la vie de votre mari, le roi de Navarre, et le salut de l'âme du souverain de France, votre frère : avisez Henri de Bourbon, ou quelque gentilhomme de sa suite en qui vous avez confiance, qu'il se trame en cette enceinte des projets nourris par la haine qui oppose déjà les catholiques et les protestants. Et cette haine, vous ne l'ignorez point, est puissante assez pour soulever les initiatives les plus brutales.

19

Le dialogue des trois reines

Il me vint une idée des plus saugrenue : la bonté que je lisais dans l'expression de la jeune reine de France pouvait être ma meilleure alliée dans mes intentions de faire libérer Antoine. Je me devais de lui parler.

Je m'apprêtais à quitter le débarras pour filer en direction des quartiers de Marguerite de Navarre quand un bruit de porte s'ouvrant fit tourner la tête des deux reines vers un angle que je ne pouvais apercevoir. Aussitôt, Marguerite de Navarre se courba en une ébauche de révérence tandis qu'Élisabeth d'Autriche inclinait le menton en guise de salutations.

— Bonjour, mes filles, lança une voix qui m'était familière avec son fort accent italien.

— Mère, répliquèrent les deux reines en chœur.

Je ne voyais pas la comtesse d'Arenberg, mais je l'imaginais gracieusement prosternée devant le noir panache de Catherine de Médicis. Cette dernière dit :

— Je suis aise de vous trouver si détendues ensemble tandis que tant de différends divisent Paris et nos gens. Cela me rafraîchit, mes chères.

On laissa à Marguerite de La Marck-Arenberg le temps de traduire ces paroles à sa maîtresse, puis l'épouse de feu Henri II reprit :

— Comme promis, je venais précisément vous entretenir de la visite que nous avons faite, le roi, le duc d'Anjou et moi, à l'amiral de Coligny.

— Oh, et comment se porte-t-il ? s'informa Marguerite avant même que la comtesse ait terminé son interprétation en faveur d'Élisabeth. Ses blessures sont-elles mortelles ?

Je ne distinguais plus les femmes qu'à demi puisqu'elles s'étaient reculées d'un pas à l'entrée de la reine mère.

— Non, grâce à Dieu, répondit celle-ci. Le médecin du roi est formel : à moins d'une infection, l'homme survivra. Nous avons évité une émeute protestante. D'ailleurs, l'amiral fait passer l'ordre à ses partisans de ne rien entreprendre de fâcheux.

— Mais qui a eu intérêt à oser une telle initiative, mère ? demanda Élisabeth – par la bouche, toujours, de la comtesse.

La silhouette sombre de Catherine de Médicis apparut dans l'ouverture lorsque l'ex-souveraine s'avança dans la pièce. Je vis aussi un pan de la robe de l'une de ses suivantes, jamais loin de leur maîtresse.

— Guise, peut-être ? Qu'en pensez-vous, ma fille ?

Elle s'adressait visiblement à Marguerite.

— Si Votre Majesté est venue me tirer des aveux, répliqua la reine de Navarre avec une civilité qui établissait une distance formelle avec sa mère, elle repartira déçue, car je n'ai point reçu de confidence ni n'ai remarqué quoi que ce soit de particulier chez le duc de Guise pouvant me laisser soupçonner qu'il soit le commanditaire d'une pareille trahison.

— Voilà qui me réjouit sincèrement, Margot, rétorqua Catherine de Médicis après avoir fixé un moment sa fille droit dans les yeux. Car il m'aurait déplu que les prisonniers que nous détenons en ce moment et qui sont soumis à la question évoquent le nom de votre… ami, ou pis ! le vôtre.

La question ! Antoine serait actuellement torturé dans les cachots du Louvre ? Le débarras virevolta un instant autour de moi et je dus agripper une tablette entre mes doigts pour ne point tomber par terre.

— Tous ces sacrifices consentis pour votre mariage avec un prince protestant afin de réconcilier les fidèles des deux religions… Quel dommage de voir ce beau dévouement ruiné par la bêtise de quelque assassin !

— Mais d'autres mal pensants pourraient s'imaginer, ma mère, que Votre Majesté est la mauvaise instigatrice d'une telle entreprise. La disparition de l'amiral de Coligny serait en effet une bénédiction pour qui espère, comme vous, tuer dans l'œuf l'intervention de la France au cœur du conflit des Flandres.

— Sans doute, ce qui fait de l'Espagne aussi un sérieux suspect. La mort du conseiller huguenot à la cour de France ne pourrait que satisfaire Philippe II. Son représentant, le duc d'Albe, aurait tous les motifs nécessaires pour pareille conspiration. Mais si nous invoquons cette excuse, les huguenots exigeront la guerre avec nos voisins du sud des Pyrénées, et là encore, nos efforts de paix des dernières années auront été inutiles.

Je n'en pouvais plus d'entendre tous ces propos maquillés de bienséance et ces circonvolutions verbales par lesquels chacune se menaçait à demi-mot tout en recommandant à l'autre d'être prudente. Catherine de Médicis, autant que moi, savait que Guise était impliqué dans l'attentat. L'attitude du duc, la veille, démontrait qu'il préparait un fort mauvais coup. Il suffisait donc à la reine mère de retrouver ce Maurevert ou ce… cet Attin, et de les soumettre, eux, à la question.

Mais pas Antoine. Pas *mon* Antoine. Qui n'en avait pas ouï plus que moi lors de notre rencontre avec ces méchants coquins – et que je ne croyais guère être le supposé nouveau palefrenier mêlé à l'attentat.

Il me fallait absolument plaider sa cause, convaincre quelqu'un de le faire relâcher. Mais pas Catherine de Médicis, comme je l'avais d'abord pensé. En dépit de la justice qu'il m'avait semblé déceler en son âme, elle me paraissait trop mouillée dans les dilemmes politiques pour que je puisse espérer une intervention impartiale et intègre de sa part.

Non, la seule personne qui, à mes yeux, manifestait la bonté et l'honnêteté nécessaires pour venir en aide à Antoine était l'épouse du roi de France, la reine Élisabeth d'Autriche.

Je décidai d'abandonner mon réduit sans plus tarder et de me précipiter en direction des couloirs menant chez Marguerite de Navarre. Je devais faire en sorte de croiser la souveraine lorsqu'elle quitterait ses deux interlocutrices.

Je me reculai donc, un peu trop vivement, pour retourner vers la sortie et mon coude heurta le manche d'un balai. L'accessoire frappa à son tour une boîte de savon qui tomba sur un seau en bois qui, lui, roula jusqu'au chambranle de l'entrée.

Le bruit n'était point si fort, mais dans mon espace restreint et l'atmosphère de conspiration dans laquelle je baignais, il me parut assourdissant. L'effet fut également décuplé quand, avant même que je puisse trouver la poignée, la porte s'ouvrit d'elle-même sur une silhouette large comme un bahut.

— Mais qu'est-ce qu'elle fait ici à traînasser, celle-là ?

20

Le vase à fleurs

Je fus agrippée par le tissu de ma robe à la hauteur de l'épaule et vivement tirée hors de ma cachette. La femme de chambre qui venait de me surprendre devait sûrement mesurer deux têtes de plus que moi et pouvait sans doute lutter à force égale avec bien des hommes. Elle exhalait l'ail à pleins pores, et entre ses deux seins énormes perlaient des gouttes de sueur.

— Eh bien, fainéante ? demanda-t-elle en me secouant avec vigueur. Que fais-tu dans ce réduit ? Je ne t'ai jamais vue ici. Qui es-tu ? À qui appartiens-tu ?

— À Mme... Percheron, répondis-je après une hésitation tout en prenant soin de ne pas donner mon nom.

— Elle va applaudir, la Percheron, quand je lui apprendrai qu'une de ses couturières a trouvé une cachette pour se soustraire à ses tâches.

Elle avait approché son visage du mien, et je pouvais détailler ses traits disgracieux, mais pas vraiment méchants, la peau couperosée de ses joues, le gros bouton rosâtre d'où émergeaient trois vilains poils près de sa narine gauche...

Je me dis que je ne risquais rien à jouer la fille terrorisée – ce qui n'était pas loin de la vérité – et à prétendre que la pauvre dame Percheron – que je n'avais pas même eu le loisir de rencontrer – réagirait très mal à la nouvelle qu'une de ses employées fainéantait.

— Oh, je vous en prie, madame, n'en faites rien. Vous la connaissez, elle me renverrait, et ma famille compte sur moi pour…

— La rengaine habituelle, quoi ! Si les jouvencelles craignent tant le chômage, pourquoi sont-elles si nombreuses à ne point exécuter les travaux pour lesquels elles sont payées ? Tu es la troisième, cette semaine, crapaude !

— Je… je m'excuse. Ça ne se reproduira plus.

Elle lâcha ma robe en me repoussant du côté du couloir où je me proposais précisément de me diriger.

— Allez, file ! gronda la femme de chambre avec un ronchonnement fabriqué, sans réelle colère. La prochaine fois que je t'y prends, tu ne t'en tireras point aussi aisément.

— Oh, merci, merci, madame. Je ne recommencerai pas, promis.

Et je m'empressai de m'éloigner le plus vite possible tandis que la femme entrait dans le débarras et que d'autres servantes apparaissaient à l'angle opposé du corridor. Parmi elles, il me sembla reconnaître Ninon.

* * *

Dans le dessein de feindre être occupée à quelque chose, je cueillis au passage, par l'entrée entrouverte d'une chambrette déserte, un vase à fleurs. Je traversai le corridor des domestiques en direction des quartiers de la reine de Navarre, saluant à l'occasion des servantes de mon âge – voire plus jeunes – qui ne me prêtaient guère attention.

J'aboutis dans une antichambre où patientaient des suivantes et trois ou quatre gentilshommes. Tous semblaient attendre en fixant une haute porte fermée. Je reconnus les arabesques du chambranle ouvragé pour être les mêmes que celles donnant sur les appartements de la reine Marguerite.

— Qu'est-ce que tu veux ? me demanda tout à trac une petite femme sèche que je n'avais pas remarquée près de l'issue du couloir.

Ses vêtements indiquaient qu'il ne s'agissait point d'une noble, mais bien d'une gouvernante. Je ne savais que répondre.

— Euh… je…

Je me rappelai soudain le vase dans mes mains.

— C'est pour Sa Majesté la reine Élisabeth.

— Ce sont les quartiers de la reine de Navarre, ici, répliqua la femme sans même regarder ce que je tenais.

— Je sais. On m'a dit qu'elle…

— Elle n'y est plus. Sa Majesté a quitté sa belle-mère et sa belle-sœur voilà deux minutes. Retourne à ses appartements.

Le vase serré contre ma poitrine, je pivotai sur mes talons, m'apprêtant à revenir sur mes pas, quand la gouvernante me suggéra :

— Prends ce couloir et non celui des domestiques. La reine n'est pas loin ; ça t'évitera de faire tout le chemin et de perdre ton temps.

— Merci, madame.

Je filai dans la direction qu'elle m'avait indiquée et ne fis guère que quelques toises avant de doubler une dizaine de courtisans tapageurs. J'ignorais alors que ces sangsues poursuivaient la reine partout où elle se trouvait dans l'espoir de quelque faveur, ou dans le but d'être présent et de bien se faire voir s'il survenait la moindre aventure dans le voisinage immédiat de la souveraine. Aussi ne m'attendais-je pas à presque me heurter à Sa Majesté quand je tournai un peu vite l'angle du passage que je traversais.

— Que voilà une petite sotte ! murmura entre ses dents l'une des suivantes les plus proches.

Elles étaient cinq dans l'entourage direct d'Élisabeth d'Autriche – y compris la comtesse Marguerite de La Marck-Arenberg. Hormis celle qui venait de chuchoter, elles firent toutes comme si je n'existais point. J'entrouvris la bouche pour m'adresser à la reine, mais eus le réflexe de m'interrompre à temps. Je venais de songer que nul n'était autorisé à parler à Sa Majesté avant que celle-ci ne se fût d'abord exprimée. Je n'avais qu'une seconde pour trouver un plan ; ensuite, la souveraine et ses courtisans disparaîtraient par le couloir transversal.

Je laissai tomber mon vase sur le plancher de bois verni.

Cette fois, je n'y coupai pas, tout le monde s'immobilisa pour me regarder : la bande de flagorneurs turbulents, les dames de compagnie de la reine et, bien sûr, Sa Majesté elle-même. Moi, je me contentai d'incliner le corps à demi dans une ébauche de révérence tout en fixant Élisabeth d'Autriche dans les yeux.

— Quelle petite idiote que voilà ! clama le plus bruyant des courtisans.

Il s'agissait d'un nobliau si extraverti – et si faux – que, même dos à lui, je pouvais ressentir tout l'artifice de son déplaisir. En vérité, il se réjouissait de l'incident, qui lui offrait l'occasion de se faire remarquer par la reine.

— Allons, allons, ôtez-vous de là, maladroite, que je fasse un rempart de mon corps devant tout ce verre brisé afin que le pied charmant de Sa Majesté ne soit pas…

— Laissez, monsieur de Plissonnière ! fit la reine en français avec un accent adorable.

Puis, les yeux rivés sur moi, cette fois, elle prononça des paroles en allemand. La comtesse d'Arenberg traduisit :

— Cette jeune fille est toute pâle et nous paraît bien mal. Quel est votre nom, mademoiselle ?

Je m'inclinai alors fort respectueusement en pointant mon nez vers le plancher. Je balbutiai :

— A… Anne Sagedieu, Votre… Majesté. Pour vous servir.

— Et à qui appartenez-vous, mademoiselle ?

— À… à personne, madame. J'ai profité de mes entrées au Louvre pour approcher Votre Majesté.

Un lourd silence fit suite à mes paroles et, à mesure que les secondes s'écoulaient, je levai doucement la tête. On me fixait toujours, et je fus soulagée de constater qu'il n'y avait point de colère dans les prunelles de la reine ou dans celles de la comtesse. Au contraire, j'y décelai un certain intérêt.

— Et pour quelles raisons désiriez-vous tant vous adresser à votre souveraine ? demanda Élisabeth d'Autriche par la bouche de sa traductrice.

Les dizaines d'yeux ancrés sur moi me perçaient comme les épines d'un mauvais rosier dans lequel je serais tombée.

— C'est personnel, madame, répliquai-je. Et, sauf le respect que je dois à tous les grands ici présents, je ne voudrais en discuter avec Sa Majesté que dans la discrétion de ses quartiers.

21

L'entretien avec la reine

Toutes ces histoires circulant à propos de la gentillesse et de la générosité d'Élisabeth d'Autriche n'étaient point que commérages. Rien n'enthousiasmait plus la fille de l'empereur Maximilien II et épouse de Charles IX, roi de France, que d'avoir l'occasion de venir en aide à qui avait la chance de l'approcher. Noble comme roturier.

Nous étions assises l'une en face de l'autre dans de riches fauteuils de ses appartements royaux. La vilaine robe de mercière que je portais depuis trois jours jurait avec le faste de ses jupes moirées, ma chevelure ramenée en chignon était à l'antipode de sa coiffure fixée par des perles et des rubis, mais toutes deux, nous éprouvâmes immédiatement un véritable coup de foudre amical. Sa Majesté n'avait qu'un an de plus que moi et, si j'étais née noble, ou elle, roturière, nous aurions pu devenir les meilleures amies du monde.

Voire deux sœurs.

Je la trouvai d'emblée charmante dans sa façon non seulement polie, mais intéressée d'écouter mon récit. Je savais qu'elle me considérait avec égards.

La reine de France était très jolie. L'ovale de son visage gardait encore les rondeurs poupines de l'enfance, mais peut-être était-ce dû à cette grossesse de sept mois qui bombait ses vêtements à la hauteur du ventre. Ses yeux noisette, au regard doux comme un sucre d'orge, surplombaient un nez un peu long, quoique harmonieux. Seule sa mâchoire me parut un peu forte, mais peut-être l'effet venait-il de sa bouche menue et gracieuse – si semblable aux paroles qu'elle émettait –, qui concourait à l'équilibre d'ensemble de sa figure.

Cette jolie tête reposait sur un col plissé à godrons – un peu passé de mode – fait de dentelles fines. Sa robe de brocart était passementée d'argent. La mercière que j'étais nota bien quelque rigueur dans la vêture, mais je me dis que cela devait provenir de son éducation habsbourgeoise sévère.

— Votre récit me tire presque les larmes, traduisit Marguerite de La Marck-Arenberg lorsque Élisabeth d'Autriche s'exprima après ma narration.

La femme qui agissait à titre de dame de compagnie et d'interprète pour la reine me parut tout aussi charmante et agréable – quoiqu'elle n'eût point un physique avantageux, avec sa taille forte, son menton dédoublé et son visage comme une pleine lune. En fait, tout chez elle était rond : paupières, nez, joues, coiffure… Même sa bouche ressemblait à une pomme fendue en son milieu – bon, soit, j'exagère un brin.

— Je me sens flattée que Votre Majesté puise quelque intérêt dans ma bien triste histoire.

Élisabeth d'Autriche se tourna vers sa favorite et s'adressa à elle dans sa langue – qui, quoique gutturale, roulait sur son palais comme une musique. La comtesse échangea quelques mots avec sa protégée tout en gardant les yeux sur moi. Finalement, en français, elle dit :

— Sa Majesté prend sur elle de trouver une solution à vos soucis. Il lui faut simplement amener le roi à s'émouvoir de l'injustice qui vous est faite.

— Madame, répliquai-je dans l'instant, de quel honneur, de quelle joie, de quel privilège vous me gratifiez ! Je vous en serai éternellement reconnaissante.

— Il n'est point de privilège à tenir la main d'une amie dans le besoin, sauf celui de servir Dieu. Je ne suis que son instrument. Je suis née avec le pouvoir de prodiguer sa générosité. C'est vous qui me faites gloire, Anne.

C'était à mon tour d'être remuée. Voilà une reine, oui, une vraie ! Une femme – presque une fillette encore – disposée à user des avantages de sa naissance au bénéfice des gens du peuple comme moi. Comme nous, Antoine et moi.

La comtesse d'Arenberg prit soudain l'initiative de me mettre en garde :

— Je ne sais point si vous êtes bien consciente de l'infini privilège dont vous bénéficiez. Vous avez vu les courtisans coller aux pas de Sa Majesté comme autant de bourdons attirés par le miel ? Rares sont ceux qui, même après des années à la cour, parviennent à obtenir l'intimité dont vous profitez actuellement. Et ils sont tous titrés : baronnes, vicomtes, princesses… Aucun n'est d'origine roturière.

— Je… je l'ignorais. Je… je suis plus qu'infiniment reconnaiss…

— Peut-être s'agit-il là d'un cadeau empoisonné, ma pauvre enfant, m'interrompit la femme. Vous n'êtes point habituée aux mesquineries des suivants. Les inimitiés… que dis-je ? l'hostilité, plutôt, qu'attireront sur votre personne les faveurs de Sa Majesté risque fort de vous nuire. Aussi, un conseil : faites-vous la plus petite possible, ne vous mêlez point à eux et surtout, surtout, ne vous enorgueillissez jamais publiquement de votre faveur.

— Pro… promis, madame. Merci, madame.

Marguerite de La Marck-Arenberg, en quelques mots, traduisit à la reine la mise en garde qu'elle venait de me servir. Élisabeth approuva d'un petit sourire en me regardant.

Elle me prit ensuite les doigts et nous nous levâmes de conserve en nous fixant dans les yeux. Il y avait, dans ce mouvement commun, une forme de pacte muet, un lien d'amitié éternel qui se nouait sans trompettes. Nous étions deux âmes sœurs issues de deux mondes opposés, mais que l'affection mutuelle soudait.

— Sa Majesté aimerait que vous vous vêtissiez d'une meilleure robe afin que nous allions sans délai demander une audience à son époux, le roi, m'annonça la comtesse.

— Mais..., madame, je n'ai point... Mon père possède certes un commerce de tissus, mais il n'est point dans nos moyens d'user pour nos besoins personnels des riches étoffes que...

Le rire de la femme m'interrompit.

— Vous m'avez mal comprise, mademoiselle Anne. Sa Majesté, estimant que vous faites toutes deux la même taille, serait honorée que vous disposiez de sa propre garde-robe à plaisir.

— Que je...

Je tournai un visage si ahuri vers la reine que celle-ci ne put s'empêcher de rire à son tour.

— Venez, fit la comtesse en m'entourant les épaules d'un bras grassouillet. Je vais appeler les caméristes et nous allons vous vêtir en vue d'un entretien avec Sa Majesté le roi. Mais d'abord... je crois qu'un bon bain serait tout désigné.

* * *

La femme qui me fixait à partir du miroir m'était totalement inconnue. Je ne m'étais jamais vue ainsi. En toute honnêteté, je n'aurais su dire ce qui m'émerveillait le plus : porter la superbe robe damassée, serrée à la taille et qui me donnait une silhouette époustouflante ; admirer les peignes de nacre retenant les pans de ma coiffure qui tombaient sur mes épaules pareils à des rideaux de velours ; ou encore enfiler les vertigineuses chaussures de cuir qui me rehaussaient de deux pouces.

— Je suis désolée. Il m'est impossible de marcher avec ceci sans risquer de me casser la figure. Je préfère rester sans souliers. De toute façon, la jupe couvre mes pieds nus.

La reine Élisabeth estima l'idée si drôle qu'elle s'esclaffa en cascade une longue minute. Et, même après un moment, il lui venait encore des fous rires à cause du même sujet. Comment ne pas l'aimer ?

— Ces manches étroites sont passées de mode, fit remarquer une caméristе en chuchotant dans l'oreille de la comtesse – mais pas assez bas pour que je n'entendisse point.

— Tant mieux. Il ne faut pas qu'elle soit trop jolie non plus, répliqua la femme. Et remontez un peu l'échancrure du buste. Sans guimpe, cela donne un décolleté qui me paraît un brin osé.

— Je crois que nous sommes prêtes, annonça la reine par la bouche de sa traductrice une fois les derniers détails révisés. Nous pouvons y aller.

Il y avait bien deux heures que nous nous amusions à me transformer en dame présentable et, jusqu'alors, je n'avais point ressenti l'imminence de ma rencontre avec le redouté roi de France. Je pensais plutôt aux tortures possibles qu'Antoine subissait dans sa prison…

— Par la fenêtre, j'ai vu l'exécuteur des basses œuvres sortir du Louvre ce midi, m'avait rassurée la comtesse au moment où je me dévêtais pour entrer dans le bain fumant. Et si je me fie à l'absence de sa vilaine calèche, il ne doit point être de retour.

Maintenant, l'heure était venue de convaincre le prince le plus puissant du monde de libérer un innocent des cachots de son palais.

— Madame, Sa Majesté le roi est bien dans ses appartements, annonça un page que la reine avait dépêché chez son époux. Il est disposé à recevoir la visite de Votre Majesté si celle-ci ne tarde point trop, car notre souverain doit assister à une importante rencontre avec son Conseil étroit.

— Fort bien, allons-y de ce pas, répliqua Élisabeth d'Autriche par la bouche de la comtesse.

Nous nous engageâmes donc, les dames de compagnie, la reine et moi au milieu de la foule des courtisans qui ne manquèrent point de s'étonner de l'importance que j'avais acquise auprès de celle qu'ils s'évertuaient eux-mêmes à séduire – sans y parvenir. Leur regard jaloux et mesquin maquillé de fausse amitié et d'admiration feinte, leur bouche noyée de mauvais miel pour mieux couvrir les commentaires empoisonnés dont ils auraient préféré m'abreuver, ils s'extasiaient de la « beauté du diamant qu'avait masquée le carré de charbon d'avant ».

À l'image d'Élisabeth et de la comtesse, je me contentais d'un pâle sourire sans répondre directement aux compliments forgés qui pleuvaient autour de moi. Nous marchions d'une foulée rapide au milieu des couloirs au plafond démesuré et dont les murs étaient encore décorés des fleurs et des guirlandes de la noce.

Ce fut au tournant de l'aile qui donnait sur les appartements royaux que je l'aperçus. Je ne le reconnus point dans l'instant, mais quand l'évidence s'installa définitivement dans mon esprit, je fis un faux pas et faillis m'étaler de tout mon long sur le plancher.

En face de nous, au milieu d'une douzaine de gentilshommes de la suite royale, à la droite du duc de Guise, aussi à l'aise parmi ces gens que s'il les avait côtoyés de toute éternité, vêtu d'un pourpoint fort présentable, badinait Antoine, mon amoureux !

22

Le palefrenier gentilhomme

À l'arrivée de la reine de France, tous les gentilshommes qui patientaient dans l'antichambre des quartiers du roi se turent et s'inclinèrent profondément. Le silence qui, en une seconde, succéda aux bavardages me parut aussi incongru que la présence de mon bien-aimé, détendu et heureux, alors que je le croyais en train de pourrir dans le renfoncement humide de quelque cachot.

— Antoine ?

La vivacité avec laquelle il releva la tête démontra qu'il avait reconnu ma voix. Toutefois, avec ma robe riche et ma coiffure savante, il ne me replaça pas. Son regard allait de l'une à l'autre des suivantes à la recherche de ce qui, chez moi, lui était familier.

— Antoine, c'est bien toi ?

Il me fixa alors et je vis ses yeux s'arrondir à mesure qu'il m'identifiait, moi, plus belle que je ne l'avais jamais été. Dans son expression, j'aurais pu noter la surprise, la joie puis l'éblouissement, mais j'étais trop secouée pour remarquer quoi que ce soit.

— Comment cela, « Antoine » ? s'étonna la reine par la bouche de la comtesse d'Arenberg. Est-ce donc là le malheureux pour qui nous nous démenons depuis des heures afin de convaincre le roi de le libérer de son bourreau ? Il se révèle en fort bonne condition, pour un garçon martyrisé.

Autour de mon amoureux, les gentilshommes n'osaient relever la tête. Seul le duc de Guise me parut assez vaniteux et sûr de lui pour se redresser en ne gardant que le minimum d'inclinaison nécessaire pour ne pas faire affront à sa souveraine. Ses yeux fixaient ceux de la reine avec une forme d'insolence, et j'admirai ma nouvelle amie de ne pas sembler y prêter d'importance. Personnellement, je l'aurais giflé – mais peut-être ma méchante humeur à son endroit découlait-elle de la déception que commençait à m'inspirer Antoine. En dépit de la considération sans bornes que vouait le peuple de Paris à la famille de Guise, je ne me trouvais aucune sympathie pour ce seigneur qui se donnait des airs de roi.

Les rires étouffés que je percevais derrière moi démontraient que les courtisans de la reine n'en pouvaient plus de se retenir. Déjà, pour eux, la situation annonçait ma dégringolade dans l'estime d'Élisabeth d'Autriche. Je balbutiai :

— Antoine ? Mais que fais-tu ici, parmi ces… les hommes de… On m'avait affirmé que tu étais prisonnier des… de…

— Prisonnier ? Allons, madame ! répliqua le duc de Guise en s'adressant à moi, mais en fixant toujours Élisabeth d'Autriche. Ce garçon, qui a été proposé pour nos besoins par Sa Majesté la reine mère elle-même, est trop bon serviteur pour se mériter pareil sort. Sauf dans une geôle des ennemis du royaume, cela va de soi.

Antoine continuait de rouler des yeux étonnés en me détaillant, la bouche mi-ouverte, mais muet. Puis il regarda la reine en conservant son air incrédule. Ma présence en compagnie de l'épouse de Charles IX le laissait tout aussi déconcerté que je l'étais de le trouver parmi les proches du duc de Guise.

— Avec la permission de Votre Majesté, dis-je en me tournant vers la reine, j'aimerais m'entretenir en privé avec le palefre… enfin, ce gentilhomme de monsieur le duc.

— En privé ? Voyez-vous ça ? se moqua Guise en reluquant délibérément ma poitrine. Il n'y a pas plus directe comme proposition.

La comtesse d'Arenberg ne jugea pas à propos de traduire la dernière intervention à sa maîtresse et se contenta de transmettre ma requête. La reine acquiesça après avoir poussé un profond soupir.

— Faites. Usez du salon voisin. En ce qui me concerne, j'avais demandé à voir le roi, je ne peux me soustraire à l'audience qu'il a aimablement accepté de m'accorder.

Sur ce, non sans un nouveau mouvement de révérences des fidèles du duc – auquel s'ajouta celui de ses propres courtisans –, Élisabeth d'Autriche, en compagnie de son inséparable traductrice, s'ébranla vers la grande porte où un héraut l'annonça. Afin d'échapper aux regards narquois qui se posaient sur moi à mesure que les courtisans des deux camps se redressaient, je me précipitai plus que je ne marchai en direction de la pièce désignée par la reine. J'entendis dans mon dos les pas d'Antoine qui s'élançait à ma suite.

* * *

Nous restâmes de longues secondes à nous entreregarder dans un petit salon coquet aux murs couverts de lourdes tentures colorées et au plancher masqué par un large tapis d'Orient. Nous considérions tous deux autant la figure que les vêtements de l'autre.

Enfin, à mi-voix, de peur qu'on se moque encore plus de nous de l'autre côté de la porte, je m'exclamai :

— Antoine, que fais-tu au milieu des courtisans de ce… ce vilain duc ?

Les mains tendues dans une attitude à la fois de supplication et de justification, il fit un pas vers moi, mais je reculai d'autant. Il répondit d'une voix désolée :

— Anne, j'ignorais que vous vous en faisiez à ce point pour moi. Je vous le jure. L'aurais-je soupçonné que je serais accouru pour vous rassurer. Pardieu, que vous êtes belle, Anne ! Vos cheveux… votre visage… cette robe…

Je remarquai qu'il me vouvoyait tandis que je l'avais tutoyé spontanément, ce qui trahissait l'autorité que je m'efforçais de prendre sur lui et la soumission – inconsciente sans doute – à laquelle il acceptait de se plier. Il allait me complimenter encore sur ma nouvelle apparence, mais je ne lui en laissai pas le temps.

— Ton père, ton oncle, Antoine ! Tous deux se morfondent. Si les gardes ou les huguenots ne les ont point déjà chassés, ils doivent toujours nous attendre à l'entrée du Louvre. Mais enfin, que fais-tu avec ces nobliaux tandis que nous te pensions au cachot ? Sais-tu que les rumeurs ont d'abord fait de toi l'assassin de Coligny, puis un simple complice, mais qui aurait aidé le véritable tireur à s'enfuir ? Que s'est-il passé ?

— Je… C'est une histoire assez fantastique, fit-il en rougissant faiblement, une main sur sa nuque. Ce duc de Guise que nous avons d'abord pris pour un méchant seigneur m'a offert une chance unique de me distinguer auprès du roi.

Je le trouvais beau dans ses habits de qualité, dans ses expressions à mi-chemin entre l'homme et l'enfant, mais en même temps, bête dans cette pitoyable naïveté qu'il avait de croire qu'un galant de la cour pouvait lui concéder gratuitement des faveurs sans qu'il les eût méritées.

Quoique… N'était-ce point précisément ce dont je bénéficiais ? Et de plus haut degré encore ?

Je ne parvenais pas à me faire à l'idée que le duc de Guise pût être aussi désintéressé qu'Élisabeth d'Autriche.

— Te distinguer auprès du roi ? Mais en quelle manière ? Et pour quel besoin ?

— Pour le besoin que tous les sujets d'un royaume ont de se bien faire voir de leur souverain. Vous-même, Anne, me paraissez en fort bons termes avec la reine, ce qui ne manque point de me réjouir.

— Mais mon besoin à moi était noble, Antoine ! C'était pour te libérer des geôles où je croyais que tu croupissais.

— Vous me voyez sincèrement honoré de votre…, commença-t-il en faisant de nouveau un pas vers moi.

Mais je me détournai vivement pour lui montrer mon irritation. Les bras croisés sur la poitrine dans une attitude de petite fille boudeuse qui ne me sembla pas de la meilleure maturité, mais qui, pour le moment, était la seule que je parvenais à adopter, je l'interrompis :

— J'ignore pourquoi tu t'acoquines avec ces vilains, mais je sais qu'il m'est difficile de te pardonner la folle inquiétude que tu as semée parmi les gens de ta famille.

— Si je ne m'étais point « acoquiné », comme vous dites, je serais réellement au cachot en ce moment.

Je pivotai de nouveau vers lui et demandai :

— À quoi t'ont-ils obligé ?

— À servir la vraie religion, Anne. Je ne prétends point avoir accepté immédiatement, mais lorsque j'ai réalisé qu'un duc – entre les mains duquel j'étais tombé par hasard – prenait la peine de m'expliquer les choses, j'ai senti le respect qu'on me témoignait et l'importance de la cause que nous défendons.

— Mais… quelle cause ?

— La foi, Anne ! La foi catholique, apostolique et romaine ! La cause du pape. Vous n'avez point été témoin des conséquences du laisser-aller de la piété, ma belle amie, mais moi, si. Tout le long de la Seine, entre le Havre-de-Grâce et Paris, il est possible de constater le mécontentement de Dieu. Partout, les gens crient famine. C'est la punition divine infligée à la France parce qu'y fleurit l'hérésie. Le souverain de notre royaume chrétien est envoûté par le chef des huguenots, Coligny, l'amiral de Châtillon. On m'a dit que, en privé, Sa Majesté l'appelle « mon père » ; vous vous rendez compte ? Même Catherine de Médicis, issue pourtant de l'Italie victorieuse du protestantisme, ne peut sévir contre ce conseiller, car elle a les mains liées par la volonté du roi, son fils. Il faut à la France un homme de la trempe du duc de Guise, prêt à affronter le courroux de son maître pour redonner à la Couronne la paix, la sécurité et la place qui lui revient dans la bienveillance de Dieu.

J'aurais voulu rétorquer, mais un frisson glacial me parcourait tout entière. Les paroles d'Antoine étaient un sacrilège ! Non seulement par ce qu'elles impliquaient à propos de la tromperie royale sur la religion, mais aussi par le fait que les accusations étaient prononcées dans les murs mêmes du palais. Il y avait là matière à périr sur le bûcher.

Après de longues secondes pendant lesquelles nous reprîmes tous deux notre souffle, lui pour s'être montré si volubile dans ses explications, moi pour digérer le caractère blasphématoire de ce que j'avais entendu, je finis par trouver l'énergie de demander :

— Que s'est-il passé, Antoine, entre le moment où le duc nous a coincés dans les quartiers de la reine de Navarre et celui où je te retrouve aujourd'hui ? Qu'as-tu à te reprocher en ce qui a trait à l'attentat contre l'amiral de Coligny ?

23

Les explications d'Antoine

Muette, mais non point ingénue, moins encore crédule à ce qui paraissait évident pour Antoine, je le laissai s'expliquer :

« Lorsqu'on nous a amenés aux écuries, Jehan et moi, monsieur le duc s'est immédiatement pris d'affection pour ma personne. Il comprenait bien que j'étais un honnête citoyen et un fidèle de la foi apostolique. Il n'y avait donc aucune raison pour lui de se méfier outre mesure de ce que nous avions pu saisir, vous, le petit Brissier et moi, de ses confidences avec ses hommes de main ou de notre échange avec Sa Majesté la reine mère. Heureusement, il ne s'intéressa miette à votre jeune voisin, si bien que je n'eus point à lui mentir quant à la religion de celui-ci.

— Jeune forgeron, me dit-il en entourant mes épaules de son bras de guerrier – car, mon aîné de sept ans, le brave s'est déjà battu contre les Turcs, ainsi qu'aux côtés du duc d'Anjou, le frère du roi, contre les protestants de Saint-Denis et de Jarnac, et encore deux fois à Poitiers et à Moncontour –, jeune forgeron, tu es de ces citoyens honnêtes qui ne sauraient laisser aux nobles seuls la tâche de redonner au royaume sa place dans la chrétienté et dans le cœur de Dieu. Que dirais-tu si je t'offrais l'occasion de quitter un instant ta tranquille existence d'ouvrier pour t'ouvrir les portes de la gloire et de l'honneur ?

Sur ce, il m'expliqua ce que je vous narrai tout à l'heure, Anne, à propos du mécontentement divin et de la grâce qui auréolera tous ceux qui participeront aux combats pour la vraie foi.

— Le roi est envoûté, me confia le duc de Guise, la reine mère est prise en souricière entre, un, son désir insensé de tolérer les deux religions dans le royaume, et, deux, son opposition à la guerre imminente dans les Flandres que souhaite ardemment Coligny. La mort de ce dernier réglerait tous les problèmes : Charles IX ne serait plus guidé par Satan, et Catherine de Médicis n'aurait plus à se soucier d'envoyer des troupes soumettre les catholiques des Flandres et, par le fait même, de risquer de déclencher un nouveau conflit avec l'Espagne. Oh, bien sûr, le roi pourrait user de l'insurrection anti-espagnole de Hollande pour éloigner du pays les soldats huguenots et, par la même occasion, nettoyer Paris de cette engeance, mais je pense personnellement que rien ne vaut une bonne action immédiate et radicale : tuer le maître ! Et si les Navarrais se sentent par trop irrités par notre initiative – et le diable sait combien ils le seront –, nous profiterons de ce que leurs chefs sont pour la très grande majorité hébergés au Louvre afin de nous en débarrasser. En un seul jour, nous pouvons libérer la monarchie de l'hérésie calviniste.

Jehan était déjà affecté à des tâches touchant les écuries. Moi, on m'entraînait hors du Louvre en direction de l'hôtel des Guise. Étant donné tous les secrets qu'on me confiait, je n'étais pas dupe du danger mortel que j'encourais si je refusais de suivre le duc. Cependant, je n'avais point envie de me dérober aux attentes qu'on plaçait en moi. Peu à peu, je comprenais à quel point le duc avait raison dans sa froide, mais ô combien rationnelle analyse. Je me laissais convaincre, et vous aussi, Anne, j'en suis persuadé, vous discernez maintenant la terrible disgrâce qui touche le royaume et les impasses contre lesquelles se heurtent notre roi et la reine mère. Cette dernière, par ailleurs, n'est point naïve, et voilà pourquoi elle ne s'est pas opposée à ce qui lui a paru évident lorsqu'elle a surpris le duc avec l'exterminateur Maurevert.

Exterminateur, oui, Anne, je suis conscient de l'énormité du mot, car la mission que ce fidèle du duc avait reçue était d'éliminer le diable Coligny. C'est pour lui, pour Maurevert, que j'ai reçu mandat de m'impliquer. Ma tâche était simple : amener discrètement un cheval en un lieu convenu afin que cet homme puisse échapper à la furie huguenote.

Les rumeurs à mon propos étaient justes, on avait bien aperçu un jeune palefrenier aux couleurs des Guise près de la monture que le meurtrier a utilisée pour fuir. Cependant, dès ce matin, le duc m'a servi d'alibi et a plutôt sacrifié les vieux concierges qui tenaient la maison où Maurevert a opéré. Ainsi, ce sont eux qui sont actuellement soumis à la question. Mais ils en ignorent beaucoup ; ils ne peuvent trahir de véritables secrets.

Ces logeurs de la résidence du chanoine de Villemur n'auraient point dû se retrouver en si fâcheuse situation. Si Coligny avait succombé au coup d'arquebuse comme prévu, Guise aurait déjà rencontré le roi, l'aurait convaincu de l'importance de la disparition de son méchant conseiller, et tous les chefs protestants seraient éliminés. La France serait libérée et le souverain ne pourrait que remercier le duc pour son initiative.

Anne, vous m'écoutez ? Anne, pourquoi me traitez-vous ainsi ? Ne comprenez-vous point les enjeux qui se dessinent ? Dieu l'exige, rien de moins. La preuve en est que notre France souffre comme l'Égypte souffrit jadis des sept plaies reçues du ciel. Je vous en prie, calmez-vous. On va vous entendre. »

24

Les reproches de la reine

Je repoussai Antoine avec mes deux mains. Il n'était pas question que j'endure davantage son babil insensé. En quelques heures, Guise et sa clique avaient balayé la candeur et la gentillesse de mon amoureux pour le transformer en un être insensible, incapable de trouver en nos frères protestants les mêmes chrétiens, les mêmes citoyens de notre ville et sujets de notre royaume.

— Anne, je vous en...

— Ne me touche point !

J'étais devenue impuissante à m'adresser à lui sans crier. Ma voix m'agressait moi-même par son intonation haute et discordante, mais je ne me contrôlais plus. Je ne le supportais plus. Autant je l'aimais une demi-heure plus tôt, autant je le détestais à cet instant.

Je me dirigeai vers la sortie et, ce voyant, il m'agrippa par le bras. Je levai une main pour le gifler à toute volée, mais me retins lorsque la porte s'ouvrit avec brusquerie.

La reine Élisabeth d'Autriche, la comtesse Marguerite de La Marck-Arenberg et deux favorites entrèrent dans le petit salon avec un furieux froufrou de jupes. Je m'inclinai aussitôt tandis qu'Antoine, moins au fait du protocole – ou plus alarmé –, se prosterna en mettant un genou à terre. Il ne bougea plus.

— Bien, mademoiselle Anne, dit la comtesse d'Arenberg après qu'une servante eut refermé derrière les femmes. Il est clair à l'esprit de Sa Majesté que ce jeune homme a abusé de l'amour que vous lui vouez, par sa négligence et, plus que sûrement, par sa puérilité. À cause de lui, également, et par votre entremise, Sa Majesté la reine s'est rendue ridicule aux yeux de son mari. Il lui a fallu inventer un prétexte pour justifier sa demande d'audience, et elle n'a pu trouver mieux que de plaider en faveur des actions malheureuses encommencées par le duc de Guise.

— Que Votre Majesté sache à quel point je…, fis-je en accentuant ma révérence devant Élisabeth d'Autriche.

Mais la comtesse me coupa :

— Sa Majesté n'entendait point se mêler des questions religieuses qui agitent si fort l'entourage du roi et aurait préféré se contenter d'un rôle de soutien muet auprès de son époux. La situation de cet après-midi l'a obligée à prendre une initiative en faveur de Guise, ce qui lui déplaît pour la raison que je viens de dire, mais aussi parce qu'elle n'approuve point, en vérité, les actes sournois et par trop violents de cet embaucheur d'assassins.

Malgré les paroles sévères de la comtesse, la reine gardait sur moi un regard amène, confirmant le pacte d'amitié silencieux que nous avions scellé plus tôt au nom de cette sympathie que nous ressentions l'une pour l'autre. Dans un lent clignement des paupières, elle m'attesta sa bienveillance puis se tourna vers Antoine. Ce dernier, le nez toujours vers le sol, devina le mouvement, car je surpris un léger tressaillement agiter ses mains.

— Quoi être vos nom et qualité, monsieur ? demanda la reine avec son accent charmant.

— Antoine Dubois, madame. Écuyer de M. le duc de G…

Élisabeth d'Autriche l'interrompit et la comtesse traduisit :

— Sa Majesté désirerait connaître vos véritables qualités, monsieur. Celles qui étaient les vôtres avant que M. le duc ne récompense vos déplorables actions avec de déplaisantes dignités.

Antoine hésita, et je vis sa pomme d'Adam tressauter dans une laborieuse déglutition. Il bafouilla :

— For… forgeron, ma… dame.

— Et marin, non ? insista la comtesse.

— Et… marin, confirma Antoine.

La préceptrice interpréta en allemand au profit de sa protégée, puis en français au bénéfice de mon amoureux :

— Voilà des industries qui agréent davantage à Sa Majesté que tous les titres dont pourraient vous abreuver les grands de la cour.

Antoine ne bougea pas. Élisabeth d'Autriche dit dans son mauvais français teinté de ses connaissances en espagnol :

— Relevez-vous de pied, monsieur.

Il s'exécuta, mais en gardant le menton bas. De nouveau par la bouche de la comtesse, la reine poursuivit :

— Cette jolie tête que vous avez, monsieur, et que vous croyiez avoir sauvée de la sévérité du duc de Guise, hier, je viens de la préserver aujourd'hui de celle du roi. Ce dernier, en effet, voulait venger son « père », comme il appelle M. de Coligny, mais puisque l'amiral lui-même a exigé qu'on ne pourchasse point les assassins, et que ses blessures sont, somme toute, secondaires, j'ai convaincu Sa Majesté, mon époux, de ne point vous tenir rigueur du peu que vous avez consacré à l'affaire. Le duc aussi, en ce moment, doit défendre sa vilaine initiative, et si ce n'était la sympathie dont il bénéficie auprès du peuple de Paris, je ne donnerais pas un sol de l'indulgence royale à son égard.

— Mer… merci, madame, hésita Antoine en se demandant si la reine marquait une pause dans ses reproches pour lui laisser le temps d'exprimer sa gratitude..

— Dès après sa visite à l'amiral de Coligny, reprit la reine toujours par l'entremise de la comtesse, Sa Majesté le roi s'est empressé d'ordonner une enquête. On trouvera rapidement les preuves permettant d'incriminer l'assassin dépêché par Guise, soyez-en certain, quitte à faire signer une déclaration sous la torture aux deux pauvres bougres qui, en cet instant, pâtissent des sévices que vous auriez dû souffrir, monsieur. Mon époux a également fait enregistrer au registre de la Ville de Paris une interdiction de s'armer destinée aux bourgeois, et il a commandé à ses soldats d'éloigner tous les catholiques habitant autour de l'hôtel de l'amiral. On y concentrera des protestants pour empêcher que quelque exalté de la foi romaine cherche à réparer l'échec de ce matin. C'est dire, monsieur, à quel point Sa Majesté le roi est mécontent de l'homme dont vous béné… dont vous *pensez* bénéficier de l'affection.

Pendant tout le temps que la reine et la comtesse parlaient, je gardai les yeux sur Antoine, épiant sa moindre réaction. La mine penaude qu'il affichait lui donnait un air de petit garçon coupable, surpris la main dans le pot de gâteaux. C'était à la fois pathétique et charmant. Je fus étonnée d'en éprouver de l'attendrissement.

La comtesse traduisit de nouveau les paroles d'Élisabeth d'Autriche :

— Je suis votre maîtresse par mon rang, mais vous ne m'appartenez point à proprement parler, monsieur. Aussi ne vous ordonnerai-je rien, mais vous conseillerai-je ceci : quittez les entours de ces méchants drôles en compagnie desquels vous semblez maintenant tirer une certaine gloire, et retournez à vos anciennes qualités auprès de votre famille et de cette jeune femme, Anne Sagedieu, en qui vous trouverez la meilleure des épouses. M'entendez-vous, monsieur ?

— Oui, madame.

— Suivrez-vous mon avis ?

L'œil droit d'Antoine lorgna dans ma direction avant de revenir vers le sol.

— Si Mlle Anne est disposée à me tenir pour quitte de lui avoir causé bien de l'inquiétude, à elle comme à nos parentèles, je veux bien, madame, courir chez mon père afin d'assurer les miens de ma bonne santé et de mes intentions honnêtes.

— Quitterez-vous l'entourage du duc, monsieur ?

Avant qu'Antoine puisse répliquer, des cris de joie éclatèrent de l'autre côté de la porte. Il y eut un brouhaha et des bruits de pas pressés, des rires, des hourras… Quelqu'un lança :

— Sa Majesté a dit à M. le duc : « Vous pouvez rester ou partir. S'il faut faire justice, je saurai bien vous retrouver. »

— Le roi a vraiment confiance en son duc, alors !

— Vive le roi ! répondit-on.

— Vive Guise !

— Vive la messe !

— Monsieur ? insista la reine, qui ne s'était pas détournée d'Antoine et qui feignait d'ignorer les manifestations heureuses du couloir et de l'antichambre voisine. Quitterez-vous l'entourage du duc ?

25

Les volets clos

Contrairement à ce que je craignais, mon père et l'oncle d'Antoine nous espéraient toujours à la sortie du Louvre. Les heures d'attente et les bousculades aux portes du palais n'avaient pas eu raison de leur patience. Ils avaient renvoyé mon frère cadet à la maison, mais eux s'étaient obstinés à subir quolibets et menaces de la part des huguenots, protégés en partie par les gardes du roi, qui étaient débordés. Une troupe de piquiers suisses avait ramené le calme un moment, mais la colère contenue des protestants ne s'était vraiment apaisée que lorsque les suivants de Coligny avaient confirmé que l'amiral refusait qu'on le vengeât. « Ce serait faire le jeu des assassins que de chercher revanche en enflammant Paris. »

— Jarnidieu, l'fadrin ! C'que tu nous as inquiétés, ta mère, ton père et moi..., lâcha le marin en enlaçant son neveu à pleins bras.

Puis, tenant Antoine d'une seule main et posant la seconde sur l'épaule de mon père, il poursuivit :

— Ainsi qu't'as semé l'émoi chez c't'Augustin, bon comme du bon pain, qu'a accepté d't'offrir la main d'sa fille.

Mon père me reçut aussi par des embrassades, l'expression soulagée sur son visage ne pouvant encore totalement effacer les traits anxieux que ma longue absence y avait tracés. Je le serrai fortement contre moi pour le rassurer.

— Je commençais à céder au découragement, murmura-t-il à mon oreille. C'est la reine mère qui t'a donné cette robe ?

— Non, papa. Je… je t'expliquerai.

— J'espère que tu es conscient du dévouement de mon aînée à ton égard, mon garçon, lança-t-il en se tournant vers Antoine, et de la ferveur avec laquelle elle s'est engagée à te ramener.

— Oh, tout à fait, monsieur. Je lui en suis profondément reconnaissant…

Il me jeta un œil équivoque avant de conclure :

— … et ne l'aime que davantage.

— Qu'est-ce qui t'est arrivé ? s'informa l'oncle d'Antoine. Guise t'a vraiment ordonné écuyer ? T'as mouillé dans l'atta…

— Il vaut mieux que vous gardiez ce genre de questions pour lorsque nous serons de retour à la maison, suggéra mon père en lorgnant vers les oreilles huguenotes qui nous entouraient. Sinon, nous risquons de servir d'amorce à l'orage contenu dans les rues.

— Ces messieurs nous tiendront lieu d'escorte, intervins-je en désignant les quatre soldats aux couleurs royales qui attendaient à deux pas. Sa Majesté les dépêche afin d'assurer notre sécurité jusqu'à chez nous.

— Des gardes de la reine mère ? ne manqua pas de s'étonner mon père en scrutant les uniformes impeccables et les armes étincelantes.

— Non, papa. D'Élisabeth d'Autriche.

* * *

Sous la protection de la soldatesque mise à notre disposition par ma bienfaitrice – et adorable amie, la reine de France –, nous traversâmes les rues enfiévrées qui menaient à notre quartier. Antoine et l'oncle Jacques insistèrent pour nous accompagner jusqu'à la mercerie avant de s'engager en direction de leur propre secteur.

La première chose que je remarquai à l'approche du carrefour qui m'était familier fut les portes hermétiquement closes de nos voisins protestants. Même les Brissier, qui pourtant étaient appréciés de tous, s'étaient retranchés dans leur logis, les volets fermés. Peut-être agissaient-ils pour le mieux, en effet, et était-il préférable d'attendre que les antagonismes religieux s'apaisent un brin.

L'oncle Jacques et mon père, devenus fort bons amis, se séparèrent après force embrassades et promesses de se revoir plus souvent. J'étais heureuse de constater que les liens qui se tissaient lentement entre les membres de nos deux familles s'avéraient cordiaux. Père et M. Jacques s'appréciaient déjà, se respectaient, et il était bon de voir que le parrain de mon promis entretenait une telle sympathie pour nous.

Je dois avouer que les adieux entre Antoine et moi furent, quant à eux, moins… chaleureux. Si je lui permis de baiser ma main, je m'empressai de la retirer d'entre ses doigts afin qu'il n'ait point loisir de la caresser. Je tenais à garder avec lui une distance exprimant mon mécontentement. L'expression attristée qu'il s'efforça de masquer me démontra que le message passait.

Je me fis violence afin de ne pas tourner les yeux dans sa direction lorsqu'il atteignit l'extrémité de la rue, car – je ne pouvais me leurrer – je mourais d'envie de savoir s'il cherchait à croiser mon regard. Quand je ne pus résister plus longtemps…, son oncle et lui avaient déjà disparu.

26

Les questions matinales

En ce samedi matin du 23 août 1572, j'avais mieux dormi que la veille. Il était bon de retrouver la mollesse familière de mon matelas et l'odeur de mes couvertures. Je fus éveillée par le lointain bourdon de l'église des Halles qui sonnait prime. Tandis que je m'étirais sur ma couche, je me plus à imaginer qu'Antoine, dans son quartier, entendait sans doute les mêmes volées de cloche que moi.

— Tu ne manqueras pas de ranger les velours sous les jacquards, lança ma mère de sa voix ensommeillée en passant devant mon lit. On a dû les déplacer quinze fois, hier, pour avoir accès aux tissus qui se vendent. C'est d'un embarras…

Cheveux ébouriffés, yeux cernés, une main grattant ses fesses… À peine réveillée, elle pensait déjà au travail. Voilà le paradoxe de la nature de ma mère : sous ses dehors calmes contrastant avec l'énergie explosive de mon père, elle parvenait à dégager la même effervescence appelant au labeur et à l'oubli de soi.

J'utilisai le pot de chambre – sous les imprécations de ma sœur benjamine, qui croisait les jambes dans l'attente de son tour – et, une fois dans la cuisine, je repérai la demie d'une pomme qu'on n'avait point terminée la veille. Je devrais m'en contenter jusqu'au soir.

J'avais encore dans mes cheveux les peignes qu'Élisabeth d'Autriche m'avait offerts le jour d'avant. Toutefois, je n'enfilai point la riche robe dont elle m'avait habillée, mais celle beaucoup plus sobre que je revêtais habituellement pour travailler à la boutique.

Quand je passai devant l'escalier donnant sur l'étage des domestiques, j'entendis Joseph fanfaronner auprès d'une jeune servante nommée Léontine :

— J'ai trouvé à me procurer une huitaine d'œufs. Et un bout de lard. Ce soir, tu pourras faire de la soupe et il en restera assez pour toi aussi.

Je soupirai en m'efforçant de ne point le regarder, car il devait avoir cette posture hanchée de gentilhomme – avec la main sur la cuisse comme sur le pommeau d'une épée – qui m'énervait au plus haut degré.

Dans la boutique, en dépit de l'heure matinale, des employés s'affairaient déjà à préparer, découper, coudre les tissus qui, dès les premiers rayons de soleil, prendraient les rues menant aux divers hôtels des nobles, aux églises et, comme de raison, au Louvre. L'attentat raté contre Coligny et l'animosité grandissante entre les factions des deux religions ennemies n'avaient pas ralenti les festivités des noces royales. Au contraire, plus que jamais, fallait-il croire, les Parisiens et leurs invités – notamment ceux venus avec le roi de Navarre – cherchaient dans les divertissements l'apaisement des aigreurs et des haines. Sans doute s'ingéniait-on à réduire les tensions avant le départ de tout ce beau monde de Paris, de manière à ne point achever dans la rancune une célébration qui, paradoxalement, devait nouer des liens d'amitié.

— Alors, la reine ?

— Quelle reine ?

— Ne fais pas l'innocente, répliqua maman en examinant les coutures effectuées par une employée. Élisabeth d'Autriche, l'épouse de notre roi Charles IX. Comment est-elle ?

— Est-ce vrai qu'elle est jolie ? demanda Joseph.

— On la dit fort pieuse, précisa mon père, qui additionnait les piles d'étoffes derrière un comptoir.

— En tout cas, elle est très gentille, fis-je en ne répondant pas tout à fait aux questions, ce qui ne parut guère déranger mes parents ni les employés curieux qui m'écoutaient en feignant d'être concentrés sur leurs tâches.

— Je l'ai déjà aperçue, à distance, tandis que son carrosse passait dans la rue Saint-Honoré, expliqua Joseph, qui se donnait des airs d'importance. Son visage m'a semblé de peau bien foncée pour une reine de France.

— Qu'est-ce qui t'interdit de penser que, à la place, tu n'as point vu une suivante ? Comment pourrais-tu reconnaître la reine si tu ne l'as jamais croisée avant ?

J'avais élevé la voix et m'étonnai de découvrir en moi cette inclination nouvelle à défendre la dame la plus puissante du royaume.

— Et Catherine de Médicis ? demanda papa.

Ah non, c'était plutôt elle, la plus puissante. Elle usait d'une position et d'un pouvoir qui, en fait, auraient dû revenir à sa bru. Des frictions surgissaient-elles parfois – souvent ? – entre les deux femmes ? À cause de sa douceur, sans doute Élisabeth laissait-elle tout l'espace à sa belle-mère.

Je masquai un sourire car, dans ma tête, j'appelais Sa Majesté par son prénom, telle la plus simple de mes amies. Comme nous serions proches si nous n'avions entre nous les abîmes creusés par nos naissances !

— Et la reine Marguerite ? s'informa maman.

— Et notre roi, tu l'as vu ? renchérit papa alors que je n'avais même pas répondu à sa question précédente. Et celui de Navarre ?

— Henri d'Anjou, François d'Alençon..., énuméra Joseph avec un air rêveur, comme si en nommant les frères du roi, il accédait à une forme de privilège le plaçant à leur service. Dites, père, à la prochaine livraison au Louvre, si les princes y sont toujours, c'est moi qui devrais m'y rendre.

— C'est une robe magnifique ! souffla ma mère dans une telle digression que je pivotai vers elle.

Elle étalait sur une table le vêtement que la reine m'avait offert la veille pour rencontrer le roi, vêtement qui ne m'avait point été utile, finalement – sauf pour émouvoir mon voisinage. Ma petite sœur Delphine en caressait un pan entre ses deux mains.

— Devrais-je la lui rapporter, maman ? demandai-je en frissonnant à l'idée que je pouvais tenir là un prétexte pour revoir la souveraine.

— Je ne sais trop…, hésita ma mère en tournant le regard vers mon père. Quelle est la bienséance en telle matière, Augustin ? Est-ce un manque de savoir-vivre que de retourner un cadeau qui n'est point de notre rang, ou est-ce un devoir que de rendre au généreux donateur un bien qui n'a servi qu'à tirer d'embarras ? À quoi sommes-nous obligés ?

Mon père se gratta la nuque en fronçant les sourcils.

— Voilà qui prête à réflexion, finit-il par lâcher. Je présume que tout dépend du contexte et des intentions de la personne qui…

La porte du commerce s'ouvrit avec brusquerie, interrompant mon père, faisant sursauter ma mère et ma sœur Delphine, et arrachant un cri d'effarement à la jeune Léontine et aux employées les plus près. Je me redressai avec vivacité, et mon frère recula de deux pas lorsque trois gentilshommes, chapeau à larges bords et épée au côté, firent irruption. Le poli impeccable des lames de couteaux à leur ceinture jetait des éclats meurtriers au milieu du moiré des tissus sur les tablettes.

À son pourpoint rouge, ses longues moustaches, ses yeux noirs renfoncés et sa carrure de bœuf, je reconnus le plus grand du groupe : le dénommé Attin, qui accompagnait le duc de Guise et l'assassin Maurevert le matin où Antoine et moi les avions surpris dans les quartiers des suivantes de la reine de Navarre !

27

Les guisards

Attin, avait affirmé Catherine de Médicis, appartenait au duc d'Aumale, qui lui était l'oncle de Henri de Guise. Je frissonnai en repensant au moment où je l'avais vu plaquer la lame de son poignard sur la gorge d'Antoine.

Attin jeta un regard circulaire dans la boutique, repéra mon père et conclut se trouver en face du maître des lieux. Il se planta droit devant lui tandis que ses deux acolytes se dispersaient autour des comptoirs recouverts de cardé, de damas, de brocart, de velours et de satin, intimidant les employés par leur seule présence muette et leur mine mauvaise.

— Il nous faudrait des étoffes blanches, annonça Attin à mon père.

— Vous êtes au bon endroit, répliqua celui-ci en saluant de la tête comme devant n'importe quel client et en prenant bien garde que son attitude paraisse servile ou craintive. Et de quel tissu ?

— Qu'est-ce que j'en sais, moi ? rétorqua le gaillard en désignant les présentoirs et les tablettes croulant sous les cotons, les laines, les soies… Pourvu que ce soit blanc.

— Combien de laizes ? demanda mon père, placide.

— Tout ce que tu as sur les étagères derrière toi.

— Diantre ! Ce sera cher.

Attin caressa le manche de son poignard du bout des doigts. Il laissait son autre main reposer sur le pommeau de son épée. Je notai que Joseph fixait ces gestes et me dis que je le détesterais quand – je ne le savais que trop – il calquerait cette méchante posture.

— Ça te coûtera encore plus cher si tu ne te grouilles pas.

— Le client est roi, lâcha papa dans un soupir qui exprimait autant l'agacement que l'abdication.

Je remarquai la pâleur qui teintait le visage de ma mère. La désinvolture de son époux commençait à l'inquiéter. Elle cherchait à lui faire signe pour l'inviter à plus de délicatesse, mais mon père s'obstinait à ne point regarder dans sa direction.

Attin, sourcils froncés, souleva son chapeau avec le pouce. Il articula lentement :

— Mais j'y pense…

Ses deux poings sur le comptoir, il avança sa grosse face de molosse pour fixer mon père dans les yeux.

— Tu es catholique ou protestant, toi ? Répète après moi : Vive la messe !

— Vive la messe ! redit papa en haussant les épaules.

— Jure que le pape est le vicaire du Christ et que tu crois à la présence du fils de Dieu dans l'hostie.

— Je le jure. Je suis catholique, ainsi que toute ma famille autour de moi. Amen. Et voyez là, au fond du magasin, cette statuette de la Sainte Vierge qui nous protège des mécréants aussi sûrement que votre épée le fait pour vous. Si ce n'est pas une preuve de notre appartenance à la vraie foi, je me demande ce qu'il vous faut.

Pour toute réplique, Attin grogna, mais je ne perçus point d'irritation additionnelle dans son expression en dépit de l'outrecuidance de papa. Il balaya la pièce du regard, davantage pour se donner une contenance que pour vérifier la présence de la sculpture de la Vierge. Ses pupilles croisèrent les miennes.

Il hésita un moment, un pli vertical se formant entre ses deux sourcils. Visiblement, il cherchait à se souvenir de ce que mes traits lui évoquaient. Je pouvais presque voir les pensées défiler dans son crâne. Moi, je ne me remémorais que trop bien sa sale tête et son poignard.

Du coin de l'œil, je notai que la nervosité gagnait mon père. Il n'était jamais bon qu'un individu portant une épée s'intéresse de près à une jeune fille. Trop de coquins composaient la faune des gentilshommes. Papa s'empressa donc de reprendre l'échange pour détourner de moi l'attention du colosse :

— Alors, messire, on les prend, ces tissus, ou on assiste à une messe avant ?

Attin, abdiquant devant sa mémoire défaillante, poussa un autre grognement en guise d'approbation. Il me quitta des yeux pour jeter une bourse sous le nez de mon père.

— On les prend. Tu fais livrer le tout à l'hôtel du duc de Guise.

Il se détourna pour partir puis se ravisa.

— Et les laizes, tu les découpes étroites. Nous en ferons des bandelettes et des écharpes.

— Des écharpes en cette canicule ? s'étonna mon père.

— Ce sera comme un signe distinctif, un signe de ralliement…

Attin secoua la tête comme pour se réprimander lui-même d'avoir la langue trop bien pendue. Décidément, il ne me semblait pas être un esprit des plus vif. Néanmoins, dans sa confidence, nous ne décelâmes rien de répréhensible. Nous crûmes qu'il était sans doute affecté à quelque spectacle, bal, ou divertissement obscur que la famille de Guise réservait aux nobles dans le cadre des festivités au Louvre.

Même si nous savions ne craindre aucun péril sérieux de la part des trois hommes, nous nous sentîmes soulagés lorsqu'ils se dirigèrent vers la sortie. Ma mère me parut la plus tranquillisée, tandis que mon frère, qui n'avait pas bougé de son recoin, déjà, modifiait son hanchement pour mieux se rapprocher du maintien aux jambes bien campées du vilain Attin.

— Oh, j'allais oublier, lança le mercenaire du duc d'Aumale en faisant claquer son majeur contre sa paume.

Il se tourna vers papa.

— On m'a dit qu'il y avait un forgeron dans ce quartier, un fort bon. Un certain Dubois. Où puis-je le trouver ?

Un seau d'eau glacée sur la tête ne m'aurait point pétrifiée autant.

— Dubois ? répéta mon père en fronçant les sourcils. Il n'est point de ce quartier.

— Ah non ? J'avais cru comprendre…

— Vous le rencontrerez plutôt dans la rue aux Ours, au coin d'une venelle, pratiquement à la hauteur de Saint-Julien. Mais attendez…

Mon père se tourna vers Joseph et lui ordonna :

— Guide ces gentilshommes chez maître Dubois. Ils ont mieux à faire que d'errer au hasard dans la poussière de Paris. Mais reviens aussitôt après. Il y a fort à abattre ici.

28

Le récit de l'aubépine

Je me morfondais tandis que, assistée de deux employées, je coupais les laizes de tissu blanc commandées par Attin et ses deux acolytes. Au moment de leur départ, j'avais bien tenté de manœuvrer afin d'apprendre au plus vite ce que les trois bonshommes voulaient à la famille d'Antoine…

— Père, je connais mieux que Joseph l'atelier de M. Dubois et je peux guider ces…

— La conduite d'une fille honorable n'est pas de courir sans arrêt chez son promis. Et, sauf votre respect, messieurs, surtout point en compagnie de trois inconnus.

À sa mine fort nerveuse, j'avais bien compris qu'il craignait pour moi à cause de la façon dont Attin m'avait regardée plus tôt.

Au mot de « promis », d'ailleurs, ce dernier m'avait jeté un nouveau regard intrigué sans me replacer plus que la fois précédente. Il ne se remémorerait probablement rien avant d'avoir revu Antoine lui-même – si c'était bien lui qu'il cherchait.

Il me fallut patienter deux heures avant de voir réapparaître Joseph.

— Tu en as mis du temps, grogna papa. Ce n'est certainement pas toi que j'enverrai chez les Guise pour la livraison. En attendant, va aider ta sœur à attacher les paquets.

Dès que Joseph entreprit de s'activer à mes côtés et que j'estimai que personne ne pouvait nous entendre, je lui demandai :

— Qu'est-ce qu'ils voulaient aux Dubois, les trois affreux ?

— Tu es curieuse.

— Joseph, s'il te plaît, je suis morte d'inquiétude. Je connais le meneur de cette bande de ferrailleurs, et s'il s'intéresse à la forge des Dubois, ce n'est pas bon signe. Alors ?

— Ils tenaient à rencontrer Antoine.

— Que cherchaient-ils à tirer de lui ?

— Je ne l'ai point ouï, ils ne m'ont pas permis de m'approcher. Mais je pense avoir deviné.

— Comment ça ? Que sais-tu ?

— Ils m'ont parlé à moi aussi, sur le chemin du retour. Ce sont réellement de braves gentilshommes, mais… mais n'en souffle mot à père, il ne comprendrait point.

— Joseph, par la Vierge, conte-moi tout.

— Jure que tu garderas le secret pour toi.

— Je le jure.

— Ils m'ont proposé de leur prêter main-forte, cette nuit, pour une… « mission ». Je crois qu'Antoine s'est fait présenter la même chose. En tout cas, je sais qu'il a accepté.

— Quelle mission ?

— Tu promets de ne rien dire ?

— J'ai déjà juré, peste ! Joseph, de quoi parles-tu ?

— Distribuer des armes à des partisans des Guise qui, identifiés par une bande d'étoffe blanche au bras ou autour du cou, vont donner l'assaut à un groupe de huguenots.

— Tu rigoles ? Tu vas te battre ?

— Non, seulement transporter les épées, couteaux, hasts, etc., une fois la nuit tombée. Peut-être qu'Antoine sera amené à s'impliquer davantage vu qu'il est plus âgé.

— Mais c'est insensé !

— Pourquoi ? Il est l'heure que Paris repousse les Navarrais, non ? Ça fait assez longtemps qu'ils occupent nos rues et se moquent de notre foi. Dieu n'en peut plus de ces sacrilèges.

— Et qu'est-ce que tu connais, toi, des sentiments de Dieu ? Tu lui as demandé son avis ?

— Je savais que tu ne comprendrais pas. Tu n'es qu'une fille. En tout cas, Antoine et moi, on sera de la partie.

— Pas question !

— Tu as juré de ne rien dire, alors tu la boucleras. D'ailleurs, Dieu n'apprécie pas non plus les faux serments.

— Joseph, si tu transportes des armes, c'est pour que quelqu'un quelque part s'en serve contre un autre ; on parle de meurtres, là. Et Dieu n'affectionne point les meurtriers.

— Non ? Au retour, nous sommes passés par la rue de la Ferronnerie, car les gentilshommes n'allaient point à l'hôtel des Guise, mais au Louvre.

— Quel rapport ?

— On a traversé le cimetière des Innocents.

— Je ne vois toujours point.

— Le curé de l'église y était et il affirmait à qui voulait l'entendre – et ils étaient nombreux autour de lui, crois-moi – que si nous ne mettions pas bientôt fin à l'hérésie qui souillait le royaume, Dieu lui-même s'en chargerait.

— Eh bien, justement ! Laissez son travail à Dieu.

— Sauf que, possiblement, à l'image de Sodome et Gomorrhe, le Tout-Puissant ne ferait point la distinction entre catholiques dévoués et protestants hérétiques. Il raserait tout sur son passage.

— Beau discours de charité.

— L'aubépine à côté de laquelle il prêchait, fort grande et branchue depuis le temps qu'elle croissait là, se mourait.

— À cause des huguenots ? Franchement, Joseph…

— C'est exactement ce qu'a dit le curé. Il a déclaré que, d'aussi loin qu'il se souvienne, l'arbrisseau a toujours fleuri en son temps, au mois de mai. Or, cette année, la plante n'a absolument rien produit, signe manifeste du mécontentement de Dieu.

— Joseph, tout ça est grotesque, et je t'interdis de te mêler à cette histoire d'armes avec les guisards.

— Tu n'as aucun ordre à me donner.

— Je suis ton aînée.

— Tu n'es qu'une fille et tu ne peux pas comprendre. Laisse faire les hommes, les vrais.

— Toi ?

— Ceux avec qui je serai, en tout cas. Ton Antoine, par exemple.

— Antoine ne participera pas à…

— Je te l'ai dit, je sais qu'il a déjà accepté, même si j'ignore de quoi les gentilshommes l'ont convaincu. Alors, contente-toi d'observer la justice de Dieu en action.

29

Les visites chez le fripier

— Papa, il faut que je retourne son vêtement à la reine.

Je n'avais pas trouvé de prétexte pour me rendre chez Antoine. La seule solution que j'avais trouvée était d'aller me confier à Élisabeth d'Autriche. Peut-être saurait-elle me renseigner, voire empêcher Antoine de se mêler à une conjuration qui n'annonçait rien de bon. Après tout, si je me fiais à la conversation que j'avais surprise entre elle et Marguerite de Navarre, je ne trahirais pas vraiment de secret: elle savait que des armes transitaient au Louvre et qu'il se tramait quelque mauvaise action contre les protestants.

— Je ne sais point..., hésita mon père sans me regarder, le nez penché sur les chiffres qu'il étalait en colonnes avec une plume d'oie sur le papier devant lui. Il faudrait que je m'assure d'abord de la bienséance en telle matière.

— Je demanderai à Sa Majesté et...

— Rien ne presse, Anne. Même si nous choisissons de renvoyer la robe, tu pourras toujours y aller une fois que les hôtes navarrais auront quitté le Louvre, et les autres huguenots, Paris.

— Mais la famille royale n'aura alors plus de raison de rester au palais et sera repartie à Fontainebleau, voire – qui sait – à Blois.

— Ne te tracasse point.

Du fond du magasin, ma mère me cria:

— Tu as terminé la mousseline de dame Péchot?

— Myriam fignole les derniers points.

— En ce cas, prends la relève de Corinne sur les damas. J'ai besoin d'elle pour le ficelage.

Je m'exécutai en grommelant tandis que Martin, le fils de la cuisinière, un an plus vieux que Joseph, entrait dans la boutique en courant. Il se dirigea droit sur mon père.

— Le vieux Boisbelet accepte de nous vendre huit poules, monsieur, annonça-t-il avec un entrain manifeste. J'irai les quérir cet après-midi.

— Dieu soit loué, fit maman en embrassant le bout de son pouce et de son index réunis, et en faisant le geste de lancer son baiser vers le ciel. Nous aurons moins à redouter de cette rareté des vivres.

— À quel prix ? grogna papa, plus terre-à-terre.

— Pour le tarif de deux douzaines, monsieur, répondit Martin plus lentement, son enthousiasme gommé un brin.

— Me disais aussi..., maugréa mon père sans avoir levé le nez de ses chiffres.

* * *

Durant toute la journée, je me creusai la cervelle afin de trouver le moyen de convaincre mon père de me rendre soit chez Antoine pour apprendre ses intentions à la suite de la visite des hommes du duc d'Aumale, soit chez la reine pour l'informer de ce que je connaissais des desseins des Guise. Mais rien de crédible ne se formait dans mon esprit.

— Ah, zut ! Delphine ! Ne cours point ainsi, tu fais tomber ce que je m'applique à ranger.

Et ma patience s'en ressentait.

J'aurais pu trahir le serment fait à Joseph et tout raconter à papa, mais cela n'aurait eu pour résultat que d'empêcher mon frère de prêter main-forte aux conspirateurs. Mon père ne m'aurait pas davantage permis d'aller dissuader mon amoureux de faire des bêtises et moins encore de retrouver Élisabeth d'Autriche pour l'aviser des troubles qui risquaient de secouer le Louvre.

Ce fut vers la fin de l'après-midi, tandis que je me sentais le plus aux abois, que survint l'événement que je n'espérais plus.

Avec la charrette et l'âne que nous utilisions à l'occasion pour le transport de nos marchandises, Joseph, accompagné du vieux serviteur de nos voisins, était parti livrer les commandes de la journée – dont les tissus pour les Guise, car mon père ne mettait pas toujours ses menaces à exécution. La frénésie du matin s'était passablement atténuée, et Myriam, Corinne, la jeune Léontine, ma mère et moi pouvions travailler à un rythme plus aisé.

Je recousais les manches d'une veste appartenant à un bourgeois du quartier quand, par la porte grande ouverte donnant sur l'animation de la rue, je vis s'arrêter une calèche. Sans pouvoir la détailler à cause de la lumière du soleil à contre-jour, je devinais à ses courbes peu usuelles qu'il s'agissait là d'une bien belle voiture. Les deux chevaux qui la tiraient piaffaient d'ardeur après un trot qui les avait à peine échauffés. On les sentait jeunes, forts et bien nourris. Des montures que, sans doute, seuls les grands pouvaient se payer… et entretenir.

Ma surprise s'amplifia lorsque quatre piquiers revêtus des couleurs royales entrèrent avec leur mine fermée et leurs armes d'hast aux lames bien polies. Ils se positionnèrent par deux de chaque côté de la porte tandis que d'autres silhouettes avec le même uniforme se mouvaient à l'extérieur.

— Décidément…, murmura mon père, plus étonné qu'inquiet.

Un héraut parut alors, poudré, mais sans chapeau, si gringalet que je me demandai où il trouvait la force de lever ses mains alourdies de bagues. Il marchait de façon si maniérée que, un instant, je me dis qu'il s'agissait peut-être d'un comédien qui singeait une fille comme il nous arrivait d'en observer à l'occasion lors de spectacles dans les rues.

— Mesdames, monsieur, fit-il en se pliant à demi et en balayant l'air de ses doigts agités, veuillez vous incliner, s'il vous plaît, afin d'accueillir Sa Majesté Élisabeth, archiduchesse d'Autriche et, par la grâce de Dieu, reine de France.

* * *

Quand Élisabeth d'Autriche apparut dans l'embrasure de la porte d'entrée, accompagnée de son inséparable interprète, Marguerite de La Marck-Arenberg, un silence de cathédrale s'abattit dans la boutique. Même les bruits de la rue me semblèrent s'éteindre. Mon père, qui n'était pas encore remis de la stupeur occasionnée par l'annonce du héraut, se prosterna si profondément que je m'étonnai que son bon gros ventre lui permît autant de souplesse. Ma mère, quant à elle, surprise en position assise derrière une table de travail, se jeta carrément sur les genoux. Dans la seconde, elle fut imitée par Corinne qui œuvrait à côté d'elle.

Dans le mouvement, un pot renfermant ciseaux, pelotes d'épingles, aiguilles et dés à coudre tomba par terre en répandant son contenu. La sonnaillerie du méfait nous parut bien disgracieuse, mais nul ne fit le moindre geste pour récupérer les objets épars. Au contraire, quand Delphine, à qui revenait ce genre de tâche, voulut intervenir, notre mère la retint solidement par le poignet.

Pour ma part, dès que je croisai le regard de la reine, je me levai de mon banc pour faire une courbette et rester inclinée dans une posture aussi immobile que possible.

— Excusez-nous ! Excusez-nous, chers amis, lança à la cantonade la comtesse d'Arenberg en agitant un éventail à la hauteur de son visage. Nous savons qu'il n'est point séant de surgir ainsi dans un atelier sans même avoir laissé connaître d'avance notre arrivée. Mais notre initiative était spontanée et nous n'avons pas pris le temps d'envoyer le héraut en avant de nous.

— Ma… dame… tout l'honneur… Madame, ne vous excusez point, balbutia mon père, le nez sur les genoux, n'osant pas même ouvrir les paupières.

Je reconnus la voix aimable de la reine avant que sa dame de compagnie ne traduise :

— Sa Majesté vous en conjure, relevez-vous. Il fait trop chaud pour se conformer à des postures inconfortables. De simples mentons inclinés conviendront fort bien.

On hésita certainement deux ou trois secondes avant d'acquiescer à une proposition aussi généreuse. En fait, nous attendîmes tous que mon père s'exécute, puis nous nous risquâmes à redresser le dos devant la reine.

— Anne, *meine Liebe*.

Je m'efforçai de lever les yeux sans avoir à bouger mon front et constatai qu'Élisabeth d'Autriche s'était avancée vers moi. Elle souriait, et cette expression douce dont elle usait et qui la caractérisait multipliait par mille sa beauté. Je me demandai s'il m'était possible, comme Joseph le faisait avec les gentilshommes, de calquer son attitude afin de magnifier le charme trop négligeable – à mon avis – dont Dieu m'avait pourvue.

Elle se détourna quelques instants pour s'adresser à mon père. La comtesse d'Arenberg interpréta :

— Sa Majesté présume que voilà M. Sagedieu, dont les tissus font sa renommée et la joie des dames de la cour.

— Pour vous servir, madame, répliqua papa en s'inclinant une fois de plus – mais en se permettant de se redresser par après.

— Monsieur, votre fille Anne a gagné l'estime de Sa Majesté par sa gentillesse, son naturel et la grandeur d'âme qui la distingue.

— L'honneur rejaillit sur toute ma famille, madame.

— Sa Majesté, qui a ouï parler de coups de foudre amoureux dans les chansons de geste, préfère croire aux coups de foudre en amitié. Aussi s'est-elle fortement pénétrée d'amicales pensées pour votre fille.

— Sa Majesté fait preuve d'une considérable générosité de cœur.

Du coin de l'œil, je captai la figure émue et comblée que ma mère tournait dans ma direction. J'en ressentis une profonde fierté.

— *Mi querida amiga*, vous plairait-il que je vienne vous rendre visite à l'occasion quand le roi, mon époux, se prend d'affection pour Paris ?

La comtesse d'Arenberg, tout en traduisant mot pour mot les paroles de la souveraine, me regardait avec une expression incertaine, mêlée d'indulgence et de désapprobation. Je présume qu'elle manifestait des réserves à être utilisée comme pont pour sceller une amitié entre une Majesté Royale et une roturière – mais je sais aussi qu'elle s'inquiétait pour moi. Elle poursuivit :

— Personnellement, je vous avoue que je m'ennuie fort au Louvre avec les jeux de paume et les tournois dans lesquels se complaisent les hommes. Et je n'ai point, parmi mes favorites, du moins celles de notre âge – toutes baronnes, vicomtesses ou duchesses fussent-elles –, de véritables camarades avec qui simplement badiner et rire.

Marguerite de La Marck-Arenberg se pencha vers moi pour ajouter cette remarque de son cru :

— Mais n'oubliez pas ce contre quoi je vous ai mise en garde : vous risquez de vous faire de puissantes ennemies de par la jalousie que vous susciterez chez celles qui n'ont jamais pu bénéficier de votre privilège.

— Je m'en souviendrai, madame, n'ayez crainte, murmurai-je en retour.

Puis, plus haut :

— Madame, le privilège de servir sa reine est le plus grand honneur dont puisse se prévaloir une sujette.

À l'inspiration un peu bruyante que prit mon père, je sus qu'il était content de ma réplique. La comtesse se tourna vers lui.

— Pourvu, naturellement, que cela ne vous mette point dans l'embarras, cher monsieur, en vous privant d'une employée précieuse, précisa-t-elle d'elle-même, sans passer par sa maîtresse.

— Mais pas du tout, répondit papa en ouvrant grand les yeux pour signifier son total assentiment. Et cela nous permet de trouver une utilité à la magnifique robe que Sa Majesté a eu la générosité de prêter à ma fille.

Pendant qu'ils échangeaient ainsi, Élisabeth d'Autriche se pencha vers moi. Dans un mauvais français à l'accent haché et entrelardé d'espagnol, elle chuchota à mon oreille :

— Tu me faire une plaisir que *no se puede exprimir*, Anne. Fatiguamment, je supporter la comtesse, gentille, mais ennui. Mes suivantes *mía* à moi, très ennui aussi.

— Voilà qui tombe bien, Votre Majesté, répliquai-je en murmurant également. Je devais absolument vous parler et j'ignorais comment entrer en contact avec vous. J'ai appris des choses qui menacent la sécurité du Louvre.

Elle se redressa en me renvoyant une mine sérieuse, les sourcils froncés. Je n'étais pas certaine qu'elle ait bien compris ce que je venais de lui avouer, mais je savais l'avoir déçue un brin. Avec moi, on ne faisait pas que badiner et rire, il fallait aussi parfois faire face à des sujets préoccupants.

30

Dans les confidences du palais

En fin d'après-midi, ce samedi-là, je me retrouvai donc en compagnie d'Élisabeth d'Autriche, à traverser les couloirs du Louvre. Une frénésie inhabituelle – selon la reine – animait le lieu, fièvre que je ne manquai pas d'associer à ce que m'avait raconté Joseph.

— D'habitude, les courtisans se font plus bruyants et plus foisonnants, me confia Marguerite de La Marck-Arenberg. Remarquez, ce n'est pas plus mal ainsi, vu qu'ils sont moins nombreux à vous savoir dans l'intimité de Sa Majesté. Mais la nouvelle ne tardera point à se répandre.

Engoncée dans ma robe trop chic à laquelle je n'étais point encore accoutumée, j'essayais de me faire la plus minuscule possible en me tenant près de la comtesse. J'espérais seulement ne pas paraître trop pataude tandis que nous nous dirigions vers les quartiers de la souveraine. Nous étions précédées par le même héraut maniéré qui était venu à l'atelier, et il ne céda sa place aux suivantes attitrées d'Élisabeth qu'une fois à la porte de son salon personnel.

— Il appartient au duc d'Anjou, le beau-frère de Sa Majesté, me glissa à l'oreille la comtesse d'Arenberg, qui soupirait bruyamment chaque fois que le serviteur poussait un petit cri enthousiaste ou confus, mais toujours à la légère. Vous saviez qu'il était… hum… je veux dire, que Henri, le cadet du roi, préférait les hommes aux femmes ?

— Euh... non..., répondis-je en faisant une moue, alors que, en vérité, comme tout Parisien, je n'ignorais point que le duc d'Anjou se plaisait à s'entourer de mignons.

— Quelle honte pour la France, s'il devenait roi !

— Si Dieu a jugé bon de le faire naître ainsi..., commençai-je avant de me taire aussitôt, car des courtisans nous serraient de plus près, espérant capter des bribes de nos chuchotements.

Élisabeth d'Autriche, immédiatement suivie par Marguerite de La Marck-Arenberg, passa la haute porte de ses quartiers privés. Lorsque la première de ses autres dames de compagnie voulut leur emboîter le pas, la reine eut un geste d'opposition.

— *Solamente doña Anne,* dit-elle en espagnol avec son fort, mais charmant accent.

Je présume que c'était la langue qu'elle estimait la plus proche du français, donc la plus susceptible d'être comprise par ses favorites. Et ces dernières, justement, entendirent parfaitement le vœu de leur souveraine puisque je n'échappai point aux regards outrés ni aux expressions assassines lorsque je me faufilai entre elles pour talonner les deux femmes. Je déglutis en songeant que la comtesse d'Arenberg avait possiblement raison de prétendre que l'amitié d'une reine pour une roturière risquait de s'avérer une infortune plus qu'une bénédiction.

— Vous avez senti l'animosité, Anne ? s'informa Élisabeth d'Autriche – toujours par l'entremise de la comtesse –, une fois que nous fûmes seules dans son salon particulier. Comprenez-vous maintenant pourquoi j'ai besoin d'une véritable compagne avec qui bavarder en toute innocence ? Avec mes dames de compagnie, c'est impossible. Chacune cherche dans mes propos la confidence qui saura la servir, elle ou ses proches. Je crois que la cour de France est la pire en cette matière.

J'allais répliquer un banal remerciement lorsqu'on gratta à une porte à l'autre bout de la pièce. Marguerite de La

Marck-Arenberg marcha à la rencontre d'un domestique qui chuchota quelques mots, la tête inclinée.

Elle traduisit ses paroles à sa maîtresse qui me regarda en étirant un grand sourire. La comtesse me lança :

— En parlant de véritable amie, justement... Sa Majesté la reine de Navarre sollicite un entretien avec sa belle-sœur.

— Oui, oui, s'enthousiasma Élisabeth en français. Direz à Margot de *vénir*.

Puis, en se penchant vers moi pour murmurer tandis que Marguerite de La Marck-Arenberg faisait signe au serviteur d'aller ouvrir à la récente épouse du roi de Navarre :

— Tu verrez. Margot s'être *una buena persona. Te encantará.*

Je n'osai pas lui avouer – pour le moment, mais je me promettais de le faire – que je les avais déjà épiées toutes deux en franche conversation.

À l'entrée de la sœur cadette du roi de France, je m'inclinai profondément en me félicitant de mes nouveaux réflexes de courtisane, mais surtout de la qualité toujours s'améliorant de mes courbettes. Marguerite de Valois – maintenant Marguerite de Navarre – était seule, sans dame de compagnie.

Elle portait une robe que je trouvai magnifique, avec ses épaulettes bouffantes, sa dentelle de col amidonnée de ris, son décolleté provocant, ses jupes vastes qui mettaient en évidence une taille menue... Je n'ignorais point toutefois que, à l'échelle princière, il s'agissait d'un vêtement plutôt sobre.

Je n'osais encore détailler le visage de la reine de Navarre, car elle me fixait tout en s'avançant vers nous. Je gardais les pupilles à hauteur de ses jambes.

— Bonjour, ma sœur, salua-t-elle en arrivant auprès d'Élisabeth d'Autriche.

— *Buen* jour, Margot.

— Quelle nouvelle amie avons-nous là ?

Marguerite de La Marck-Arenberg n'eut pas à traduire une question aussi élémentaire, seulement la réponse de sa protégée :

— Marguerite (« Margot »), je vous présente Anne Sagedieu, de la maison de tissus du même nom. C'est une compagne absolument charmante, et j'ai eu envie de l'inviter parmi nous afin de nous distraire des conversations plutôt ternes ou fausses de nos suivants habituels.

— Une bourgeoise ? Voilà une excellente idée, Élisabeth. Cela nous changera de ces noblaillonnes qui ne savent que nous rebattre les oreilles de la fortune ou de l'infortune de leur famille. Regardez-moi, Anne.

J'osai enfin lever les yeux et pus admirer – de près, cette fois, et non à travers la mince ouverture d'un mur mal fixé – ce qui faisait la renommée de Marguerite de Valois-Navarre : la beauté de sa figure. Contrairement à Élisabeth qui arborait une coiffure en ratepenade soignée et serrée par des peignes, la reine de Navarre laissait sa longue chevelure châtain sombre flotter autour d'elle, retenue, mais à peine, par une broche au sommet du crâne. Sa robe aussi contrastait avec celle de sa belle-sœur, beaucoup plus chaste.

— Vous avez un visage honnête, déclara-t-elle après inspection de mes traits. Et même… vous êtes plutôt jolie. Vous me rappelez Henriette.

Elle changea de ton pour murmurer :

— C'est la duchesse de Nevers, une amie. Mais elle commence à se faire vieille, la pauvre. Parfois, ses propos m'ennuient.

Je souris, mais sans être certaine de pouvoir m'amuser aux dépens d'une dame qui ne le méritait peut-être pas. En fait, je ne connaissais rien de ladite comtesse.

Ce qui me fascinait à cet instant était de constater que les personnes bien nées dont l'image était magnifiée dans mon esprit de roturière, une fois entre elles, parlaient et agissaient de manière assez semblable à nous, le peuple.

— Ma chère sœur, enchaîna Élisabeth d'Autriche par la bouche de la comtesse d'Arenberg, je me préparais à faire venir un goûter. Aimeriez-vous partager avec…

— Non point, fit Marguerite de Navarre en interrompant la traduction sans délicatesse. Je venais seulement vous entretenir de notre discussion d'hier matin, mais puisque vous avez une invitée…

Pendant que la comtesse interprétait ces mots au profit de sa protégée, je songeai à me retirer d'un pas pour signifier mon intention de les laisser seules. Je réalisai alors que la discussion en question devait être celle que j'avais surprise, et que je tenais là l'occasion d'avouer à la reine de France le secret qui pesait sur notre amitié.

— Si vous évoquez l'échange que vous avez eu toutes deux dans la chambre de Votre Majesté, dis-je d'une voix blanche en baissant les paupières, et celui qui, par après, a suivi avec Sa Majesté la reine mère, je suis au courant.

J'attendis que Marguerite de La Marck-Arenberg ait fini de traduire avant de poursuivre en m'adressant plus spécifiquement à Marguerite de Valois, mais sous les six yeux ronds des deux reines et de la comtesse :

— Une aide-lingère m'a montré un défaut de construction dans les quartiers adjacents aux appartements de Votre Majesté. Je sais de quoi il en retourne et j'ai même des informations supplémentaires à ajouter à celles que Vos Majestés possèdent déjà.

31

Badineries avec deux reines

Marguerite de La Marck-Arenberg, en traductrice fidèle, ne manquait point d'interpréter au mot près toutes les interventions des deux reines et les miennes. Cependant, en tant qu'accompagnatrice et mère spirituelle de la première dame de France, elle n'omettait point non plus de faire sentir à tout moment, par des soupirs et des froncements de sourcils, que les propos échangés ne convenaient pas toujours à deux épouses de monarques, et moins encore devant une roturière.

Mais, toute comtesse fût-elle, elle n'avait point autorité pour interdire quoi que ce fût à une tête couronnée. Surtout pas à ces deux reines qui, tout protocole balayé, s'entendaient comme deux vraies petites sœurs d'un même foyer.

Aussi Élisabeth, Margot et moi – car les souveraines exigeaient que je m'adressasse à elles par leur prénom – éprouvions-nous toutes trois l'agréable sensation d'être des gamines égales en naissance et en intelligence. Il faut dire que, bien que je fusse la plus jeune, nous n'étions pas si éloignées en âge. Margot avait dix-neuf ans, Élisabeth dix-huit et moi dix-sept. Je comprenais que, pour mes compagnes du moment, qu'importent leurs richesses ou leur pouvoir, cette heure de complicité représentait un luxe qu'elles n'avaient guère la fantaisie de se payer souvent. Notre plaisir innocent mourrait dès l'instant où nous passerions de l'autre côté de la porte.

— J'ai bien avisé mon nouvel époux qu'un drame se préparait, affirma Margot entre deux gorgées de vin coupé d'eau, mais il m'a ri au nez. Il a déclaré que jamais Charles ne permettrait à quiconque de lui causer le moindre préjudice.

Elle ricana en fermant les yeux et en se laissant aller sur le flanc. Nous étions assises par terre sur un tapis si épais que j'avais l'impression de reposer sur l'herbe d'un pré. Élisabeth, la main gauche sur le sol, passait parfois la droite sur son ventre rond. Elle n'était peut-être pas vraiment à l'aise en raison de sa grossesse, mais je crois qu'elle n'en disait rien pour ne pas écourter ce moment charmant que nous partagions.

— *Por qué* rirez *tanto*, Margot ?

— Voilà cinq jours que j'ai contracté mariage avec le roi de Navarre et je n'ai toujours pas couché avec lui. Je suis dans mes quartiers, et lui, dans les siens… avec ses huguenots.

— On le dit pourtant plutôt… enfin…

Assise dans un fauteuil fort rembourré, la comtesse d'Arenberg rougit avant de reprendre sa traduction des paroles d'Élisabeth :

— Il a la réputation d'aimer les jolies filles et… d'être fort performant au lit.

— Mais puisqu'on m'a mariée de force, riposta Margot, l'œil moqueur, je vais faire traîner les choses tant que je le pourrai. Rien que pour affirmer mon désaccord. Je sais que je ne peux pas désobéir à mon frère, le roi, ni à mon époux, le roi…

Elle rit en buvant une autre gorgée, puis poursuivit :

— … mais au moins, je laisserai un peu… macérer ces maudits hommes.

— Voilà qui doit quand même ennuyer un brin Sa Majesté votre mère, supposa Élisabeth. Tant que l'union conjugale n'est point consommée, on peut la rompre… Et mon avis, ajouta pour elle-même la comtesse, est que les efforts de la reine mère pour promouvoir la paix méritent plus de respect.

La femme eut un geste vague des doigts à la hauteur du visage. Elle s'excusa en s'inclinant sur son fauteuil :

— Que Votre Majesté veuille bien me pardonner. À vous voir toutes trois assises ainsi, j'ai oublié que je m'adressais à des reines.

Margot et moi pouffâmes de rire tandis qu'Élisabeth, qui n'avait pas saisi, nous observait avec une expression de frustration exagérée. Personnellement, je comprenais la pauvre Marguerite de La Marck-Arenberg, car moi-même je peinais à me rappeler avec qui je conversais aussi librement. En deux jours seulement, c'était fou comme, à mon regard, les attributs de la royauté avaient gagné en petitesse. À part leur naissance au sein d'une dynastie, qu'est-ce qui différenciait ces deux souveraines de la mercière que j'étais ? Rien. Mêmes rires, mêmes insouciances, mêmes doutes, mêmes moqueries à propos des garçons...

— Moi, commençai-je d'une voix plus menue, vaguement timide, ma mère m'a dit si peu de choses en ce qui concerne ce qui se passe... la première nuit... Est-ce que ça fait mal ?

La traduction de la comtesse me fit monter le rouge aux joues ; je trouvais incommode que cette femme assiste à mes confidences, même si son rôle dans l'entourage de la reine de France l'obligeait à une discrétion totale. Mes deux amies, habituées depuis toujours à n'avoir aucune intimité, à considérer les suivantes et les domestiques comme de vulgaires pièces de mobilier, ne montraient évidemment aucun embarras.

J'attendais qu'Élisabeth réponde, mais étrangement – pour moi –, ce fut Margot qui prit la parole :

— Mais non. C'est même plutôt... fort agréable.

— Comment le sais-tu ? m'étonnai-je. Tu as dit que ton époux et toi...

— Que tu es bête, Anne !

Je la regardai, bouche bée.

— Tu as déjà couché avec un garçon ? Avant ton mariage ?

Et cette fois, plus curieux encore, ce fut Élisabeth qui répliqua :

— Tout le monde connaît les rumeurs avec Henri de Guise.

— Quel étalon, celui-là ! fit Margot, les lèvres derrière son verre de vin, les sourcils se soulevant en alternance face à moi. J'ai passé avec lui plusieurs nuits au lit, mais j'ai rarement dormi.

Je n'en revenais pas de ma naïveté. Alors, les ragots étaient vrais ! Moi qui croyais que les souverains de France – pas ceux d'Angleterre ni d'Espagne – étaient des êtres sacrés que Dieu plaçait sur terre pour servir de modèles au peuple. J'étais stupéfiée !

— Grand Dieu, Margot ! m'écriai-je presque. J'ai toujours pensé que les qu'en-dira-t-on n'étaient que calomnies lorsqu'ils touchaient la cour. Le duc de Guise, ton amant ? Mais il est sans doute le pire ennemi de ton mari ! Je comprends mieux pourquoi il n'a pas jugé nécessaire d'aller conspirer à son hôtel, mais plutôt dans tes quartiers où il nous a surpris.

— Mon petit roi de Navarre n'a pas que mon amant pour ennemi, riposta Margot en plissant les lèvres et en haussant les épaules. Surtout dans Paris.

— Et ça ne te fait pas peur ? hoquetai-je. Guise est également, j'en suis certaine, celui qui a armé l'assassin ayant attenté à la vie de Coligny. Faut-il qu'il soit sûr de lui pour intriguer si près du roi !

Margot but une longue gorgée en se donnant un air désinvolte.

— N'empêche que je suis inquiète, dit Élisabeth par la bouche de la comtesse. Si des armes s'accumulent aussi aisément dans le palais, si des spadassins à la solde du duc d'Aumale – cet Attin, par exemple – se donnent le mal de recruter de jeunes hommes comme le frère d'Anne et son amoureux, il s'élabore certainement de vilains projets dans l'entourage de nos époux.

Mes deux amies affichèrent des mines sévères, et je regrettai presque d'avoir été à l'origine de la nouvelle orientation que prenait notre conversation. En quelques mots, nous avions soufflé sur une partie du charme et du plaisir de notre moment privilégié.

Margot répliqua :

— Tu peux croire ce que tu veux, Anne, à propos de Henri, mais la mort de Coligny aurait fait l'affaire de tous : non seulement de la famille de Guise, mais également de ma mère, du duc d'Albe, du roi d'Espagne, du pape, des catholiques de Paris… Il n'y a que ce brave Charles – mon adorable, mais ô combien instable frère Charles, roi de France, qui, pour une raison obscure, s'est entiché de l'amiral de Châtillon au point d'en avoir fait son premier conseiller –, il n'y a que lui, oui, qui aurait été contrarié. En même temps, la disparition de Coligny aurait nui à tous : à Guise, d'abord, devenu principal suspect aux yeux de mon frérot – qui, déjà, ne l'apprécie guère – ; à ma mère, ensuite, qui se préoccupe tellement des relations entre catholiques et protestants qu'elle m'a sacrifiée, moi, sa fille, au sein d'une alliance qui me répugne ; à l'Espagne, aussi, qui en a plein les bras avec le conflit des Flandres et qui ne désire certainement pas ouvrir de nouvelles hostilités sur sa frontière nord… À bien y songer, il n'y a qu'au pape que cela profiterait. C'est peut-être lui, finalement, le commanditaire de l'attentat.

— Margot ! s'exclama Élisabeth après la traduction de la comtesse.

— On a fait de moi la femme d'un huguenot, autant commencer à médire de Rome, non ?

Je frissonnai sous le quasi-blasphème. Que pensait Dieu de notre conversation ? Dans son infinie bonté, pouvait-il tolérer que nous usions d'autant de légèreté dans nos propos ?

— N'empêche, fit Marguerite de Navarre en me renvoyant un battement de cils sérieux, si un mauvais joint dans le mur de ma lingerie permet à n'importe quelle curieuse d'épier ma chambre, je vais demander de faire condamner le placard… et le menuisier responsable, par la même occasion.

Il y eut un moment de silence pendant lequel Élisabeth et moi échangeâmes un long regard. Je compris que, en dépit des liens d'amitié qui unissaient les deux belles-sœurs, la reine de France n'approuvait guère le comportement désinvolte de la nouvelle souveraine de Navarre.

— Je suis inquiète pour mon frère Joseph, finis-je par déclarer dans un soupir. Il est stupide…, mais pas plus que les autres garçons en général. Surtout à cet âge. Il faudrait que je le protège de ses propres niaiseries. Je suis inquiète également pour Antoine. Bien qu'il me désappointe un brin depuis que le duc de Guise l'a pris sous son aile, il reste celui dont j'aimerais devenir la femme, avec qui je voudrais fonder un foyer…

— Celui qui se saisirait de ta virginité, quoi, pouffa Margot après avoir vidé son verre d'un coup.

Je ris.

— Ça aussi.

— Bon, écoutez, les filles, déclara Marguerite de Navarre, j'ai une idée.

— *Die Königin hat eine Idee,* traduisit la comtesse.

— En ce moment même… Non, dans peut-être une heure… Enfin, bref, qu'importe, dans peu de temps, je sais que Charles recevra dans son cabinet son Conseil étroit. Il s'agit de ma mère, on s'en doute, mais également de mon autre frère, Henri d'Anjou, de mon amant Henri – c'est d'ailleurs lui qui m'a mise au parfum –, de même que Henriette, puisque son mari, le duc de Nevers, y sera. Sont conviés aussi Gondi, Tavannes, Birague…

— Que veux-tu qu'on fasse ? demanda Élisabeth par la bouche de la comtesse.

— Il n'y a pas que ma chambre qui donne sur des postes d'écoute secrets, le Louvre en contient d'autres. Comment, sinon, Henri et moi aurions-nous pu connaître les intentions de Charles nous concernant ? On utilise des couloirs discrets que seuls empruntent les domestiques, ou encore…

Elle émit un petit rire, visiblement ravie de sa propre espièglerie. Elle reprit :

— Ou encore, dans la partie qui jouxte les appartements du roi, il y a un faux plafond. Au temps de Saint Louis, je pense qu'il s'agissait d'un conduit pour l'aération des quartiers voisins, sans fenêtres, ou pour l'évacuation des eaux de pluie avant qu'on érige un étage supplémentaire, allez savoir. Bref, c'est juste assez large pour que de minces jeunes filles comme nous s'y faufilent. Même toi, avec ton bedon, Élisabeth. Ha, ha, ha ! Tu en fais, une tête ! Eh oui, tu pourrais épier ton mari ! Pourquoi n'irait-on pas y traînailler un brin ?

Je faillis m'étouffer.

— Espionner une réunion du Conseil étroit du roi de France ?

— Oh ! « espionner » est un grand mot, me corrigea Margot en penchant la tête de côté avec une moue exagérément décontractée. Disons plutôt : prendre connaissance des responsabilités dont on pourvoira ton frère et ton amoureux.

— Pas moi, fit la comtesse au nom d'Élisabeth – et avec une expression fort satisfaite. Pas dans mon état.

Notre amie gardait une main sur la rondeur de son ventre. Nous n'étions pas dupes, Margot et moi. Nous nous doutions bien que ce qui la chicotait vraiment était non pas de faire preuve d'indiscrétion envers le roi, mais envers le père de son enfant.

— À ta guise, rétorqua Margot – sans avoir voulu faire de jeu de mots – en dépliant les jambes pour se mettre debout. Mais tu nous devras une faveur, à Anne et à moi, quand nous viendrons te raconter ce que nous aurons appris.

XXIe siècle au Québec

32

Les documents anciens

Mme Karine est dos à moi, de trois quarts. Même de l'autre extrémité de la bibliothèque, je peux distinguer la rondeur dodue de son épaule droite. La robe d'été légère qu'elle a revêtue descend au milieu de ses omoplates. Entre la bretelle gauche de son vêtement et celle de son soutien-gorge, une masse de chair est coincée, ronde et grasse. Je vois la mâchoire de la femme s'abaisser tandis que les tendons de son cou se crispent deux bonnes secondes. Elle bâille en fixant l'écran de son ordinateur.

La salle est déserte. Les luminaires du plafond jettent leur éclairage cendre sur les tables mal polies. Même les livres sur les étagères semblent souffrir de la tristesse du lieu. Je vais finir par penser que je ne suis pas normal, en effet, de gâcher mes vacances estivales à feuilleter de vieux bouquins dans le sous-sol de l'église.

Ne devrais-je pas mettre de côté cet intérêt morbide que j'ai développé pour les événements d'août 1572 en France, et profiter des quelques semaines de climat agréable que m'offre l'été ? Pour lire à la lumière du jour ?

À la reprise des cours, en septembre, je serai plus blanc encore qu'en avril. J'aurai l'air malade.

Mais il me suffit de reposer les yeux sur le volume en face de moi pour savoir que je ne pourrai jamais me détacher de cette histoire que je viens de découvrir. De ce secret qui, si je me décide à le rendre public, risque d'ébranler fortement notre communauté.

Je suis replongé dans ma lecture depuis quinze bonnes minutes quand la porte donnant sur les couloirs de l'église s'ouvre en grinçant sur ses gonds. Je lève le nez par automatisme et aperçois l'abbé Dion, dont la silhouette aux épaules affaissées se découpe dans l'encadrement. Il a endossé une chemise à manches courtes aux teintes criardes – comme pour bien signifier que c'est l'été –, passé un pantalon long, mais au tissu léger, et enfilé des chaussettes blanches dans ses sandales en plastique. Ses cheveux abondants pourraient lui faire bénéficier d'un air plus jeune que ses soixante-dix ans, mais leur couleur de cendres jaunies s'apparente trop à la lumière du sous-sol de l'église pour l'avantager.

Je n'ai pas le temps de rebaisser les yeux sur mon ouvrage que son regard croise le mien. Il me sourit de tout son dentier à l'ivoire artificiel et se dirige vers moi. Je retiens un soupir en m'efforçant de sourire à mon tour. Tant qu'à devoir échanger un moment avec lui, autant en profiter pour...

— Bonjour, Félix.

— Bonjour, monsieur le curé.

— Appelle-moi « mon père ». Tu es catholique, non ?

Oui, mais il n'est pas mon père. Il ajoute :

— Tu n'es pas dehors ?

Il me semble que c'est évident. Sa voix me paraît aigre comme si, au cours de sa jeunesse, ses cordes vocales s'étaient acidifiées à force de respirer l'air âpre des séminaires.

— Non. Je profite des heures où la bibliothèque est ouverte pour...

— En ce cas, pourquoi n'empruntes-tu pas simplement les livres pour aller en tirer plaisir à l'extérieur ?

Il s'exprime vraiment comme un curé.

Il appuie les deux mains sur ma table de travail et se penche vers moi. Je dois reculer pour ne pas humer son haleine de fromage et son parfum d'eau de Cologne bon marché dont il s'est généreusement aspergé.

— Justement, dis-je, je suis content que nous ayons l'occasion d'en parler.

— En parler ? De quoi ?

Sa peau est marquée de taches de vieillesse que rehausse un visage frais rasé. Un second menton, discret, mais présent, pendouille sous le premier. Cheveux et sourcils sont peignés de façon impeccable. Ses yeux brillent d'une lumière terne… Comme sa personne, dirais-je si j'étais méchant.

Mais c'est ainsi, je n'y peux rien. L'abbé Dion, le curé de la paroisse, ne m'apparaît pas sympathique. Il me semble trop… *propre* pour être honnête. À mon avis, un représentant de Dieu devrait inspirer la majesté divine, ce souffle angélique et sublime qu'il cherche à nous vendre.

Pas ressembler à un agent d'assurances.

En fait, c'est peut-être ça, aussi.

— Hum ? De quoi aimerais-tu me parler, Félix ? insiste l'homme en rapprochant encore de moi son haleine fromagée.

Je baisse le nez sur le bureau en plaçant mes deux mains sur le volume ouvert en face de moi.

— Ces documents appartenant à la paroisse, monsieur le curé…

— Appelle-moi « mon père ».

— Pourrais-je les sortir de la bibliothèque ?

— Quels sont ces docu… Ah ! Les vieux registres. Que veux-tu en faire ?

Je lève vers lui des yeux incrédules. À quoi peut-on utiliser des livres ?

— Ils seraient utiles pour redresser les pilotis de notre patio, à la maison.

Comme il ne semble pas comprendre mon humour – et que je crains qu'il découvre à quel point je me moque de lui –, je m'empresse de rire de ma propre blague.

— Mais non, je rigole. Je les trouve passionnants, ces documents, mais Mme Karine m'a dit que vous refusiez qu'on leur fasse franchir le seuil de la bibliothèque.

— En effet. Ce sont des volumes très fragiles. Je veux bien que les paroissiens les consultent pour assouvir leur soif de connaissances, mais ma responsabilité est aussi d'agir de façon à préserver leur intégrité.

— J'en prendrai bien soin.

— J'en suis persuadé, Félix. Je te connais depuis l'époque où, tout petit, tu venais passer tes étés ici, chez tes grands-parents. Tu es un garçon responsable, intelligent et je t'apprécie beaucoup. Nonobstant cela, ces vieux bouquins demeurent trop… vulnérables pour les exposer directement à la lumière du soleil et aux embruns du fleuve. Ça leur causerait un grave préjudice matériel.

Il s'exprime maintenant comme un huissier délivrant les ordres d'expulsion aux pères divorcés ; en ce qui me concerne, ça n'aide pas sa cote de sympathie.

— Ce ne sont pas des originaux, quand même, monsieur le curé !

— Appelle-moi « mon père ».

— Sinon, ils dateraient de plus de quatre cents ans et s'effriteraient sous mes doigts.

— Eh bien, justement, mon bon Félix, puisque les originaux n'existent plus depuis longtemps – ou alors ils pourrissent dans quelque débarras de musée, oubliés de tous –, il nous faut redoubler d'attentions pour préserver les fac-similés. Ce que tu tiens entre tes mains est le recopiage, remontant à cent cinquante ans, d'un prédécesseur de la cure de Saint-Barthélémy. Le brave prêtre voyait se perdre ce qui était déjà un travail de transcription d'un autre auteur, cent cinquante ans avant lui.

— Vous voulez dire que c'est une copie de copie ?

— En quelque sorte.

Je sens une sueur glaciale me parcourir l'échine, provoquant à la fois une impression de chaud et de froid. Le secret explosif que j'ai découvert ne serait-il qu'un pétard mouillé d'embruns du Saint-Laurent? La voix vaguement tremblotante, je demande:

— En ce cas, comment être certain que les écrits de ces… – il y a trois volumes… –, comment être certain que ce qui s'y trouve est authentique, que tout a été retranscrit avec exactitude, que rien n'a été changé, censuré…, allégé?

Le prêtre plisse les lèvres dans une moue qui dénote d'abord l'ignorance, ensuite la conviction. Il réplique en saisissant un des bouquins et en parcourant du bout des doigts les derniers feuillets:

— Personnellement, je n'ai pas consulté ces registres. En fait, lorsque j'ai vu qu'il s'agissait davantage de chroniques que d'un répertoire des naissances, baptêmes, mariages et autres sacrements de notre communauté, je m'en suis désintéressé. Toutefois… Ah, ici! Toutefois, si tu te réfères à cette note inscrite par le transcripteur, tu peux te convaincre de l'authenticité des textes.

Je me penche sur l'ongle parfaitement taillé, brossé et poli qui me désigne quatre lignes au bas d'une page autrement blanche à la fin du volume. Je lis:

— «Fini de recopier par Bernard Piarron, curé de la paroisse de Saint-Barthélémy-de-la-Côte-Nord, sise en l'île du même nom, en ce quatrième jour de novembre mille huit cent soixante-huit. Par la présente, je jure au nom de ma Très Sainte Mère l'Église, en toute bonne foi et sauf erreur hors de ma volonté, que le texte retrace fidèlement les écrits ci-rapportés et eux-mêmes recopiés des originaux par mon prédécesseur, l'abbé Pierre de Lascoux.»

— Tu vois? souligne l'abbé Dion. Jamais un religieux ne se risquerait à jurer de la sorte s'il n'était pas assuré de son fait.

Non convaincu, je passe une main sur mon menton dans une attitude marquant une profonde réflexion. Je déclare:

— Mais comment être certain que le premier prêtre, ce…

Je relis la note.

— … ce Pierre de Lascoux a, lui, fidèlement reproduit les originaux ?

Le curé, en se redressant, me fait grâce de ses effluves, qui finissent par monter à la tête – surtout dans ce sous-sol où flottent des relents d'encens et de poussière humide.

— Si l'abbé Piarron s'est donné tout ce mal, c'est, à n'en pas douter, parce que son prédécesseur, avec un serment similaire, l'avait persuadé que les textes étaient déjà restitués de façon intégrale et sans le moindre changement.

— Donc, je peux me fier entièrement à ce qui est écrit dans ces volumes, selon vous ?

— J'en mettrais ma main au feu, répond l'abbé Dion en posant malgré lui un œil sur ses doigts à l'hygiène impeccable. Ils sont mot pour mot le reflet de la chronique écrite il y a quatre cent et quelques années.

— Mais je ne peux pas les sortir de la bibliothèque.

— Eh non.

— Même si c'était pour les recopier à mon tour ? Pour les générations futures ?

— Plaît-il ?

— Vous m'autoriseriez ? À les retranscrire, je veux dire ?

— C'est un travail de moine.

— Pas tant que ça.

— Oh, si.

— Pas avec un numériseur.

Il me fixe un moment, silencieux, avant de répliquer une phrase qui ne l'engage à rien :

— Nous verrons.

— Merci, monsieur le curé.

— Appelle-moi « mon père ».

Août 1572 en France

33

Le Conseil étroit

Marguerite de Valois-Navarre, comme de raison, connaissait par cœur toutes les ailes du Louvre, toutes les pièces, tous les couloirs, même les portes secrètes qui reliaient certaines chambres entre elles. Je présumai que, depuis qu'elle était petite, en dépit du fait que la cour vivait principalement à Fontainebleau, chaque fois que la famille royale séjournait à Paris, la fille de Catherine de Médicis se plaisait à explorer les coins et recoins du château.

Je m'émerveillai de parcourir ainsi les lieux dont elle maîtrisait parfaitement la disposition – certaines salles étant si richement décorées que j'en avais le souffle coupé. Nous nous dissimulâmes à plusieurs reprises au dos d'un meuble pour échapper au regard de quelque dame de compagnie, nous drapâmes d'un haut rideau pour laisser passer sans être vues une cohorte de gardes, nous insérâmes entre deux bahuts à l'insu des servantes sur notre chemin, nous faufilâmes de côté dans un mince espace généré par deux cloisons qui ne se touchaient point, pour finalement grimper dans une ouverture fort étroite à laquelle nous accédâmes derrière une pièce désaffectée.

— Grand Dieu, lançai-je à mi-voix. Tu sembles connaître les moindres anglets par cœur. Et tu ignorais l'existence du débarras qui jouxte la penderie de ta chambre ?

— Combien d'autres cachettes recèle encore ce vieux château, crois-tu ? Allez, suis-moi. Gare à ta tête.

Le conduit en pierre humide que nous venions d'atteindre n'allait pas très loin. Trente secondes de rampement, et nous étions arrêtées par un muret. Du peu que j'apercevais à cause de l'obscurité, il y avait un orifice large d'un palme qui donnait sur… rien. Une bouche noire comme celle d'un démon dans l'antre duquel nous nous trouvions peut-être. Je frissonnai à cette idée, mais sans avoir vraiment peur… sinon de me faire prendre par quelque dame d'honneur qui nous ouïrait ricaner dans notre renfoncement. Du gravillon me meurtrissait les bras, et j'imaginais ma robe passablement malpropre.

— Tu entends ? chuchota tout à coup Marguerite.

Je percevais des bavardages en provenance de l'orifice dans le muret. En timbres fort clairs, ma foi.

— On ne peut pas les apercevoir ? m'informai-je, déçue.

— Non. Mais je connais si bien leur voix que je peux te nommer quiconque parle. Tiens, lui, par exemple, c'est René de Birague, le garde des Sceaux.

— … qu'il faudra malheureusement instruire Sa Majesté de toutes les modifications apportées auxdits documents avant que les textes ne soient entérinés par ceux dont les responsabilités figurent…

Un interlocuteur intervint :

— D'accord, d'accord, mais s'il est chaque fois nécessaire que les conseillers de Sa Majesté passent par des instances qui…

— Le maréchal de Tavannes, murmura Margot.

— Oh ! Une femme. Elle, je la connais.

Je venais en effet de replacer l'accent italien de Catherine de Médicis.

— Brisons-là ces détails et allons au plus pressé, disait-elle. Coligny n'est point mort, mais l'attaque a causé la même commotion chez les huguenots que si l'attentat avait réussi.

— Eh bien, punissons les coupables ! lança une voix chétive et aigre, que j'imaginai provenir de la bouche d'un enfant – ce qui ne manqua point de m'étonner.

— Le roi, mon frère, chuchota Margot.

— Le… le roi ?

Je cherchai une expression moqueuse dans le visage de mon amie, mais à cause de l'obscurité, c'était peine perdue. Une voix de roi, ça ? Cette intonation sifflante, suraiguë, presque sanglotante, à la limite de l'exaspération ? Elle se riait de moi.

— Les coupables ? répéta Catherine de Médicis. Les connaît-on enfin ? A-t-on réussi à faire parler les prisonniers, les logeurs de la maison de Villemur ?

— Maurevert est le nom qui a été prononcé, madame. Nul doute qu'il est le tireur.

— Jean Le Charron, prévôt des marchands, souffla Margot.

Et elle m'informait de la sorte chaque fois qu'une nouvelle voix se faisait entendre.

— Eh bien, qu'on le prenne et le pende, ce coquin !

— … mon frère, Henri d'Anjou…

— Il aurait quitté Paris, on ne s'en étonne point, gronda le prévôt.

— Punissons alors le commanditaire, fit Catherine de Médicis, d'un ton moqueur.

— J'ai déjà offert mon pardon au duc de Guise, ma mère, déclara le roi avec ce qui me sembla bien être un peu d'amertume.

— Guise, vraiment ? s'exclama faussement la reine mère. Quelle surprise, monsieur le duc ! Je ne vous aurais point cru capable d'une telle félonie.

— Je vous rendais service, madame, prétendit le duc de Guise dont je reconnus l'aplomb même sans le voir. Coligny mort, le mouvement huguenot était décapité et vous n'aviez plus à vous soucier des conséquences d'une guerre néfaste dans les Flandres.

— Coligny mort, une nouvelle tête repousse aussitôt, telle l'hydre de Lerne, répliqua la femme. Navarre ou Condé prend la relève.

— Je suis de l'avis de Sa Majesté.

— … le duc de Nevers, le mari de Henriette, mon amie…

— M. de Guise est un héros dans un Paris anti-protestant…

— … Albert de Gondi, baron de Retz…

— … aussi je pense que Sa Majesté a été d'une grande sagesse en n'engageant point de représailles contre votre personne, monsieur le duc.

— Je suis l'obligé de Sa Majesté. *(Le duc de Guise)*

— Plus peut-être que vous ne le prétendez, étant donné la grande estime que Sa Majesté porte à l'amiral de Châtillon. *(Le duc de Nevers)*

— Que Sa Majesté ordonne, j'obéirai. *(De Guise)*

— Ça va, ça va ! Quel ennui ! *(Le roi)*

— Heureusement, nous aurons un coupable à poursuivre et à pendre. *(René de Birague)*

— Mais commencez par vous éloigner de ma sœur, ce sera déjà ça. *(Le roi… probablement au duc de Guise)*

— N'empêche que, Coligny mort ou non, l'attentat a causé une sacrée pagaille dans Paris. J'ai bien peur qu'en dépit de l'édit de Sa Majesté, les bourgeois s'arment et fondent sur les huguenots. *(Jean Le Charron)*

— J'ai ouï dire que beaucoup de matériel de guerre transitait par les rues, en ce moment. C'est excitant, tous ces complots. *(Henri d'Anjou)*

— On risque d'essuyer une émeute au pied des remparts s'il prend envie au peuple d'investir le Louvre pour le débarrasser de ses hôtes huguenots. On se retrouvera entre deux feux et il nous faudra choisir notre camp. *(Catherine de Médicis)*

— Catholique, le choix est fait. *(Le duc de Guise)*

— Pas question, non ! Les Navarrais sont mes invités. Ils sont sous ma protection. L'honneur commande que je les défende. *(Le roi)*

— Mais la mission divine d'un roi est d'abord de défendre son peuple. *(Le baron de Retz)*

— L'honneur avant tout. *(Le roi)*

— Le divin, Sire, avant tout. *(Le duc de Nevers)*

Il y eut un long moment de silence durant lequel j'imaginai les protagonistes s'entreregarder, se demander comment poursuivre la discussion, vers quelle direction l'orienter. Le prévôt des marchands s'exprima en premier :

— Je crains également un déclenchement d'hostilités inversé, Sire, c'est-à-dire que ce soient nos invités huguenots qui prennent d'assaut l'intérieur du palais. La famille royale est directement menacée par cette éventualité.

— Cette pourriture huguenote empoisonne l'air du Louvre, grinça d'un ton si mauvais le maréchal de Tavannes que la chair de poule parcourut mes deux bras. Et si Dieu les avait livrés entre nos murs afin que nous accomplissions précisément ce qu'attendent de nous le peuple de Paris et les dix-sept millions de Français catholiques ?

La voix du duc d'Anjou s'éleva, teintée d'un curieux mélange de haine et d'amusement :

— Puisque les Parisiens massacreront les huguenots de toute façon, autant procéder nous-mêmes à ce que la nation et Dieu espèrent de nous. Et tuer dans l'œuf les ambitions régicides éventuelles des Navarrais. C'est là agir en état de légitime défense. Il est question simplement d'une… frappe préventive.

— J'ai grande honte, mon frère, à ouïr vos propos et à la pensée que vous puissiez être roi à ma place.

— Charles, ne sois pas naïf ! explosa Catherine de Médicis. Les inquiétudes soulevées par la voix de tes conseillers me troublent vivement. L'attentat n'était certainement pas la meilleure idée de M. le duc, mais maintenant que la chose est faite, nous avons à en gérer les conséquences.

— Les huguenots se réunissent aussi dans les quartiers du roi de Navarre, madame. *(Tavannes)*

— Il y a donc fort à parier qu'ils en viendront eux aussi à décider de refouler l'honneur et de s'en prendre à l'hôte qui les accueille. *(Retz)*

— Pour venger l'attentat en s'en prenant à M. le duc… *(Tavannes)*

— Peut-être également pour s'assurer des otages afin de quitter Paris sains et saufs. *(Le Charron)*

— Bref, la famille est en grand danger. *(Henri d'Anjou)*

— Vous n'avez qu'un petit régiment des gardes, ici, Sire. Une fois le Louvre tombé, les protestants appelleront à eux des renforts, soulèveront d'autres villes pour marcher sur Paris, Fontainebleau… Les catholiques eux-mêmes, si Votre Majesté n'agit point, interviendront sans elle, nommeront un capitaine général… *(Retz)*

— Vraiment ? Et qui ? *(Le roi)*

— Guise, murmura Marguerite pour moi, puisqu'un silence empoisonné semblait être tombé sur le cabinet.

— Non, nous n'attaquerons personne, claqua enfin la voix du roi. Car si les protestants cherchent à se venger de nous, se soulèvent par toute la France, enrôlent des armées étrangères, Dieu ne permettra point que…

— Je prends tout sur moi, Sire, intervint Guise. Pour disculper Votre Majesté et conserver son honneur. Laissez-moi en faire une affaire de famille. Coligny a tué mon père, je tue Coligny… Une querelle personnelle, et non de religion, n'est-ce point crédible ? J'achève Coligny et envoie des mercenaires tuer ses partisans dans le Louvre. Je promets à Votre Majesté que, demain soir, tout sera fini. Et je quitterai Paris afin de détourner la colère éventuelle des chevaliers protestants de la capitale. Le secrétaire du royaume pourrait rédiger une lettre sur laquelle Votre Majesté apposera son sceau. On la diffusera dans toute la France : « Les Guise et les Châtillon se sont entretués ; on n'a su les en prévenir. »

— Coligny est mon ami, mon père, protesta encore le roi. Navarre me plaît, il est droit. Et puis, il est prince de sang ! Un descendant direct de Saint Louis. Ce serait là péché mortel.

— Dieu le commande, Sire. *(Retz)*

— Non, Charles a raison. Évitons de toucher aux princes de sang. *(Catherine de Médicis)*

— Navarre et Condé seulement, alors. Les autres… *(Tavannes)*

— Oui, tous les autres, reprit la voix de Nevers quand Tavannes hésita en début de phrase. Leurs capitaines, gouverneurs, précepteurs, valets de chambre et domestiques. Ne gardons que les princes… en otages.

— Non !

— Charles…

— Ce seront des meurtres…

— C'est la guerre, Sire, mon frère. Une guerre sans morts, qui a envie de vivre ça ?

— N… non…

— Charles, tu es le roi, cesse de geindre ainsi ! s'emporta la reine mère. Prends une décision. Parle au nom de Dieu, qui t'a sacré sur le trône de France. Pour représenter sa gloire dans le royaume.

— Et prendre les décisions qu'il juge appropriées. *(Guise)*

— Qui saura vous le reprocher par après, mon frère ? Les catholiques ? Allons donc. Ils vous glorifieront. Vous reprendrez peut-être cette place dans le cœur des Parisiens que M. le duc, ici, semble vous avoir dérobée… *(Henri d'Anjou)*

— Henri ! *(Catherine de Médicis)*

— C'est vrai, mère. Ne nous en cachons point, ce serait là occulter un élément important de la décision que doit prendre mon frère.

— Le duc d'Anjou a raison, Sire. Les catholiques ne vous blâmeront certes point, et les huguenots… *(Birague)*

— Les huguenots ? Eux sauront me le reprocher.

— Pas si nous n'en laissons aucun pour désapprouver vos ordres, Sire. *(Guise)*

— Que Votre Majesté ordonne la mise à mort de tous les huguenots – quitte à épargner les deux princes de sang –, et nul ne restera pour lui reprocher quoi que ce soit. *(Le Charron)*

Un silence lourd comme la mort qui planait sur le Louvre suivit l'intervention du prévôt des marchands. J'étais estomaquée par ce que je venais d'apprendre. Ce qui s'était annoncé comme une petite expédition amusante, un simple défi de jeunes filles un peu joueuses sans grande malice, me rendait soudainement témoin d'une conspiration monumentale, monstrueuse, à laquelle étaient mêlées les plus hautes personnalités de la cour de France.

Et pour laquelle, si j'étais prise, je mériterais la pendaison !

Paralysée de stupéfaction, j'entendais à côté de moi la respiration saccadée de Marguerite – sans doute aussi interloquée que moi –, et les reniflements, toux discrètes et bruissements de vêtements que le conduit transmettait depuis le cabinet du roi.

— Je ferai fermer toutes les portes de la capitale et tirer tous les bateaux sur la rive droite de la Seine, où ils seront bloqués par des chaînes. *(Le Charron)*

— Quand ? demanda la voix de garçonnet apeuré qui caractérisait le roi.

— Dès ce soir, Sire. Il suffit d'un mot de vous, répondit par contraste le timbre puissant et assuré de Henri de Guise. Un mot de vous, Sire, et les réformés de France auront vécu.

34

L'impatience des dames d'honneur

— Seigneur Dieu, si ce que tu dis là est vrai, Anne, le Louvre deviendra un véritable charnier.

Élisabeth d'Autriche me dévisageait, les deux mains sur mes bras, ses yeux parcourant les moindres tics de ma figure pour analyser mes émotions. Mon nez, mes joues, mon front – et ma robe ! – étaient tachés de poussière de pierre, j'étais dépeignée, en sueur… je ne payais pas de mine. De plus, je tremblais de tous mes membres en songeant aux dizaines de morts qui parsèmeraient d'ici quelques heures les couloirs du palais.

Marguerite de La Marck-Arenberg, tout aussi alarmée qu'Élisabeth et moi, traduisait notre dialogue avec des lèvres aux mouvements saccadés. Bien que les suivantes eussent été éloignées, elle chuchotait plus bas encore dès qu'elle s'adressait à moi en français.

— Et Margot ? Où est-elle ?

— Elle vient de se faire annoncer dans les quartiers du roi de Navarre. Elle va tenter de convaincre son mari du grave danger qui pèse sur les huguenots…, mais sans trahir la conversation que nous avons saisie. Je ne sais pas comment elle s'y prendra.

— C'est le mieux qu'il y ait à faire, en effet, approuva Élisabeth en mordillant l'intérieur de sa joue.

— De ton côté, peux-tu persuader le roi de ne point entreprendre sa folie ? De ne point suivre les recommandations de ses…

J'allais dire de ses « conseillers criminels », mais me rattrapai à temps. Il y avait quand même le duc d'Anjou, une Altesse Royale, et la reine mère, une Majesté Royale, parmi lesdits conseillers. Qui étais-je, moi, fille de tisserand, pour prétendre m'y connaître mieux que ces gens portés par la grâce divine ? Qu'Élisabeth, une autre Majesté Royale, cherche à convaincre Charles IX, cela restait dans l'équilibre des choses, mais moi…

— Et toi ? demanda la reine de France qui, décidément, lisait dans mes pensées. Que feras-tu, toi, pendant que je m'efforcerai d'éclairer l'esprit de mon pauvre époux ? Que j'implorerai plus que jamais dans mes prières l'indulgence de Dieu ? Iras-tu retrouver ton amoureux ?

— À chacun son rôle, oui. Je vais tenter de rejoindre Antoine, de le persuader de ne pas suivre les va-t-en-guerre.

On gratta à la porte, puis un domestique apparut pour annoncer que les dames de compagnie de Sa Majesté réclamaient leur privilège d'assister la reine pour son bain et pour son coucher.

— Je ne peux pas déroger au protocole… on se doutera…, balbutia Élisabeth à mi-ton, paroles que la comtesse d'Arenberg traduisit en chuchotant à mes oreilles.

Cette dernière se tourna vers le serviteur et déclara le plus naturellement du monde :

— Sa Majesté aimerait en premier lieu solliciter une rencontre avec le roi, son époux.

— Je suis navré, madame. On vient de m'apprendre que Sa Majesté est partie à cheval.

— Mais pour aller où ? s'étonna Élisabeth, qui avait déjà deviné la réponse.

— Sa Majesté ne l'a point précisé. Que dois-je dire aux suivantes de madame ?

— Je… Eh bien…, faites-les entrer, hésita Élisabeth en relevant le menton et en recherchant le port de reine qui lui seyait. Ah, non, un moment ! Je veux d'abord voir M. de Lignerac, le capitaine de mes gardes.

Le domestique sortit. Élisabeth revint vers moi et dit :

— Je n'ai point d'autre choix que d'attendre le retour de mon époux. Toi, fais ce que tu as à faire. Oh, espérons que Margot réussira à convaincre le roi de Navarre de s'éclipser en compagnie des siens avant qu'on déclenche les hostilités.

— Votre Majesté m'a fait mander ?

Un homme de haute stature, épaules larges et fines moustaches, chapeau à plumes sous le bras et épée au côté, revêtu d'un pourpoint et de trousses bleus aux crevés blancs, se tenait dans l'entrée en position demi-inclinée.

— Monsieur de Lignerac, avec le nombre de Suisses que vous estimerez adéquat, ayez la bonté d'agir à titre d'escorte pour mon amie Anne Sagedieu afin qu'elle puisse parcourir les rues de Paris en toute sécurité. C'est elle qui déterminera le moment où elle n'aura plus besoin de vos services...... Toutefois, je vous en conjure, ne l'écoutez point si elle vous congédie trop tôt et en un temps que vous jugerez inopportun pour sa sûreté.

— Ma vie appartient à mademoiselle, répliqua le capitaine des gardes avec une assurance qui pouvait apaiser la plus inquiète des jouvencelles. Votre Majesté peut compter sur moi.

Élisabeth d'Autriche me serra contre elle – non sans un tic de la paupière de Lignerac –, Marguerite de La Marck-Arenberg l'imita, puis la reine de France nous fit sortir, l'officier et moi, par une porte qui nous permettrait de ne point croiser ses dames d'honneur et d'éviter de froisser davantage leur susceptibilité délicate... et déjà fort écorchée depuis mon assiduité auprès de leur maîtresse.

— Par ici, mademoiselle.

Je m'élançai à la suite du solide capitaine affecté à ma protection.

* * *

Pendant que je traversais les couloirs et les préaux du Louvre, je me demandai comment Antoine allait m'accueillir lorsqu'il me verrait apparaître chez lui en compagnie du capitaine des gardes de la reine – car je comptais bien profiter de la protection de l'officier pour me rendre à la forge Dubois. Cela me donnerait-il quelque autorité pour obliger mon amoureux à me confier ce qu'il entendait accomplir aux côtés des partisans du duc de Guise ? Je devais le convaincre de ne pas suivre les assassins de ce noble dans la folie que les catholiques de la cour venaient de concevoir.

Et Joseph ? Une fois à la maison, il me faudrait bien calmer son esprit échauffé à lui aussi. J'espérais qu'il ne s'était pas laissé entraîner par la même démence que son futur beau-frère, sinon, je ne répondais plus des méchantes paroles dont ma bouche était capable de les abreuver tous les deux. Si je parvenais à dissuader Antoine de son dessein, il me serait plus facile de ramener Joseph au bon sens.

— Vous savez monter à cheval, mademoiselle ? me demanda le capitaine de Lignerac en me tirant de mes réflexions.

— Non, désolée.

Je venais de constater qu'on se dirigeait du côté des écuries.

— Qu'importe. Vous grimperez derrière moi.

D'un geste autoritaire de la main, sans aucune parole, l'officier recruta quatre gardes suisses qui jouaient aux dés sur une table dehors, près des bâtiments. Les soldats s'empressèrent de se lancer à notre suite après s'être emparés des hallebardes et des épées posées à côté d'eux.

— Service de la reine ! grogna de Lignerac aux palefreniers. Je veux cinq chevaux sellés, et que ça saute !

Pendant que les laquais d'écurie s'affairaient, je jetai un regard machinal autour de moi. Dans les stalles, la plupart des coursiers se reposaient, sauf peut-être trois ou quatre, plus loin, qu'on fournissait en avoine. Ils devaient arriver tout juste, car leurs cavaliers adressaient encore des instructions à leurs valets. Je reconnus la livrée rouge des Guise. Les hommes s'échangeaient les rubans blancs que je ne connaissais que trop bien et ce qui me sembla être des bâtons de craie. Je me demandais bien ce qu'ils manigançaient.

— Donnez-moi votre main.

Je vis la paume calleuse de Lignerac apparaître devant mes yeux. Le capitaine était déjà en selle. Avec une facilité déconcertante, il me tira à lui et je me retrouvai assise en amazone sur la croupe d'une monture fort nerveuse. Bien accrochée au dos de l'officier, je respirai ses odeurs musquées d'homme en service depuis des heures. Je sentis aussi des relents de poussière, de cuir, de cheval…

Nous quittâmes le Louvre encadrés par les gardes suisses dans un martèlement de sabots de fer contre les pavés de pierre.

— Où demeurez-vous, mademoiselle ? me lança de Lignerac par-dessus son épaule.

— Avec votre permission, capitaine, j'aimerais aller d'abord à la forge Dubois, rue aux Ours.

— À cette heure ?

— À cette heure, oui.

Il eut un grognement qui pouvait tout autant s'avérer une manifestation de mécontentement qu'un ricanement. Il rétorqua :

— La reine m'a mis à vos ordres, mademoiselle, alors je suis à vos ordres.

35

Les croix des maisons

Le violet du crépuscule transformait peu à peu en nuit le ciel de Paris, mais la touffeur ne se dissipait guère. N'empêche, je goûtais le rare plaisir de traverser les rues de la capitale en compagnie d'une escorte de soldats en cette heure où les lumières des lampes qui s'allumaient aux portes des commerces représentaient le seul recours contre les attaques des rôdeurs. Je me félicitais fort de mon privilège en croisant aux coins des artères les étrangers huguenots qui pullulaient dans la ville, occupant toujours les abords du palais, plus fatigués, plus frustrés, plus revanchards que jamais.

— Vous êtes au roi, monsieur ? Honte au roi ! nous cria une femme.

— Je suis à la reine, madame. Faites place, répliqua de Lignerac en lançant son cheval entre deux bougres qui s'écartèrent juste à temps pour ne point être piétinés.

— Honte à Guise qui a tenté d'assassiner notre maître ! Mort à Guise !

— Honte au roi de Navarre qui a épousé une princesse catholique !

Heureusement, les épées et les piques de mon escorte dissuadaient quiconque de nous chercher noise.

À mesure que nous nous éloignions du Louvre, les griefs huguenots s'estompèrent assez rapidement pour se transformer, en certains quartiers, en cris de ralliement catholiques.

— Les huguenots cherchent à venger leur maître! Qu'on les pende avant qu'ils ne déferlent sur le bon peuple!

— Mort à Coligny! Mort à Condé!

— Vive Guise!

— Vive la messe!

Au milieu d'une traboule sans éclairage, j'aperçus deux hommes qui couraient, courbés par le poids d'un chargement sur leur dos. Il me sembla voir briller l'éclat de lames meurtrières – poignards, estramaçons, hallebardes… – qu'on transporterait, mais je n'aurais pu le jurer à cause de l'obscurité.

Lorsque nous parcourûmes les ruelles parallèles aux rues Saint-Honoré et de la Ferronnerie, je notai, dessinées à la craie sur certaines entrées des habitations, de mystérieuses croix blanches.

— À quoi servent ces symboles, capitaine? demandai-je à mon protecteur qui, les mouvements de ses yeux le prouvaient, s'intéressait lui aussi aux marques sur le bois.

— Je l'ignore sincèrement, mademoiselle, répondit-il d'une voix creuse.

À la hauteur du cimetière des Saints-Innocents, une manifestation tranquille attira notre attention: des dizaines de personnes s'étaient rassemblées autour de la fameuse aubépine dont m'avait parlé Joseph. On y dormait ou y faisait une veille silencieuse, quelques lumignons votifs à la main. Je trouvai là une forme de dévotion qui ne manqua point de me donner une nouvelle chair de poule. Qu'espérait-on d'un arbre dont les racines puisaient leur substance au milieu des morts?

Je m'interrogeais toujours lorsque nous arrivâmes face à l'enseigne en bois verni avec le nom des Dubois.

— Si vous voulez bien m'attendre ici, capitaine, je ne serai pas longue, dis-je en me laissant glisser le long du flanc du cheval.

Évidemment, la porte de la forge était verrouillée. Je frappai de mon poing en espérant que le bruit serait entendu dans les appartements de la famille sis à l'autre extrémité de l'atelier.

— Holà ! cria M. de Lignerac, usant de sa voix autoritaire pour me prêter assistance. Y a-t-il quelqu'un céans pour répondre à une envoyée de Sa Majesté la reine ?

Devant le titre prestigieux qu'il lança, je vis bien apparaître quelques regards curieux aux chambranles des huis voisins, mais personne encore du côté des Dubois.

— Eh bien ? Nous fera-t-on attendre ? s'impatienta l'officier qui, en bas de sa monture à son tour, cogna à la porte avec une force au moins cinq fois supérieure à la mienne.

Un volet au-dessus de nous finit par s'ouvrir.

— Qui attente ainsi à la tranquillité des citoyens ? demanda le forgeron, que je ne pouvais pas voir – car il avait pris la précaution de ne point se placer dans la lumière d'une lampe –, mais dont je reconnus la voix.

— C'est moi, monsieur Dubois. Anne Sagedieu.

— Anne ?

Sa tête apparut à la fenêtre. Ses cheveux étaient ébouriffés et il portait déjà une chemise de nuit.

— Mais que faites-vous ici, ma petite ? Et avec qui êtes… Il est arrivé un malheur ?

— Non, tout va bien, au contraire. Je suis escortée par M. de Lignerac, capitaine des gardes de Sa Majesté la reine Élisabeth. Je ne peux être mieux protégée.

— La reine ? Grand Dieu, Anne… Monsieur le capitaine, vous me voyez confus. J'envoie quelqu'un vous ouvrir sur-le-champ.

— Ne vous donnez point cette peine, monsieur Dubois. Je tenais seulement à parler avec Antoine avant que M. de Lignerac me raccompagne chez moi. Est-il possible de le rencontrer ?

— Mais Antoine n'est point ici, Anne.

— Point ici ? Mais… où ?

— Je l'ignore. Des gentilshommes sont venus le chercher pour un travail qui a semblé l'enthousiasmer. Il n'a rien voulu me dire.

Antoine. Se pouvait-il que, en dépit de ce qu'il avait promis à Élisabeth d'Autriche, il se pavanât encore en jouant les noblaillons aux côtés des sbires du duc ? Quand je pensais qu'il s'était laissé convaincre de participer à la tentative de meurtre qui avait failli emporter l'amiral de Châtillon ! Bon, d'accord, il n'avait fait que retenir un cheval pour permettre au criminel de fuir, mais quand même ! Et maintenant ? Était-il avec ceux qui aspiraient à tuer les huguenots du palais ? Comment justifierait-il un tel acte devant son Créateur, le jour du jugement dernier ?

— Qui étaient ces gentilshommes, monsieur Dubois ? Vous ont-ils donné un nom ?

— Aucun, je le regrette.

— Portaient-ils quelque pièce de vêtement rouge ? Un pourpoint, une veste, un foulard…

— Celui qui semblait être le chef, oui, un pourpoint écarlate.

Je me tournai vers de Lignerac, qui fronçait les sourcils en me regardant.

— Capitaine, est-ce possible de courir à l'hôtel des Guise ? Bien que le commerce de mon père soit dans la direction contraire, ce n'est pas si loin d'ici.

— Je n'ai point l'autorité pour m'opposer au duc si jamais il refuse de vous recevoir, mademoiselle.

Je n'étais point certaine, par ailleurs, que Guise se fût rendu à son hôtel après la réunion du Louvre. Mais peu m'importait, puisque ce n'était pas à lui que je destinais ma visite.

— Allons-y quand même.

— Je suis à vos ordres.

— Je vais rejoindre Antoine, monsieur Dubois, annonçai-je en pointant de nouveau le nez vers les volets ouverts. Je le renvoie chez vous aussitôt.

— D'ac… d'accord, Anne. Mais… euh… puis-je savoir ce qui se passe ? Pourquoi êtes-vous en pareille… en si prestigieuse compagnie ? Et Antoine, il…

— Ne vous inquiétez pas. Tout va pour le mieux, répliquai-je sans trop de conviction en remontant en croupe derrière le capitaine. À bientôt !

Et nous repartîmes dans un nouveau martèlement de fer contre la pierre, laissant derrière nous un forgeron plus déconcerté que jamais.

36

À l'hôtel des Guise

La masse imposante de la demeure des Guise dessinait contre le ciel étoilé la ligne élégante de ses deux tourelles à encorbellement. Entre deux créneaux d'un mur, on pouvait voir une sentinelle à moitié assoupie contre la hampe de sa hallebarde.

— Holà, de la garde ! tonna la voix de M. de Lignerac.

— Qui va là ?

— Service de Sa Majesté la reine de France ! Laissez entrer Mme Anne Sagedieu, dame de compagnie.

Dame de compagnie ! Je ne pus empêcher un frisson de fierté de me parcourir, mais en même temps, je me dis que ce genre de sentiment était exactement ce que je reprochais à Antoine.

— Je n'ai point cette autorité, monsieur, répliqua le factionnaire qui, en entendant la qualité de sa visiteuse, s'était redressé aussi droit que sa lance. Je vais en référer à mon supérieur.

Une fois la sentinelle disparue, je perdis mes yeux dans les alentours déserts de la rue des Enfants-Rouges. Ici, il n'y avait point de marques à la craie sur les portes. Le duc n'avait-il donc rien à voir avec ce curieux symbole ?

Tout à coup, mon cœur s'arrêta. À l'angle d'une dépendance qui jouxtait un mur du bâtiment, une charrette désertée attira mon regard.

— Excusez-moi un instant, capitaine, dis-je à de Lignerac en me laissant glisser à terre et en m'éloignant en direction de la voiture.

Dès que je fus assez près, je la reconnus pour être celle que nous utilisions à l'occasion pour le transport de nos marchandises. L'âne n'y était plus attaché.

Joseph ! Que lui était-il arrivé ? Se pouvait-il qu'il ne fût pas retourné à la mercerie après sa livraison ? En ce cas, mes parents devaient se morfondre. Et le serviteur de nos voisins ?

— Mademoiselle !

Je fis demi-tour vers l'entrée de l'hôtel où un domestique en livrée rouge – accompagné de deux gardes armés de pertuisanes – venait d'ouvrir à de Lignerac. Il s'agissait d'un jeune homme d'un peu plus de vingt ans, terne et froid comme la pierre des murs. Entre ses doigts, une lampe à huile jetait une lueur couleur de vieille cire.

Je revins au centre du carré formé par les chevaux des gardes suisses. De Lignerac restait à ma droite, campé sur une jambe, la main sur le pommeau de son épée, un peu à la manière dont Joseph se plaisait à imiter les gentilshommes. De son autre main, il tenait la bride de son coursier.

— Bonsoir, mademoiselle, dit le serviteur. En quoi pouvons-nous vous être utiles ?

Sans doute à cause de la robe riche que je portais encore – et dont la saleté ne se devinait pas trop sous les luminaires –, mais aussi de la suite prestigieuse qui m'accompagnait, il s'était profondément incliné. Il me prenait pour une noble. Je ne le détrompai pas.

— La charrette laissée sans surveillance dans cette rue est bien celle des merciers ?

Il y jeta un bref coup d'œil en faisant des efforts pour ne pas froncer les sourcils.

— Je crois.

— Que fait-elle là ?

— Je l'ignore, mademoiselle. Peut-être les livreurs l'ont-ils abandonnée après avoir suivi ces messieurs.

— Quels messieurs ?

— Les gentilshommes aux ordres de M. le duc, mademoiselle. Puis-je vous annoncer à…

— Aurais-tu aperçu un garçon de quinze ans, un peu fanfaron, qui apportait des rubans blancs ? l'interrompis-je sans façon. Il s'appelle Joseph.

— Si fait. Je l'ai bien vu, mademoiselle. Il est en mission avec ces messieurs.

— Quelle mission ?

Le domestique toisa rapidement de Lignerac avant de reposer ses yeux sur moi.

— J'ignore les charges pour lesquelles sont mandatés les serviteurs de M. le duc.

— Et avec eux ? Est-ce qu'il n'y avait point un garçon… plus vieux… dix-huit ans, un forgeron ?

— Un forgeron ?

— Antoine Dubois.

— Ah, ce gentilhomme-là ! Si fait, mademoiselle.

Antoine, un gentilhomme ? Je retins un soupir, moins de fierté que d'exaspération.

— Si tu ignores à quelles tâches on les a affectés, sais-tu au moins où ils sont allés ?

— Que se passe-t-il ?

Un capitaine des gardes de Guise venait d'apparaître avec une huitaine de mercenaires, l'épée nue au côté. À la vue de l'officier de la reine, il le reconnut et baissa le menton.

— Monsieur de Lignerac, quel plaisir de vous voir !

— Plaisir partagé, monsieur Moget. Voici Mlle Anne Sagedieu, dame de compagnie de Sa Majesté la reine Élisabeth. Ce soir, je suis au service de mademoiselle.

— Mes hommages, mademoiselle, réagit Moget en s'inclinant vaguement. Mais entrez, nous manquons à tous nos devoirs avec ces sentinelles qui ne font point la différence entre…

— Je suis à la recherche de deux garçons qui ont été embauchés par M. Attin, aujourd'hui, l'interrompis-je sans bouger afin de ne pas éterniser les civilités et, surtout, de ne pas avoir à pénétrer chez les Guise. Ils ont pour noms Joseph Sagedieu et Antoine Dubois. Où puis-je les trouver ?

— Dubois, dites-vous ? Oui, je crois savoir de qui vous parlez. Malheureusement, il n'est point ici.

— Je sais, le valet me l'a déjà appris. Mais si vous pouviez…

Une cavalcade du côté de la charrette me coupa la parole. Une large porte venait de s'ouvrir dans le mur de l'enceinte de l'hôtel et des cavaliers en sortaient. Deux laquais en profitaient pour tirer la voiture à l'intérieur.

Un homme grand et mince, revêtu d'une riche livrée, s'approcha avec sa monture, et je ne le reconnus que lorsqu'il me lança :

— Tiens ! Comme on se retrouve !

Je m'inclinai pour saluer.

— Monsieur le duc.

Grand Dieu, il avait bien dû galoper du Louvre jusqu'ici tout de suite après la réunion du Conseil !

— Mademoiselle Sagedieu, si je ne m'abuse. En fort bonne compagnie, je vois. Capitaine de Lignerac, mes salutations.

— Mes hommages, monsieur le duc.

Les gardes suisses se reculèrent contre le mur pour permettre aux cavaliers de s'avancer, mais les hommes de Guise exploitèrent la situation pour se positionner en demi-lune autour de nous.

— En quoi pouvons-nous vous servir, mademoiselle ? demanda le noble avec sa suffisance habituelle.

La lumière crue venant de la lampe tenue par le laquais à la porte découpait ses traits en lignes sèches, sans nuances. Cela lui donnait un aspect encore plus dur, plus frondeur. Je m'en voulais de le trouver malgré tout séduisant.

— Je cherche mon frère et mon promis, monsieur, à qui l'on a attribué des tâches qui ne leur conviennent point.

— Voyez-vous cela ? Et serait-ce abuser que de vouloir connaître l'objet de votre prétention ?

— Les ramener chez eux, l'un comme l'autre. Sauf votre respect, monseigneur, ils ne sont point des vôtres ; ce sont seulement un fils de tisserand et un forgeron.

Le rire de Guise se mêla aux piaffements des chevaux, dont les fers raclaient le sol avec la rugosité du crissement des ongles sur l'ardoise.

— Ce sont avant tout des catholiques convaincus, mademoiselle, commença-t-il après avoir repris son souffle, et vous savez aussi bien que moi à quel point la vraie foi a besoin de ses adeptes, actuellement. De plus…

Je m'efforçais de haïr son sourire faussement charmeur, ses yeux trop profondément lumineux, sa voix trop masculine…

— De plus, vous n'ignorez point que mon brave palefrenier s'est déjà mouillé pour notre cause… et pas qu'un peu ! Et ce soir, il accomplit une mission encore plus importante.

— Vous voulez parler de meurtres au nom de l'Église de Rome, monsieur le duc ? Rassurez-moi et dites qu'on ne transforme point mon futur époux en assassin.

J'espérais bien que mon impertinence le mettrait en colère, histoire de l'obliger à se compromettre devant l'officier de la reine. Toutefois, son visage ne me parut pas exprimer autre chose qu'une simple lassitude.

— Je présume que Mlle Sagedieu bénéficie de votre protection, capitaine de Lignerac ? s'informa Henri de Guise avec un soupir contenu.

— En effet, monsieur. À la demande expresse de Sa Majesté.

— Je vois que mademoiselle sait déjà tirer profit des privilèges de sa récente fortune. Grand bien lui fasse !

Il y eut un instant de silence où je sentais les yeux du duc et de ses sbires me pénétrer aussi sûrement que l'aurait fait la pointe de leurs épées. De Lignerac caressait d'une main la joue du coursier de Guise, feignant y trouver un intérêt infini, tandis que les gardes suisses regardaient partout sauf en direction des cavaliers qui les encerclaient.

— Vous êtes une bien jolie personne, promise à un brave catholique, mademoiselle. Il serait dommage que pour quelque impertinence due à votre jeune âge et à votre peu de cervelle nous soyons contraints de vous clore le bec et, par la bande, de mécontenter Sa Majesté et un preux de la qualité de M. de Lignerac.

Guise eut un geste pour ses partisans.

— Allons, messieurs, pressons. On nous attend. Monsieur Moget, rassemblez tous les hommes disponibles et venez nous rejoindre dès que possible.

Il tira sur la bride de son cheval, mais je m'interposai en me plaçant devant la bête.

— Vous ne m'avez pas répondu, monsieur. Où trouverai-je Antoine ?

Cette fois, il serra les dents, et n'eussent été les protections dont je bénéficiais, il m'aurait très certainement frappée. Il répondit d'une voix plus aigre que jamais :

— Au Louvre, mademoiselle. À accomplir son devoir pour glorifier l'œuvre de Dieu.

37

L'humiliation de Joseph

Je demandai au capitaine de Lignerac et à ses gardes suisses de m'accompagner d'abord à la maison de mes parents. Je fus surprise de retrouver en chemin les croix blanches qui marquaient ici et là les entrées de certaines demeures.

— Oh, mon Dieu ! m'exclamai-je soudain en portant une main sur ma bouche.

Par la même occasion, retenue par cinq doigts seulement au pourpoint de M. de Lignerac, je dus me cramponner plus fort à lui.

— Que se passe-t-il ? s'informa l'officier en se raidissant sur sa selle pour compenser la pression que j'exerçais par l'arrière.

— Les indications à la craie, je viens de comprendre.

— Eh bien, expliquez-moi, riposta de Lignerac d'un ton vaguement ennuyé, car en ce qui me concerne, cela reste un mystère.

— Les réformés… Ces habitants voisins de mon quartier, ce sont des adeptes de la religion réformée. On a désigné l'emplacement de leur maison.

— Juste des protestants, vous êtes sûre ?

— Catégorique. Je les connais. Et là, les Brissier, voyez. Ils sont les seuls huguenots de toute la rue où se trouve notre mercerie… et c'est l'unique huis qui soit marqué. Mais qui…

Joseph ! Qui d'autre parmi les hommes de Guise était aussi bien instruit des convictions religieuses de nos voisins ?

— Veuillez m'attendre ici, capitaine, ordonnai-je à de Lignerac tandis que je descendais devant la porte de la résidence familiale. Je ne m'attarderai point.

— Je ne bougerai pas, mademoiselle, répliqua l'officier de la reine d'un ton dans lequel je ne pus faire la répartition entre le détachement et le dépit. Sa Majesté m'a mis à votre disposition jusqu'à ce que vous me donniez mon congé.

Je perdis une longue demi-heure avec mes parents à tenter de les rassurer sur l'absence de Joseph et sur mes intentions de le ramener. Évidemment, si je n'avais pas été escortée de si bonne façon, jamais mon père n'aurait accepté que je reparte dans les rues de Paris à onze heures du soir.

Finalement, je remontai en croupe derrière le capitaine des gardes de la reine.

Nous chevauchâmes de nouveau en direction du Louvre, et j'étais bien décidée à mettre le palais à l'envers afin de repérer Antoine. Si mon frère se contentait de tracer des croix blanches sur les portes des logis, mon amoureux, lui, semblait avoir été convaincu de participer à une entreprise portant beaucoup plus à conséquence. Une boucherie, voilà. Un carnage sordide qui laisserait, à lui comme à moi, des séquelles si importantes que je ne savais qui, de nous, nous retrouverions par après : un assassin et une folle ? un repentant et une folle ? ou un fou et une folle ?

Au lieu d'emprunter la rue de Grenelle – peut-être pour éviter que nous soyons ralentis par les arches de branchages improvisées par certains Parisiens pour célébrer les noces royales et qui encombraient encore certains passages –, le capitaine des gardes de la reine coupa par la rue du Four puis par celle de l'Arbre-Sec. À mesure que nous approchions de la rue de Béthisy, les croix blanches sur les maisons réapparaissaient, beaucoup plus nombreuses…, et c'est là que je l'aperçus.

— Joseph !

Mon frère ne me replaça pas immédiatement. En fait, il me cherchait des yeux au milieu des cinq chevaux trottinant d'un pas rapide dans sa direction. Quand il me découvrit derrière l'uniforme aux couleurs royales du capitaine de Lignerac, il immobilisa contre une porte la craie qu'il tenait entre ses doigts. Les vilains qui l'accompagnaient, au nombre de trois, l'imitèrent.

— Que fais-tu si tard dans ce quartier éloigné alors que nos parents se meurent d'inquiétude pour toi ?

— C'est ma sœur, lança-t-il à ses acolytes en détournant son regard de moi. Ne vous préoccupez pas d'elle.

— Joseph, je t'ordonne de me répondre. Que fais-tu…

— Et toi ? me coupa-t-il en me renvoyant une expression mâtinée d'exaspération et d'embarras – à cause de l'opinion que ses compagnons pourraient avoir de lui s'il se laissait rabrouer par une fille, fût-elle son aînée. Notre père sait-il que tu te balades de nuit dans les rues de Paris ?

— Capitaine de Lignerac, fis-je en éprouvant en moi une colère grandissante qui, devant l'indifférence de mon frère, prendrait bientôt – je le sentais – des proportions impossibles à faire refluer, vous êtes bien à mes ordres, n'est-il pas ?

— Selon la volonté de Sa Majesté la reine de France, en effet, mademoiselle Anne, je me dois de vous obéir, ce soir…, pourvu que je juge vos désirs conformes à votre sécurité.

— Est-ce qu'user de la force de vos gardes suisses pour arrêter mon frère et le ramener à la maison paternelle s'accorde à vos obligations, capitaine ?

— Sans nul doute, mademoiselle.

Mon cadet recula d'un pas en me fixant avec des prunelles aussi rondes que des écus d'or.

— En ce cas, capitaine de Lignerac, en vertu de l'autorité dont je bénéficie auprès de vous, pourriez-vous vous emparer de ce jeune homme et le renvoyer *manu militari* à la mercerie.

— À vos ordres ! Sergents ? Exécution !

Avant même que Joseph ait pris conscience du tout nouveau pouvoir dont je disposais, trois Suisses pointaient leurs piques en direction des guisards – qui, de toute façon, ne montraient aucun signe indiquant qu'ils aspiraient à intervenir –, tandis que le quatrième lançait sa monture vers mon frère pour l'empoigner solidement à la hauteur du col.

À deux bras, il parvint à le soulever et l'installa à plat ventre contre le pommeau de sa selle.

— Ou vous restez tranquille, garçon, ou je vous attache en laisse par les poignets afin de vous obliger à courir derrière mon cheval. Votre choix est fait ?

— Je ne... Oui, je..., haleta Joseph, qui cherchait à réduire la pression contre son diaphragme en se redressant, les deux mains accrochées à la housse.

— Voilà qui est sage.

Puis, se tournant vers son supérieur, le Suisse demanda :

— Quels sont les ordres, capitaine ?

— Une fois que vous serez assuré que ce méchant fils a juré à son père de limiter ses mouvements à l'intérieur des murs du domicile familial, sergent – quitte à le frapper si vous en jugez la nécessité –, venez rejoindre vos quartiers au Louvre.

— Il en sera ainsi, capitaine. Bonne nuit, capitaine.

Et le garde éperonna sa monture qui partit au galop. Joseph grimaçait sur l'encolure.

Avant qu'ils ne disparaissent tous deux à l'angle de la rue, j'eus le temps de capter le regard haineux que me renvoya mon frère, dont le visage exprimait la plus profonde humiliation.

38

La rue de Béthisy

Nous n'eûmes point long à faire avant de tomber – et pour la troisième fois de la soirée en ce qui me concernait – sur le duc de Guise. En plus des sympathisants en compagnie de qui nous l'avions croisé plus tôt, à son hôtel, il était accompagné d'autres gentilshommes, aux pourpoints fort riches, ce qui ne manquait pas de trahir leur haute naissance.

Le détail qui piqua le plus ma curiosité fut les brassards blancs que la plupart de ces cavaliers avaient noués – ou étaient en train de nouer – à leur biceps. D'autres arboraient plutôt des croix faites de deux rubans cousus l'un sur l'autre à la hauteur du cœur. Nul doute qu'il s'agissait là de l'utilisation qu'on avait choisi de faire des tissus achetés à notre boutique le matin même.

Une vingtaine de guisards – peut-être plus, car il me semblait voir s'agiter des ombres aux coins des venelles adjacentes – portaient des signes identiques, mais plus rudimentaires, des crucifix en fait tracés à la craie sur leur chapeau ou leurs vêtements.

Nous étions dans la rue où était hébergé Gaspard de Coligny, l'amiral de Châtillon, pendant son séjour à Paris – et pendant sa convalescence. On avait dit qu'elle grouillait de protestants, surtout depuis l'attentat, mais je ne relevais que des brassards et des croix. Les fidèles de Guise, par leur seule présence, avec leurs airs farouches et leurs armes, les avaient sans doute repoussés dans les avenues voisines. Pour confirmer mes pensées, entre deux bâtiments, par intermittence, se distinguait une silhouette en pleine course.

— Capitaine de Lignerac ! s'exclama Guise en apercevant l'officier, qui fit piler son cheval si brusquement que ce dernier se cabra – je me cramponnai à mon protecteur et respirai plus fortement son odeur de suée. Décidément, c'est le ciel qui vous met sur ma route.

— De nouveau, mes hommages, monsieur le duc, répliqua de Lignerac d'une voix on ne peut plus neutre. Il est vrai qu'un bien curieux hasard fait s'entrecroiser nos chemins, ce soir.

— Le hasard… ou cette jolie péronnelle qui vous entraîne à la poursuite de son amoureux.

Il y eut des ricanements que je m'efforçai d'ignorer.

— Je vous trouve quand même bien fortuné de goûter le plaisir de cette chair vierge accrochée à votre dos, reprit Guise, et ne peux vous tenir rigueur d'éterniser ces chevauchées vespérales en sa compagnie.

Je sentis le rouge de la honte et de la colère s'attaquer à mes joues, mais avant que ma bouche ne forme les mots qui cracheraient à ce vilain seigneur tout le mépris que je ressentais pour lui – et m'attireraient sans doute, en dépit de ma puissante protectrice, des foudres que je ne saurais combattre –, Guise présenta l'officier de la reine aux gentilshommes qui l'accompagnaient.

— Chevalier d'Angoulême, articula-t-il à l'intention du premier, je présume que vous connaissez le vaillant capitaine de Lignerac, des gardes de Sa Majesté Élisabeth d'Autriche.

Un noble au visage aussi anguleux qu'un verre brisé – bien qu'il partageât quelques vagues traits avec Marguerite de Valois, mais sans que je pusse préciser lesquels – posa sur le capitaine et moi un regard glacial.

Je savais qu'il était le fils illégitime de feu le roi Henri II et Jane Stuart, princesse d'Écosse, et que, par conséquent, la reine mère ne le portait guère dans son cœur.

— On dit que François de Montmorency, maintenant qu'il a fui ses responsabilités de gouverneur de Paris, est allé chercher un grand corps de cavalerie protestant pour tomber sur sa ville, répliqua le demi-frère de Margot en ce qui me sembla être une digression.

Mais il poursuivit en quittant des yeux de Lignerac pour les poser sur le trou sombre que creusait la rue de Béthisy en face :

— En ce cas, je me demande ce que vous faites, monsieur, à vous balader de manière aussi désinvolte dans la capitale, et en compagnie d'une fille de rien, tandis qu'il y aurait tant à faire pour protéger la Couronne et la vraie foi.

Fille de rien ? Je faillis une fois de plus me laisser aller à la colère, mais la main autoritaire que le capitaine leva vers moi – sans même se retourner – suffit à m'imposer le silence. Heureusement pour nous, car mon défenseur, qui avait juré à la reine de sacrifier sa vie pour moi, l'aurait justement sans doute perdue à la suite des paroles dont je m'apprêtais à inonder ces messieurs bien nés.

— Je suis aux ordres de Sa Majesté la reine Élisabeth d'Autriche, monseigneur, répondit de Lignerac sans montrer la moindre émotion. Ce qu'elle commande, je l'accomplis, et cela aussi est protéger la Couronne et la foi.

Dans les regards qui osèrent se tourner vers l'officier – et je notai, en plus de ceux du chevalier d'Angoulême et du duc de Guise, ceux des cavaliers voisins –, si tous n'exprimaient pas de l'admiration et du respect, aucun ne témoignait du déplaisir.

— Et vous qui prétendez défendre si fort Sa Majesté, ne craignez-vous point de manquer à votre devoir, puisque les huguenots sont en tel désespoir qu'ils s'attaqueront bientôt non seulement à M. de Guise pour son initiative contre Coligny, mais également à la reine mère, au duc d'Anjou et, ne nous leurrons point, au roi lui-même ? Aussi, comme il convient à tout bon sujet de Leur Majesté, je suis surpris que vous ne vous précipitiez point pour prendre les armes avec nous.

— Prendre les armes, monseigneur ? s'étonna sincèrement de Lignerac en fronçant les sourcils.

— Cette nuit même, capitaine, répondit Guise à la place du chevalier d'Angoulême.

L'officier d'Élisabeth jeta un regard à ses trois Suisses pour noter que ceux-ci observaient sans trop de stupeur l'attroupement des guisards. Ce simple constat confirmait que, dans les rangs des gardes du Louvre, la nouvelle de l'action de cette nuit circulait déjà depuis un temps.

— Pour une telle démarche, messeigneurs, je dois en référer à ma reine.

— Eh bien, faites, capitaine, siffla d'Angoulême en détournant la tête et en agitant les doigts à la hauteur de son épaule dans un geste méprisant. Mais galopez vite auprès de votre maîtresse, car je ne saurais dire quel danger la guette alors que le Louvre grouille de réformés.

— Car ils sont nombreux au palais, les huguenots, capitaine, vous le savez, renchérit Guise. Depuis l'attentat contre Coligny, ils craignent pour Navarre.

Il désigna la rue de Béthisy, qui s'étalait au milieu des maisons voisines, vidée de ses vagabonds protestants. Il poursuivit :

— Bizarrement, ils craignent davantage pour lui que pour leur chef spirituel à la vie de qui on a déjà attenté.

— Et qui respire toujours, conclut d'Angoulême comme dans un soupir.

Je repensai à Antoine et à sa possible implication prochaine dans le meurtre de huguenots, et je ne pus réprimer un frisson d'horreur.

— Capitaine, courons au palais ! murmurai-je à demi, juste assez bas pour que les nobles n'entendent pas.

Puis, plus fort :

— Allons retrouver Sa Majesté la reine Élisabeth.

— Vous pouvez nous accompagner, monsieur de Lignerac, annonça Guise. Le chevalier d'Angoulême et moi, secondés de quelques braves, allions justement mettre fin à la menace protestante au Louvre. Nous ne laissons en ce quartier qu'une poignée de solides gaillards afin de nous assurer que les partisans de Coligny ne monteront point de barricade pour nous empêcher de revenir plus tard.

Pour toute réponse, l'officier de la reine de France opina du chef. Je n'étais point certaine de me plaire à l'idée de parcourir le chemin qui nous séparait du palais en compagnie de Henri de Guise, de Henri d'Angoulême et de leurs partisans.

Antoine me paierait cher non seulement le danger qu'il nous faisait courir, mais aussi les moments détestables que je devais subir en compagnie de la bande d'hypocrites dont il semblait s'être si singulièrement entiché. Quand toute cette histoire serait terminée, il me faudrait sérieusement envisager une période de réflexion pendant laquelle j'évaluerais, le plus justement possible, les effets qu'aurait eus sur mes sentiments le comportement de mon promis.

De Lignerac dégagea la bride de sa monture et piqua des deux en direction de la rue des Fossés-Saint-Germain. Les gardes suisses se positionnèrent de chaque côté de nous.

Je ne me retournai point, mais j'entendais fort bien les sabots des chevaux du duc de Guise, du chevalier d'Angoulême et de leurs partisans marteler les pavés derrière nous.

39

Le Louvre enfiévré

Une fois de retour au Louvre, je demandai au capitaine de Lignerac de ne pas se rendre du côté de l'aile de la reine, mais plutôt d'attendre dans la cour principale.

— Je veux savoir où vont la plupart des hommes à la solde du duc de Guise. C'est sûrement là que je trouverai Antoine.

— Ils ne semblent point s'éparpiller, mademoiselle, murmura l'officier de la souveraine de France en penchant un brin la tête vers l'arrière. Ils paraissent tous se diriger vers les quartiers du duc d'Anjou, le frère de Sa Majesté le roi.

Mais je n'avais point à me morfondre autant puisque Guise, que je n'apercevais plus – il était descendu du côté opposé de son cheval –, me lança tout à trac :

— Eh bien, mademoiselle Sagedieu, puisque nous ne pourrons pas nous débarrasser de vous avant que vous ayez rencontré notre bon Dubois, voulez-vous me suivre, s'il vous plaît ?

De Lignerac, qui avait mis pied à terre, m'offrit son bras pour m'aider à quitter la monture. C'était la première fois que je lui en laissais le loisir ; les fois précédentes, j'avais sauté de moi-même en bas de mon perchoir.

J'appréciai la fermeté de l'épaule de l'officier lorsque je m'appuyai sur lui pour glisser le long du flanc de son coursier. Son visage était plus près du mien qu'il ne l'avait jamais été, et chaque trait se dessinait avec netteté.

Durant toutes ces heures avec lui, je l'avais imaginé plus vieux. Sans doute à cause de sa voix autoritaire et de son assurance, du respect que lui vouaient Élisabeth et les gentilshommes, de sa force et de sa classe... Mais tout à coup, à la lumière plus vive d'une lampe proche, je découvrais qu'il n'avait guère plus de vingt-sept, vingt-huit ans.

— M'accompagnerez-vous, monsieur ? lui demandai-je – car je redoutais quelque traîtrise de la part du duc en qui je n'avais aucune confiance.

— Je suis toujours à vos ordres, mademoiselle. Cependant...

— Cependant ?

— Cependant, la fièvre que je perçois dans l'entourage des grands du palais me fait craindre pour la reine.

— Vous aimeriez que je vous libère de votre affectation afin de courir à elle, capitaine ?

— Il s'entretient ce soir des desseins qui rendent plus que jamais ma protection nécessaire.

Je lui offris ma main dans le plus affété des gestes de la cour. Je commençais à me laisser prendre au jeu.

— Je vous dégage de votre responsabilité à mon endroit, capitaine. Moi aussi, je suis inquiète pour Sa Majesté et je sais que, avec vous à ses côtés, elle n'encourt plus aucun risque. Allez !

Il s'inclina avec déférence et, en appliquant deux lèvres douces sur mes jointures, me fixa dans les yeux. Ses prunelles renvoyaient du luminaire un reflet ambré, parcouru de stries vertes. Je n'avais pas encore noté qu'il était beau.

Dans un cliquetis du fourreau de son épée qui frottait contre les rivets de son ceinturon, il se redressa, fit signe à son écuyer de s'occuper de son cheval, puis s'éloigna sans me porter plus d'intérêt. J'eus du mal à détourner mon regard de sa silhouette aux épaules larges et à la taille fine, qui pressait le pas en direction de l'aile du château où se trouvaient les quartiers d'Élisabeth d'Autriche.

Inspirant profondément comme pour me donner du courage, je pivotai pour faire face au groupe de gens gravitant dans l'entourage du duc de Guise et du chevalier d'Angoulême. Je sursautai presque en constatant que l'amant de Margot me fixait déjà avec une insistance qui ne manqua pas de me faire frissonner. Étrange comme un homme aussi séduisant pouvait instiller chez moi autant de répulsion, rien que par la laideur que je sentais sourdre de son âme.

— On n'a pas toute la nuit, me lança-t-il avec une irritation feinte. Allez, suivez-moi. Et j'espère que mon valet aura la fermeté de vous remettre à votre place comme vous le méritez.

Je n'aimais pas avoir à accompagner le duc lui-même, tandis qu'il aurait fort bien pu déléguer à un serviteur la tâche de me conduire à l'un de ses partisans. Néanmoins, je lui emboîtai le pas sans hésiter lorsqu'il pénétra dans le palais et qu'il quitta le couloir principal pour emprunter une porte discrète. Un escalier à peine éclairé creusait le plancher vers une pièce à l'odeur de terre humide.

Il ne me sembla point avoir ralenti jusqu'à ce que je sente la main d'un page du duc appuyer sur mon omoplate pour m'inviter à accélérer la cadence. Je faillis perdre pied, mais me rattrapai d'une figure de contredanse – ce dont je me félicitai, sinon je me serais heurtée au noble, chose qui me répugnait à l'extrême.

Une fois dans une antichambre aux parois de pierres mal équarries, sans aucune fenêtre, ni toile ni tenture, nous marchâmes encore trois ou quatre pas avant que Henri de Guise ne pivote sur ses talons pour me faire face. Je distinguais relativement bien son visage puisqu'il était éclairé par une lampe que tenait le valet derrière moi.

— Vous savez que vous me plaisez, Anne, déclara-t-il à brûle-pourpoint tandis qu'il me saisissait à l'avant-bras.

Je me retrouvai dos au mur, muette d'étonnement, trop surprise pour avoir peur. J'étais pourtant certaine qu'il me détestait profondément. Il poursuivit :

— J'aime les filles qui ne craignent point d'affirmer leur personnalité.

Je me remémorai alors cette suivante de Marguerite, à demi nue, qui ne semblait guère s'embarrasser de la présence d'Antoine en face d'elle. Puis les paroles de la marquise de Noirmoutier qui voulait savoir si j'étais vierge, un détail qui, à son dire, pouvait intéresser ces messieurs de la cour ; puis Margot, déflorée bien avant son mariage, et par ce Guise, justement… En une seconde, un goût de soufre me monta à la gorge, comme si le Louvre devenait une gigantesque maison de plaisirs, un lieu de perdition pour noblaillons… et pour mercières imprudentes.

Mais avant que je trouve le moyen de réagir, le duc reprit :

— Dommage que nous n'ayons point le temps de nous découvrir plus… intimement, ce soir, mademoiselle Sagedieu. Mais nous trouverons sûrement un moment, quand tout sera terminé, afin que je puisse m'assurer de la qualité de la promise d'un de mes… volontaires.

Il approcha son visage du mien en appuyant fermement une main sur mon sein gauche. Je ressentis la pression de ses doigts comme des pinces chauffées à blanc cherchant à m'ouvrir la poitrine pour m'arracher le cœur.

Je le repoussai de mes deux bras portés en croix en face de moi. Il se retira lentement en délaissant mon buste pour saisir ma mâchoire, mais il ne fit pas d'effort pour m'embrasser. Il se mit à rire sans joie, comme on grimace.

— J'adore, laissa-t-il échapper à mi-voix sans me quitter des yeux. Ce sera bon, tu verras. Tu me supplieras de t'en donner encore.

Puis il se détourna d'un mouvement brusque avant de reprendre la marche dans le couloir.

— Allons ! lança-t-il en grognant. Nous n'avons pas beaucoup de temps. Rejoignons les croix blanches.

Et le valet me poussa de nouveau pour m'obliger à suivre son maître, l'air impassible, ni méchant ni navré, obéissant seulement. Comme le meilleur des chiens dressés.

40

La croix blanche et le poignard

Encore ébranlée par ce qui venait de se passer, je ne remarquai pas immédiatement que nous étions parvenus dans une pièce plus grande au plafond bas, mal éclairée, remplie d'une multitude d'hommes silencieux. Une forte odeur de transpiration, de déjections accumulées dans les pots de chambre, d'haleines âpres, de poussière et de cuir ranci se mêlait aux bruissements de vêtements et aux cliquetis d'armes. Frénésie et peur alternaient dans les mouvements de tête vifs, la gestuelle fébrile des mains.

À l'apparition du duc, on s'inclina, mais la nervosité restait palpable.

— Nous sommes prêts, monseigneur, dit simplement un partisan que je ne connaissais point.

— Il sera bientôt temps, répliqua Guise, qui balayait les assistants du regard, semblant se satisfaire à la vue des pointes d'hast qui, parfois, égratignaient le plafond. Les piquiers suisses nous attendent à l'extérieur.

— Nous allons les rejoindre ?

— Oui.

Le groupe bougea. Dans le faible éclairage, je ne distinguais que des silhouettes imprécises, l'éclat des lames… et la blancheur tout aussi sinistre des signes de ralliement, ces rubans de tissu venant du commerce de mon père, et que chacun portait au bras. Des croix tracées à la craie soulignaient également quelques rebords de chapeau ou bandes de pourpoint.

— Toi.

Guise venait de poser la main sur un partisan qui passait non loin de lui. La stature du duc me le masquait aux trois quarts, alors je ne le reconnus pas.

— Il y a ta fiancée – ou ta simple amoureuse, qu'est-ce que j'en ai à fiche ? – qui m'empoisonne l'existence depuis ce soir. Fais-moi la grâce de nous en débarrasser.

Il s'écarta pour rejoindre ses hommes qui s'éloignaient, et je demeurai immobile en face de la nouvelle silhouette qui me faisait face.

— Anne ?

— Antoine.

— Anne ? Mais… mais qu'est-ce que tu fais ici ?

Il restait interdit, à un pas de moi, les bords d'un lourd chapeau plongeant le haut de son visage dans une ombre impénétrable. Je voyais la croix crayeuse qui y était tracée, le ruban de damas noué au biceps droit. Puis la large lame d'un couteau de boucher glissé dans sa ceinture m'apparut. L'odeur infecte du lieu me sembla soudain encore plus nauséabonde.

— À la requête de ton père, je suis venue te chercher pour te ramener chez toi.

Un homme pouffa en passant derrière Antoine, mais mon promis ne se détourna pas. Il rétorqua :

— Mon père ? Mais que connaît mon père de…

— Ce que Joseph m'en a dévoilé. Ce que j'en ai appris. Pour la griserie d'être traité en gentilhomme, tu es disposé à tuer des huguenots.

Il hésita avant de répondre, mais je me figurai que c'était plus parce qu'il était surpris de découvrir que j'en savais autant qu'à cause de quelque remords tardif.

— À la demande du roi, Anne. C'est le roi qui exige que nous tuions dans l'œuf une rébellion des réformés.

— Ce n'est pas le roi qui espère la disparition de ses sujets protestants, Antoine, c'est le duc de Guise et sa haine, le chevalier d'Angoulême et sa hargne, la reine mère et sa peur, le duc d'Anjou et son goût du meurtre...

Cette fois, au lieu de s'étonner de tout ce que je savais, il répliqua à mi-voix:

— J'agis pour le compte de Sa Majesté, Anne, comme tout bon sujet. Au milieu des hommes de Guise, certes, mais je me battrai au service de mon roi.

— Au service de ta vanité, plutôt. Et afin de la satisfaire, tu es disposé à souiller ton âme de sang chrétien. Tu seras la honte de ton père.

— Mon père est un fort bon catholique qui se plaint depuis trop longtemps de l'ampleur prise par l'hérésie de Calvin en France.

— Et je crois l'avoir aussi entendu renâcler contre les politiques royales et le gaspillage que font les nobles des ressources du royaume alors que le peuple meurt de faim. Si tu sers les grands, tu sers ceux qui rendent si mécontents les commerçants et les bourgeois de Paris, comme ton père et le mien.

— Les hérétiques sont cause de tous les malheurs qui se sont abattus sur le royaume. Je l'ai compris, Anne, en côtoyant ceux qui les combattent depuis des années, qui à cause d'eux ont souffert les sièges, les combats, la perte de leurs proches... Guise par exemple, dont tu doutes tant de la ferveur et de la dignité, a vu son propre père être lâchement assassiné par les meurtriers armés par Coligny.

Il franchit le pas qui nous séparait, et je reculai de sorte que la distance restât la même entre nous. Il n'insista pas. Les guisards avaient fini de se disperser par l'autre extrémité de la pièce. Nous n'étions plus que nous deux, sans témoins.

Antoine osa dire:

— Tu n'es qu'une fille, Anne... et tu ne peux...

— Mon frère, que je considère comme le gamin le plus stupide de France, m'a abreuvée de la même rhétorique pas plus tard que cet après-midi ! Un mot de plus en ce sens, Antoine, et jamais – tu entends ? –, jamais je ne serai ton épouse.

— Idiote !

Il m'aurait frappée au visage que le coup n'aurait pas porté plus fort. Je reculai d'un pas de plus pour me heurter à la cloison derrière moi. J'avais mal. Mal de la violence verbale et des intentions de mon amoureux. Mal de ressentir tant de bêtise chez lui. Mal aussi de la brûlure toujours sensible des doigts de Guise sur la rondeur de mon sein gauche. J'avais envie de pleurer et de cracher en même temps ; d'extirper de mon corps les humeurs malsaines qui le dévoraient. Mais je restais là, figée de colère et de déception, de peur et de chagrin.

Antoine jura entre ses dents, tourna les talons et fila rejoindre les partisans de Guise disparus à l'autre extrémité de la pièce.

Étourdie par les paroles, par l'odeur et par les émotions diverses que la soirée avait générées en moi, je pivotai à mon tour, ouvris la porte par où j'étais entrée, puis remontai les escaliers.

À mi-voix, comme dans une prière, j'ânonnai :

— Pardonnez-moi, monsieur Dubois, pardonnez-moi, oncle Jacques. J'ai échoué. Je manquerai à ma promesse. Je ne vous ramènerai point Antoine. Ce garçon au cœur pur, digne de votre amour et du mien, ne reviendra plus jamais.

Car celui que nous retrouverions serait un homme à l'âme souillée, aux mains tachées d'un sang qui ne se nettoie pas.

Le sang des innocents.

41

Sous la lumière blonde

Lorsque j'eus remonté les escaliers et rejoint le dehors, je me retrouvai au milieu d'un autre groupe de silhouettes nerveuses. Là encore, le cliquetis des armes se mêlait au martelage des talons sur les pavés tandis que luisait sur les bras, sur les pourpoints et sur les chapeaux, la pâleur sinistre des rubans et des croix.

Le Louvre semblait investi de toute une armée d'ombres prête à déverser la mort sur son passage. Je frissonnai à cette pensée. Il fallait que je sorte d'ici. Je n'en pouvais plus de respirer un air où se distillait tant de mal.

Mais à cette heure, les portes du palais ne seraient-elles pas fermées à une jeune fille seule voulant rejoindre la rue ? Surtout dans une atmosphère aussi agitée ?

— Qu'est-ce que tu fais là, toi ?

Un costaud m'interpellait, mais sans s'attarder, continuant à marcher au milieu des autres qui allaient se regrouper autour d'un chef sous un préau. Peut-être était-ce d'Angoulême ; il faisait trop sombre pour que je puisse l'identifier.

— Madame, il n'est point bon que vous restiez ici. Rejoignez vos quartiers.

Le second individu qui venait de m'adresser la parole me vouvoyait. Ma robe semait toujours le doute quant à ma qualité.

— C'est M. d'Angoulême qui est là ? demandai-je sans réel intérêt, simplement pour me donner une contenance.

— Non, madame, répondit la voix d'un très jeune homme, peut-être moins âgé que moi. Nous sommes au duc d'Anjou.

Le frère du roi et de Marguerite, le fils préféré – murmurait-on – de Catherine de Médicis. La curiosité fut plus forte. Je me faufilai parmi les silhouettes, non sans susciter quelques grommellements, pour me fondre dans l'ombre de l'écoinçon d'un mur en saillie. Je voulais observer un moment celui qu'on prétendait meilleur chef de guerre encore que le duc de Guise, un des pires ennemis des protestants, amateur de combats et de joutes violentes.

Le peu que j'en discernais à cause des ombres profondes me dessinait un homme aux gestes à la fois vifs et délicats, à la forme bien tournée, aux épaules un peu étroites, mais droites, à la taille presque trop effilée pour soutenir le fourreau d'une épée, mais en même temps souple et équilibrée, adaptée aux cuisses galbées dévoilées par des trousses un peu hautes.

Il donnait des ordres muets, faits de mouvements nerveux, et auxquels se soumettaient immédiatement les hommes à qui ils étaient destinés.

— Il nous ferait un meilleur roi que son frère Charles, tu ne trouves point ?

Je sursautai vivement, car je n'avais pas du tout entendu s'approcher le garçon que je découvrais à mon côté.

— Oh, je sais, je ne devrais point proférer de telles sottises équivalant à une lèse-majesté, poursuivit-il, mais je n'y peux rien, je suis un inconditionnel du duc d'Anjou.

Je le reconnus moins à ses traits qu'aux gestes maniérés qui accompagnaient ses paroles et à ses mains graciles alourdies de bagues. Il était ce page qui nous avait annoncé la visite d'Élisabeth à la mercerie.

— Monsieur le héraut ! m'exclamai-je à mi-voix. Que faites-vous ici ?

— Ce serait plutôt à moi, ma poule, de te poser la question. Et puis, appelle-moi Gabriel, c'est plus… c'est moins…

Les camées, chevalières et joncs virevoltèrent devant son visage en un mouvement exprimant l'indifférence. Il reprit :

— Il n'est guère prudent de rester là. Tu crois que tous ces gentilshommes se sont rassemblés céans pour une partie de paume ?

— Non. Je sais qu'il se trame des choses graves.

— Petite écervelée ! Suis-moi. Ne nous attardons point çà.

Déjà, le duc d'Anjou et ses hommes s'ébranlaient vers une allée séparant deux corps du bâtiment. Sans doute allaient-ils rejoindre la troupe du chevalier d'Angoulême.

Gabriel m'avait saisie au poignet et m'entraînait avec lui en direction d'une aile du château. Nous grimpâmes les quatre marches d'un escalier menant à une lourde porte de bois ouvragé. Une lampe accrochée sous une imposte avait été laissée allumée. Elle jetait sur nous une lumière blonde et pâlotte.

— Mais… tu pleures ?

Je ne l'avais pas remarqué. Je reniflai avant de répondre :

— Penses-tu.

— Qu'est-ce qui t'arrive, ma poule ? Raconte-moi.

— C'est sans intérêt.

Si un autre garçon m'avait appelée « ma poule », je l'aurais giflé. Même venant d'une fille, le terme m'aurait pour le moins agacée. Pourquoi est-ce que cela ne me heurtait en rien venant du domestique du duc d'Anjou ?

Sans doute à cause de cette ambivalence par rapport à son sexe.

— J'adore les histoires sans intérêt. En général, on découvre que ce sont celles qui nous distraient le plus.

Je ris. Décidément, oui, je l'appréciais, ce Gabriel. Puisqu'il préférait les garçons aux filles – comme son maître –, il ne faisait point de mon corps un objet de convoitise. Cela m'apaisait après ce qui venait de se passer avec Guise. Le penchant du héraut pour moi relevait, au pire, de la curiosité – qu'est-ce que la reine me trouvait, par exemple, pour rechercher autant ma compagnie ?

— Gabriel, est-ce trahir le roi et le pape qui l'a sacré si nous courons avertir les Navarrais de ce qui se trame contre eux ?

— Sans doute, répondit-il sans hésiter. Seule la jolie Margoton, en tant qu'épouse du Bourbon, peut s'aviser de mettre les partisans du Béarnais en garde sans craindre d'offenser son frère ou Dieu.

Il tira un mouchoir de sa manche et le passa sur ma joue.

— C'est pour ça que tu pleures ? demanda-t-il. Tu doutes pour ton âme ?

— Je doute surtout pour celle du garçon que j'ai promis d'épouser.

Il me fixait en hochant doucement la tête. Il finit par dire d'un ton équivoque :

— Voilà ce qui te pousse à t'essouffler autant depuis des heures. Je t'ai vue quitter le palais en compagnie du capitaine de Lignerac, je t'ai vue revenir avec lui, courir derrière Guise... Je pensais que tu te cherchais désespérément un amant.

— Ne sois pas stupide ! répliquai-je en le frappant sur l'épaule avec le dos de la main.

Puis je croisai les bras sur ma poitrine, les doigts cramponnés au tissu de ma robe à la hauteur des biceps. Je constatai que, en dépit de la chaleur, je frissonnais.

— Tu veux que je te guide jusqu'aux quartiers de la reine ? Il te plairait de t'entretenir de nouveau avec elle ?

— À quoi bon ! Antoine – c'est le nom de mon amoureux – a déjà trahi une promesse faite à la reine. Il est retourné auprès de Guise. Il est persuadé de la sagesse de celui-ci. Antoine est impliqué dans l'attentat contre Coligny et, aveuglé par l'intérêt qu'on lui porte soudain, les éloges inédits dont il se trouve l'objet, il n'écoutera personne d'autre que son nouveau mentor.

— Bon. Soulageons ta conscience, alors ; on voit bien que c'est elle qui te ronge. Trouvons un prêtre. Ce sont les mieux placés pour souffler sur les incertitudes qui déparent tes traits. C'est vrai, quoi ! Te voilà si laide que c'en est pitié.

Pourquoi est-ce que je n'arrivais pas à me sentir insultée par lui ? Mon rire ressembla à un sanglot supplémentaire.

— Ne fais point l'idiot, Gabriel. Les curés sont ceux qui encouragent le plus les Parisiens à frapper les huguenots. Ils sont les plus fervents à enflammer la rue.

— Pourquoi te tortures-tu de la sorte, alors ? Si les curés disent que tout va bien, c'est que tout va bien.

— Je doute fort que ce soit là le message de Jésus-Christ. Il me semble que, depuis toujours, on nous rebat les oreilles avec son message d'amour. Pourquoi, tout soudain, devrait-on...

— Si tu savais lire, tu pourrais parcourir la Bible, les Évangiles, et tu comprendrais peut-être...

— Je *sais* lire ! Mais je n'entends rien au latin.

Gabriel hocha la tête en tapotant les bouts de ses dix doigts les uns contre les autres.

— Voilà qui est ennuyeux, en effet. Et le pape ?

— Quoi, le pape ?

— Tu sais que le roi a reçu de nombreuses lettres de Rome lui demandant d'éloigner la menace hérétique du trône ? D'abord du vieux Pie V, et maintenant de ce brave Grégoire XIII. D'ailleurs, ce dernier n'a jamais donné sa dispense pour le mariage de la Margoton. Le roi et lui se boudent, mais si Sa Sainteté le pape apprenait ce qui se trame ce soir, je te jure, il baiserait les pieds de notre cher Charles.

Je chassai définitivement les larmes qui avaient mouillé mes joues.

— Pourquoi est-ce que je ris à t'entendre parler ainsi, Gabriel, alors que je devrais être scandalisée ?

— Parce que tu n'es pas complètement idiote. Allez, suis-moi.

— Non, je veux m'en retourner chez mon père, là où les gens sont normaux.

— Personne ne sort du palais. Cette nuit, contrairement à d'habitude, les portes resteront hermétiquement closes. Aucune sentinelle ne se laissera acheter, sinon sa tête risquerait de ne plus rien peser sur ses épaules.

— Oh, mon Dieu, tout ça est trop… réel !

— Allez, te dis-je ! Je t'emmène chez la reine. Je connais un salon tranquille où tu trouveras un fauteuil pour y passer la nuit.

Nous nous apprêtions à ouvrir la porte pour entrer dans l'aile du palais quand une galopade attira notre attention. Deux cavaliers arrivaient de l'allée reliée à l'entrée principale. Lorsqu'ils nous aperçurent, ils pilèrent net en nous fixant. Avant de les détailler, par instinct, je recherchai sur eux le ruban ou la croix blanche. J'éprouvai un singulier soulagement de n'en pas trouver.

C'est alors que je m'aperçus que Gabriel s'était gravement prosterné à côté de moi.

42

La voix geignarde

Le premier cavalier mit pied à terre d'un seul bond et se dirigea vers nous. De ce que me permettait d'en juger l'éclairage blafard, il s'agissait d'un homme de petite stature, les cheveux ébouriffés, en manches de chemise, sale, sans trousses, une épée nue au côté. Il haletait autant que son coursier. De toute évidence, la chevauchée dans les rues de Paris s'était avérée débridée.

— Oh ! Gabriel, c'est toi. Je t'avais pris pour mon écuyer. Cette voix…

— Sire, je suis au service de Votre Majesté.

Votre Majes… Le roi ! Ce gringalet empoussiéré, mal attifé, à l'intonation geignarde était le roi de France !

Je m'empressai de me prosterner à mon tour, mais si maladroitement qu'on aurait dit que je trébuchais. J'aurais voulu me fondre sous les sabots du cheval royal.

— Qui est-ce ? s'étonna Charles IX – sans doute en me regardant, mais je n'osais plus lever les yeux vers lui.

— Une amie, Sire, répondit Gabriel.

— Et quel est son nom ?

— Anne, de la maison Sagedieu, réagit de nouveau le domestique du duc d'Anjou, car Charles IX ne s'adressait point directement à moi – ce qui me convenait tout à fait, puisque je n'avais pas encore repris mon souffle et aurais eu toutes les peines du monde à répliquer.

— Sagedieu… Sagedieu… Pourquoi ce nom me dit-il quelque chose ?

— La maison Sagedieu fournit le Louvre en tissus, Sire.

Une succession de pas précipités se devina venant d'une allée. Je redressai discrètement le nez, juste ce qu'il fallait pour apercevoir les vestes et chemises de sept ou huit courtisans qui se pâmaient à mi-voix du retour de leur souverain. Puis se fit entendre le cliquetis des éperons et du fourreau du second cavalier.

— Sire, ne restons point ici. Les cloches de Saint-Germain-l'Auxerrois…

— Ne me brusquez point, Gondi !

J'avais bien reconnu aussi la voix du baron de Retz – et son accent italien pareil à celui de la reine mère –, un des conseillers du conciliabule que Marguerite et moi avions épié. Les complaisants se figèrent à quinze pas au moins. L'humeur de leur seigneur semblait les retenir. Seul un écuyer osa approcher le cheval par l'angle le plus éloigné du monarque.

— Votre robe, madame, reprit le roi, il me souvient en avoir vu une semblable sur les épaules de la reine de France.

Je voulus répondre, mais les mots se bousculèrent dans ma gorge. Je n'émis qu'un couinement de bébé.

— Eh bien ?

— Si… ire… Votre Majesté a l'œil vif en dépit de l'oscurté… l'ossurité…

Oh, que les sabots du cheval ruant sur mon postérieur m'auraient paru la digne récompense de mon insipidité !

— Mlle Sagedieu, en dépit de ses origines populaires, s'est attiré les grâces de Sa Majesté la reine, s'empressa d'ajouter Gabriel – ce qui me permit de reprendre mon souffle. Elle lui a offert ce vêtement dans le but de plaire à Votre Majesté, mais… mais la rencontre a été reportée.

— Vraiment ?

Je vis apparaître les bottes de Charles IX dans mon champ de vision. Il s'était approché de moi. Le bridon de sa monture entourait une de ses mains.

— Sire…, se hasarda à nouveau Albert de Gondi.

— Baron, clama plus plaintive que jamais la voix du monarque, laissez-moi cet instant…

— Les cloches sonneront, Sire, et…

— Qu'elles sonnent, baron ! Oh, mon Dieu, les cloches ! Qu'elles sonnent !

Je ne comprenais rien à rien, mais n'osais pas redresser la tête. Il m'était aussi insupportable de ne rien saisir des propos du roi que d'entendre l'intonation bien peu magnificente, bien peu seigneuriale, de ses exclamations.

— Montrez-moi votre visage, mademoiselle.

Je me risquai, après une seconde d'hésitation, à relever le menton.

Si la voix m'avait déçue, la figure me parut pire encore. Charles IX m'observait avec une expression que j'aurais pu tout aussi bien associer à celle du premier fou croisé dans la rue. Éclairés par la lampe sous l'imposte, ses yeux noisette, flottant sur une sclérotique rougie – par les larmes ? l'excitation ? la peur ? –, jetaient des reflets gris-argent du plus terne effet. Son nez coulait sur une moustache brouillonne et empoussiérée. Sa bouche était tordue, ses lèvres ondulaient à la manière d'un fer mal battu ; on eût dit qu'il luttait chaque seconde pour ne point éclater en sanglots.

Sa chemise, maculée de terre et de transpiration, pendait par-dessus sa ceinture dans la plus lamentable façon. Ses mains trituraient nerveusement le bridon du cheval.

Était-ce bien là l'époux de la charmante, de la douce, de la belle Élisabeth d'Autriche ? Ce cavalier crasseux et suant, aux cheveux détrempés et collés sur le crâne ? Cet homme à l'aspect d'un enfant s'éveillant d'un cauchemar ? Le roi de France inspirait davantage la pitié que la majesté.

— Vous êtes bien jolie et cette robe vous va à ravir.

— Mer… merci, Sire.

Il lança une plainte aigre en se tournant vers Gondi, comme si une lame brûlante venait d'être appliquée sur son dos. Le baron, un cinquantenaire un peu courbé, mais chez qui se devinait encore la force des jeunes années, gardait sur son seigneur un regard mâtiné de compassion et de dégoût, de crainte et de respect.

Le roi passa une main rapide sur son visage et revint poser les yeux sur moi. L'écuyer était à portée du cheval, mais n'avait pas osé réclamer la bride. Il attendait.

— Vous devez être une bien bonne personne, mademoiselle, pour vous être attiré de la sorte l'affection de la reine, mon épouse. Cette dernière est sainte, et seule une sainte à son égal est digne de graviter dans sa proximité.

— Sa Majesté a pour moi des égards que je ne crois point mériter.

— Mlle Sagedieu est trop modeste, Sire, se permit d'intervenir Gabriel. Il suffit d'échanger quelques phrases avec elle pour comprendre à quel point il s'agit d'une jeune femme charmante. La reine a bien raison d'en rechercher la compagnie.

— Elle se vaut même l'inclination des mignons de mon frère d'Anjou, à ce que je vois, répliqua le roi avec, vers Gabriel, un coup d'œil qui n'exprimait pas nécessairement la sympathie.

— Je lui suis déjà fort attaché, en effet, Sire, riposta aussitôt le suivant sans paraître ébranlé.

Le cheval de Charles IX piaffa en renâclant. Le roi tira sur la longe pour le calmer puis me proposa :

— J'ai besoin d'un ange avec moi, ce soir. Vous m'accompagnez, mademoiselle ?

Je sentis mes jambes vaciller. Mais que me voulait-on encore ? Toute ma vie, il m'avait semblé n'être qu'un vulgaire moucheron, une fille gentille, certes, mais sans attrait particulier, et voilà que, depuis deux jours, les plus grands du royaume se disputaient ma présence à leurs côtés. Qu'est-ce que la divine Providence espérait de moi pour m'éprouver de la sorte ?

Je jetai un rapide coup d'œil vers Gabriel dans l'espoir que, par quelque signe, il pourrait m'éclairer sur la manière de refuser, mais le serviteur du duc d'Anjou avait baissé les yeux sur les pavés. La main de Charles IX s'inséra sous mon bras et il me tira avec lui.

— Venez, n'ayez crainte. On ne couche point avec un ange.

Je sentais ses doigts aussi mous que des vers de terre, fragiles telles les ramilles d'un aune mort. Rien à voir avec la poigne rigide et violente du duc de Guise.

Le roi s'immobilisa soudain et inspira bruyamment comme s'il avait aperçu quelque fantôme du côté de Saint-Germain-l'Auxerrois, dont les clochers se devinaient par-delà les murs du Louvre.

— Quelle heure est-il, baron ? demanda-t-il de sa voix redevenue plus plaintive que jamais, en me retenant toujours contre lui de sa main grêle. Quelle heure ?

— Les trois quarts de onze heures, Sire, répondit Gondi sans même vérifier à quelque horloge – ce qui me parut tout de même assez juste. Elles sonneront bientôt.

— Elles sonneront…, répéta le roi. Elles sonneront…

Et je me sentis plus mortifiée, plus perdue que jamais, tandis que Charles IX abandonnait son cheval à son écuyer pour m'entraîner avec lui au milieu des courtisans qui restaient figés tels des spectres.

43

Un ange dans la chambre du roi

Tandis que je suivais la silhouette gracile et chancelante du roi dans les couloirs du Louvre, que ses domestiques et ses courtisans me jetaient des regards étonnés sur notre passage, je pensai à mon père. Mon pauvre père. Quels sentiments aurait-il éprouvés s'il avait su ce qui m'arrivait à ce moment-là ? Lui qui avait toujours espéré que je serais remarquée par quelque galant de la cour, aurait-il été enchanté ou horrifié de me voir ainsi entraînée dans le sillage du plus puissant monarque d'Europe ?

Que m'aurait-il conseillé, en cet instant, si j'avais pu lui confier mes incertitudes et mes peurs ? De me plier aveuglément aux désirs de Sa Majesté ou, au contraire, de fuir immédiatement le voisinage malsain d'un tel personnage ?

Je songeai à Antoine, à sa bêtise, à son égarement et, par la bande, à ma propre naïveté : comment avais-je pu imaginer que, à ma simple demande, mon amoureux abandonnerait les gentilshommes qui lui donnaient l'occasion de se faire valoir ? Que j'avais été niaise ! Peut-être lui et Joseph avaient-ils raison. Peut-être une femme ne comprenait-elle point ce genre de chose.

En ce cas, pourquoi ne me sentais-je point apaisée à l'idée de m'en remettre au jugement de ces garçons ? Pourquoi est-ce que je redoutais les conséquences sitôt que je me figurais sous la protection d'Antoine ou de Joseph ?

De Lignerac, par contre…

Une bouffée de chaleur soudaine me rosit les joues quand je resongeai aux épaules du capitaine des gardes de la reine, à sa silhouette souple et assurée, à son visage sévère, quoique tranquille à la fois… Allons bon ! Je n'avais pourtant même pas remarqué s'il était séduisant. Enfin, oui, j'avais noté que, s'il n'y avait pas chez lui la beauté des traits de Henri de Guise, il dégageait une sorte de… de charme apporté par un heureux amalgame d'élégance et de force.

Où était-il en ce moment ? Sans doute à faire rempart de son corps devant quiconque oserait approcher sans autorisation les quartiers d'Élisabeth. Pour une fois, j'enviai le sort de ma nouvelle amie.

— Ce sont là mes appartements, la triste chambre du roi de France.

La voix geignarde me tira de mes rêveries et je remarquai que nous avions atteint une salle assez grande, aux murs couverts d'armes et de trophées de chasse. Le luxe y était inouï. Jamais de ma vie je n'aurais cru qu'il pût exister tant de merveilles réunies en une seule pièce : tapis aux riches couleurs, meubles ouvragés au poli impeccable, plafond décoré de fresques… Il y avait même une table sur laquelle reposaient les armures du roi, son bouclier et son morion, forgés en fer repoussé, plaqués d'or, ornés d'émaux verts, rouges, bleus et blancs avec des revers en velours cramoisi brodés d'arabesques.

C'était inimaginable !

— Aucun gentilhomme ni valet de chambre ! glapit Charles IX à un domestique que je ne pouvais apercevoir de là où j'étais. Je ne veux rencontrer personne ! Allez tous dormir, sans préoccupations, sans crainte, sans avoir à vous soucier du salut éternel autrement qu'en ne péchant point. Profitez de votre privilège de n'avoir pas à tremper votre âme dans la souillure des décisions qui font un roi, un roi.

Il y avait un canapé damassé grenat, un manteau de cheminée sculpté de mille détails et sur lequel trônaient des marbres et des statuettes d'or comme je n'en avais jamais vu et comme je n'en reverrais plus jamais. Et le lit! Le lit avec un baldaquin de…

Un grondement accompagné d'un mouvement vif près du sommier me tira un cri de surprise. Deux masses noires s'élancèrent dans ma direction.

— Paix, les chiens! Paix! grogna Charles IX en renvoyant deux bêtes énormes à coups de pied.

Elles retournèrent près du baldaquin d'où elles étaient venues en geignant comme leur maître. Au-dessus d'elles pendaient des étoffes lamées d'or et d'argent, fleurdelisées, et aux bleus scintillants.

— Plus que douze minutes avant dimanche! pleurnicha le souverain en se plaçant devant une horloge aussi grande que le cabinet des armes à côté.

Je reconnaissais çà et là, parmi la literie, des tissus qui avaient transité par notre magasin. Mais il y avait également des soies et des laines d'une qualité dont je ne m'étais jamais régalée, et qui devaient provenir directement d'Italie, là où les marchands s'acoquinaient avec les mahométans.

— Fermons! Fermons! psalmodia le roi en soufflant sur les chandelles allumées qui entouraient la pièce.

La pénombre nous enveloppait à mesure que mourait chaque bougie.

— Et ouvrons! Ouvrons!

Il tira sur le centre de lourdes et opaques draperies qui s'écartèrent en faisant danser des pentes de fenêtre en velours bleu. Deux portes vitrées apparurent, donnant sur un balcon en pierre dont les balustres convolutés ressemblaient à des végétaux rocheux. Au milieu des croisées, les étoiles scintillèrent au-dessus d'un Paris chargé de menaces.

— Je veux m'emplir de nuit, pas d'obscurité, de lumière de ciel, non de suif.

Je notai à quel point il faisait chaud lorsqu'il ouvrit les portes pour laisser filtrer l'air du dehors. Les bruits du soir entrèrent plus facilement que le frais.

Charles IX se tourna vers moi, et je me félicitai que la pénombre m'interdise de contempler son expression affolée. Puis je sentis croître l'angoisse de ne point pouvoir déterminer le degré de folie qui l'habitait. Le roi... *mon* roi, celui de tous les Français, la forteresse contre nos ennemis, le prince que Dieu avait choisi pour nous protéger, me faisait peur !

— Anne... Anne..., murmura-t-il avec un ton singulier, mêlé des notes aiguës de l'enfant au désespoir et des intonations basses du guerrier menaçant. Anne, je ne sais que faire. Je crains d'avoir péché.

— Péchh..., Sire ? balbutiai-je. Un roi peut-il pécher, Sire ?

— Tout le temps... Parfois... Je ne sais plus...

Il avait posé une main sur sa tête et l'autre contre sa joue. Il ne me regardait pas, observant plutôt des reflets sur le mur derrière mon dos. Je demandai :

— Dieu n'insuffle-t-il point sa grâce dans le cœur des princes du monde, de manière à ce que ceux-ci n'aient jamais tort ?

— Seulement aux papes, s'empressa-t-il de répondre, immobile, fixe. Les rois..., je ne crois pas, car alors..., je saurais si les décisions sont bonnes ou non..., je ne craindrais jamais pour mon âme. Maintenant...

Un bruit dans le couloir – un serviteur transportant quelque chandelier ou argenterie – ressembla au son d'une clochette. Charles IX se retourna vivement vers les fenêtres ouvertes en poussant un cri plaintif.

— Maudites cloches, jura-t-il entre ses dents. Elles sonneront. Je sais qu'elles sonneront.

J'ignorais s'il parlait toujours de l'église Saint-Germain-l'Auxerrois...

— Celles de Saint-Germain-l'Auxerrois, lança le souverain comme s'il avait lu dans mes pensées. Elles sonneront, et nous serons dimanche. La Saint-Barthélémy.

Je me désintéressais du saint qu'on devait honorer ce dimanche-là, et je ne croyais point qu'il eût fallu s'en inquiéter, même s'il s'agissait de l'un des douze apôtres du Christ.

— Votre Majesté n'a-t-elle point un évêque, voire un cardinal, à qui confier ses craintes ? m'informai-je en me rappelant vaguement qu'un religieux de grande autorité – et de haute naissance – guidait généralement les rois, les confessait aussi.

— L'évêque de Paris, si fait, monseigneur de Gondi…

— Gondi ?

— Frère du baron de Retz, chancelier et grand aumônier de ma femme. Un Italien, de plus, manipulé par ma mère.

Manipulé par… Je ne voulais pas le savoir…

Les petites mesquineries qui agitaient le cœur de ceux que je croyais au-dessus de ces vilenies ne m'intéressaient en rien. Je ne désirais que la compagnie d'une bonne amie comme la reine Élisabeth, ou même l'espièglerie de Marguerite de Valois – quoiqu'un peu trop osée à mon goût –, ou au pire les bouffonneries d'un mignon comme Gabriel, et non les anxiétés d'un roi, moins encore ses piques aigres visant les gens de son entourage.

Charles IX avait repris ses lamentations assourdies en frottant sa tête avec ses mains.

Je cherchais désespérément quelque encouragement à lui prodiguer ou – mieux ! – quelque excuse me permettant de m'éclipser et de le laisser seul avec ses angoisses quand j'entendis gratter d'un côté de la pièce où il n'y avait pas de porte.

« Juste ciel ! pensai-je. Ici aussi, comme chez Margot ou comme dans le cabinet royal, est-il possible d'épier ce qui se dit ? Ce qui se passe ? »

Le roi entendit également, car il tourna la tête du côté du bruissement.

— Seules ma mère ou mon épouse empruntent cette entrée discrète pour venir dans ma chambre, murmura-t-il.

Avant que je ne trouve quoi répliquer, une ouverture se fit dans le mur et une ombre s'ajouta à l'ombre. Il y eut un mouvement vague, les étincelles d'un briquet à amadou, puis la large silhouette endeuillée de Catherine de Médicis apparut à la lueur d'une chandelle.

Je me prosternai aussi rapidement que je le pus.

44
La mère et le fils de France

Eh bien, Charles ? Moi qui vous croyais en plein désarroi, voilà que je vous trouve en compagnie de quelque galante de…

Elle s'interrompit, et je présumai qu'elle venait de reconnaître la robe que je portais.

— Et elle a endossé un vêtement de la reine ?

— Ce n'est pas celle que vous pensez, mère. Marie Touchet n'est point au Louvre.

— Qui êtes-vous ?

Je me redressai lentement en levant les yeux vers la reine mère. Je répondis si bas que je murmurai presque :

— Anne Sagedieu, madame. Ravie de vous revoir. Sa Majesté le roi, votre fils, m'a fait l'honneur de me convertir en confidente.

— Confidente ? répéta la femme en éclatant d'un faux rire. Je vous croyais amie d'Élisabeth, mademoiselle.

— Oh, certes, madame, je le suis ! Que Votre Majesté n'en dou…

— Qui a besoin d'une amie qui, en moins de quarante-huit heures, lui dérobe son mari ?

— Madame, ma présence dans la chambre de Sa Majesté n'a…

— Taisez-vous !

La reine mère tourna sa masse sombre vers son fils.

— Et toi, Charles ? Tu as une épouse, enceinte de surcroît ! Quelle ambition justifie que tu entretiennes dans tes appartements non plus la Touchet, mais une vulgaire fripière ?

— Oh, mère, vos cris ! Vos cris ! Qu'avez-vous toujours à imaginer le mal ? Ne voyez-vous point qu'il s'agit d'un ange à qui vous prêtez la pire conduite ?

— Ou d'un démon, pour s'introduire aussi facilement auprès de moi, puis d'Élisabeth, puis de vous… Que connaît-elle de nos projets ?

— Qu'en sais-je, moi ?

Je frissonnai en constatant que leurs quatre yeux me fixaient, luisant sous la flamme de l'unique chandelle.

— Cher ange, susurra le roi, avec une intonation enfantine qui seyait bien à la faiblesse dont il faisait montre devant sa mère, dites-nous ce dont vous êtes instruite à propos des événements qui s'annoncent.

Je hoquetai :

— Je c… connais peu… Rien.

— Peu ou rien ? gronda Catherine de Médicis.

— P… peu.

— Et qu'est-ce, peu ?

— Le meurtre des capitaines huguenots.

Le silence qui s'ensuivit me parut être le même que celui qui devait régner au fond du cachot le plus profond, derrière les murs les plus épais de la dernière des oubliettes. Je m'attendais à ce qu'on me demande ensuite de quelle façon les informations étaient parvenues à ma connaissance, mais la reine mère dit plutôt :

— Bien. Et vous ne nous avez point trahis ?

— Non, madame !

— Non, bien sûr, fit la Médicis en se détournant de moi comme pour admettre qu'elle avait tort de me soupçonner. Vous ne seriez point ici, sinon, mais chez les Navarrais.

Je commençais à mieux respirer quand son regard noir se reposa sur moi.

— Vous étiez avec Margot… avec la reine de Navarre, ce midi, m'a-t-on dit. Ignore-t-elle ce que vous savez ?

— Non, madame. Sa Majesté la reine de Navarre devait convaincre son époux des graves dangers qui menacent sa suite, en effet.

— Tout comme mon épouse a tenté de me persuader des périls qui pesaient sur mon âme, avoua le roi en laissant ses deux mains battre l'air devant lui pour exprimer la futilité. Mais cette lettre, mère, que m'a écrite Sa Sainteté, Pie V, voilà trois ans, je m'en souviens… Oh, je m'en souviens. Ses mots disaient : « *Que Votre Majesté prenne pour exemple et ne perde jamais de vue ce qui arriva au roi Saül : il avait reçu l'ordre de Dieu, par la bouche du prophète Samuel, de combattre et d'exterminer de telle manière les infidèles Amalécites qu'il n'en épargnât aucun et sous aucun prétexte. Mais Saül n'obéit point à la volonté de Dieu, il fit grâce au roi des Amalécites ; aussi, peu de temps après, sévèrement réprimandé par le même prophète qui l'avait sacré roi, il fut enfin privé du trône et de la vie. Par cet exemple, Dieu a voulu enseigner à tous les rois que négliger la vengeance des outrages qui lui sont faits, c'est provoquer sa colère et son indignation contre eux-mêmes.* » Voilà, mot pour mot, mère, ce que m'écrivait Pie V.

— Alors, n'avais-je point raison de te convaincre de la nécessité des événements de cette nuit ?

— Et ma femme qui s'évertuait à me faire casser l'ordre de tuer les Navarrais…

Il posa sur moi ses yeux fous avant de poursuivre :

— Les femmes ne connaissent rien à la guerre.

Il eut un petit rire avant d'ajouter :

— Sauf vous, ma mère.

— Ce qui est fait est fait et ce qui est à faire est à faire, philosopha la reine mère en se détournant – sa forte silhouette, désormais entre sa chandelle et nous, nous plongeant le souverain et moi dans une obscurité temporaire. Les Navarrais…, ce ne seront toujours bien que quinze, dix-huit, vingt morts, peut-être.

— Et seront épargnés Condé et Bourbon, précisa le roi. Des descendants de Saint Louis. Qu'en dis-tu, petit ange ?

Je déglutis avant de prendre la parole :

— Sire, je ne suis que fille de tisserand, et les problèmes, les enjeux et les responsabilités de la royauté se trouvent fort loin de mes connaissances et de mes ambitions. Toutefois... toutefois, puisque vous me permettez quelques mots, je parlerai au nom des humbles sur qui vous régnez.

— Vous entendez agir comme porte-parole des sujets du royaume, mademoiselle ? se moqua Catherine de Médicis.

— Oh, mère, laisse-la s'exprimer ; c'est un ange, vous dis-je. Voyez... Approchez votre chandelle... Là... Observez les traits de son visage... Regardez comme ils sont honnêtes, charmants... Cela m'a frappé dans la seconde où je les ai aperçus. Je crois que Dieu nous envoie cette jeune femme – et précisément en cette soirée – pour nous guider, nous aider à peser le pour et le contre des graves décisions qui nous accablent.

— Sire, Votre Majesté me prête trop de...

— Oh, parlez qu'on en finisse ! abdiqua la reine mère.

— Madame, je... Il est vrai que les protestants nous causent parfois bien des soucis, notamment dans les rues, mais il m'étonnerait que notre Dieu, qui est infiniment bon, nous rende responsables de l'hérésie et affame le pays.

— Dis-moi, petit ange, avais-je le droit, comme me le rappelle la lettre du pape, de condamner à mort mes sujets navarrais qui ne désirent que remplacer ma religion, tandis que Guise, lui, veut mon trône ? D'ailleurs, mon frère d'Anjou veut mon trône, mon frère d'Alençon veut mon trône... Mes véritables ennemis sont peut-être...

Il s'interrompit de lui-même. Je me sentis autorisée à répondre :

— Je ne sais qui sont vos ennemis, Sire, mais tant que Votre Majesté gardera dans son entourage des hommes avec la violence en eux, avec la haine et le meurtre pour plaisirs, il sera difficile de prendre des décisions modérées.

C'est Guise qui a mis la Couronne dans l'embarras avec son initiative pour tuer Coligny.

Je me tournai vers Catherine de Médicis avant de poursuivre :

— Je sais que Votre Majesté n'a pas apprécié non plus l'entreprise du duc. Je l'ai bien noté dans l'attitude de Votre Majesté lorsqu'elle nous a surpris dans les appartements de la reine de Navarre. Aussi, en dépit du fait que M. le duc passe pour un héros auprès de la plupart des catholiques de Paris, si les citoyens le connaissaient mieux – ainsi que j'en ai eu le privilège –, je pense, madame, que ce méchant homme aurait beaucoup moins de partisans dans la capitale. Je crois aussi que plus de sujets crieraient « Vive le roi ! » plutôt que « Vive Guise ! »

Même dans la pénombre, la satisfaction provoquée par mon intervention se lisait sur le visage de Catherine de Médicis. Elle me fixa un moment puis posa les yeux sur son fils. Elle dit :

— Guise représente en effet un danger pire encore que les huguenots. Aussi, Charles, tu profiteras de l'offre du duc pour justifier la mort des capitaines de Navarre. Une revanche familiale entre les Guise et Coligny que nous n'aurons pas pu contenir, un complot sous notre toit même, un…

— Non ! Je refuse !

Encore la voix geignarde. Le roi se dirigea vers la fenêtre, et son ombre, qui s'opposait à la lumière de la chandelle, ondulait sur les tapis et sur les meubles. Il pointa un index mou en direction du dehors et gémit :

— *Je*, vous entendez, mère ? *Moi*, j'endosse toute la responsabilité ! Pas question que Guise se targue d'avoir ramené la paix dans le royaume en débarrassant le Louvre d'une clique de comploteurs protestants. *Je* suis celui qui, après qu'on eut mis au jour une conspiration visant à renverser *mon* trône, a choisi d'éliminer ceux qui abusaient de *ma* générosité et de *mon* hospitalité. Que les proclamations soient bien claires. *Moi*, le monarque de France, ai commandé qu'on tue dans l'œuf une conjuration navarraise, et on ne peut qu'obéir à un ordre royal.

Et tandis qu'il parlait, il semblait m'avoir complètement oubliée. Envolés aussi ses ruminements à propos du bien ou du mal touchant les assauts prévus. Le roi était redevenu un roi – mais sans majesté –, un roi avec des désirs de roi, des caprices de roi… et un orgueil de roi.

Alors retentit le premier son de cloche.

Charles IX, d'un coup, perdit toute l'assurance à peine retrouvée et tourna vers Catherine de Médicis un regard rempli de terreur. Le bourdon de l'église de Saint-Germain-l'Auxerrois venait de s'animer à une heure où, d'habitude, il veillait en silence sur le sommeil des fidèles.

Puis un deuxième carillon ébranla la nuit… Il y eut une pause de plusieurs secondes avant le troisième… le quatrième… jusqu'à ce que le sonneur parvienne à établir le rythme qui marquait son tocsin lugubre.

— C'est le signal, murmura la reine mère.

Le roi s'écroula en pleurs sur le tapis, jurant le ciel qu'il n'avait point voulu, implorant Dieu de lui pardonner. Dans son esprit, déjà, étaient balayés les arguments qui lui avaient permis de se justifier un instant plus tôt, de soulager sa conscience.

Catherine de Médicis se tourna vers moi puis eut un mouvement bref du menton pour m'inviter à prendre congé. Je n'attendis point qu'elle me le signifie deux fois.

Je quittai la chambre du roi pour courir dans les couloirs du Louvre, les oreilles assourdies par les assauts de Saint-Germain-l'Auxerrois. Retranchés quelque part dans les recoins sombres du palais, les catholiques, je le savais, lançaient l'offensive planifiée par les conseillers royaux lors du conciliabule que j'avais épié.

En cette nuit du dimanche 24 août 1572, fête de saint Barthélémy, commençait le massacre des protestants.

XXIe siècle au Québec

45

Les origines

Si le curé de la paroisse m'a autorisé à numériser les annales, il ne m'a pas permis de les sortir de la bibliothèque. Pour aller au bout de mon idée, je devrai donc aménager mes propres équipements informatiques dans l'atmosphère lourde du sous-sol de l'église. J'espère avoir au moins l'autorisation de tout laisser en place et ne pas avoir à rebrancher mon installation à chaque visite.

— Madame Karine, selon vous, qui a déjà lu les livres ?

La bibliothécaire lève sur moi des yeux rougis à force d'avoir fixé l'écran de son ordinateur, tout en gardant son index sur la fiche dont elle entrait les données.

— Quels livres ? demande-t-elle. Les chroniques de la paroisse ?

— Oui.

— À ma connaissance, personne.

— Je ne comprends pas que ces annales n'aient jamais suscité l'intérêt de quiconque avant moi.

— Qu'ont-ils de si passionnant, ces textes, Félix ? Ils datent de près de quatre cent cinquante ans, ils ont sans doute été écrits dans un français de l'époque par un Jos Bleau qui s'est improvisé écrivain, et on n'a pas le droit de les sortir du soubassement…

— Mais ils racontent les origines de notre communauté ! Tout le monde ici devrait s'y intéresser.

Je pense à la famille de Soltana et me reprends :

— Enfin, tout le monde originaire d'ici.

Mme Karine abandonne la fiche sur laquelle elle collectait de l'information, pose les coudes sur son bureau, frotte ses yeux fatigués puis joint les doigts sous son menton pour m'observer.

— Félix, tu es jeune, et il faut que tu comprennes une chose : ce n'est pas parce qu'un sujet te captive qu'il excite tout autant les gens autour de toi. Ça veut dire que l'inverse est vrai aussi. Tu es un original, assume-le. Ces bouquins que tu feuillettes depuis que tu les as découverts, ce printemps, personne ne s'y est jamais intéressé. En tout cas, pas depuis que le curé… depuis que *monsieur* le curé les a sortis de leur ancienne armoire dans le cabinet de travail du presbytère.

Elle pousse un soupir en appuyant davantage son menton rond sur ses doigts. Je les vois plier jusqu'à ce qui me semble être leur limite. Elle reprend :

— Qu'est-ce qu'ils t'apprennent, ces vieux livres ? Tu me parlais l'autre jour d'une découverte quelconque…

Je me gratte la nuque dans une attitude hautement embarrassée.

— Je vais d'abord en discuter avec mon père, madame Karine. Je ne sais pas quel impact peut avoir ce que j'ai mis au jour, mais surtout…

Je hausse les épaules avant de me diriger vers la sortie. Je conclus :

— Surtout, j'ignore quelle crédibilité je dois accorder à tout ça.

* * *

Sur le chemin du retour vers la maison, je constate qu'il fait beaucoup moins chaud que lorsque je suis arrivé à la bibliothèque, ce midi. Le fleuve souffle une brise fraîche et gonfle ses vagues. De lourds nuages charbonnés s'amoncellent sur la moitié du ciel. On aura certainement des orages avant la fin de la journée. La plage est désertée par les baigneurs et les bâtisseurs de châteaux de sable. Par contre, je vois trois adolescents de mon âge s'amuser à gravir des dunes avec des VTT. À grands rugissements de moteur et à coups de roues féroces, ils creusent des cicatrices de terre dans la flore fragile du bord de mer. Sur le porte-bagages de l'un des véhicules, je distingue parfaitement une caisse de bières.

Mme Karine a raison. Je ne suis pas comme les autres.

Ce n'est pas que je m'en soucie vraiment, mais il est toujours agréable de savoir à quel milieu on appartient exactement. Et moi, parfois, je ne me sens pas d'ici. Il me semble que, bien que les parents de mon père soient nés sur l'île et qu'ils n'en soient jamais sortis, cela ne suffit pas à faire de moi, l'unique fils de leur fils unique, un enfant à part entière de cette communauté. Je n'ai pas l'impression que les vacances d'été passées chez mes grands-parents parviennent à faire de moi un rejeton de la collectivité. Comme si le fait d'avoir vécu le plus clair de mon enfance à Québec, sur le continent, avait corrompu mes origines. Avoir suivi mon école primaire à Québec, puis mes deux premières années de secondaire... À moins que ce soit parce que papa, à l'époque, au lieu d'épouser une fille du village, a choisi maman, une résidante de Québec connue à l'université.

Et puis, tout à coup, je pense à Marie-Maude et je me dis que, oui..., oui, je suis de cette communauté. Car j'ai envie d'y rester, d'en aimer les gens, d'y vivre pleinement. Ces profonds désirs d'en faire partie intégrante témoignent de mon appartenance.

Simplement. Je crois qu'il suffit de me sentir un habitant à part entière de Saint-Barthélémy-de-la-Côte-Nord pour devenir un habitant à part entière de Saint-Barthélémy-de-la-Côte-Nord.

À la croisée des routes, cent mètres devant, au détour du bâtiment qui tient lieu d'épicerie, je reconnais la silhouette un peu courte de Soltana flottant dans son vêtement ample. Elle traverse l'intersection en direction de la rue qui mène chez elle. Dans ses mains, elle tient un sac réutilisable qui me paraît lourd. Je vois dépasser le dessus d'une pinte de lait et des boîtes de nourriture diverse. Je pourrais l'aider à porter son fardeau en faisant avec elle le bout de chemin commun qui nous conduit chacun chez nous.

— Soltana ! Ho ! Soltana !

Elle ne réagit pas. Elle n'est pas si loin, pourtant, pour ne pas m'entendre.

— Soltana !

Peut-être a-t-elle les écouteurs d'un iPod dans les oreilles.

Quand j'accélère le pas pour l'approcher, je découvre avec surprise qu'elle-même a pris de la vitesse. Elle me jette un rapide coup d'œil puis fait semblant de ne pas m'avoir vu. Elle me tourne le dos et s'engage dans sa rue.

Qu'est-ce qui lui arrive ?

46

L'épouvantable nouvelle

À la maison, il y a une note de mon père sur la table: « Fais-toi chauffer des restes dans le micro-ondes. Suis à une seconde assemblée extraordinaire des échevins. Serai de retour vers 22 heures. Si tu vas chez une amie, laisse-moi un mot. À plus. P.-S. J'ai vu un mulot dans le garage. Mets une souricière. »

Dans le frigo, les seuls restes comestibles sont les pâtes qui ressemblent à du steak haché, mais qui goûtent les légumes. Dans le congélateur, à côté d'un pot de crème glacée couvert de givre, il y a une pointe de pizza tordue à la couleur indéfinissable. Il y a aussi un plat en plastique rempli d'une matière impossible à reconnaître. Un bac à glaçons vide repose sous un sac de petits pois congelés qu'on a utilisé pour réduire l'enflure sur le coude de mon père quand il a joué au tennis avec...

Ouais, bon, je me dis qu'il serait approprié que l'un de nous, mon paternel ou moi, suive un cours de cuisine à un moment donné. J'avoue que c'est là une qualité de ma mère qui nous manque.

Et quand on parle du loup...

Le téléphone sonne. Je décroche.

— Allô ?

— Tu as écouté les nouvelles ?

— Je vais bien, maman, merci. Et toi ?

— Arrête de niaiser. Tu as écouté les nouvelles ?

— J'arrive tout juste à la maison, maman. Papa est à une réunion d'échevins. Combien de temps dois-je faire chauffer un bout de pizza congelé racorni pour qu'il soit mangeable ?

— Deux secondes, la durée nécessaire pour la jeter à la poubelle, ta pizza. Ensuite, tu appelles un resto qui fait la livraison. Quoique dans votre village misérable... Maintenant, bon, tu n'as pas suivi les nouvelles, dis-tu ?

— Maman, on n'a qu'une télé minuscule ici, et papa est le seul à parvenir à en tirer une image convenable. Non, je ne sais pas ce qui est arrivé à ton émission de téléréalité préférée.

— Il s'agit bien de ça. Mais bon, tu n'es pas informé, on ne t'alarmera pas avec ça. Ton père t'expliquera à son retour, car je suis certaine que, lui, il a dû être mis au courant. Je pense à toi.

Il y a longtemps que les mystères supposés de ma mère ne m'excitent plus. Comme la fois où, en compagnie de la vieille Martha qui prétend communiquer avec les anges, elle jurait ses grands dieux qu'elle avait discuté avec une victime des attentats du 11 septembre. Une victime morte, on s'entend.

— D'accord, m'man. Et pour la pizza... Oh, merde !

— Qu'est-ce qu'il y a ? Qu'est-ce qui se passe ? lance-t-elle sur un ton anormalement alarmé.

— Un mulot, crotte ! Papa l'avait aperçu dans le garage, mais là, il court le long des murs de la cuisine.

— Ah, juste ciel ! Ça ne s'améliore pas sur cette île ! C'est la jungle.

— Et moi, je suis un prédateur, car je dois aller poser une souricière.

— Bon, je te laisse, Félix, mais sois prudent.

— Ce n'est qu'un mulot, maman.

— Je ne te parle pas de ça. De l'autre truc. Enfin, ton père t'expliquera à son retour.

Elle raccroche. À quoi faisait-elle allusion ?

Je n'ai pas le temps de me questionner davantage. Le rongeur repasse devant moi et s'infiltre dans une mince ouverture près d'une prise de courant. Le mur donne sur le garage.

Je mange le bout de pizza, qui goûte tout sauf la pizza, en lisant Hervé Gagnon. Mais l'écriture enlevée de l'auteur ne parvient pas à empêcher l'image de Marie-Maude de se former dans mon esprit. Trois jours que je ne l'ai pas vue. Quel prétexte pourrais-je bien trouver afin de me rendre chez elle ? Ou juste pour lui téléphoner ? Lui offrir un coup de main supplémentaire pour son cours de rattrapage ?

Hum, voilà sans doute pourquoi elle ne m'appelle pas elle-même. Son travail de préparation lui prend tout son temps. Et peut-être est-ce plus difficile pour elle de se concentrer du fait qu'elle pense à moi autant que, moi, je rêve d'elle.

À moins que je me berce d'illusions, qu'elle se balance éperdument de ce que j'éprouve pour elle ? Pourtant, elle doit bien le ressentir, le deviner, qu'elle ne m'est pas indifférente. À la façon dont je la regarde. Dont je balbutie en sa présence.

Non, c'est en présence de Soltana que je balbutie.

Mais Marie-Maude… Marie-Maude…

Une explosion me fait sursauter. L'orage vient d'éclater dehors. Je lève les yeux vers la fenêtre pour voir fulgurer deux ou trois éclairs.

Un mouvement près de la prise de courant me rappelle que j'ai du travail à faire dans le garage.

* * *

Quand j'entends le bruit de la porte qui s'ouvre, je lève machinalement les yeux de mon livre pour les poser sur les aiguilles de l'horloge au mur du salon : 22 h 37. La réunion des échevins s'est étirée, ou papa est allé boire une bière avec une connaissance à la brasserie du village. Ou encore, il a attendu la fin de l'orage pour sortir de la salle municipale.

— T'as mangé ? me lance-t-il de la cuisine.

— Le bout de pizza.

— Et il reste ?

— Des légumes frits.

Je vois sa silhouette se découper dans l'embrasure qui sépare le salon de la cuisine. Il dit :

— Ce sont des pâtes. Mais c'est trop... bourratif avant de me coucher. Je vais me farcir une conserve de soupe.

Il disparaît.

— La demande des musulmans a été rejetée à l'unanimité, clame-t-il tandis que je l'entends ouvrir des placards, manipuler de la vaisselle. Ça n'a pas pris cinq minutes pour exposer les faits et passer au vote.

— Pourquoi t'arrives si tard, alors ?

— On a commenté le...

Il s'interrompt brusquement, et je mets plusieurs secondes avant de me tourner vers la cuisine. Je le découvre de nouveau debout dans l'embrasure en train de me regarder fixement. Il arbore un air tracassé que je ne lui vois pas souvent. Il s'informe :

— Tu n'es pas au courant ?

— De quoi ?

— De la nouvelle.

— Quelle nouvelle ?

— À propos des Mansouri.

Je commence à me demander si...

— Maman.

Il lève les sourcils puis les fronce dans une mimique encore plus soucieuse.

— Quoi, ta mère ?

— Elle a appelé.

— Et ?

— Elle me parlait de...

Je sens tout à coup mon rythme cardiaque s'accélérer. Je me lève de mon fauteuil en jetant Hervé Gagnon sur la petite table près de la lampe sur pied. Je fais deux pas vers mon paternel.

— Qu'est-ce qui s'est passé avec les Mansouri, papa? Est-ce que ça a quelque chose à voir avec un truc qui aurait fait les manchettes aux bulletins de nouvelles?

— Et comment! C'est sur toutes les chaînes de télé. Demain, ce sera dans tous les journaux. La police fédérale doit déjà débarquer à l'aéroport.

Je pense à Soltana, à la vitesse avec laquelle elle s'est éclipsée pour ne pas croiser ma route. Avant que j'aie le temps de poser une nouvelle question, mon père ajoute:

— L'extrémiste qui s'est fait exploser cette semaine dans une centrale électrique aux États-Unis est un cousin des Mansouri.

— Un cousin?

— Avant de passer à l'acte, il aurait écrit une lettre justifiant ses motifs avec la propagande extrémiste habituelle. Et cette lettre, tu sais quoi?

— Quoi?

— Il l'a envoyée ici, à sa famille de Saint-Barthélémy-de-la-Côte-Nord.

— Ici?

J'imagine tout à coup la terrible atmosphère qui doit régner chez Soltana. Elle qui se targuait d'avoir un foyer aussi laïque que ceux des chrétiens du village. Comme tout ce monde autour d'elle doit se sentir embarrassé!

— Alors, tu comprends bien, reprend mon père, les requêtes cultuelles de nos concitoyens musulmans, ce soir, elles n'avaient pas beaucoup de poids.

Août 1572 en France

47

Sous les appels du bourdon

Ébranlée par le violent bourdon de Saint-Germain-l'Auxerrois, je quittai les quartiers du roi de France pour parcourir les couloirs du Louvre en direction de l'aile d'Élisabeth d'Autriche. J'avais pris soin de me munir d'un chandelier, sage inspiration puisque rares étaient les bougies allumées le long des murs. Il m'arriva de croiser, au détour de tel ou tel angle, quelque dame d'honneur, accrochée à la porte entrouverte de son appartement, étonnée – et aigrie – de ne point recevoir cette nuit-là la visite du coquin coutumier.

— Qu'est-ce que ces cloches, à la fin ? me demanda l'une d'elles, à moitié masquée par son huis, mais un sein nu fort bien visible. Voilà que les églises voisines s'y mettent aussi.

J'errais à la recherche d'un corridor qui me mènerait où je le voulais quand je dus me plaquer à une cloison pour laisser passer deux hommes courant, l'épée à la main. Ils portaient le ruban blanc au bras.

— Que fais-tu ici, toi ? me gronda l'un d'eux. Ne va point chez Navarre, c'est... N'y va point.

Je me dirigeais dans la mauvaise direction. Je m'empressai de changer de couloir.

— La reine de France ? Par là, oui, me renseigna une suivante qui, cheveux décoiffés et bustier lâche, rentrait chez elle.

Ma chandelle, à bout de cire, mourut quelques pas avant que je n'aboutisse dans une antichambre éclairée uniquement par de hautes fenêtres. Je les reconnus. Les croisées offraient une vue sur les remparts qui dominaient la Seine. Au loin, la silhouette de la tour de Nesle se découpait contre la voûte étoilée. Je cherchai une porte qui devait donner sur les appartements de la reine, mais ne distinguais des murs que de monumentales tentures aux couleurs sombres entrecoupées de zones plongées dans les ténèbres.

— Aïe !

Je me mordis la lèvre pour ne point crier plus fort. Mon petit orteil venait de heurter la patte d'un canapé que je n'avais pas vu. Je contournai le meuble sur une seule jambe et m'y jetai dans l'intention de masser mon doigt de pied endolori. Mais à peine mes fesses touchaient-elles le coussin… que celui-ci me repoussait avec violence. Je faillis choir sur le tapis de sol.

— Tu es folle ou quoi ? lança une voix outrée. Va te trouver un autre fauteuil.

— Excuse-moi.

Je m'éloignai en boitillant tandis que j'entendais murmurer :

— C'est bien la dernière fois que je m'attarde après la fermeture des portes… Et ces maudites cloches qui n'arrêtent point !

Je m'approchai de la fenêtre – puisque c'était là que se diffusait le plus de lumière – et cherchai à m'orienter. La porte s'ouvrant sur les quartiers d'Élisabeth devait se trouver dans cet espace, là… Ou plutôt dans la partie ombrée plus loin… Non, par ici, là où la draperie présentait une scène de chasse… Euh… ça, c'était plutôt chez le roi. Pour Élisabeth…

— Que faites-vous céans ?

Occupée à tâtonner dans l'obscurité, je n'avais pas vu s'avancer celui qui me saisit par le bras. Il devait faire le guet dans un alvéole imprécis entre deux tentures. Sa poigne était si puissante que je l'associai aussitôt aux doigts d'acier du duc de Guise. Je chuchotai :

— Capitaine de Lignerac, c'est moi, Anne.

— Tudieu, mademoiselle ! jura-t-il en murmurant à son tour et en relâchant sa prise. Que faites-vous à vous balader dans le palais avec... avec ce que vous savez qu'il se passe ?

— Je...

Ce fut le seul mot que j'eus le temps de prononcer avant qu'une bousculade ne se fasse entendre à la porte donnant sur le couloir. Trois hommes y surgirent, tête nue et mine mauvaise, deux avec une épée, un avec un poignard. Ce dernier tenait aussi un candélabre à cinq branches, toutes allumées. Une croix blanche ou un ruban les identifiaient comme guisards. Les lames jetaient mille feux meurtriers à la lumière des chandelles.

De Lignerac m'écarta en dégainant son fleuret. Le chuintement de l'acier contre le cuir du fourreau me parut la plus sinistre des musiques. Si l'on y ajoutait le tocsin, c'était comme un chant funèbre à la mémoire d'une mercière imprudente – et d'une suivante retardataire, car la jeune fille sur le canapé poussa un cri d'effroi avant de se figer en véritable statue.

— Pas un pas de plus, messieurs, lança de Lignerac avec une voix si affirmée que je me demandai s'il était conscient que trois lames le menaçaient. Ce sont ici les appartements de Sa Majesté la reine de France, et je tue le premier qui prétend perturber son sommeil.

Sa lame pointait devant lui, droite et immobile, exprimant la plus éloquente assurance.

— Capitaine de Lignerac ! s'exclama l'homme au candélabre. Je vous reconnais, monsieur ; ce n'est point après vous que nous en avons.

— Qu'importe. Nul ne passera le seuil qui mène à la reine sans goûter de mon fer.

— Y a-t-il des huguenots hébergés dans ces quartiers, monsieur ? s'informa l'un des spadassins.

— Je n'ai point à répondre à qui que ce soit, si ce n'est à la reine, au roi ou à sa mère, monsieur. Jetez vos armes ou quittez ce lieu.

J'étais muette de terreur et admirais profondément le courage de cet officier disposé à se battre à un contre trois pour protéger celle dont il avait la responsabilité.

— La reine de France n'abrite point de protestants, finit par conclure le deuxième des escrimeurs en abaissant son épée. Cherchons ailleurs.

— Désolé du dérangement, capitaine, fit son acolyte avec les deux doigts à la hauteur du front. Assurez une bonne veille ; le Louvre n'est point tranquille, cette nuit.

De Lignerac ne releva pas, ne salua pas et attendit que les pas des trois guisards s'éloignent dans le couloir avant de rengainer son fleuret. Je crachai tout l'air que je retenais dans mes poumons en déclarant :

— Capitaine, grand Dieu, ces hommes étaient disposés à vous… N'aviez-vous pas peur de…

Je m'interrompis en le voyant sourire, ses yeux posés sur moi. Sans même l'éclairage du candélabre, l'ivoire de ses dents, sous la lumière de la fenêtre, brillait tel un chapelet de perles. Dieu que je le trouvai beau !

Il pointa un pouce par-dessus son épaule et répliqua :

— Derrière la porte qui donne sur les appartements de Sa Majesté, il y a dix gardes suisses armés d'hasts qui n'attendent que mon signal pour se ruer dans cette pièce.

48
Le refus du capitaine

De Lignerac me désignait un lourd fauteuil où il me conseillait de passer la nuit quand Élisabeth d'Autriche surgit dans l'antichambre. Elle était vêtue d'une robe de chambre blanc cassé, au col aussi refermé qu'une collerette. Deux gardes suisses la talonnaient de près, piques bien en vue. Une servante d'une douzaine d'années devançait tout ce monde, un chandelier à trois branches dans la main. Marguerite de La Marck-Arenberg n'était pas dans les parages.

Le capitaine s'inclina légèrement, mais moi, je préférai me prosterner dans les règles de l'art.

— Anne, toi te lever de pied, ordonna Élisabeth de sa voix douce et dans son mauvais français. Quoi ici? Moi, *muy preocupada. Capitán de Lignerac me ha dicho que* toi revenir Louvre. Moi *no saber* où toi être *durante* soir. *Con*... avec Gabriel, *que pertenece al duque d'Anjou?*

— Oui. J'étais avec Gabriel, mais aussi avec le roi, ton époux. Ton mari.

Je m'étais mise à la tutoyer par réflexe et, soudain, je me rappelai la servante sur le canapé. Je notai qu'elle nous observait, les yeux ronds.

— *Ven conmigo,* suggéra Élisabeth en me prenant par le poignet et en m'entraînant avec elle vers la porte d'où elle était apparue.

La domestique avec le chandelier nous emboîta aussitôt le pas, suivie des Suisses. Je ressentis un léger pincement au cœur en remarquant que de Lignerac restait dans l'antichambre pour continuer de monter la garde.

Nous arrivâmes dans une sorte de vestibule qui tenait sans doute lieu de seconde antichambre quand les visiteurs patientant dans la première étaient appelés par les valets. Il n'y avait que deux bancs rembourrés – quoique assez longs –, séparés par une petite table de salon. Les portraits sur les murs – ancêtres royaux ? – étaient encadrés de dorures sur bois.

La reine s'assit sur le premier siège, et je l'imitai sous le geste évident de sa main. Le chandelier était tenu non loin. Je notai que la jeune servante se retenait de bâiller. Les deux gardes restèrent près de la porte que nous venions d'emprunter tandis que je distinguais d'autres uniformes dans des angles enténébrés.

— *Die Glocken,* commença Élisabeth, qui répéta en espagnol : *Las campanas. ¿Es el señal ?*

— Je ne comprends point.

— *Las campanas* : ding-dong ! ding-dong !

— Ah, les cloches ! Oui. C'est le signal de l'attaque.

De ses deux mains, elle frotta ses bras. Elle jeta un regard rempli autant de chagrin que de peur vers la fenêtre qu'on discernait par l'embrasure donnant sur la pièce voisine.

— *¡Qué locura !* murmura-t-elle.

Je présumai qu'elle regrettait la folie des hommes, mais je ne lui demandai pas de traduction.

Elle était si belle, Élisabeth. Tant de bonté brillait dans son regard. Je n'en revenais pas qu'elle fût l'épouse d'un homme aussi troublé, aussi exalté et éperdu que le roi de France. Quel gâchis ! Toute reine qu'elle fût, je n'aurais pas voulu me retrouver à sa place.

— *¿Y Margot ?* s'informa-t-elle soudain en revenant vers moi et en prenant mes doigts dans les siens. Toi *sabes* que *hace*… que faire Margot ?

— Je ne l'ai pas revue, dis-je en hochant vivement la tête de droite à gauche pour qu'elle comprenne bien que je n'en savais pas plus qu'elle. J'ignore si elle a réussi à obtenir une audience avec son époux et plus encore si elle est parvenue à le convaincre de ce qui se tramait.

Mon amie m'observa en silence de longues secondes. De temps à autre, un petit bout de langue rose venait humecter ses lèvres. Je levai l'index et le majeur.

— Donne-moi deux gardes pour me guider et pour me protéger, et je vais aux nouvelles.

— *Was ? ¿Qué ?*

— *Es erfordert zwei Wachen zu führen und zu beschützen*, traduisit la jeune fille au chandelier. *Sie werden sehen, die Königin von Navarra.*

Je fronçai les sourcils vers elle. Je demandai :

— Tu comprends l'allemand ?

— Un peu, mademoiselle, répondit-elle d'une voix timide. Mais moins qu'avant. Mon père était garde suisse à…

Elle plissa les lèvres, car elle ne se souvenait pas du nom. Elle conclut :

— Là-bas, où était ma famille, avant que ma marraine m'amène ici.

Je ne m'informai point de qui elle parlait. Cela ne m'intéressait guère.

— *Bien,* Anne. *Pero toma…* toi prendre *cuatro…* quatre *guardias contigo. ¡No ! ¡Mejor ! El capitán de Lignerac ira contigo !*

« Le capitaine de Lignerac ira avec toi ! » Si je ne m'abusais, c'était là la traduction. Encore une fois, je sentis mes joues rosir à l'idée que je côtoierais le capitaine de Lignerac. Mais qu'est-ce qui m'arrivait ?

— *¡Y ten mucho cuidado !* Être prudente beaucoup.

Je hochai vivement la tête en serrant ses mains dans les miennes.

— Oui. Je reviens bien vite. Dès que j'aurai vu Marguerite.

Nous repartîmes du côté de la grande antichambre. Sans que je susse d'où il sortait, l'officier, sur-le-champ, apparut près de nous.

— Capitaine, Sa Majesté aimerait que vous m'accompagniez chez la reine de Navarre.

Tandis que je m'attendais à ce que, selon l'habitude que j'avais relevée chez lui, il accepte l'ordre de sa souveraine sans la moindre objection, il parut offensé et rétorqua :

— Ai-je blessé Sa Majesté en quoi que ce soit ?

— Mais… non, hésitai-je en répondant à la place d'Élisabeth – qui n'avait pas compris, bien sûr, et parce que la jeune servante au chandelier n'œuvrait point à titre d'interprète officielle. Pourquoi croyez-vous cela ?

— Sa Majesté semble m'éloigner d'elle alors que le palais grouille d'assassins et qu'elle a besoin plus que jamais de ma protection.

— Capitaine…, précisément. C'est parce que Sa Majesté a de votre dévouement et de votre efficacité la meilleure opinion et aussi parce qu'elle entretient pour moi la plus profonde inquiétude qu'elle souhaite votre présence à mes côtés.

— Je suis désolé, je refuse.

Il m'aurait repoussée avec sa main contre le mur que je n'aurais pas été plus secouée. Quelle idiote j'étais ! Pendant de brèves – oh, trop brèves – secondes, je m'étais imaginé que le bel officier sauterait sur l'occasion de partager encore un moment avec moi.

Comme j'étais bête ! Que savais-je de lui ? Il était sans doute marié, heureux en ménage, père de famille… Et moi ? N'étais-je point promise à Antoine ?

Réprimant un sanglot que je jugeai inopportun et, surtout, totalement stupide, je m'efforçai de m'exprimer :

— Vous… vous re… fusez un ordre de la reine ?

Sans se soucier de moi, le capitaine des gardes se tourna vers sa maîtresse.

— Madame, que Votre Majesté me demande de mourir, mais non de manquer à mon devoir si jamais on en venait à s'en prendre à sa personne. Cette nuit, le Louvre couve trop de dangers pour que vous m'obligiez à m'éloigner de mes responsabilités.

Il mit un genou à terre et inclina la tête :

— Madame, que Votre Majesté ne me contraigne point à être absent !

Était-il... amoureux d'elle ?

Ou se conformait-il plutôt à un code d'honneur qui n'appartenait qu'aux gentilshommes, un usage dont les règles me dépassaient, où sa propre vie comptait beaucoup moins que le souvenir qu'on en laisserait, que la gloire d'être tué en étant fidèle à un serment ?

Élisabeth d'Autriche paraissait moins ébranlée que moi. Elle se contenta de tourner des sourcils interrogateurs en direction de sa petite servante. Avec de visibles difficultés, cette dernière, trop jeune peut-être pour bien saisir toute la subtilité de la situation, parvint à traduire – grossièrement, je crois – l'idée générale du refus du capitaine des gardes.

— *Ich verstehe,* dit Élisabeth après un moment, tordant la bouche dans une expression semblant signifier qu'elle se trouvait confrontée à un vague contretemps.

Puis elle se pencha vers l'officier pour le rassurer :

— Vous, *capitán, no partir. Cuatro soldados con Anne.*

De Lignerac se releva, sans montrer plus de satisfaction que si la reine lui avait demandé de l'informer sur le temps qu'il faisait dehors. Tandis qu'il s'écartait d'un pas, l'épouse de Charles IX se tourna vers moi pour m'annoncer :

— *Cuatro guardias como*... comme demander toi, Anne. Maintenant, aller ! Je attendre toi.

49

L'hospitalité du roi

À mesure que, un candélabre au poing et suivie de quatre piquiers aux couleurs royales, je m'éloignais des quartiers d'Élisabeth, je notais l'agitation qui augmentait. D'abord, ce furent des bruits de course, puis des bousculades. J'aperçus des hommes qui repoussaient des serviteurs parce que ces derniers ne cédaient pas assez rapidement le passage. Je fus aussi témoin d'une querelle quand on accusa un galant – surpris dans la chambre d'une suivante – d'être huguenot.

Puis je vis éclater ma première bagarre. Dans l'embrasure d'une porte entrouverte, deux guisards frappaient à coups de pied un individu au sol. Était-il huguenot ? Je ne le sus point. Des cris s'élevaient maintenant d'un peu partout, des femmes et des domestiques avaient peur, des audacieux se réclamaient du roi. Je sentais les piquiers nerveux derrière moi.

Aux boyaux sombres qui menaient aux appartements de Marguerite de Valois succédèrent des corridors violemment illuminés par des torchères. Qui les avait allumées ? Les guisards, peut-être, pour mieux chasser le réformé.

— Qu'est-ce que tu fiches là, toi ?

Au tournant d'un coin, je venais de me retrouver face à face avec deux gaillards qui en maintenaient un troisième à quatre pattes, un poignard contre la gorge. Leur chapeau arborait une croix blanche vulgairement tracée à la craie.

— Faites place à l'envoyée de la reine de France !

C'était la première formulation qui m'était passée par l'esprit. Devant le nom prestigieux que j'avais lancé, les deux hommes hésitèrent. Puis, armés de leurs deux seuls couteaux, ils semblèrent remarquer les quatre piques de mes gardes. Ils lâchèrent leur victime.

— Ordre du roi, déclara malgré tout l'un d'eux, avant de reculer d'un pas. Mort aux hérétiques !

— Je ne suis pas un protestant, madame, je le jure, lança l'agressé à terre. Je suis un bon catholique.

— Il refuse de porter les armes contre les réformés comme l'a commandé Sa Majesté, fit l'un des deux guisards en regagnant de l'assurance.

Avec les gardes qui me servaient de protection, avec les deux reines que j'avais pour amies, je me sentis plus puissante que jamais. Pour une fois, j'eus envie de profiter de mon pouvoir. Je clamai :

— Si ce sujet n'obéit point aux ordres du roi, c'est au roi de rendre sa justice, pas à vous. Contentez-vous d'obtempérer à son édit et de poursuivre les hérétiques.

Les guisards hésitèrent encore pour la forme puis, entendant leurs complices lancer des cris d'assaut dans un corridor adjacent, ils s'y précipitèrent sans plus attendre.

— Mer… merci, madame, fit l'homme au plancher.

Mais je ne m'en souciai pas plus avant, car je venais de reprendre ma marche rapide en direction de l'aile de la reine de Navarre, les Suisses sur les talons. Je commençais à être sérieusement inquiète pour Margot.

Dans un petit salon qui reliait deux couloirs différents, un attroupement de quatre servantes était penché aux fenêtres. En me voyant arriver avec ma robe et mes gardes, sans savoir toutefois qui j'étais, elles firent une brève révérence, mais n'affichèrent point la mine grave dont on usait de coutume en se prosternant.

— Madame, ricana l'une d'elles, nous sommes ici comme au spectacle.

— Que veux-tu dire ?

Deux retrouvèrent leur place à l'oriel, et les deux autres m'invitèrent à les rejoindre.

— On a repoussé des huguenots juste dans le jardin en contrebas. On ne peut être mieux situé pour observer sans danger.

Intriguée, je m'avançai et me penchai dans l'ouverture. Deux étages plus bas, au milieu des roseraies qui délimitaient cette partie de la cour du château, sept ou huit gaillards en chemise de nuit étaient tenus en respect par le double de guisards – reconnaissables à leurs rubans et à leurs croix blanches – et par plusieurs soldats à l'uniforme fleurdelisé. On chahutait fort, les uns exigeant des explications, les autres se répandant en insultes.

Il ne fallut pas longtemps avant que l'un des Navarrais se saisisse à deux mains de l'extrémité d'une hallebarde pour obliger le garde à détourner son arme. Il exprima le souhait de s'en retourner à l'intérieur.

— Je m'en suis remis à l'hospitalité du roi ! gronda-t-il avec un accent du Béarn. Qu'on me laisse revenir à ma chambre.

— Voilà ce qu'il commande, le roi ! répliqua un guisard en s'interposant entre le piquier et le Navarrais.

Et il plongea son épée dans la poitrine de l'homme !

Je vis la pointe du fer disparaître par-devant puis redresser la chemise de nuit par-derrière. Dans un réflexe, le réformé saisit à deux mains la lame fichée dans son torse. Il ouvrit la bouche pour crier, mais aucun son n'en sortit.

C'est plutôt moi qui poussai un véritable râlement de douleur alors que, au contraire, à mes côtés, les quatre servantes lançaient une exclamation de victoire.

— Beau coup, monsieur ! claironna l'une d'elles en applaudissant. Il l'a bien cherché, cet hérétique !

Ce fut comme un signal. Guisards et piquiers royaux dardèrent tous leurs armes en avant, embrochant poitrines, ventres et gorges, transformant le groupe de huguenots horrifiés en une masse hurlante et sanguinolente. Les feuilles de la roseraie se parèrent de plus de rouge que n'en présentaient ses fleurs.

Je reculai de dégoût, étourdie, nauséeuse, à deux doigts de m'effondrer par terre. Heureusement, l'un des gardes attribués par Élisabeth plaça sa main entre mes omoplates. Je m'y appuyai les deux secondes nécessaires pour reprendre contenance.

— Venez.

Sans plus un regard pour les servantes qui continuaient de se réjouir de la scène à l'extérieur, je me précipitai de nouveau vers les appartements de Marguerite.

— Par ici, mademoiselle, fit l'un de mes protecteurs quand il constata que je m'élançais dans la mauvaise direction.

Je pris aussitôt le couloir voisin, croisant des visages apeurés, des domestiques paniqués, des hommes qui grognaient, et si je n'avais pas été si bien encadrée de soldats royaux, j'aurais été repoussée plus d'une fois par des vilains exhibant leurs signes d'appartenance à la conjuration.

— La reine de Navarre est-elle dans ses quartiers ? demandai-je à une suivante que je reconnus pour être une dame d'honneur de Marguerite.

Elle ne répondit point. Elle resta prostrée dans le fauteuil d'un salon d'où nous venions de voir sortir quatre guisards furieux. Nous rencontrâmes soudain des gardes qui trottinaient derrière un gentilhomme fort élégant, l'épée au clair.

— Qui est-ce ? murmurai-je à l'un de mes Suisses.

— M. de Nançay, capitaine des gardes de Sa Majesté le roi, répondit-il d'un chuchotement égal.

Ledit capitaine passa la tête par une embrasure puis la retira, souleva une tenture puis la laissa retomber... Je présumai qu'il était à la recherche de quelque fuyard, et j'en étais encore à m'interroger quand une porte s'ouvrit à la volée trois pas devant moi.

— À moi ! À la garde ! On tue !

Les yeux hagards, les cheveux couvrant pour moitié son visage, Marguerite de Navarre venait d'apparaître en hurlant, la robe de chambre maculée de sang !

50

Le bras du Navarrais

Le capitaine de Nançay se précipita à la suite de Marguerite, talonné par ses gardes... et par moi et les miens. Je n'avais pas même eu le temps de vérifier si les blessures de mon amie étaient graves ou non. Dans le feu de l'action, il se pouvait qu'elle se meuve avec une longue entaille sans même se rendre compte de la douleur.

Nous arrivâmes tous en même temps dans une chambre où je n'étais jamais venue, mais que je replaçai aussitôt : c'était celle que j'avais épiée par deux fois déjà à travers la porte ouverte de la penderie sur ma droite. Je reconnus immédiatement les tentures fleurdelisées d'or et le bois sculpté du lit.

Nous commencions à être plutôt nombreux dans la pièce, fût-elle grande. Car en plus de toute notre troupe qui entrait, nous y trouvâmes la nourrice de Marguerite qui hurlait dans son coin, quatre archers sous la gouverne d'un certain Alain qui, lui-même armé d'un braquemart – une épée courte, mais large –, cherchait à s'en prendre à un inconnu. Ce dernier, le bras droit en lambeaux, couvert de sang, sur le point de s'évanouir, se réfugiait derrière les colonnes du baldaquin pour se mettre à l'abri des coups.

— Ce gentilhomme navarrais a demandé ma protection, clama Marguerite à la limite de l'hystérie, mais contre tout honneur, ce... ce monsieur qui appartient au duc d'Aumale a refusé mes appels à la clémence. Dans *mes* appartements privés. Justice, monsieur de Nançay ! Justice !

À notre arrivée, tout le monde s'était immobilisé. La seule présence du capitaine des gardes du roi avait eu l'effet d'une douche froide. Alain, une tête de plus que n'importe qui, nous fixant d'un air mi-étonné mi-contrarié, paraissait aussi bête que méchant, ce qui n'était pas peu dire. En ce sens, il me rappelait Attin. D'Aumale n'embauchait peut-être que des hommes tirés du même moule.

— Monsieur Alain, fit Nançay, l'épée devant lui, mais légèrement dirigée vers le bas pour ne point se faire plus menaçant que nécessaire, je crois reconnaître ce gentilhomme qui défaille et qui ne me semble guère représenter un danger. Il s'agit d'un certain M. de Téjan, apprécié de Sa Majesté le roi de Navarre, époux de Sa Majesté la reine de Navarre, dans la chambre de laquelle vous vous apprêtez à répandre la mort.

— Par ordre du roi, capitaine, je..., commença Alain en serrant les dents.

Mais Nançay ne le laissa pas poursuivre.

— Monsieur Alain, ou vous quittez immédiatement les lieux en compagnie des archers qui vous accompagnent, ou je donne à ces mêmes archers, en vertu de l'autorité de ma charge, l'ordre de tourner leurs flèches vers vous. Me fais-je bien comprendre, monsieur ?

La mâchoire du tueur se crispait dans un effort pour ne point cracher sa hargne à l'officier du souverain de France. Il se résigna d'une voix à la colère mal contenue :

— C'est parfaitement clair, capitaine. Nous irons répondre aux vœux de Sa Majesté le roi ailleurs que dans les appartements de la princesse Marguerite.

— La reine de Navarre, maintenant, monsieur Alain.

Le spadassin du duc d'Aumale, en retraitant, eut un petit signe du menton qui pouvait passer pour un salut respectueux en direction de Margot. Il corrigea :

— Sa Majesté la reine de Navarre, en effet. Nos excuses, madame.

De l'angle où j'étais placée, je voyais Marguerite de trois quarts. Je notai la contraction des muscles de son visage quand elle se détourna d'Alain sans répliquer. Tout, dans son attitude, exprimait le dégoût.

Elle n'attendit pas que le guisard et ses archers commencent à s'ébranler vers l'extérieur pour se précipiter vers le Navarrais qui, tout danger désormais écarté, se laissait choir, à bout de force, au pied de la colonne du baldaquin.

Je m'élançai derrière elle. Elle m'aperçut pour la première fois.

— Anne !

— Margue... Madame ! Tout ce sang ! Êtes-vous blessée ?

— Non. C'est du sang de ce pauvre gentilhomme. Il m'est littéralement tombé dans les bras lorsque j'ai ouvert ma porte contre laquelle il frappait en demandant désespérément du secours. Aide-moi à le mettre sur le lit.

— Un coup de main, messieurs, s'il vous plaît, réclamai-je, penchée sur la victime et en me tournant à demi.

L'un des gardes prêtés par Élisabeth d'Autriche s'empressa de s'approcher. Nous étendîmes le blessé sans nous soucier de maculer les soies de la literie.

Maintenant que les guisards étaient partis, la nourrice, une grosse brune à l'air ébahi, mais qui respirait la bonté, se calma. C'est elle qui entreprit de couper le vêtement du Navarrais avec des ciseaux, exposant le coude et la clavicule écharpés. L'homme avait perdu beaucoup de sang. Son visage était aussi blanc que les draps.

— Je vais faire un garrot à l'épaule, dit la femme en découpant une large bande de tissu à même la chemise. Je vais également tenter de replacer les chairs pour qu'elles se ressoudent ensemble. Ensuite, il faudra prier Dieu, car si les plaies s'infectent...

Nançay, qui ne se décidait point à quitter la pièce, proposa à Marguerite :

— Si vous craignez la répétition d'une telle scène, madame, je peux vous conduire dans les quartiers de votre sœur, la reine de France, où la sécurité est plus assurée que dans les parages des protestants.

Marguerite se tourna face à l'officier du roi. Sa légère robe de chambre, humide et rouge, collait à son corps en soulignant les formes de sa féminité et en faisant ressortir la pointe de ses mamelons. Elle répondit :

— Mon mari, ses proches, tous ceux qui se réclament de la foi réformée subissent présentement les coups de glaive des assassins comme cet Alain. Je vous en prie, capitaine, avec une compagnie d'archers, allez plutôt défendre le roi de Navarre.

— Je vous rassure tout de suite, madame, répliqua l'officier. Votre époux de même que le prince de Condé sont actuellement en sécurité dans les quartiers du roi. C'est lui-même qui est allé les chercher au jeu de paume où ces gentilshommes disputaient une partie de nuit. Vous n'avez rien à craindre.

— Mais pour les autres huguenots, monsieur ? Les autres ?

Nançay se mordilla la lèvre avant de rétorquer :

— Pour les autres, madame, je ne peux répondre de rien.

Puis, pivotant à demi et s'apprêtant à sortir :

— Désolé de devoir vous presser, madame, mais il y a beaucoup à faire cette nuit dans le Louvre. Puis-je vous demander de me suivre ?

— Attendez-moi un instant dehors avec vos soldats, capitaine, demanda Marguerite. Le temps de changer de vêtement.

— J'ai un manteau, madame, pour vous couvrir…

Elle fit un signe de refus avec la main et ordonna :

— Montez la garde derrière la porte un tout petit moment. Et ne permettez pas même à mes suivantes d'entrer.

Le capitaine des gardes du roi obtempéra de bonne grâce. Tous les hommes, y compris mes Suisses, le suivirent.

Dès que nous fûmes seules, mon amie s'empressa de quitter sa robe souillée. Du sang séché maculait son corps sur tout le côté gauche.

— Attends. Laisse-moi t'aider.

Sur une table d'angle, des articles de toilette reposaient près d'un bol dans lequel il restait un peu d'eau. Je saisis une éponge, l'humectai, puis entrepris de nettoyer l'omoplate, le flanc et la hanche qui présentait le plus d'éclaboussures. Pendant que je m'activais, Marguerite me raconta :

— Henri ne m'a point crue. Henri de Bourbon, je veux dire, mon mari.

Car des Henri, il y en avait ! C'était un prénom très populaire chez les nobles : Henri de Bourbon – ou de Navarre –, Henri de Guise, Henri d'Anjou, l'ancien roi Henri II, Henri de Condé, Henri de Montmorency, Henri d'Angoulême... Même la grande amie de Marguerite, fille et épouse du duc de Nevers, s'appelait Henriette !

— Puisque mon mari, donc, était persuadé que nous avions mal interprété ce que nous avions entendu lors du conciliabule dans le cabinet du roi Charles, il n'a pas pensé utile d'en aviser ses capitaines. Et ce, en dépit de ce qui est arrivé à Coligny ! Ils sont vraiment stupides, ces hommes ! Entretenir une telle foi aveugle envers la parole d'un monarque, surtout quand il a l'esprit aussi instable que celui de mon frère ! Henri de Navarre m'a même demandé pourquoi, si ma mère avait voté pour une pareille trahison, elle m'aurait ordonné, après que je l'eus accompagnée à son coucher, de me rendre dans les appartements de mon époux, là où devaient avoir lieu les meurtres. « Mais parce qu'elle s'évertue à ce que vous ne soupçonniez rien ! » ai-je répliqué. Penses-tu qu'il m'a crue davantage ? Peuh ! Lui et ses Navarrais se soucièrent si peu de mes avis que, puisqu'ils ne dormaient point, ils décidèrent d'aller jouer à ce maudit jeu de paume qui les régale tant, divisant leurs forces, s'éparpillant dans le palais. Ils...

Une bousculade et des cris d'agonie en provenance des couloirs l'interrompirent.

— Mon Dieu ! souffla Marguerite en boutonnant la chemise de nuit fraîche qu'elle venait d'enfiler. Le Louvre est devenu un piège pour les protestants.

Si je frissonnai de mon côté, ce fut de songer que la reine mère avait envoyé sa propre fille retrouver le roi de Navarre afin que ce dernier ne se doutât point du complot. Et cela, au risque de voir Marguerite mourir en voulant protéger son mari ! Quelle sorte de mère agissait ainsi ? Elle avait si bien simulé la normalité qu'elle avait fait semblant de se mettre au lit avant d'aller rejoindre son fils par le passage secret menant à la chambre du roi – où je l'avais rencontrée par après.

Le souvenir du meurtre dans le jardin des roses me revint à l'esprit. La lame qui disparaissait dans la poitrine du huguenot, le chuintement de l'acier dans les tissus et les chairs, les doigts qui se refermaient sur l'arme dans une ultime et inutile tentative pour repousser la mort…

L'image d'Antoine, couteau dans les mains, s'y superposa, et je me le figurai, un rictus mauvais sur le visage, en train de poignarder un hôte du palais. Antoine, le brave forgeron, Antoine le vaillant marin qu'appréciait tant l'oncle Jacques, Antoine devenu assassin. Pis ! Un assassin nourri de propagande irrationnelle, l'âme entachée d'une fange si épaisse qu'il n'aurait point assez de toute sa vie pour se repentir et se disculper. Pouvais-je me soustraire à une dernière tentative pour lui éviter pareille infamie ? Sinon à lui, au moins à sa famille ? À son père que j'admirais, à son oncle que j'appréciais ?

Ce défi s'abattit sur moi comme une pierre, mais je ne concevais d'autre possibilité que de le relever. Il me fallait retrouver Antoine. Une autre fois. Une dernière fois. Le retrouver avant qu'il commette l'irréparable. Le retrouver et le sermonner, le supplier, le frapper si nécessaire, mais le ramener à plus de bon sens avant que, entraîné par la propagande des guisards, il ne consomme sa disgrâce.

Sinon, je casserais mon serment et jamais je ne l'épouserais. Jamais je ne voudrais pour mes enfants un père promis aux flammes de l'enfer pour avoir pourri son âme avec le pire des péchés.

— Margot, je…

La reine de Navarre ne me laissa pas poursuivre davantage. Elle ouvrit les bras et m'attira contre elle. Je la sentis encore tremblante des émotions qu'elle venait de vivre.

— Je sais ce que tu as à faire, murmura-t-elle. Va vite trouver ce garçon dont tu es éprise ; cours l'arracher à cette folie. Cette guerre ne vous concerne point. Elle relève d'une vulgaire querelle de boutiquiers entre les Guise et les Coligny, entre les Montmorency et les Condé. Cours, Anne ! Et que Dieu te protège !

51

Les couloirs ensanglantés

Mes quatre gardes suisses à un pas derrière moi, je me précipitai en direction de la partie du château dévolue au roi de Navarre et à ses gentilshommes. À mesure que nous approchions de leurs quartiers, la confusion augmentait dans les couloirs, des domestiques fuyaient, plus nombreux, des cliquetis d'armes se superposaient aux vociférations, des scènes de bousculades s'observaient par les portes entrouvertes derrière lesquelles se déroulaient des interrogatoires musclés…

— La messe ou la mort ?

— Plutôt la mort.

Je vis un coude se lever haut, une lame s'abattre… Je détournai les yeux. Des trois guisards qui occupaient la chambre, aucun n'avait la silhouette d'Antoine.

Au détour d'un angle du corridor, trois corps gisaient sur le carrelage.

— Seigneur Jésus !

Trépassée les paupières ouvertes, l'une des victimes semblait me fixer depuis l'au-delà. Je déviai vitement la tête et faillis tomber quand mon pied nu glissa dans une flaque de sang frais. Je me rattrapai encore une fois d'un contrepas et m'empressai de poursuivre ma route. D'un rapide coup d'œil, je m'assurai que les gardes me suivaient. Je notai qu'ils observaient les morts, plus fascinés que dégoûtés, plus curieux qu'apeurés.

Quatre guisards, identifiables à leurs signes de ralliement, arrivaient dans notre direction. Je n'en connaissais aucun. S'ils ne savaient rien de moi, ils devinaient bien à l'uniforme des soldats qui m'accompagnaient que je n'avais rien à voir avec les Navarrais. L'un d'eux m'interpella néanmoins :

— Holà, ma p'tite dame ! N'allez point là. Ça risque d'point vous plaire.

— Je cherche un garçon, un partisan du duc de Guise : Antoine Dubois.

— Connais point.

— Mais si, le corrigea un compagnon. C'est l'palefrenier qu'était avec Maurevert.

— Ta gueule, idiot ! le tança un troisième.

— Qu'importe, reprit le premier en me fixant et en désignant du pouce le couloir d'où ils arrivaient. Si vous cherchez un partisan, y a d'fortes chances que vous l'trouviez là. Mais j'répète, ça risque d'point vous plaire.

Sans prendre la peine de remercier, je m'élançai droit devant dans la direction indiquée. Nous parvînmes à un escalier de cinq marches qui menait à une porte grande ouverte et à une pièce puissamment éclairée. À en juger par ce que je discernais, il s'agissait d'un grand salon percé de plusieurs entrées donnant sans doute sur des appartements réquisitionnés pour loger la suite nombreuse du roi de Navarre.

Tandis que je grimpais les degrés, je distinguai les mouvements de plusieurs hommes à demi courbés qui paraissaient déblayer le plancher. Ce n'est qu'une fois sur le seuil, en apercevant les dizaines de cadavres sur le sol, que je compris qu'on dépouillait ces derniers de leurs objets de valeur et de leurs vêtements. Ils étaient une quinzaine de guisards, au moins, à empocher bagues, colliers, bourses, couteaux, en même temps qu'ils découpaient de leurs lames le linge des défunts.

Il y avait tellement de sang par terre que je pensai d'abord que les carreaux étaient de couleur rouge. L'odeur des déjections et des chairs éviscérées était épouvantable. Là encore, je faillis vomir.

— À mesure que vous les déshabillez, balancez-les par cette fenêtre!

L'homme qui venait de parler se tenait près d'une croisée ouverte sur la nuit. Il s'agissait d'un officier portant le pourpoint écarlate de la maison des Guise. Un large ruban de damas blanc flottait à son bras gauche. Quatre cadavres complètement dénudés reposaient à ses pieds tandis que, les muscles bandés sous l'effort, il en soulevait un cinquième pour lui faire passer le rebord du dormant.

Quand le corps ensanglanté disparut à l'extérieur, j'entendis des cris mêlés de rires gras en provenance de la cour. On y chahutait comme des enfants dans un jardin.

— Ne restez point çà, madame! me lança près de moi un homme que je n'avais pas vu – ce qui me fit sursauter.

Je voulus expliquer les raisons de ma présence, mais trop émue par ce que je découvrais, je sentis ma gorge se nouer et ne pus émettre le moindre son.

— Ne restez point çà, répéta l'homme en faisant un pas dans ma direction, mais en s'immobilisant sitôt qu'il vit les gardes arriver dans mon dos. Et vous non plus, les Suisses. Le travail est terminé ici; les biens de ces drôles, c'est pour nous. Allez plutôt prêter main-forte au duc de Guise. Vous dépouillerez à votre tour les huguenots que vous supprimerez.

— Le d… duc, réussis-je à prononcer.

Car si je fus soulagée de noter qu'Antoine ne participait pas à cette boucherie, j'en vins rapidement à la conclusion qu'il devait coller aux basques du noble de qui il recevait tant de faveurs. Tout ce que j'espérais alors était qu'il ne se soit pas déjà compromis avec l'irréparable.

— Le duc, répétai-je. Où est-il jus… tement?

Je n'appréciai pas du tout le sourire moqueur que deux sbires du premier larron lancèrent dans ma direction.

— Voyez la coquette à qui le duc a fait faux bond ce soir ! ricana l'un d'eux.

— Il avait à faire des choses plus importantes que vous trousser la jupette, faut croire, renchérit le second, ce qui provoqua l'hilarité générale de la bande de pilleurs.

— Ant… toine Dubois est avec lui ? m'informai-je en m'efforçant de ne pas relever les méchantes allusions.

— Qui ?

— C'est le palefrenier, répliqua l'officier près de la fenêtre. Oui, mademoiselle, le garçon est en compagnie du duc.

— En ce cas, la belle, reprit le premier larron, il vous faudra patienter jusqu'au matin avant de le revoir, car ils ne vont point revenir de suite.

— Revenir ? Où sont-ils allés ?

Une fois encore, ce fut l'officier qui, tout en se penchant sur un cadavre pour le soulever, répondit :

— Rue de Béthisy. Avec les ducs d'Anjou et d'Aumale et le chevalier d'Angoulême, le seigneur de Guise est parti finir le travail entamé voilà deux jours.

— Quel travail ?

— Tuer Coligny.

52

Deux longues cuisses

Toujours accompagnée de mes gardes suisses, je traversai toute l'aile occupée par les Navarrais. À chaque détour, dans chaque couloir, par toutes les portes entrouvertes, nous découvrions de nouvelles scènes de carnage, des cadavres qu'on dépouillait et dénudait. Çà et là, des domestiques traumatisés, yeux hagards et filet de vomi sur le menton, pleuraient ou priaient.

Ou les deux.

— La messe ou la mort ?

— La messe ! La messe ! Je suis catholique ! Par la Vierge Marie, je vais à l'église tous les dimanches ! Pitié !

Les femmes n'étaient pas épargnées, car j'entrevis par une embrasure trois guisards s'acharnant entre deux longues cuisses maculées de sang. J'allais me détourner une fois de plus pour ne point me laisser imprégner de toute cette horreur… quand je la reconnus.

— Ninon !

La petite, la gentille Ninon ; l'aide-lingère de quinze ans à peine qui m'avait si bien accueillie dans son réduit quand j'avais dû passer la nuit au Louvre, la première fois. Celle qui m'avait fait découvrir le placard d'où l'on pouvait épier la chambre de Marguerite.

J'émis un cri de rage et de stupéfaction mélangées puis repoussai la porte afin qu'elle s'ouvre avec brusquerie. Les Suisses avec moi, je me sentais habitée d'une force que je n'avais jamais éprouvée.

— Misérables ! Laissez cette fille ou j'ordonne à mes gardes de vous percer de leurs piques !

Les trois scélérats m'observèrent avec un étonnement mesuré, comme si leurs actes ne portaient point à réprimande. Ninon gardait les yeux au plafond, étrangère à ce qui se passait autour et *en* elle.

— C'est une réformée, madame, finit par expliquer l'un des guisards en lorgnant les pointes d'hast qui m'entouraient comme si j'avais été la paume d'une main géante et griffue. À choisir entre la messe et la mort, elle a préféré la mort.

— Mais pas le viol ! hurlai-je.

— Puisqu'elle va mourir de toute façon, répliqua l'agresseur qui se trouvait le plus engagé entre les cuisses meurtries.

J'interprétais comme un blasphème ses doigts de soudard enfoncés dans les cuisses de Ninon, creusant leur modelé de profondes marques rouges.

Désignant du menton l'uniforme des soldats avec moi, il poursuivit :

— Vous appartenez au roi, alors obéissez aux commandements du roi. Et cette nuit, tous ceux qui chassent le huguenot sont de son côté. Les autres sont contre lui.

Les deux guisards qui le secondaient s'armèrent de leur épée, mais sans nécessairement se mettre en position pour affronter mes piquiers.

— Gardes, dis-je avec une autorité nouvelle que je me découvrais, arrêtez ces hommes !

Je fus surprise de constater que les hasts ne s'animaient pas autour de moi. Pire ! Je réalisai que non seulement les guisards ne s'émouvaient pas, mais que le violeur entre les cuisses de Ninon recommençait à s'activer. D'une main, il dégaina une dague qu'il appuya sur la gorge de la jeune fille.

— De toute manière, quoi que vous fassiez ou ne fassiez point, elle mourra.

Je pivotai pour faire face aux Suisses !

— Messieurs, la reine de France vous a affectés à mon service.

— Sauf votre respect, mademoiselle, répliqua celui qui détenait une certaine prééminence sur les trois autres, Sa Majesté vous a recommandée à notre protection, mais ne nous a point placés sous votre commandement.

— Vous allez laisser cette fille se faire violer sous votre nez ?

— Nous n'avons point le pouvoir de nous opposer aux soldats d'un prince qui agit au nom du roi, mademoiselle.

J'entendis des ricanements étouffés dans mon dos en même temps que le chuintement des lames retrouvant leur fourreau de cuir.

Je pivotai de nouveau vers les violeurs, mais c'était pour constater mon impuissance devant les sévices que la pauvre Ninon subissait. Elle fixait toujours le plafond, étrangère à son environnement, n'ayant probablement même pas noté ma présence. Haut-de-chausses rabattu sur les genoux, le guisard, sans aucune pudeur, excité même par la présence des témoins autour de lui, s'acharnait avec plus de hargne encore.

Je poussai un nouveau cri de rage pour manifester mon impuissance et me détournai du côté de la sortie. Les deux mains devant moi pour m'ouvrir un chemin, je refoulai mes gardes et quittai la pièce. Je voulais m'éloigner au plus vite de toute cette folie !

Je repris la marche dans le corridor, en direction de la sortie qui menait aux écuries, cette fois. C'était là que j'espérais trouver Antoine. Du moins, j'escomptais y rencontrer quelque écuyer du duc qui aurait le pouvoir de sortir du Louvre et accepterait de me conduire rue de Béthisy. Sinon, il me resterait toujours Élisabeth auprès de qui je reviendrais demander de l'aide.

— Mademoiselle ! Attendez-nous, mademoiselle ! lança derrière moi l'un des Suisses.

Je ne répondis point et ralentis encore moins. Il insista :

— Mademoiselle ! Nous avons mission de vous accompagner !

Comme de raison, il craignait moins de me savoir en danger que de se mériter un blâme de la reine s'il m'advenait quelque malheur.

Je m'arrêtai net, fis demi-tour et le menaçai de mon index.

— Vous ! Vous et vos trois pleutres, retournez immédiatement dans les appartements de la reine de France à qui vous appartenez. Je vous délivre de votre engagement. Dites bien à Sa Majesté que je vous ai congédiés pour votre manque d'honneur et de charité. Dites bien que, contrairement aux nobles et aux princes, je ne supporte point les lâches autour de moi.

— Mademoiselle…

— Nooon !

Je hurlai en dessinant sur mon visage la plus pure expression de dégoût. Le sentiment de détresse qui se lisait dans le regard du garde était presque émouvant. Nul doute qu'il craignait pour son poste. Mais je lui tournai le dos pour repartir. Tandis que je m'éloignais, je lançai pardessus mon épaule :

— Dites également à Sa Majesté qu'une simple fille de tisserand a plus de cœur et de grandeur d'âme que toute sa soldatesque qui viole ou laisse violer et tuer une jeune fille. Dites-lui que je n'appartiens point et n'appartiendrai jamais à un monde aussi infâme, monsieur !

Seule, je continuai à me déplacer dans la direction où je supposais trouver la sortie menant aux écuries. Je croisai d'autres cadavres, gentilshommes et domestiques confondus, hommes et femmes confondus, nus, dépouillés, ensanglantés.

— La messe ou la mort ?

Le guisard qui venait de me poser la question se redressait au même moment. Visiblement, je l'avais surpris par mon arrivée soudaine tandis qu'il découpait les vêtements d'un huguenot à ses pieds. Constatant que mon intention était de le contourner sans prendre la peine de lui répondre, il répéta :

— La messe ou la…

Vlan !

Je le frappai si impulsivement, si proprement, que le dos de ma main me renvoya une violente sensation de douleur. Le partisan de Guise – un jeune homme de mon âge ou guère plus vieux que moi – cracha un flot de salive, la tête brutalement projetée en arrière. Je le vis s'effondrer contre le mur à proximité, un filet de sang jaillissant de son nez. Le couteau dont il se servait pour découper les vêtements de sa victime alla cliqueter sur le plancher bien loin de nous.

— La peste, plutôt ! rageai-je en me détournant et en recommençant à marcher. La peste pour le duc de Guise et tous les assassins à sa solde !

53

Le chemin des écuries

Quand j'arrivai dans la cour qui séparait le corps de logis des écuries, je faillis vomir une fois de plus. Une dizaine de cadavres gisaient sur le sol, nus pour la plupart, transpercés à la gorge, à la poitrine, au ventre, et c'était la première fois de ma vie que je pouvais, à loisir, non seulement entrevoir des intimités d'hommes, mais les détailler. Je m'en détournai, non par pudeur – tant s'en faut –, mais à cause de la violence dont elles brossaient le tableau.

De plus, de très jeunes pages – dix ans, douze ans –, des servantes, des femmes d'âge mûr, même, dont les vêtements modestes trahissaient leur condition de simples employés du palais, s'acharnaient sur les dépouilles. Si certains se contentaient de les frapper du bout du pied, d'autres, couteau à la main, découpaient oreilles, nez, doigts, voire testicules, en échangeant des propos grossiers.

C'est à ce moment que je commençai à comprendre que, lorsqu'on est entraîné par la multitude et poussé par une frustration commune, qu'on est désinhibé de la retenue qui nous permet de vivre en société, qu'on ouvre les digues de la colère accumulée et de l'impuissance refoulée, quand ce qui nous paraissait la pire horreur une heure plus tôt devient tout à coup la norme, qu'on se sent légitimé par une foi inébranlable en un Dieu vengeur et exterminateur, par une impression de justice spirituelle autant que temporelle, quand la responsabilité de nos actes nous incombe moins qu'aux instances qui nous gouvernent – un officier, un roi ou une divinité –, et qu'on éprouve le soulagement – voire le plaisir – d'évacuer les privations quotidiennes, les insatisfactions et les sentiments d'incomplétude par la destruction, par des gestes qu'on ne pose point généralement, alors rien ne nous semble plus inacceptable ou impardonnable, et on parvient à justifier dans nos âmes le plus sanglant, le plus pernicieux et le plus funeste des comportements.

Les larmes qui inondaient mes joues étaient moins celles du chagrin que celles de l'enfance qui me désertait et qui, en l'espace d'une seule nuit, allait céder la place à une femme nouvelle, désabusée et au cœur nécrosé.

À l'approche du bâtiment à chevaux, un nuage de poussière flottait encore au-dessus de la terre meurtrie par les sabots. Persistait également une odeur de bête, de cuir et de poudre, mélangée à des relents de sueur d'hommes, de crasse et d'haleines avinées, que relevait le ranci des vêtements portés depuis des jours. Des valets d'écurie s'affairaient dans les stalles en partie vides.

— Les cavaliers sont tous partis ?

Quelques têtes d'adolescents se tournèrent dans ma direction. L'un répondit :

— Depuis un moment, madame.

J'allais m'enquérir de la possibilité que l'un des garçons ou son maître – peu m'importait – m'emmenât avec lui rejoindre les guisards quand j'entendis :

— Par la jarretière de la reine d'Angleterre ! Qui voilà ?

Je pivotai pour me trouver face à un laquais vêtu d'une livrée aux couleurs du duc d'Anjou, blanche, noire et verte.

— Gabriel !

— Que fais-tu çà, ma poule ? Toujours à la poursuite de ton joli écuyer ?

Une sacoche de cuir dans les mains, le menton appuyé sur le rabat pour éviter qu'il se referme, il rangeait une poire à poudre noire et ce qui me sembla être des balles qu'il tirait d'une poche intérieure de sa veste. Il venait sans doute de ravitailler les fontes du cheval de son seigneur avant le départ de celui-ci.

— Gabriel, j'ai besoin que quelqu'un me conduise rue de Béthisy. Tu peux m'y aider?

Il me regarda, mais sans cesser son manège.

— Il est impossible de sortir du Louvre, ma poule. Les portes sont closes.

— Et les cavaliers qui sont partis plus tôt? Par où sont-ils passés?

— Mon duc avait les clés, qu'est-ce que tu penses?

Je ne savais plus quoi faire.

— Mon Dieu, Gabriel, c'est tellement fou.

— Je sais. Et je préfère encore rester ici plutôt qu'être témoin de ce qui se prépare dans le voisinage de l'hôtel où s'est réfugié l'amiral de Châtillon. Crois-moi, ce ne sera pas du joli.

— N'empêche, je dois m'y rendre et, à travers cette hystérie, retrouver Antoine avant qu'on le corrompe définitivement. As-tu vu, Gabriel? As-tu vu dans la cour les cadavres, les domestiques qui se réjouissent autant que les assassins eux-mêmes, qui mutilent les corps, qui…

— J'ai vu.

Il leva le menton et laissa retomber le rabat de la sacoche. Il la plaça en bandoulière sur son torse.

— J'ai vu, et c'est pour ça que je te dis qu'il vaut mieux rester ici.

— Je ne peux pas. Je dois…

Il me saisit si brusquement les deux bras que j'en demeurai interdite, ressentant l'espace d'une seconde la poigne brûlante du duc de Guise.

— Anne, tu ne peux t'ingérer dans le dessein de Dieu. Si celui-ci ne juge point à propos d'intervenir dans le cœur de ton amoureux et de lui faire entendre raison, c'est qu'il le désire ainsi. Et il agira de manière à…

— De manière à m'empêcher de le rejoindre, soit ! Mais, Gabriel, je refuse de passer ma vie à me reprocher de n'avoir rien entrepris pour m'opposer à ce qu'Antoine devienne le fils indigne d'un honnête ouvrier, ou le neveu perfide d'un oncle loyal. Je veux être capable de me dire que j'étais du côté de ces deux braves hommes et non du côté de la vanité d'Antoine.

Gabriel me regarda un moment en silence avant de relâcher son étreinte. Il soupira en hochant la tête :

— Tu es si intègre et si candide que c'en est émouvant.

Il essuya du pouce un filet de larme à demi séché sur ma joue et poursuivit :

— Je ne sais quoi te dire, Anne, si ce n'est de voler un cheval, de sauter par-dessus les remparts du palais et de galoper dans les rues de la ville à la poursuite de ce petit imbécile qui, au lieu de t'entraîner loin de cette folie, pour quelques bons mots à son endroit, préfère te laisser là et aller jouer les courtisans aux côtés des va-t-en-guerre du royaume.

— Il ne me reste donc qu'une option.

— Laquelle ?

— Retourner chez Élisabeth, chez Sa Majesté la reine de France, et la supplier de se porter à mon aide.

Gabriel émit un rire sans joie. Il répliqua :

— La chère enfant ne possède guère de pouvoir elle-même. Elle est non seulement démunie devant la reine mère, mais aussi devant tous les nobles qui pourrissent le Louvre avec leur opportunisme et leurs complots.

— La reine mère. Elle me connaît déjà. Peut-être... Mais j'ai si peur d'elle.

— Et avec raison. Oh, ce n'est pas qu'elle soit si méchante, je pense même qu'elle n'entreprend jamais rien avec haine ni esprit de revanche, mais c'est cette absence d'émotions, précisément, qui la rend si dangereuse. Par calcul, elle peut tout enclencher... au risque de faire tuer l'un de ses enfants.

Je me rappelai ce que m'avait raconté Margot: l'insistance de Catherine de Médicis pour que sa propre fille aille retrouver son mari en dépit du péril qu'elle encourait par sa seule présence auprès du chef des protestants.

Non, il n'y avait probablement aucune aide à espérer d'une telle femme si je n'avais pas de contrepartie à lui proposer en retour. Et, bien sûr, je ne voyais point en quoi je pouvais être utile à la mère du roi.

J'en étais à me laisser abattre par cette absence de solutions quand je constatai que Gabriel ne me regardait plus, mais fixait plutôt un point derrière mon épaule. Je tournai le visage, et mon cœur s'arrêta tout net de battre.

Dans le cadre de la porte ouverte dans mon dos, éclairée à demi par les torches que portaient les laquais d'écurie à l'extérieur, se découpait une silhouette à la fois souple et puissante que je reconnus immédiatement. Mes poumons se vidèrent en me faisant balbutier, malgré moi, le nom de celui qui s'avançait aussi hardiment:

— Ca... capitaine de Lignerac.

54

Les sentiments dissimulés

J'avais beau l'observer avec la plus grande attention, je n'arrivais point à déceler chez le capitaine des gardes de la reine le moindre tic, le plus infime battement de cils qui aurait pu me renseigner sur l'émoi hypothétique que lui occasionnait ma présence. Il se tenait là, immobile devant moi, quasiment au garde-à-vous, et s'apprêtait à m'expliquer les raisons de son retour à mes côtés.

Quels sentiments éprouvait-il pour moi? Lui étais-je indifférente?

Pourquoi, à la pensée d'une telle éventualité, ressentais-je autant de contrariété…, voire d'affliction?

— Mademoiselle, Sa Majesté la reine de France, qui conçoit à votre égard une amitié profonde et une sollicitude sincère en cette nuit où des troubles ébranlent le palais, m'a demandé de reprendre mon rôle de protecteur auprès de vous.

— Capitaine, je… Vous me trouvez fort honorée de la sympathie que Sa Majesté éprouve à mon endroit, et je remercie la Providence d'avoir placé sur ma route une personne aussi généreuse qu'elle. Cependant, je croyais qu'elle avait choisi de respecter votre désir de ne point… de rester…

— Lorsque Sa Majesté a vu revenir les Suisses qu'elle vous avait délégués et que ceux-ci ont narré les circonstances dans lesquelles vous les aviez congédiés, son inquiétude pour vous l'a rendue pâle au point que ses dames d'honneur et moi craignîmes qu'elle ne s'écroulât. C'est alors que j'ai pris le parti de doubler les gardes de sa suite et de la rassurer en partant à votre recherche.

Il ne me regardait pas. Il se contentait de fixer un point au-dessus de ma tête dans une attitude de soumission qui ne m'agréait point nécessairement. Je dis :

— Monsieur de Lignerac, en dépit de toute l'affection que je porte en retour à Sa Majesté… en raison de cette affection, devrais-je plutôt dire, je ne peux accepter votre secours.

Il baissa enfin les pupilles sur moi et, pour toute réaction, leva ses sourcils. Je poursuivis donc :

— Je sais combien il vous pèse de quitter les entours de la reine, et j'admire trop votre dévouement pour vous arracher à ce devoir qui semble justifier le moindre battement de votre cœur. Aussi, capitaine, je vous libère de toute obligation me concernant et vous prie de reprendre votre rôle protecteur auprès de Sa…

— Anne, ma poule, explique-moi quelque chose, m'interrompit Gabriel en faisant apparaître ses mains alourdies de bagues entre de Lignerac et moi. Explique-moi pourquoi, là, en ce moment, j'éprouve une irrésistible envie de te mettre une claque.

Sans me laisser le loisir de répondre, le domestique du duc d'Anjou, plus exalté que jamais, la voix aiguë comme celle d'une jouvencelle, poursuivit :

— Tu cherches désespérément un appui pour courir auprès de cet imbécile qui, par son comportement, t'a placée devant une certaine… appelons cela une « responsabilité familiale » – qui ne t'incombe point, tant s'en faut, mais que tu t'obstines à estimer tienne, tant pis pour toi –, ce brave officier se manifeste, s'avère la solution à ton problème et, pour une raison nébuleuse, tu refuserais ? Excuse-moi, mais là, je m'y perds un tantinet.

Mais avant que je puisse détailler à Gabriel mes réticences devant les bons offices du capitaine de Lignerac, ce dernier prit la parole :

— Mademoiselle Anne, sachez qu'il ne m'est point de plus grand devoir que celui de protéger ma reine, quitte à donner ma vie pour préserver la sienne. J'ai été commis à son service, et je ne me déchargerai de ma tâche que si Dieu, le roi ou elle-même le réclame. Maintenant, après avoir doublé la garde armée auprès de ma souveraine, et convaincu de sa sécurité en son aile du palais, je peux me permettre de m'employer à d'autres fonctions, comme celle de me rendre utile à une personne chère à son cœur.

Je n'étais point certaine de pouvoir me réjouir d'un tel aveu. En fait, ce que je cherchais dans ses yeux posés sur moi était ces mots qu'il ne disait pas. Y avait-il, par-delà sa conviction de ne point manquer à son devoir, le désir impérieux, irraisonné, viscéral, de s'assurer également de ma sécurité à moi ?

— Anne, qu'est-ce que tu as, ma poule ?

Le pauvre Gabriel ne comprenait rien à mes réticences. Je dois confesser que je n'agissais guère de façon cohérente, mais l'univers entier, cette nuit-là, ne me paraissait plus tourner de manière ordonnée.

— Capitaine de Lignerac, je veux savoir pourquoi, pour quelle motivation profonde, vous avez changé d'idée et accourez maintenant à mon aide.

Il pinça les lèvres, seul indice que mon insistance commençait à l'agacer un brin. Peut-être, au moment de revenir à mes côtés, s'attendait-il à ce que j'accueille son retour avec des transports de joie et de reconnaissance.

— Mademoiselle Anne, dit-il enfin, à l'instar de Sa Majesté, je m'inquiète grandement des risques que vous êtes disposée à prendre afin de mener à bien la mission que vous vous êtes imposée.

55

Au galop dans Paris

Cette fois, pour ma nouvelle chevauchée dans les rues de Paris, je choisis de ne point monter sur la même bête que le capitaine des gardes. Un écuyer d'Élisabeth proposa une jeune jument que de Lignerac estima douce, parfaite pour une première cavalcade. Mon protecteur, toutefois, jugea plus prudent de guider lui-même l'animal avec une longe, me laissant les rênes uniquement pour que je me maintienne en selle.

Nous franchîmes les portes du Louvre après que l'officier, pourtant fort connu des sentinelles, eut dû présenter un sauf-conduit signé de la main de la reine. En cette nuit hantée de cris et de tueries, on ne badinait point avec les règles de sécurité.

De plus, il nous avait fallu passer par une ouverture dérobée donnant sur une venelle à la hauteur de la rue de l'Autruche. De nombreux réformés s'étaient massés autour des remparts et exigeaient avec force rugissements qu'on les renseignât sur ce qui se déroulait dans le château. Déjà, des arquebusiers ajustaient leurs armes du haut des murs et au travers des meurtrières, et attendaient un éventuel signal réclamant la curée.

Apprenant rapidement à me sentir à l'aise sur le dos de ma monture, je trottai de plus en plus vite derrière la croupe du coursier de Lignerac. Nous parcourûmes une fois de plus les artères de la capitale qui s'étaient vaguement vidées de leurs hôtes protestants – ces derniers étant occupés à manifester autour du palais.

À l'approche de la rue de Béthisy, l'agitation que nous trouvâmes fut celle des guisards qui, après avoir éloigné les huguenots, s'agglutinaient près de l'hôtel où habitait Coligny, attirant aux volets et aux balcons alentour des Parisiens plus curieux que braves.

Et cette nuit-là, encore une fois, mon chemin rencontra celui de Henri de Guise. Je le reconnus de très loin, monté sur son fier roussin, l'épée à la main. Il faisait face à un bâtiment que gardaient quelques Suisses nerveux. Au deuxième étage, la lumière des chandelles redessinait les croisées. De l'intérieur, on ne distinguait que le flou d'un rideau moiré.

Près du duc se tenaient le bâtard d'Angoulême – comme on appelait le fils illégitime du feu roi Henri II – et un autre seigneur que je présumai être le duc d'Aumale, oncle de Guise. Je replaçai également Henri d'Anjou qui descendait d'un carrosse tout juste arrivé. Le frère du souverain se trouva rapidement entouré d'un groupe de partisans à qui il clama :

— François de Montmorency, vexé qu'on l'ait chassé de Paris, s'est rangé du côté des réformés. Il a rallié des troupes et revient se venger. Les protestants nous menacent !

Les gens aux fenêtres, troquant leurs expressions intriguées contre des mines outragées, se renvoyèrent la nouvelle. En quelques secondes, on la répétait d'aussi loin que je pouvais voir et entendre.

— Qu'est-ce que cette histoire à dormir debout ? s'étonna à voix haute le capitaine de Lignerac tandis que ma jument se positionnait à côté de sa monture.

Dans la masse de guisards à demi éclairée, je m'efforçais de reconnaître Antoine, mais ne l'apercevais nulle part. Ou plutôt, je l'apercevais partout, car tous se ressemblaient avec leur chapeau enfoncé jusqu'au nez, leurs rubans et leurs croix, leurs poignards et leur attitude agressive.

Je présumai :

— Visiblement, en lançant cette rumeur, on cherche à justifier ce qui se prépare.

— Ou à encourager les habitants de la ville à entrer dans la danse.

J'allais approuver la supposition quand je vis cinq ou six hommes se diriger vers les Suisses. Les piques s'agitèrent, la clameur baissa... La tension montait.

— Ce sont les gardes placés là par le roi pour protéger celui qu'il appelle son « père », m'apprit de Lignerac. Ils ne sont point nombreux assez, les pauvres, pour s'opposer aux partisans de Guise.

Comme pour lui donner raison, je vis le gradé en service demander à ses subalternes de relever leurs armes d'hast. Il se mit à palabrer avec les guisards. Soudain, je reconnus la vilaine tête de l'un d'eux.

— Attin !

— Vous le connaissez ? s'étonna l'officier d'Élisabeth en tournant vers moi une expression hébétée. Le spadassin à la solde du duc d'Aumale ?

— Il était avec le tueur Maurevert et le duc de Guise, le matin où Antoine et moi les avons surpris en train de comploter l'assassinat de Coligny.

Cette fois, la mine de Lignerac refléta la stupéfaction. Je me rendis alors compte que j'avais trop parlé. J'aurais voulu me reprendre, faire croire à une simple supposition, mais la peur qui modifia les traits de mon visage était le plus franc des aveux. Je m'empressai donc d'ajouter :

— Je vous en prie, capitaine : vous n'avez rien entendu.

Il m'observa encore un instant avant de répliquer :

— Décidément, je n'ai point fini d'être médusé en vous côtoyant, mademoiselle Anne. Mais soyez sans crainte, vous ne dévoilez rien que tout le monde ne sache déjà.

— Mer... merci, capitaine. Et vous ? m'informai-je à mon tour. Vous connaissez ces hommes ?

Il se tourna de nouveau vers la bâtisse où se trouvait Coligny.

— Les partisans de la famille de Guise, vaguement, oui. Le costaud, là, avec Attin, on l'appelle Besme parce qu'il vient de Bohême, mais son vrai nom est… Danowitz, je crois. Quelque chose comme ça. Avec eux, un autre tueur ; un certain Sarlabous. Chez les Suisses, le gradé s'appelle Cosseins. Il appartient au roi. Fort, gueulard, parfois brave, jamais intelligent. S'il a la responsabilité de la sécurité de l'amiral de Châtillon, je ne voudrais pas être à la place de ce dernier.

— Ils entrent tous dans la bâtisse ! Oh, mon Dieu, capitaine, que vont-ils faire ?

Avant de répondre, de Lignerac calma sa monture, qui avait reculé de deux pas, apeurée par un groupe de Parisiens qui arrivaient en courant. La curiosité commençait à exciter sérieusement le commun des mortels.

— Je pense qu'ils ont convaincu les gardes du roi de leur obéir, mademoiselle. Ce soir, ils achèvent le travail bâclé par l'assassin Maurevert.

56

Le meurtre finalisé

Quand les derniers Suisses, en compagnie des sbires de Guise et d'Aumale, disparurent dans l'entrée de la maison où s'abritait Coligny, des cris d'encouragement éclatèrent. Puis le silence s'installa. Rapidement. Tous les regards fixaient le deuxième étage.

Pour ma part, je balayais les alentours des yeux, toujours à la recherche d'Antoine. Je laissai ma jument avancer de quelques pas après que de jeunes garçons lui eurent bousculé la croupe en passant. Je subis les foudres d'un vieux manant que mon cheval venait de toucher à son tour – oh, à peine –, puis d'autres habitants se mirent à me traiter de courtisane, de fille de rien. Ma robe continuait d'entretenir la confusion…, et puis j'étais montée sur une bête magnifique.

L'incident, toutefois, ne porta pas plus à conséquence, car le capitaine de Lignerac, main sur le pommeau de son épée, réduisit avec sa monture l'écart qui me séparait de lui. Avec son uniforme, sa mine soignée et ses armes, il n'invitait point aux insultes et moins encore aux menaces.

Je frissonnai d'un plaisir insolite et inattendu quand, au passage, son genou frôla ma jambe. Quel étrange trouble provoquait chez moi la présence du capitaine des gardes d'Élisabeth d'Autriche ! Valais-je mieux que ces courtisanes opportunistes qui gravitaient autour des nobles et avec qui l'on me confondait ?

Je me réjouissais de n'apercevoir Antoine nulle part. Je me disais qu'il était peut-être retourné chez lui et que, finalement, son âme échapperait à tous les péchés mortels qu'on s'apprêtait à commettre. En même temps, je m'alarmais de sa disparition, car je redoutais qu'il fût de ces guisards qui, à intervalles réguliers, se fondaient dans l'obscurité des rues avoisinantes. Je me doutais bien que ce n'était pas pour se faire la belle, mais pour accomplir quelque mission malsaine confiée par les gentilshommes à leur tête.

J'en étais encore à osciller entre satisfaction et inquiétude quand la voix de Henri de Guise tonna :

— Eh bien, Besme ? As-tu fini ?

Il s'écoula quelques secondes puis la croisée du deuxième étage s'ouvrit. Le chapeau du dénommé Sarlabous parut en premier.

— Monseigneur ?

— Fichtre, nous attendons ! grogna Guise d'une intonation forte.

— Voilà, monsieur, répondit la voix d'Attin qu'on n'apercevait pas.

Et ce fut le visage de Besme qui se présenta à l'encadrement à côté de Sarlabous. Il lança :

— C'est fait, monseigneur !

La foule, qui retenait son souffle depuis un moment, poussa un tel cri de joie qu'on aurait dit un coup de canon. Je me raccrochai vivement aux rênes de ma jument qui cabriola en redressant la tête. Je faillis tomber en arrière.

— Je veux voir ! hurla le chevalier d'Angoulême en pointant son épée en direction de la fenêtre. Je ne croirai ce chien mort que lorsque je le contemplerai.

Attin dit quelque chose à Sarlabous – mais nous ne pûmes l'entendre de la rue – et les deux hommes disparurent un instant. Ils réapparurent en portant un corps vêtu d'une chemise de nuit. On distinguait de larges taches de sang sur le tissu. Les deux assassins placèrent leur victime sur le chambranle puis la poussèrent vers l'extérieur.

— Seigneur Jésus ! m'exclamai-je malgré moi lorsque je vis la frêle carcasse s'abattre au pied du bâtiment.

Je fermai à demi les yeux en tournant la tête vers de Lignerac. Le capitaine resta impassible même lorsque nous perçûmes le fracas des os qui se rompaient.

Je revins poser le regard sur la foule qui s'approchait du cadavre derrière les chevaux de Guise, d'Aumale et d'Angoulême – d'Anjou avait regagné son carrosse. Le bâtard mit pied à terre, se pencha sur le corps, l'examina un moment…

Guise cria aux assassins à la fenêtre :

— Bande d'idiots, vous auriez pu frapper ailleurs qu'au visage. On a peine à le reconnaître.

— Non, c'est bien lui, le détrompa d'Angoulême après avoir essuyé de sa botte le sang sur la figure du défunt. Pas de doute, c'est ce chien d'hérétique.

Le chevalier se redressa en faisant face à la multitude. Il leva son épée.

— C'est bien Coligny, confirma-t-il. Le maître des réformés, le démon qui pourrissait le Conseil du roi est mort !

Une deuxième explosion de joie secoua la foule. On se jetait dans les bras les uns des autres, on se congratulait… Une fois de plus, la nausée me prit, et je notai que cela se produisait chaque fois que j'imaginais Antoine, celui que j'avais accepté d'épouser, se complaire dans l'horreur qui nous entourait.

— Mort aux hérétiques !

— Vive la messe !

De Lignerac observait la cohue, toujours stoïque, si ce n'était cette tension des muscles de la mâchoire que je décelais près de son oreille. Son cheval piaffa, mais il le maintint de sa seule poigne sur les rênes.

— Sus aux suppôts de Calvin ! cria Guise. C'est le roi qui le commande !

— À mort ! répliqua la foule.

— Toutes les maisons marquées à la craie par la croix du Christ abritent une famille de calvinistes. Entrez et tuez ! Dieu le veut ainsi !

— À mort ! répéta la nuée.

Et, comme un torrent se déverserait sous la digue qui lâche, le flot humain se répandit, envahissant les rues et venelles voisines, brandissant poignards, haches, marteaux, pics, tout ce qui pouvait frapper et assassiner. Des femmes se mêlaient aux hommes et elles ne paraissaient pas moins résolues à partir à la chasse aux huguenots.

On distinguait tant les loques misérables des plus pauvres que les belles parures des bourgeois et les riches tissus des nobles et de leurs laquais. Si quelques doctes, au départ, soupçonnaient les tensions dans Paris de représenter la haine du citadin envers l'aristocratie, en ces premières heures de la Saint-Barthélémy, on percevait plutôt une alliance entre les Parisiens de toutes classes, une alliance scellée de manière naturelle par la même intolérance religieuse, la même haine de celui qui pense différemment de soi. Et l'entièreté des horreurs qui se profilaient seraient justifiées par la certitude commune que Dieu, par la bouche du roi, le commandait.

J'avais toutes les peines du monde à retenir ma jument alors que le flux vociférant remontait la place à rebours. Deux portes près desquelles nous nous trouvions, de Lignerac et moi, arboraient les croix délatrices.

— Anne ! Prenez garde !

On brusquait nos chevaux dans l'idée de les enlever du chemin, et de Lignerac dut dégainer son épée pour décourager les plus empressés. L'officier de la reine plaqua le flanc de sa monture contre la mienne afin d'éviter que nous soyons repoussés trop rapidement et que je perde l'équilibre. Je sentais les muscles tendus de sa cuisse appuyer sur mes deux jambes ; je ne savais plus ce qui m'étourdissait le plus.

Finalement, succombant sous la poussée, nous dûmes nous écarter, mon cheval reculant, le sien avançant, la longe qui nous unissait flottant sur les épaules et les têtes des émeutiers. Nerveuse, ma jument finit par se cabrer et, afin de ne pas culbuter en me recevant n'importe comment sur les pavés de la rue, je sautai à terre.

Je fus aussitôt bousculée par une grosse vilaine qui n'entendait point me céder un pouce d'espace. Je tombai sur les coudes au milieu des sabots de fer de mon cheval et de ceux en bois des révoltés. À travers les martèlements de la multitude, les appels aux meurtres et les slogans exaltés, je perçus la voix lointaine de Lignerac :

— Aaaannne !

Juste avant que je ne sois frappée à la tempe par un pied de ma jument, ma dernière pensée, étrangement, me réjouit : le capitaine de Lignerac, par deux fois, avait prononcé mon prénom sans le faire précéder de « Mademoiselle ».

57

Un cadeau pour le pape

Quand je revins à moi, le dos appuyé à un mur d'un bâtiment de la rue de Béthisy, j'avais un mouchoir ensanglanté entre les mains. De l'eau au goût de terre coulait sur mes lèvres. Une citadine, penchée sur moi, se redressa en reprenant son gobelet.

— Elle est réveillée. Je vous disais bien que ce n'était rien.

Puis elle s'en alla.

À mon côté, de Lignerac, campé droit sur ses deux jambes, épée au clair, maintenait à distance les exaltés qui couraient autour de nous. De sa seconde main, il tenait les rênes de nos deux montures.

On se souciait bien peu de moi, préférant piller les maisons dont on venait de tuer les occupants. De l'autre côté de la chaussée, par une porte entrouverte – et identifiée par la croix –, je voyais le corps d'une femme étendue dans l'escalier, tête vers le bas. Deux guisards la repoussaient du pied pour s'ouvrir un passage, les bras chargés d'objets divers : chandeliers, vaisselle, literie…

Cinq doigts de l'officier de la reine apparurent à la hauteur de mon nez. Ils étaient encore marqués des rougeurs laissées par les bridons – qu'il avait maintenant transférés dans sa main tenant l'épée.

— Vous pouvez vous lever ? demanda-t-il. Sinon, je peux vous porter.

— Non, je… Ça ira.

Je me redressai lentement en m'appuyant au mur derrière moi. Ma tête sonnait un peu à la manière de Saint-Germain-l'Auxerrois, mais quoique mon premier pas se révélât chancelant, je me sentais relativement solide. Le capitaine d'Élisabeth, d'une poigne forte, me saisit sous le bras. Je m'étonnai de ne point éprouver de plaisir à ce contact; le souvenir des serres d'acier du duc de Guise était encore trop présent.

— Vous pouvez marcher sans tomber?

— Bien sûr. Ce n'est rien. Juste un...

Je m'interrompis de moi-même en sentant sous mes doigts le volume de la bosse à ma tempe droite. Je devais être horrible à voir. Mais au moins, la blessure ne saignait plus.

Au pied de la maison de Coligny s'étaient dispersés les ducs de Guise, d'Aumale et d'Anjou, en compagnie du bâtard d'Angoulême. Ils s'étaient mêlés à leurs partisans. Seuls restaient quelques retardataires, notamment les jeunes garçons qui avaient bousculé mon cheval plus tôt. Ceux-ci s'étaient regroupés autour de quelques gentilshommes penchés sur le cadavre de l'amiral. L'un d'eux tira un couteau de sa gaine.

— Je le connais celui-là aussi, me confia de Lignerac, à qui je n'avais pourtant rien demandé. C'est un Italien au service de Louis de Gonzague, duc de Nevers.

— Le mari de Henriette, l'amie de Margot... je veux dire, de la reine de Navarre? Que fait-il?

Finalement, le capitaine n'aurait pas eu besoin de me répondre, car je perçus le son des cartilages qu'on rompait.

— Il coupe la tête de Coligny pour d'abord l'envoyer au roi. Ensuite, on va l'embaumer pour l'expédier à Rome. J'ai ouï dire que le pape lui-même la réclame en trophée depuis longtemps.

* * *

À la forge des Dubois, où cette fois on ouvrit les volets dès que j'eus frappé à la porte, je fus vite renseignée. Et déçue.

— Non, mademoiselle Anne, Antoine n'est point revenu.

Le père de mon amoureux scrutait les mouvements de la rue, où l'ombre de guisards se devinait partout.

— Et vous ? Vous, mademoiselle ? Voyez cette blessure ! Seigneur Jésus, vous auriez pu y laisser la vie ! Je vois bien que vous êtes accompagnée d'un gentilhomme appartenant à Sa Majesté, mais ce n'est guère prudent de traîner dans les rues de la capitale en ces nuits remplies de rogne. Je crois qu'il vaudrait mieux que vous retourniez chez votre père. Vous êtes une jeune femme respectable et…

Il s'interrompit, ne sachant trop comment poursuivre sa phrase sans mettre en cause l'honnêteté des sentiments d'un habitué de la cour. Connaissant désormais les mœurs qui animaient les nobles, je comprenais ses réticences, mais ô combien différente et irréprochable était la conduite du capitaine de Lignerac.

— S'il vous arrivait quelque malheur, mademoiselle Anne, reprit-il, comment pourrais-je par la suite regarder votre père en face ? Lui qui a eu la bonté d'accepter que l'humble fils d'un forgeron épouse sa fille, un fils qui, cette nuit, déçoit son père…

— Et son oncle, jarnidieu ! tonna la voix du marin, qui apparut tout soudain aux côtés de M. Dubois. J'suis fort mécontent d'constater que l'fadrin, y nous a tous largués pour satisfaire les ambitions des courtisans. Mes excuses, m'sieur l'capitaine qui prenez ben soin d'mam'zelle Anne, mais faut dire les choses comme qu'elles sont : on n'est point du même monde. La place d'Antoine, l'est ici avec sa famille et la famille d'sa promise. Point avec les ducs et les bâtards royaux.

— J'en conviens, monsieur, répliqua de Lignerac avec sa distinction coutumière, ce qui ne manqua pas, tout de même, de me mettre un peu de chagrin dans le cœur.

Car en approuvant les propos de l'oncle Jacques, l'officier acquiesçait au fait que je n'appartenais pas à une classe sociale égale à la sienne. Je savais que c'était mal, mais malgré moi, je désirais de toutes mes forces que le capitaine des gardes me considérât avec des égards qui ne fussent point entièrement honnêtes. Je ne voulais point lui être indifférente.

Ces émotions m'étaient trop nouvelles pour que je comprenne que, déjà, ces envies d'être aimée par de Lignerac m'éloignaient d'Antoine, plus encore que les déceptions dont ce dernier nous accablait, ses parents et moi. Pourtant, lentement, inexorablement, je m'enfonçais dans une affection inavouable pour un homme que je connaissais à peine, qui n'appartenait point à mon milieu et qui, surtout, jouissait peut-être d'avoir une femme, voire des enfants, et n'était pas même libre de ses propres sentiments.

— Son oncle Jacques et moi prendrons la relève, mademoiselle Anne, dit M. Dubois. Nous allons partir à la recherche d'Antoine et le contraindre à regagner le nid familial.

— Je viens avec vous, monsieur, répliquai-je, moins enthousiaste que j'aurais dû l'être.

— Non. Ce n'est plus à vous de le faire, mademoiselle. Je suis déjà votre obligé pour tous les efforts consentis cette nuit. Vous avez répondu généreusement à ma demande d'aide. Je ne saurais toutefois exiger plus, surtout point de votre père ni de votre mère, qui doivent actuellement se morfondre à vous attendre. Profitez de la puissante protection dont vous bénéficiez pour retourner jusqu'à votre domicile. Et merci, merci, mademoiselle. J'ai grand-hâte de compter bientôt dans ma famille une personne aussi honnête et brave que vous.

58

L'animation des rues

Dans les rues voisines de la mercerie, la tension se devinait aux mouvements que nous percevions. On courait ici, on chahutait là, on s'interpellait des fenêtres, on accusait, on démentait… Des guisards continuaient de tracer des croix sur les portes de certaines résidences.

— Anne ! Enfin, te voilà ! J'étais morte d'inquiétude !

Je n'avais pas franchi le seuil que, déjà, mes parents m'accueillaient, plus nerveux encore que lors de mon départ.

— Mon Dieu ! Et cette bosse… ce sang… Que t'est-il arrivé ?

— Tu n'as point à te morfondre, maman, ce n'est rien. Des gamins qui ont bousculé le cheval que je montais.

— Tu montes à cheval ? s'étonna mon père en fixant la jument d'Élisabeth, que l'officier de la reine tenait par la bride tout en restant sur sa propre monture.

— Comme vous le voyez, père, je profite d'une puissante protection.

Il adressa à de Lignerac un salut poli puis affirma :

— Quelles que soient vos qualités, monsieur, vous savez qu'il n'est point honorable pour une jeune fille – promise, de surcroît – de se balader seule en compagnie d'un homme étranger à sa famille.

— Je le conçois fort bien, monsieur, répondit l'officier. Mais je peux vous assurer que mademoiselle votre fille est une perle d'honnêteté et de sagesse, et que, en tout bien tout honneur, j'ai eu grande joie à lui servir d'escorte.

Son compliment me fit si plaisir que je ne pus m'empêcher de tourner la tête et de le regarder droit dans les yeux.

— Je vous retourne l'hommage, capitaine : il n'est point meilleur homme de devoir que votre personne. Je suis infiniment reconnaissante à Sa Majesté la reine pour la qualité du soutien dont elle m'a gratifiée.

Il porta deux doigts à son chapeau, s'inclina à demi pour saluer, mais avant qu'il n'émette le premier son indiquant qu'il prenait congé, ma mère demanda :

— Et... et Joseph ? Il n'est point avec vous ?

— Comment, Joseph ? m'exclamai-je. Voilà belle lurette que nous l'avons obligé à revenir à la maison solidement empoigné par un sergent des gardes suisses.

— Ça oui, mais après...

— Comment, après ?

— Quand de jeunes hommes, prétendument au service du duc de Guise, sont venus... Il a dit qu'il serait de retour avec toi dans moins d'une demi-heure !

— Le petit voyou ! laissai-je échapper en échangeant un regard courroucé avec de Lignerac.

Je revins à maman pour poursuivre :

— Il vous a menti, mère ! Il... il s'est acoquiné avec des extrémistes catholiques pour marquer les portes des huguenots du quartier. Ils vont... Oh, Seigneur Dieu !

— Bon, cette fois, j'y vais, affirma mon père en boutonnant le col de sa chemise. Ce garnement a fait plus de bêtises en deux jours que je ne pourrai en supporter pour les dix prochaines années.

— Je t'accompagne, lançai-je en captant du coin de l'œil l'expression contrariée que tenta de masquer de Lignerac.

— Pas question, Anne ! refusa mon père. Tu as connu ton lot de responsabilités pour cette nuit. Et puis, en ces heures troubles, le danger qu'il y a à parcourir les rues est maintenant trop grand. Qu'en pensez-vous, capitaine ?

— Je suis tout à fait d'accord avec vous, monsieur, répondit de Lignerac. Tant à propos du danger qu'au sujet des risques déjà pris par Mlle Anne.

J'intervins :

— Je présume que si je ne seconde point mon père, capitaine, vous retournerez au service de la reine ?

— Comme mes instructions le recommandent, mademoiselle, en effet.

— Et vous laisserez mon père affronter par lui-même les hasards de Paris ?

— Je n'ai, hélas ! d'obligations qu'envers ma souveraine.

— Qui vous a demandé de me porter assistance.

— Jusqu'à ce que vous soyez en sécurité chez vous.

Je me plaçai devant papa pour l'empêcher de sortir.

— Vous voyez, père ? Si je ne marche point à vos côtés, le brave officier n'aura pas de raison de vous épauler.

— Mais je peux très bien rechercher Joseph seul. Il est de mon devoir de…

— Pas question ! l'interrompit maman. Je ne veux pas que tu risques de… Et puis, Joseph ! Il faut mettre toutes les chances de notre côté, non seulement pour le retrouver, mais pour le ramener sain et sauf ici.

Je me tournai vers de Lignerac en peinant à masquer un sourire de satisfaction. Je claironnai presque :

— Eh bien, capitaine, vous me voyez contrainte de vous obliger à supporter ma présence encore un moment.

Dans un rare relâchement de son attitude rigide, l'officier souleva son chapeau et passa une main nerveuse dans ses cheveux. Il souffla comme pour lui-même, mais assez fort pour que nous entendions tous :

— Décidément, elle a juré de ne me laisser aucun repos.

— Nous ne pouvons exiger de vous tant de…, commença mon père.

Mais je le coupai à mon tour :

— Il n'est point de plus grande gloire pour le capitaine de Lignerac que de satisfaire les désirs de la reine de

France. Or, cette nuit, il appert que lesdits désirs de Sa Majesté sont qu'on réponde au moindre de mes caprices. Alors, venez, père. Je monte avec vous sur le cheval d'Élisabeth d'Autriche, et allons tous trois à la recherche de mon frère.

59

L'escarmouche

Nous ne mîmes guère longtemps à tomber sur des groupes de jeunes exaltés qui couraient çà et là dans les venelles obscures, des torches à la main, s'interpellant.

— La messe ou la mort ?

— Et toi ? Jure que le pape est l'apôtre du Christ ! Jure que tu respectes tous les sacrements !

— Vive Guise !

— Vive la messe !

— À mort les réformés ! Le roi et Dieu le commandent !

À trois ou quatre reprises, de Lignerac dut user de son cheval pour repousser les plus galvanisés qui n'avaient pour toute arme que leurs dents cariées et leurs poux. Mais au détour de la rue de Bourgogne, près d'un haut mur de pierre, ce furent trois guisards, bien identifiables à leur chapeau marqué de la croix blanche et au ruban à leur bras, qui se présentèrent, fleuret au poing.

— Qui va là ? Catholiques ou protestants ?

— Nous n'avons point à répondre à quelques drôles s'étant improvisés sergents du guet, grinça de Lignerac avec une hargne contenue, trahissant l'impatience qui l'avait gagné et sa lassitude de jouer le gardien d'une amie de la reine.

Sans doute mon brave et bel officier n'avait-il guère dormi durant les quarante-huit dernières heures.

— Holà, monsieur, répliqua l'un des guisards en agitant son épée devant les naseaux du coursier du capitaine. Voilà une façon bien impolie de s'adresser à des gentilshommes du royaume qui côtoient des grands de la qualité de messieurs les ducs d'Anjou et d'Aumale.

Peut-être à cause de l'obscurité, peut-être aussi parce qu'ils n'étaient point admis au Louvre, les partisans à la solde des extrémistes catholiques ne semblaient pas reconnaître de Lignerac. Feignaient-ils d'ignorer ce détail pour le plaisir de bafouer un officier de la reine ? Ou n'étaient-ils que de vulgaires voyous opportunistes, leurs faits d'armes plus que leur naissance leur donnant le droit de porter l'épée ?

Quoi qu'il en soit, leur intervention était la goutte de trop dans le bouillon d'impatience qui mijotait dans les veines du capitaine des gardes d'Élisabeth d'Autriche. Dégainant à son tour, il sauta en bas de son cheval en lançant la bride à mon père. Il s'avança face aux trois guisards qui, surpris, perdirent leur mine moqueuse pour reculer de deux pas.

— Puisque vous êtes des gentilshommes de France, vous devez certainement approuver que de bonnes familles de Paris puissent circuler dans les rues de leur ville sans avoir à répondre à quelque coquin se souciant de leur religion, n'est-ce pas ? Car le royaume est en paix à ce propos, me semble-t-il. L'édit de Saint-Germain-en-Laye l'affirme, non ?

Tout en parlant, de Lignerac enroula autour de son bras gauche un manteau qu'il avait tiré des fontes de sa selle.

— Que fait-il ? m'informai-je auprès de mon père.

— C'est une méthode typique des bretteurs pour se faire un bouclier.

Mon père n'avait pas l'air aussi alarmé qu'il aurait dû l'être. Je m'inquiétai :

— Mais à trois contre un, il va se faire hacher menu !

— Ses adversaires, tout épéistes soient-ils, ne me paraissent point avoir la même science du combat que ton protecteur.

Je dus admettre que, sur ce point, papa avait sans doute raison, puisque les armes des guisards tremblotaient un brin. Tous trois étaient de bonne carrure, mais n'avaient guère plus de vingt, vingt-deux ans. Six à huit années d'expérience de moins que de Lignerac, à n'en point douter.

— Quel est votre nom, monsieur, que nous sachions à qui appartient le sang que nous répandrons au bénéfice de la sainte foi et du roi ?

— Vous ne répandrez rien que vos propres déjections, drôles, rétorqua de Lignerac avec un aplomb qui ne se démentait point. Et je me moque de connaître à quels sots elles appartiennent.

Les bretteurs échangèrent une rapide œillade puis l'un d'eux cria :

— Tous ensemble !

Dans une attitude qui me sembla des plus malhonnête, le trio lança une attaque simultanée de ses fleurets regroupés. Toutefois, avec ce qui me parut une déconcertante facilité, de Lignerac repoussa la lame la plus à gauche avec son bouclier improvisé et dévia les deux autres pointes du fer de son épée. Continuant le mouvement du poignet droit, il frappa le bras armé du guisard au centre, découpant le tissu de son pourpoint et entamant la chair. L'estoc du capitaine poursuivit sa course pour toucher ensuite la figure de l'assaillant, crever une joue, écharper la pommette et finir son trajet en fendant le sourcil en deux. Le sang jaillit comme d'une fontaine.

Je portai une main à ma bouche en retenant un cri.

De Lignerac rompit d'une courte enjambée puis se positionna de manière à attendre le prochain assaut. Lequel tarda à venir vu que, surpris par la riposte rapide et dévastatrice de leur opposant, les guisards hésitaient. Le blessé, à genoux sur les pavés, sans plus d'épée, poussait des hurlements propres à décourager toute autre initiative belliqueuse, la main de son bras valide sur le visage, le liquide rouge giclant entre ses doigts.

— Chien de réformé ! grogna dans un ahan l'homme à la droite du capitaine.

Dans le même temps, il portait une botte vive en se fendant d'un long pas. Là encore, avec ce qui me parut être une esquive aisée, de Lignerac s'opposa au fer adverse. Il tira à son tour, mais le bretteur ayant eu le réflexe de rompre rapidement, mon protecteur ne parvint qu'à découper un bouffant de la manche de la chemise de son ennemi.

Avant que l'officier de la reine puisse retraiter, le deuxième guisard passa à l'attaque. Une fois de plus, le bouclier servit à parer l'estocade, et de Lignerac, au lieu de reculer, opta pour une enjambée sur la gauche. Le manteau continua de repousser la lame ennemie, permettant au capitaine de ramener le coude en arrière puis de plonger son épée en avant. Il y eut un chuintement de tissu et de chair qui s'ouvrent, puis le spadassin à la solde de Guise s'effondra sur le sol, sans plus bouger.

Son chapeau tomba près du blessé qui hurlait toujours, la croix blanche, en un symbole de cette nuit terrible, se couvrant du sang qui coulait encore à gros bouillons.

Le dernier attaquant, haletant, son fleuret tremblant au bout de son poing, recula de deux pas et parut se demander s'il devait poursuivre l'affrontement.

— Mons… monsieur, balbutia-t-il. Vous avez mis à terre deux gentilshommes appartenant au duc de Guise. On vous…

— Et vous serez le troisième, pauvre sot, sauf si vous disparaissez immédiatement de ces rues ! siffla de Lignerac, qui me faisait presque peur tant je décelais de la hargne dans son intonation.

— Voilà qui est parlé, capitaine ! réagit mon père, qui – j'en fus surprise – semblait se réjouir intensément du spectacle.

Il vit que j'avais tourné vers lui des yeux arrondis. Comme pour s'excuser, il ajouta à mon intention :

— C'est à cause de gueux de cette sorte qu'il nous faut nous barricader, le soir venu.

Le troisième guisard, qui avait à choisir entre l'honneur d'affronter seul l'épée de Lignerac et la vergogne de fuir en nous laissant derrière lui, pour son malheur, opta pour la première solution. Arme pointée droit devant, main en pronation, genou fléchi et tronc appuyé sur la jambe gauche étirée en arrière, il frappa d'estoc dans un coup bref, presque sans recul. Au lieu de parer en rompant, l'officier d'Élisabeth dévia l'élan de son ennemi d'une esquive vers l'extérieur, tout en saisissant le fort du fer presque à la garde et en exécutant un mouvement du poignet. Puis, d'un geste sec, indiscernable, il obligea les doigts de son adversaire à s'ouvrir et envoya son épée valdinguer loin de lui. La lame s'abattit sur les pavés dans un cliquetis qui ne fit qu'ajouter à la dimension sinistre des hurlements du premier blessé.

Le guisard se jeta à genoux à côté de son camarade, écartant les bras dans une attitude d'abdication appelant à la grâce. Je crus que de Lignerac se laisserait convaincre par cette réponse humble qui concédait la victoire, mais c'était ignorer l'exaspération, la colère, voire la haine qui habitaient l'officier de la reine à ce moment-là.

Sans un seul instant d'hésitation, le capitaine poussa son épée en avant pour creuser une voie mortelle entre son poing et le cœur du bretteur. Dans le même mouvement, après avoir retiré la lame qui dessina une courbe parfaite dans l'air, il acheva le travail sur le premier guisard en sectionnant sa carotide. Les cris se turent aussitôt. Pendant de longues secondes, tant que les sabots de nos chevaux ne reprirent point leur martèlement des pavés, le silence ne fut ébranlé que par le tocsin que s'échangeaient les clochers de Paris.

60

L'aube

D'autres incidents parsemèrent notre parcours. Nous aperçûmes non seulement des coquins à la poursuite de réformés – que l'épée du capitaine dissuadait rapidement de nous importuner –, mais aussi des protestants en fuite qui n'aspiraient à rien sauf à s'éloigner de nous au plus vite. Toutefois, le plus souvent, nous voyions des guisards, arme à la main, défoncer l'entrée d'un logis marquée d'une croix et y pénétrer en hurlant.

Les ombres nous renvoyaient l'écho de chiens aboyant, d'hommes vociférant, de femmes suppliant et même d'enfants sanglotant ou suffoquant. On tuait ici, on violait là, on découpait, on défenestrait… Une horreur difficile à décrire gagnait Paris.

Dans tous les cas où nous étions témoins de quelque agression, nous cherchions la silhouette de Joseph. Dans tous les cas, nous étions à la fois déçus et soulagés de ne point le reconnaître.

Le dos appuyé contre la poitrine de mon père, je chevauchais en silence, perturbée. Pour la première fois de ma vie, j'étais confrontée à la mort. Et quelle première fois ! Combien avaient été occis juste devant moi depuis ma visite au Louvre ?

Déjà, il m'était impossible de faire le compte. Il me semblait toutefois que j'étais hors de la réalité, que je baignais dans un mauvais rêve, dans de faux souvenirs. Je sentais la lassitude et la fatigue m'envahir. J'éprouvais un engourdissement des membres, un léger tremblement des extrémités, un halètement inutile… J'étais fiévreuse. Comment pourrais-je effacer de mon esprit les chairs violées et découpées, au moment de chercher le sommeil, une fois les paupières fermées ?

— L'aube, enfin.

Mon père avait parlé pour lui, mais d'une voix normale. De Lignerac, qui chevauchait devant nous, avait entendu, car je le vis lever le nez vers le violet du ciel. Les étoiles fuyaient. On les aurait crues effrayées. Je les comprenais. À mesure que l'obscurité capitulait, les pieds des murs et les rigoles commençaient à exposer les cadavres qui les jonchaient. Contrairement aux constellations, l'abomination ne se diluerait pas dans la lumière du soleil.

Aimantée, je fixais les morts, enhardie par la sécurité que je trouvais entre les bras de mon père. Je me sentais encore, pour le moment, pareille à une petite fille que protégeait la toute-puissance parentale, que les événements extérieurs ne pouvaient atteindre, mais je n'étais pas dupe. Je savais bien que, dès l'instant où il nous faudrait descendre de cheval, où je reprendrais mon rôle de jeune femme mature, je serais aspirée par la réalité et les horreurs de la nuit de la Saint-Barthélémy… et par la certitude plus profonde que l'homme que je devais épouser y avait contribué.

— Nous revoilà pour la troisième fois dans la rue de Bourgogne, monsieur.

De Lignerac avait arrêté sa monture pour se tourner à demi vers mon père. Les trois corps des guisards tués dans l'escarmouche antérieure gisaient encore au même endroit, accompagnés maintenant d'un quatrième cadavre, un huguenot si l'on se fiait à sa vêture sombre. Les assassins devaient être loin depuis un bon moment.

— Voulez-vous toujours poursuivre la recherche de votre fils ? s'informa l'officier dont les traits me parurent un brin tirés, mais pas tant que cela quand on considérait notre longue nuit.

— Je ne peux vous demander de…, commença mon père avant d'être interrompu par une porte qui s'ouvrit brutalement devant nous.

Un homme émergea du logis, le torse nu, la peau flasque de son ventre pendant vilainement par-dessus son caleçon, vestige d'un vieil embonpoint mis à mal par la disette des derniers temps. Une couronne de cheveux grisonnants autour du crâne, il lançait des regards incrédules sur les cadavres, les ruisseaux de sang, les portions de ciel, comme à la recherche des cloches qui carillonnaient à tour de rôle.

— Qu'arrive-t-il ? gronda-t-il d'une voix forte, peut-être à notre intention, peut-être simplement parce qu'il avait oublié de chuchoter.

— C'est Paris qui se réveille ! lui répondit non pas l'un de nous, mais un voisin que je n'avais pas remarqué à sa fenêtre. Dieu semble nous avoir entendus. Le roi a sonné l'hallali des huguenots. C'est un partisan de Guise qui me l'a dit plus tôt.

L'homme ventru nous fixa une seconde, pensif, s'attarda à l'épée du capitaine puis demanda :

— C'est bien cela, monsieur ? On tue le huguenot ?

— Nous avons vu aussi des femmes se faire violer, l'ami. Des enfants égorgés…

Je m'attendais à ce qu'il exprime de l'incrédulité, du mécontentement, voire du dégoût, mais il resta à nous observer sans émotion aucune. Puis, tout en retournant à l'intérieur, il lança :

— À la bonne heure !

Il reparut alors que nous allions rebrousser chemin. Il serrait dans sa main une doloire de tonnelier, le tranchant luisant d'un aiguisage récent.

— Eh bien, Gaston ? lança-t-il au voisin qui se tenait toujours à la fenêtre. Qu'attends-tu ? Depuis le temps qu'il nous emmerde !

Et, tandis que nous nous éloignions, nous le vîmes s'attaquer à la porte d'un logis proche. Sur le chambranle de bois noir, une croix blanche appelait au meurtre.

* * *

Nous parvînmes enfin dans le quartier de notre mercerie. Là comme ailleurs, mais pas plus là qu'ailleurs, il y avait désordre. Des portes marquées étaient défoncées, nous percevions des cris, des gémissements, mais nulle part encore – et à notre grand soulagement, toujours – nous n'identifiâmes Joseph.

— Il est peut-être revenu au foyer tandis que nous étions à sa recherche, dit mon père avec un espoir égal à celui que j'avais entretenu pour Antoine, plus tôt dans la nuit.

— Seigneur Jésus ! Même la vieille Guillaumette !

Je m'étais exclamée en reconnaissant la robe jaunie que portait jour après jour une veuve qui logeait dans une pension au coin de la rue. La fenêtre de son appartement était fracassée et on distinguait la pauvresse sur le plancher près d'un matelas sans lit. Sa tête n'était qu'un amas sanglant.

Je me tournai vers mon père, mais ce dernier se contenta de serrer les mâchoires sans dire un mot. Il était cependant facile de lire ses pensées. Hormis sa foi réformée, quelle faute pouvait-on reprocher à cette femme taciturne qui jamais ne se plaignait ni ne se disputait avec quiconque ?

Une bousculade à quelques pas devant nos chevaux nous obligea à ralentir le train. Je vis de Lignerac refermer les doigts sur la poignée de son épée, prêt à dégainer. Plus serrés dans cet angle de la rue, les bâtiments creusaient des ombres qui refusaient toujours la lumière de l'aube. Masqués donc en grande partie par cette obscurité obstinée, trois ou quatre jeunes hommes s'évertuaient à tirer sur les pavés autant de victimes qui se débattaient en criant. Cette scène ressemblait trop à ce que nous observions depuis des heures pour que je m'en émeuve à l'extrême, mais je sentis mon père s'agiter derrière moi. Il s'exclama soudain :

— Par le ciel ! Les Brissier !

Nos voisins qui travaillaient à l'atelier de teinture !

Maintenant que mon père les avait identifiés, je les reconnaissais à mon tour : la femme d'abord, avec son épaisse chevelure – quelle prise formidable elle offrait ainsi à son persécuteur qui ne se gênait pas pour la traîner comme un âne un tas de fagots ! Pendant tout ce temps, elle continuait de serrer contre sa poitrine son dernier-né d'à peine deux mois.

À l'entrée de la maison, son mari, maigre comme la brindille d'un aulne assoiffé, le dos appuyé au chambranle à moitié décloué, se faisait rouer de coups de poing. Ses deux bourreaux arboraient le ruban blanc au bras.

Quand il s'affaissa à demi, ses assaillants durent se pencher pour poursuivre leur offensive, et l'escalier menant à l'étage apparut dans l'embrasure. J'y repérai un quatrième agressé qui se débattait si bien que son persécuteur, pour l'instant, ne parvenait pas à le contenir. Je le replaçai tandis qu'il réussissait à se dégager pour aboutir dans la rue et courir trois pas dans l'espoir de fuir. Il boitait de manière familière.

— Jehan ! laissai-je échapper en cherchant à sauter en bas du cheval.

Mais mon père, devinant mes intentions, me retint.

— Jehan ! C'est…

Je m'interrompis. Le garçon venait d'être rattrapé par le guisard qui, enjambant ses deux acolytes toujours aux prises avec l'époux Brissier, brandissait maintenant un long poignard. Je me contorsionnai, mais mon père avait encore resserré sa poigne.

— Papa, c'est Jehan ! Papaaa !

Pour une raison que je ne saisissais point, il refusait d'intervenir dans ce qui me semblait être le meurtre imminent de notre petit voisin. L'assaillant avait immobilisé Jehan au sol en s'assoyant sur son ventre et, poignard levé, s'apprêtait à frapper.

— Capitaine ! criai-je à mon protecteur. Tuez ce guisard ! Vite !

De Lignerac eut à peine le temps de tirer l'épée de son fourreau que mon père hurla :

— Noooon !

Les croix blanches se figèrent à demi pour nous regarder tandis que l'officier de la reine sautait en bas de son cheval. Il s'apprêtait à fondre sur l'agresseur de Jehan quand mon père, dans un deuxième souffle, clama :

— Non, capitaine ! Ne faites rien. C'est mon fils !

XXIe siècle au Québec

61

Le curé et le passé

Neuf heures trente du matin. Je parcours les rues du village, mon sac à dos rempli de mon ordinateur portable et de mon numériseur. Le soleil paresseux, encore à demi emmitouflé de nuages, n'a pas fini de sécher les pelouses et les rigoles apparues à la suite de l'orage de la veille. J'ai endossé une veste par-dessus ma chemise à manches longues.

Je passe devant les deux cimetières qui définissent notre histoire, le catholique et le protestant. Si les murs de pierres et de ciment qui entourent les deux terrains diffèrent, ils ont en commun une aubépine qui marque chacune des entrées. On dit que ces arbres ont été plantés voilà quatre siècles lorsque nos ancêtres ont pris possession des lieux. Difficile à croire, mais les légendes ont la vie dure.

La bibliothèque est ouverte. Mme Karine est derrière son écran. Elle ne lève pas les yeux quand je descends les trois marches du seuil. Comme façonnée par l'habitude de ma présence obstinée à partir du moment où les portes sont débarrées. Ce serait plutôt si je ne venais *pas* qu'elle scruterait l'entrée.

La bibliothécaire ne m'accorde pas même un regard quand je passe devant son bureau…

— Bonjour, madame Karine.

… ni ne répond à mes salutations. Quel air de bœuf, quand même ! Surtout le matin. Méchamment, je songe qu'il n'est pas étonnant qu'elle ne se soit jamais trouvé de petit ami.

Comme de coutume, je suis le seul bénéficiaire des lieux. Les huit tables de travail sont disponibles. Je choisis la plus éloignée de façon à ce que mes mouvements ne nuisent à aucun éventuel utilisateur se pointant dans le courant de la journée.

Je pose mon sac sur le meuble et entreprends de sortir mon matériel pour l'installer ; le portable ici, face à moi…, le numériseur à gauche…, je pourrai brancher les câbles à la prise qui est…

Je me rends soudain compte que Mme Karine est à côté de moi. J'en sursaute presque.

— Félix…

— Euh… oui ?

— Tu viens pour les vieux documents ?

— Les annales, oui. Comme d'hab.

— Ils ne sont plus ici.

— Pa… pardon ?

— Le curé… ouais, le *fichu* curé les a repris.

— Comment ?

— Il est venu hier soir, après la fermeture – et avant que je m'en aille – pour me prier de les lui remettre. Il m'a affirmé qu'il voulait les consulter durant la soirée.

— Il les rapportera quand ? Il est au courant pourtant que je dois les…

— Je sais. Je le lui ai rappelé. Je lui ai demandé de les rapporter ce matin.

Machinalement, je jette un œil vers la porte donnant sur les couloirs de l'église.

— Alors ? Il n'est pas encore sorti de son repaire ?

— Si. Il m'attendait à mon arrivée.

— Eh bien, les volumes ?

— Il m'a dit qu'il les confisquait.

— Quoi ?

— Il paraît qu'il n'avait jamais constaté à quel point ces documents étaient explosifs pour la communauté.

— Mais il n'a pas le droit. Ces livres appartiennent à la bibliothèque !

— Non, justement. C'est un prêt qu'il a fait à la municipalité au nom de la paroisse – même si toi et moi, nous savons très bien que c'était pour faire de la place dans ses armoires. N'empêche que, à cause de cette particularité, le curé a la possibilité de reprendre son bien quand il le veut.

* * *

L'abbé Dion me reçoit en retrait de son imposant bureau en chêne dans l'immense pièce qui lui sert de cabinet. Un gros crucifix, accroché à la cloison derrière son fauteuil, semble veiller sur lui pareil à un garde du corps. Les murs et le parquet reluisent de propreté. Des armoires vitrées exhibent leur contenu de livres de prières, de revues spirituelles et de bibelots à thèmes religieux. Ça sent la cire, le Monsieur Net et l'eau de Cologne.

— Bonjour, mon petit Félix. Je m'attendais à ta visite.

Je déteste ce sourire artificiel. Mais je ne dois surtout pas le montrer.

— Bonjour, monsieur le curé. Vous savez pourquoi je viens vous voir, alors.

— Appelle-moi « mon père ».

Il patiente, mais constatant que, pas plus que les fois précédentes, je n'ai l'intention d'acquiescer à sa requête, il finit par répondre :

— Tu viens pour les registres, bien sûr. Mais je suis désolé, ils ne sont plus disponibles pour consultation.

Son sourire reste collé sur son visage de cire cendrée, frais rasé, piqueté de taches de vieillesse. Son imposante chevelure blanc cassé, peignée et laquée de façon impeccable, le coiffe tel un casque rigide et indéformable. Il porte une chemise beurre frais, aux plis irréprochables, boutonnée aux poignets par de minuscules crucifix dorés.

Je m'exclame en essayant d'exprimer le moins de dépit – et de dégoût – possible dans mon intonation :

— Mais pourquoi ?

— Tu les as lus, tu le sais. S'il fallait que les informations qu'on y trouve soient rendues publiques…

— Mais précisément. Je pense qu'il est impératif de les rendre publiques. Plus que jamais.

— Plus que jamais ?

— À cause des événements qui ébranlent Saint-Barthélémy.

— Tu parles des terroristes qui ont trouvé refuge chez nous ?

— Des terroristes ?

— Les Mansouri. Ne sois pas bête. Tout le monde sait maintenant que ces deux familles d'immigrés, ayant largement profité de la générosité de nos gouvernements fédéral et provincial, sont venues se cacher dans notre région éloignée en espérant échapper à la justice internationale.

— Vous n'êtes pas sérieux ?

— Je ne l'ai jamais autant été de ma vie, sois-en certain. Toi, tu es jeune, tu ne ressens pas le danger, mais moi, j'ai été formé pour repérer les situations où notre foi est en péril. Et il n'y a pas de moment plus indiqué que ces temps précaires que nous vivons. Déjà que notre communauté est divisée en deux confessions distinctes – chrétiennes, certes, mais distinctes –, catholiques et protestants. Il nous faut rester unis plus que jamais afin de faire front devant la menace islamique.

— Mais voyons donc ! Les Mansouri ? Une menace ? Vous connaissez Soltana. Elle vient régulièrement à la bibliothèque. On ne peut quand même pas la qualifier de…

— Ne mélange pas tout, Félix ! Cette jeune fille n'est encore qu'une enfant. Le véritable danger provient de ses parents. Les frères qui…

Oubliant toute retenue et toute politesse, je lève une main devant moi pour le faire taire. Je riposte :

— Écoutez, monsieur le curé, on ne débattra pas ce matin des divergences de confessions entre chrétiens et musulmans. Je vous sollicite pour les registres, pour vous demander de me les prêter afin que je puisse les numériser comme vous me l'avez promis. Je n'ai que…

— Je ne t'ai rien promis. J'ai dit : « Nous verrons. » Et nous avons vu. Du moins, moi, je vois. Et je constate que ce n'est pas le temps d'ébranler le village avec des événements vieux de près de quatre cent cinquante ans. Même quand la justice aura fait son œuvre et que les terroristes venus se terrer chez nous seront en prison, loin d'ici, je ne pense pas te permettre de nouveau de consulter les volumes qui nous occupent. Et même…

Il vrille son regard directement dans le mien et, dans un rictus de dépit aux dents couleur de margarine, il conclut :

— Et même, j'envisage très sérieusement la possibilité de les détruire à tout jamais.

Août 1572 en France

62

Les voisins

— Joseph !

La voix de mon père tonna dans la rue pareille à l'orage d'août. Les volets tremblèrent sur leurs charnières, les rigoles se turent, et les guisards, figés dans leurs gestes meurtriers, nous observèrent avec des yeux frappés d'étonnement.

Même mon frère.

Sauf que celui-ci ne semblait pas nous replacer. Il nous fixait avec un regard halluciné que la lumière d'une torche accrochée à un mur contribuait à amplifier. Ses prunelles brillaient d'une mouillure irréelle sur des sclérotiques d'un jaune de graisse rancie. Un filet de bave avait coulé sur son menton et y avait séché en laissant une trace crayeuse. Le rictus qui tordait sa bouche n'avait rien de familier et, moi-même, je reconnaissais mon frère avec peine. On aurait dit quelque fou échappé d'un hôpital d'aliénés.

— Joseph ! répéta mon père en descendant de cheval. Lâche immédiatement ce garçon !

Je sautai à côté de lui, mais me gardai de le devancer tandis qu'il effectuait quelques pas prudents en direction de mon frère. De Lignerac ne bougeait plus. Épée nue à la main, il se contentait de rester là, à deux palmes devant le museau de son coursier.

— Qui êtes-vous ? questionna le guisard qui retenait Mme Brissier et qui avait peut-être un peu d'ascendant sur les autres. Catholiques ou protestants ?

— Joseph, c'est moi, fit papa sans se préoccuper du partisan de Guise. Ne moleste point ce garçon. C'est notre ami Jehan.

— Monsieur, répondez ! insista le spadassin en se redressant, une poignée de noirs cheveux entre ses doigts. Êtes-vous de la religion ?

Il n'avait guère plus de vingt ans et se donnait des airs de matamore. Voyant son attitude menaçante, de Lignerac avança d'une enjambée, sa lame brillant dans la lumière de la torche.

— Eh bien, monsieur ? Vous qui portez l'épée et qui me paraissez un gentilhomme, veuillez répondre, je vous prie : de quelle religion vous sentez-vous l'obligé ?

À la contraction des muscles de sa mâchoire, je devinai là encore l'exaspération de mon protecteur. Ce dernier rétorqua :

— Je suis Armand de Lignerac, capitaine des gardes de Sa Majesté la reine de France. Je n'ai que faire de vos questions, monsieur, et vous enjoins, vous et vos camarades, de laisser ces gens et de déserter immédiatement ces lieux.

Les deux guisards qui frappaient le mari Brissier dans le cadre de la porte, voyant la menace qui pesait sur leur compagnon, abandonnèrent leur victime pour se rapprocher. Leurs épées quittèrent les fourreaux. À nouveau, de Lignerac se trouvait face à trois adversaires, et je me dis que, pour la deuxième fois dans la même nuit, le brave officier, plus fatigué encore, misait peut-être un peu trop sur ses aptitudes au combat.

— Nous appartenons aux ducs de Guise et d'Aumale, monsieur, et n'avons point d'ordre à recevoir d'un capitaine de la reine. Veuillez passer outre ou vous aurez à assumer l'odieux d'avoir empêché des gentilshommes d'exécuter les ordres de Ses Seigneuries qui, elles-mêmes, obéissent aux commandements du roi.

— Qui sont de tuer une femme avec un bébé sur son sein ? de frapper à quatre poings un homme aussi frêle qu'un enfant ? de poignarder un garçon impubère ? Voilà d'étranges injonctions venant d'un roi, messieurs.

Les trois guisards se regroupèrent tandis que de Lignerac, une fois de plus, enroulait son manteau autour de son bras gauche.

— Pour qui vous prenez-vous pour juger les décisions du représentant de Dieu dans ce royaume ? Vous ne...

— Joseph ! Vas-tu lâcher ce couteau, oui ou non ?

La voix de mon père tonna de nouveau si fortement que, non seulement elle interrompit les belligérants, mais fit frissonner mon frère, qui inspira bruyamment comme si on l'avait giflé. Il fixa plus intensément papa avec ses yeux fous, tordit encore plus la commissure de ses lèvres, et s'il ne sembla plus disposé à abattre son poignard dans la poitrine de Jehan, il ne paraissait pas enclin non plus à l'abandonner.

— Joseph, est-ce donc là ton père ? demanda le guisard qui tenait lieu de meneur.

— Laissez-moi !

Le ton de mon frère me parut étrange, vaguement tremblotant. Je crus d'abord qu'il s'adressait à cet assassin en chef, mais notai vitement qu'il répliquait à notre père.

— Laissez-moi ! Je suis un volontaire au service de notre roi et de notre foi. Je ne suis plus un enfant.

— Joseph, rétorqua papa, tu n'es point encore en âge de te dérober à l'autorité paternelle. Aussi, j'exige que tu jettes ce poignard et que tu libères Jehan Brissier afin qu'il...

— Joseph, tu es d'abord un sujet de ton roi !

Père tourna un regard courroucé en direction du guisard. De Lignerac, tout comme moi, ne bougeait pas, n'osait pas intervenir de crainte de déclencher ce que nous nous efforcions d'éviter.

— Je suis un sujet de mon roi, répéta Joseph, qui me semblait fort bien endoctriné et que les meurtres dont il avait sans doute été témoin au cours de la nuit avaient enfiévré.

Il me paraissait d'une hardiesse qu'il n'avait jamais osé manifester avant, et nul doute que la présence de ses compères le galvanisait dans son opposition à notre père. Il poursuivit :

— Vous le premier, père, admettez que les réformés sont la cause des troubles qui agitent le royaume, qu'ils nous attirent les défaveurs de Dieu. Vous le premier, vous vous plaignez de la situation qui nuit au commerce. En cette Saint-Barthélémy, le roi offre à ses sujets l'occasion de régler tous les malheurs du pays, et pour quelque attachement malvenu, vous passeriez outre ?

— Joseph, Dieu n'aime pas le meurtre.

— Si fait ! La Bible le recommande en plusieurs occasions, le contredit le guisard.

— Vous voyez, père ? renchérit mon frère. Aucun argument ne tient devant la prétention royale.

— Quiconque touche à cet enfant goûtera ensuite de mon épée, menaça de Lignerac dans une tentative d'intimidation maladroite – car Joseph savait bien que notre père ne permettrait point à l'officier de s'en prendre à lui.

— Joseph, cesse de temporiser ! intervint de nouveau le guisard. La Bible l'affirme : la volonté de Dieu passe avant celle du père. Cette nuit, Dieu parle par la bouche du roi et le roi dit : « Tue ! »

— Vous avez entendu, père ? fit Joseph, dont la lueur étrange du regard s'intensifiait. Dieu par le roi le commande.

— Non ! Joseph, ne…

Au moment où le poignard de mon frère s'abattit, je poussai un cri strident qui couvrit le tocsin. Je vis le mouvement singulièrement ralenti, comme si mon esprit interprétait chaque détail de l'horreur qu'il exprimait. Mon père bondit, mais une demi-seconde trop tard. La lame pénétra avec une facilité déconcertante dans la poitrine de Jehan. Les pupilles du garçon trouvèrent les miennes et s'y fixèrent le temps que son âme se métamorphose en ange.

Puis la silhouette de mon père le masqua alors qu'il atteignait Joseph et lui saisissait le bras pour lui arracher le couteau des mains. Le guisard en chef fit un pas, mais la pointe du fleuret de Lignerac s'interposa. Seulement, le capitaine qui croyait que l'extrémiste voulait s'en prendre à mon père ne fut point assez prompt quand le spadassin plongea son épée dans la gorge de Mme Brissier. La femme s'affaissa tout à fait par-dessus son bébé, son cri d'agonie noyé de gargouillis sanguins.

— Misérable !

L'officier, hors de lui, lança la lame droit devant. Surpris, le guisard recula, mais point avec assez de vélocité pour empêcher une large déchirure à son pourpoint. Le temps qu'il s'en étonne et s'assure que sa chair n'était point touchée, de Lignerac, déjà, portait sa deuxième botte. Cette fois, le fer pénétra profondément entre deux côtes.

L'extrémiste ouvrit grand les paupières et la bouche comme pour contester une ultime fois, mais s'écroula sans avoir émis le moindre son. Ses deux compagnons s'entre-regardèrent d'une œillade prompte, agitèrent vaguement leur estoc au bout de leur poing, jaugèrent la hargne et la force combative dans le regard du capitaine, qui se positionnait maintenant pour les affronter, puis, sans avoir à se concerter plus avant, dans un mouvement simultané, se détournèrent et prirent leurs jambes à leur cou.

Ils disparurent dans la rue adjacente au moment où mon père frappait violemment mon frère au visage, où le couteau de ce dernier volait loin de nous et où de Lignerac, essuyant la lame de son épée contre le pourpoint de sa victime, tournait les yeux vers moi, les traits marqués d'une expression un brin inquiète, comme s'il se préoccupait soit de mon sentiment, soit de mon approbation, soit de ma sécurité, soit des trois.

63

Les bras du capitaine

M. Brissier geignit. Je m'avançai à pas lents, de Lignerac était déjà accroupi à ses côtés. La tête du pauvre teinturier roula contre la main de l'officier, et je notai ses cheveux plaqués sur le crâne par un caillot suintant. Ses pupilles se mirent à fixer des pavés près de son nez. Du sang coulait de l'une de ses oreilles.

— Il est mort.

Je me figeai. De Lignerac avait murmuré, mais il m'avait semblé entendre un tonnerre d'août. Il laissa la tempe de l'homme se poser doucement contre la pierre de la rue, puis se redressa en silence. Il tourna les yeux vers moi. Je ne l'apercevais plus qu'au milieu d'une mer de larmes que la torche démultipliée constellait d'éclats de lumière. Sa silhouette ondulait pareille à celle d'un nageur sous la Seine agitée. Je ne distinguais plus toute chose qu'à travers les remous de ma désillusion, de mon chagrin et de ma déception… et aussi à travers les ébranlements qu'occasionnait dans mon âme, lorsqu'il se trouvait près de moi, le capitaine des gardes de la reine.

Je vis ses deux bras s'ouvrir et, sans réfléchir, sans plus être maîtresse de mes actes, m'y engloutis. L'odeur qui m'était presque devenue familière – la sienne –, mêlée de sueur d'homme, de cuir et de cheval, me rasséréna. Toutes les émotions, toute la fatigue des dernières heures s'abattaient sur moi d'un coup. Je me laissai aller.

Contre ma joue, le tissu rêche d'une chemise d'officier me parut de la plus fine douceur. Contre mon dos, la lourdeur de deux avant-bras musculeux me sembla du meilleur allégement. Je retrouvais à la fois la sensation de sécurité de l'enfant recroquevillée contre son père et l'assurance de la femme qui a trouvé son compagnon de vie. Je savais bien n'être aucune des deux, mais j'avais besoin d'y croire les secondes que durèrent ces illusions.

Je m'arrachai avec peine à la grisante chaleur de la poitrine de Lignerac quand la main de mon père se posa sur mon épaule. Je pivotai vers lui en essuyant mes yeux du revers des doigts. S'il ne pleurait pas, ses paupières n'en étaient pas moins rouges. Derrière lui, je voyais Joseph debout près du cadavre de Jehan. Il n'avait plus de couteau, mais serrait les poings, tête basse, ses lèvres fermées en un pli de haine.

Mon père m'attira à lui – et m'éloigna du capitaine –, et j'eus l'étrange impression qu'il recherchait davantage à être consolé qu'à me consoler lui-même. J'allais prononcer quelque banalité d'usage, quelque mot de réconfort familier, quand un bruit nous figea, lui et moi, à mi-chemin de notre étreinte.

— Qu'est-ce que…, commença père alors que même Joseph sursautait – de Lignerac était dans mon dos ; je ne sus comment il réagit.

— L'enfant, dis-je. C'est le bébé des Brissier.

Je me précipitai vers le cadavre de la teinturière sous laquelle je voyais s'agiter une menotte minuscule. Je me penchai et soulevai un fragile paquet de peau nue et chaude.

— C'est une petite fille. Mon Dieu, je savais qu'ils avaient un nourrisson, mais j'ignorais s'il s'agissait d'un garçon ou d'une…

Je me sentais si bête. J'avais envie de pleurer, comme pour accompagner le poupon, bien que c'eût été de soulagement, de découvrir la vie là où la mort me paraissait devenue la norme. Mon père souriait, quoique sans joie. De Lignerac m'observait sans montrer la moindre émotion, mais cela semblait être un masque. Du moins, je me le représentai ainsi afin de n'être point déçue de lui comme de mon frère et de mon amoureux.

Seul Joseph se montrait contrarié, fixant sur la nouveau-née un regard de haine inexplicable. Je comprenais – mais sans comprendre – combien on pouvait se laisser manipuler l'esprit si on le remettait entièrement à l'opinion des autres. Combien il était facile de devenir l'instrument d'un tiers si l'on refusait d'user de sa propre intelligence, de sa propre éducation, de ses propres sentiments pour analyser les événements. Ce n'était point que Joseph fût un garçon stupide, mais il se repaissait de cette paresse intellectuelle dont profitaient les beaux parleurs, fussent-ils les pires des assassins, pour vous convaincre de la justesse de leurs propos et de la légitimité de leurs actes les plus abjects.

Je regardai mon père, puis mon frère, et proclamai :

— Je jure devant Dieu qui connaît toute chose, qui est partout et prend note de chaque décision de nos vies, je jure de prendre désormais soin de cette enfant comme si j'étais sa mère. Je promets de m'en faire la protectrice et de racheter peut-être ainsi le mal que ma famille a répandu dans la sienne.

— Tu jures pour une hérétique, s'indigna Joseph, dont la voix émergeait de sa gorge comme le gravier crissant sur la roche.

— Comment un bébé peut-il être accusé d'hérésie et offenser Dieu ? lui rétorquai-je dans la seconde. Comment ? Explique-moi, pauvre sot !

Puis, fixant papa dans les yeux, je poursuivis :

— Je demande votre bénédiction, père. Je vous prie de respecter comme vous l'avez toujours fait les vœux de votre fille. Je suis disposée à accepter tout ce que vous exigerez de moi si, en retour, vous me permettez de prendre cette enfant sous mon aile.

— Une enfant a besoin d'un père, et une mère d'un mari qui la soutient, objecta papa en s'approchant de moi.

Mais je ne relevai pas vraiment de déplaisir ni dans son ton ni dans son regard.

— Il y a des veuves qui peuvent prouver le contraire, père, répliquai-je.

— Et des femmes de soldats partis à la guerre.

L'appui venait du capitaine de Lignerac. J'en ressentis une émotion si intense que mes jambes vacillèrent une seconde. Un mélange de contentement et de détresse extrême. Que cherchait-il à nous dire ? Que son statut d'officier l'isolait de son épouse à lui ?

Mon père, qui devinait peut-être mon trouble, ou qui avait éventuellement de nouvelles aspirations pour moi – qui sait –, demanda :

— Vous vous ennuyez de vos enfants, capitaine ? En tant que parent, je vous comprends. On les aime même quand on est éloigné d'eux…

Il regarda Joseph avant de poursuivre :

— Et même quand ils nous déçoivent.

À ma surprise, et pour la deuxième fois depuis que je le côtoyais, je vis sourire le capitaine de Lignerac.

— Je n'ai ni fils ni fille, monsieur, car je n'ai jamais eu d'épouse.

* * *

L'enfant, épuisée, avait fini par s'endormir dans mes bras. Je ne savais combien de temps elle mettrait à réclamer de nouveau à manger, mais d'ici là, j'aurais le loisir de lui trouver un peu de lait de chèvre avec du miel. Mon frère avait suivi mon père dans la maison, et je m'apprêtais à les rejoindre. Armand de Lignerac avait enfourché son cheval une fois de plus et tenait la bride de la jument d'Élisabeth qui le suivrait jusqu'au Louvre.

— Ainsi, vous êtes bien certaine de renoncer ? demanda-t-il sans me regarder, en faisant mine de s'intéresser au vide et à la mort que la rue offrait aux premiers rayons de soleil.

Son chapeau était légèrement relevé, et je discernais sur son front la saleté mêlée de moiteur accumulée lors de nos chevauchées des dernières heures.

— On ne peut plus certaine, capitaine. J'ai fait ce que j'ai pu pour honorer la promesse formulée auprès du père d'Antoine.

Je baissai le nez sur l'enfant dans mes bras avant de poursuivre :

— Maintenant, j'ai hérité de nouvelles responsabilités qui découlent des décisions prises par les gens qu'Antoine – tout comme mon frère – a choisi de suivre. Tous ces gens, par leurs actes, ont transformé l'avenir que je m'étais tracé. Je me sens libre à mon tour de modifier les obligations contractées à l'endroit d'Antoine.

J'essayai de masquer le plaisir évident que j'éprouvais en voyant les yeux de Lignerac quitter la rue pour se tourner vers moi. Le sujet l'intéressait plus qu'il n'aurait dû. N'avait-il point mentionné que ce travail d'accompagnateur lui semblait de moindre importance que celui de protéger sa reine ? Mon cœur doubla sa cadence quand il s'informa :

— Vous n'avez plus l'intention d'épouser ce fils de forgeron, mademoiselle Anne ?

C'était la première fois qu'il s'enquérait d'un élément touchant à ma vie privée.

— Non, monsieur de Lignerac.

Il eut un tic sous une paupière, et plusieurs secondes s'écoulèrent avant qu'il forme les mots pour demander :

— En ce cas, votre père trouverait-il à redire si, d'ici quelques jours, je revenais vous présenter mes hommages ?

Je baissai de nouveau le nez vers le bébé afin que le rouge de mes joues ne se vît point trop. Comme un reflux, comme les vagues qui vont et viennent contre les quais lorsque la Seine se bat avec la tourmente, les émotions de la nuit me submergèrent. Espoir, peur, chagrin, déception, amour… tout se bousculait en un amalgame impossible à démêler, et je ne parvenais plus à réfléchir.

Bêtement, je me mis à pleurer.

— Mademoiselle Anne ? s'inquiéta de Lignerac.

— J'ignore son nom.

— Par… pardon ?

— L'enfant. Je ne sais même pas comment elle s'appelle.

Et je retraitai dans la maison, laissant derrière moi un homme dont la présence seule, maintenant, me secouait pis que tous les meurtres dont j'avais été témoin.

64

La lumière du matin

Ma mère se rebiffa d'abord à l'idée d'avoir une bouche de plus à nourrir. Puis, en entendant les récits de la nuit, elle aussi ressentit la responsabilité de rendre à Dieu ce qu'on avait pris à Dieu, soit le salut des âmes. Notre action charitable pourrait racheter les fautes de Joseph.

— Et puis, les Brissier ont sûrement de la famille quelque part, conclut-elle. La fillette a sans doute un parrain, une marraine… Ils la réclameront. Nous ne l'hébergerons possiblement qu'un court moment.

Joseph tint tête à notre père comme jamais il n'avait osé le faire. Non seulement l'âge lui donnait de l'assurance devant l'autorité parentale, mais nous découvrîmes que son esprit était beaucoup plus corrompu que soupçonné. Peut-être s'était-il laissé endoctriner depuis plus longtemps que nous le suspections, par les prêcheurs de la rue et par les discussions qu'il captait çà et là entre les négociants et clients qui fréquentaient notre commerce. Toujours est-il que les prises de bec entamées à l'extérieur reprirent à l'intérieur jusqu'à ce que mon frère soit prié d'aller réfléchir à ses actes dans le réduit où il avait sa chambre. Il le fit au son des portes qui claquent.

— Appelons-la Marie.

— Maman, c'est un nom catholique.

— Raison de plus. Qu'elle ne s'attire point les regards soupçonneux des extrémistes.

Je m'endormis sur un banc en bois servant de canapé, le poupon recroquevillé contre moi.

* * *

Quand je m'éveillai, je ne rouvris point les yeux immédiatement. Mes parents discutaient à voix basse à l'autre bout de la pièce. La bosse à ma tempe m'élançait toujours, mais au toucher, je notai qu'elle avait diminué.

— Mais c'est dimanche, Augustin.

— Pas de messe, je te dis. De toute façon, les prêtres ont mieux à faire. On les entend dehors rendre grâce à Dieu pour la mort des huguenots.

Il n'y avait point que les prêches que l'on percevait de l'extérieur. Il y avait aussi des hurlements, preuve que les tueries se poursuivaient toujours.

— Et les Brissier ? s'enquit maman. Le serviteur des voisins t'a aidé à ramener les corps dans le logis ?

— Parlons-en. Déjà, des pillards fouillaient le peu qu'ils possédaient. On les a mis en fuite, mais je te parie ma dernière dent saine qu'ils sont de retour depuis.

Je perçus distinctement un soupir de maman. Puis, avec une intonation mystérieuse, elle demanda :

— Et lui ?

— Lui… qu'il attende !

Je me redressai en prenant bien garde de réveiller la fillette dans mes bras. La chaleur avait formé un rond humide sur ma poitrine. Un instant, je crus qu'elle avait uriné sur moi, mais une vérification rapide m'indiqua que non.

Des fenêtres, la lumière crue du matin tombait sur les meubles et le parquet, ramenant une certaine normalité dans un monde qui m'avait paru devenu fou. Mes parents, assis tous deux à une petite table appuyée au mur, se tenaient par la main, mon père, le menton sur son poing, le nez vers la croisée, ma mère, un coude sur le bois, le front dans une paume, le regard sur le plancher.

— De qui parlez-vous ?

Et puis, je me rappelai Joseph et les altercations de l'aube. J'eus un mouvement de la tête comme pour m'excuser.

— Joseph, répondis-je moi-même.

— Non, Antoine, me corrigea aussitôt mon père.

Je retins ma respiration et, après plusieurs secondes pendant lesquelles mes parents ne précisèrent rien, je répétai :

— Antoine ? Quoi, Antoine ?

Papa, d'un geste vague, désigna l'escalier menant à la boutique.

— Il est en bas. Il a demandé à te voir. J'ai refusé qu'on te réveille.

— Antoine ?

J'avais de la difficulté à me faire à l'idée. Je l'avais cherché sans succès toute la nuit et, maintenant que j'avais abandonné, c'était lui qui se présentait à moi. Au lieu de m'empresser de me lever et de courir le retrouver, je restai sur le banc, serrant plus que jamais la fillette contre moi. Je m'enquis :

— Comment… Est-ce qu'il semble… normal ?

— Non, répondit succinctement mon père sans me regarder.

— Non comment ?

— Vas-y. Va le voir.

Je mis encore quelques instants avant de quitter le canapé, m'accrochant au bébé plus que je ne le portais dans mes bras. Je m'approchai à petits pas de la table où se trouvaient mes parents. Maman tendit les mains ; je lui confiai l'enfant.

— Que… À quoi ressemble-t-il ? Il… il n'est pas blessé ?

— Non.

— Est-ce que tu… Est-ce que je…

— Tu veux savoir si je t'obligerai à respecter la promesse que j'ai faite à Toussaint Dubois ? s'informa papa d'une voix grave comme un sermon de Vendredi saint.

Je baissai le menton en signe d'acquiescement.

— J'admire trop la jeune femme que tu es en train de devenir pour m'opposer à ton bonheur.

* * *

Antoine était épouvantable à voir. De ses cheveux pendaient des mèches poissées de sueur, de poussière et de sang. Son front était crasseux, ses traits tirés, déformés. Je compris au fil de notre conversation que les poches sous ses yeux, l'irritation à ses paupières, les creux dans ses joues venaient d'abord de la fatigue, puis de l'horreur, ensuite du remords, finalement de la détresse. Non seulement il ne m'apparaissait plus comme le beau jeune homme d'auparavant, mais je le trouvais laid, de visage, de corps et d'esprit.

Sa chemise était lâche, maculée de larges taches de transpiration sous les aisselles et sur la poitrine. Sa manche droite était rouge de sang du poignet jusqu'à l'épaule. La gauche, quoique moins encrassée, n'était pas nette pour autant.

Il avait enfilé de lourdes bottes, sans aucun agrément, dont il se servait sans doute à la forge. Son haut-de-chausses était à l'avenant.

À mon arrivée, il se leva du ballot de tissus sur lequel il s'était assis, mais garda les yeux bas. Je portais encore la robe offerte par Élisabeth d'Autriche, mais je me doutais bien que son état de malpropreté actuel ne devait plus guère inspirer la majesté de la veille.

— Mademoiselle Anne..., me salua-t-il en inclinant légèrement le torse.

Je ne savais si je devais dire « Antoine » pour marquer une sorte d'autorité sur lui, ou « Monsieur » afin d'établir une distance. Je me contentai donc de répondre d'un bref mouvement du chef.

— Si je suis ici ce matin, poursuivit-il, avant même d'être retourné à la maison familiale pour rassurer mes parents sur mon état, c'est parce que j'ai estimé important de vous revoir et de m'amender.

— Vous amender ? Vraiment ?

Je fus surprise de constater que je l'avais vouvoyé spontanément. Ce n'était certes pas par respect, plutôt pour creuser cette distance que, justement, j'envisageais un instant plus tôt.

— Je voulais vous dire que je regrettais de n'avoir point écouté les conseils que Sa Majesté la reine et vous-même m'avez prodigués. C'est vous qui aviez raison. Qu'importe qui, du huguenot ou du catholique, détient la vérité : chacun appartient à Dieu, et c'est à Dieu de déterminer qui il accueillera dans son royaume au moment de la mort. On m'a trompé, mademoiselle Anne, car les belles paroles des nobles masquaient une autre vérité : leur peur. Pas celle des réformés, mais de nous, les marchands, les bourgeois. En revenant chez les Guise, ce matin, j'ai entendu parler les gentilshommes entre eux : ils craignent une conjoncture révolutionnaire à cause de la disparité entre leurs privilèges et les devoirs du peuple. Les classes dirigeantes, soutenues par le pouvoir royal, veulent entraver ce supposé essor révolutionnaire. Quoi de mieux, pour ce faire, que de creuser un fossé de sang entre les catholiques et les protestants ? Sans compter que cela sert les conflits familiaux. Nous sommes les armées aveugles de ces ambitieux, mademoiselle Anne ! Les classes dirigeantes préfèrent un royaume à feu et à sang plutôt que de perdre le pouvoir.

Je fixais le sang séché qui recouvrait ses bras et me gardais d'afficher dans un rictus le mépris et le dégoût qu'il m'inspirait. Que pensait-il ? Qu'après que j'eus consacré des heures et des heures à le poursuivre dans tout Paris dans l'espoir de lui faire entendre raison, de lui éviter d'accomplir l'irréparable, il lui suffisait d'apparaître comme ça devant moi pour que je fasse fi de toute la détresse, de toute l'angoisse et de tous les dangers que j'avais connus par sa faute ?

— Il est un peu tard, Antoine, pour le repentir. Je ne crois point pouvoir accepter cet acte de contrition que vous faites devant moi.

— Anne, je comprends votre réticence, voire votre colère devant mon égarement des dernières heures, mais sachez que d'ici notre mariage, j'aurai amplement l'occasion de vous faire entrev…

— Oubliez les noces, Antoine.

— Je… Pardon ?

— Oubliez notre mariage. Il n'est point question que j'épouse un assassin.

Il était bouche bée comme ces poissons que les pêcheurs tiraient de la Seine, mais je n'étais pas certaine qu'il me croyait tout à fait. Le peu de détresse que je lisais dans ses prunelles indiquait qu'il se figurait que je jouais la comédie dans le but de le secouer, de me venger.

— Anne…, je… Ne vous en faites pas. Nous allons…

— Nous n'allons rien faire du tout, Antoine. Vous m'en voyez désolée, mais vos actions m'ont ouvert les yeux sur la personne que vous êtes vraiment. De plus… de plus, je suis amoureuse de quelqu'un, un chevalier, un gentilhomme qui, contrairement aux marionnettes de votre sorte ou de celle de mon frère Joseph, ne tue que lorsque sa vie ou celle de ses protégés est menacée.

— Anne…

— M'entendez-vous, Antoine ? Je ne vous aime plus, et tout mon cœur aspire à en épouser un autre.

65

Le malheur d'Antoine

Antoine se jeta à genoux devant moi et je reculai de deux pas en poussant un cri de surprise. Je pensais qu'il allait se fâcher, jurer, m'insulter, me reprocher d'avoir cassé ma promesse, mais au contraire, les mains jointes, il se mit à me supplier plus fort encore :

— Mademoiselle Anne, j'ai péché, péché au-delà de ce qui est imaginable. Péché contre mon Dieu, contre ma famille et contre vous. Péché, car j'ai cru que la foi d'un noble et sa connaissance du monde dépassaient, et de loin, celles des gens de notre rang. J'ai cru que nous avions tort de tolérer une religion différente de la nôtre et que les réformés ne pouvaient être humains. J'ai cru que le sang seul, mademoiselle Anne, pouvait laver l'hérésie. J'ai cru ce qu'on me disait, tandis que la vérité et le bon sens parlaient par votre bouche et par celle de la reine Élisabeth. Mademoiselle Anne, il y a autant d'humanité dans l'âme d'un huguenot que dans la nôtre. Je le sais, à présent ; je l'ai compris. C'est là le legs dont j'aurai hérité d'un protestant mort de ma lame. Il m'aura ouvert les yeux mieux que quiconque en soufflant son dernier soupir. Et ce soupir portait le même nom que le vôtre : Anne. Je me suis dit que si ma victime aimait cette Anne étrangère la moitié moins que je vous aime, alors non seulement cet homme méritait de la retrouver, mais elle, elle, cette Anne inconnue, avait droit au bonheur que lui promettait un pareil attachement. Je suis responsable de cette désunion éternelle, mademoiselle

Anne, et je sais, à cause de l'amour que j'ai pour vous, à cause de la puissance de ce sentiment que vous inspirez en moi, que ce couple ne méritait point le mal qu'il a subi par ma faute.

Je reculai d'un pas de plus, épouvantée à l'idée que, en levant un bras, il puisse mettre sa main poissée de sang innocent sur mes jupes. Peut-être devina-t-il à mon regard alarmé, à l'expression dégoûtée que j'affichais, les embarras qui me paralysaient, car il reprit :

— Oh, je souffre ! Je souffre. Anne. Demandez-moi de couper cette main coupable, exigez de moi de percer ce cœur coupable, mais par le ciel ! ne me forcez point à vous abandonner à un autre qui, c'est impossible, ne peut vous aimer plus que le centième de ce que j'éprouve pour vous. Je sais que j'ai eu grand tort, mais j'ai toute la vie pour m'amender. J'ai chaque heure de tous les jours qu'il me reste pour consacrer le moindre de mes efforts à vous obéir en tout, à vous soutenir, à vous protéger. Anne, je vous en conjure, ne me rejetez point !

* * *

Les Parisiens qui, par un sommeil trop lourd ou une peur trop profonde, avaient ignoré l'agitation de la nuit, se regroupaient aux coins des rues pour prendre connaissance de l'étendue des massacres. Martin, le fils de la cuisinière, revenant de sa quête de pain matinale, nous racontait sa traversée du quartier en tremblant d'horreur :

— Il y a des corps partout. Du sang partout. On m'a dit que c'était pire près du Louvre. J'ai rencontré le vieux Œil-de-Bois, son équarrissoir à la main, qui frappait une victime déjà à terre. Il affirmait l'avoir vu bouger.

Et il pleurait. Bien qu'il fût un an plus vieux que Joseph, Martin gardait encore des réactions de l'enfance – qui n'était pas loin derrière. Il avait l'esprit plus lent que mon frère, soit, mais une grande douceur baignait son cœur.

Il applaudit en riant lorsqu'il aperçut la petite Marie, le poupon Brissier, pelotonnée sur une pile d'étoffes où elle dormait. Jamais, même si on le lui avait demandé, Martin n'aurait participé à la chasse aux huguenots, pas même au tracement des croix sur les portes des maisons. Je regrettai que mon frère ne fût point comme lui.

— Dans la rue Pagevin, près du moulin, poursuivit-il, j'ai vu des gamins de dix ans, pas plus, qui plaisantaient avec leur père pendant qu'ils pillaient les vêtements d'une famille de réformés massacrés sur le seuil de leur logis.

C'était dimanche, le commerce était fermé, et nous avions congédié les employés de la mercerie pour la journée. De toute façon, plusieurs d'entre eux s'inquiétaient trop du sort de leur parentèle pour se soucier d'étoffes et de broderies.

Mon père, ma mère et moi étions assis dans la pièce servant de cuisine, devant le pain sec laissé par Martin. Aucun de nous n'avait d'appétit.

— Il faudrait inhumer les corps des Brissier avant qu'on ne leur fasse subir plus d'outrages, suggéra papa à brûle-pourpoint.

— Augustin ! Et la contagion ? Il y a des heures que…

— Justement. Le plus tôt sera le mieux. Je paierai les frais. Ce sera une façon de plus de nous amender pour les gestes de Joseph. D'ailleurs, lui aussi m'accompagnera. Ses bras me seront utiles, et je veux qu'il contribue à réparer un peu le mal dont il est responsable. C'est lui qui enterrera le petit Jehan et priera le premier sur sa tombe.

— Je viens également, père, intervins-je. Nous ne serons pas trop de trois.

— Non, pas toi. Je demanderai à Martin.

— Nous ne serons pas trop de quatre.

— Et où les enterreras-tu ? demanda ma mère. Pas au cimetière, ces gens étaient réformés ! Aucun curé n'acceptera d'inhumer des…

— Qui le saura ? Ils ne sont point marqués au front, répliqua mon père. Je ne connais pas un seul prêtre catholique qui refuserait de me croire si j'affirme qu'ils sont papistes, surtout avec trois beaux écus sonnants au creux de la paume.

— Augustin !

— Je n'ai pas raison ?

— De toute façon, serait-ce là le souhait des Brissier ? se questionna maman. Une terre consacrée par les catholiques n'est certainement pas le…

— C'est toujours mieux qu'être abandonnés aux pillards, aux chiens et aux rats.

— Il faudrait que ce soit assez loin de notre quartier, suggérai-je. Ici, nous courons le risque qu'un voisin proteste.

— Allons aux Saints-Innocents.

— Quoi ? s'étonna ma mère. C'est là que tu t'exposes à rencontrer les curés les plus extrémistes.

— Je mettrai quatre écus. Anne ?

— Père ?

— Va me quérir Joseph. Je m'occuperai de faire atteler la charrette.

66

En suivant la charrette

La charrette, tirée par notre âne, roulait d'un train régulier au milieu des rues de Paris. Les corps de M. et de Mme Brissier, de même que celui de Jehan – et de ses trois frères et sœur plus jeunes trouvés égorgés dans la maison familiale –, grossièrement lavés, avaient été enveloppés dans des tissus bon marché – et jaunis – qui encombraient nos stocks depuis longtemps.

— Ils ne nous coûtent guère, avait dit mon père, et ce n'est point avec cette menue dépense que notre charité nous rendra dignes du paradis.

Pour arpenter un Paris ensanglanté, j'avais laissé mon vêtement de princesse pour me revêtir d'une simple robe des plus banale, en coton léger, dont la couleur foncée avait pour avantage d'être moins salissante. Au moment de l'enfiler, curieusement, je m'étais sentie davantage moi-même, et je m'étais alors rappelé le sieur Rabelais, qui affirmait que l'habit ne fait pas le moine.

Je marchais avec papa à l'arrière de l'équipage tandis que Joseph, muet et boudeur, guidait la bête aux côtés de Martin.

— Et Antoine ?

Mon père profitait du fait que les deux garçons à l'avant ne pouvaient pas nous entendre pour s'informer de ce qu'il ignorait encore de ma rencontre du matin avec le jeune homme à qui il avait promis ma main.

— Je l'ai renvoyé à sa forge, répliquai-je sans tourner la tête, fixant les immondices coutumières qui jonchaient les pavés de la capitale – crottes de chien, déchets domestiques, taches d'urine… –, mêlées à des malpropretés moins habituelles – rigoles de sang, vêtements déchiquetés, viscères humains…

— Tu ne l'épouseras plus ?

— Non, père.

J'avais répondu rapidement, d'un ton assuré.

— Est-ce une décision réfléchie ou n'est-ce que parce que tu t'es embéguinée de ce gentil et brave officier de la reine ?

J'orientai le regard vers mon père, qui m'observait avec ces yeux sondeurs dont il usait depuis toujours pour démêler, en nos cœurs d'enfants, nos besoins véritables des caprices du jeune âge.

— Je ne serai jamais la femme d'un assassin, père. La pureté que j'aimerais conserver à mon âme se corromprait en côtoyant la salissure d'un damné.

— Le capitaine de Lignerac, pour qui tu sembles éprouver de… l'attachement, a tué lui aussi. Et il tuera encore.

— Dans l'exercice de son devoir, père. Jamais par perversité.

— Je te l'accorde.

— Il m'a demandé si vous accepteriez de le voir revenir chez nous afin qu'il me présente ses hommages.

Mon père fronça un brin les sourcils en me fixant plus intensément.

— Il est capitaine des gardes de la reine. C'est un chevalier, un gentilhomme… Tu n'es que la fille d'un marchand de tissus, Anne. Riche, certes, ta dot sera appréciable, mais nous sommes des roturiers. Crois-tu que ses intentions soient honnêtes ?

— Du peu que je connais du capitaine de Lignerac, père, je pense qu'il n'entretient que des intentions honnêtes.

Il hocha la tête dans une validation muette. Il partageait la même opinion que moi sur ce point. Toutefois, cela ne l'empêcha point d'émettre de nouvelles réticences :

— Il appartient à la reine. Elle devra donner son accord.

Je souris, mais tout en conservant une mine attristée, fatiguée.

— Élisabeth d'Autriche ne se réjouirait que trop, selon moi, de me voir accéder à un rang qui nous permettrait de nous fréquenter plus régulièrement. Qui sait, elle ferait peut-être de moi une dame d'honneur ?

Cette fois, ce fut mon père qui sourit. Voilà un argument qui pouvait rapidement lui faire oublier les prétentions d'un fils de forgeron. C'est moi, par contre, qui ressentis soudain un vertige devant une telle éventualité.

Et si je m'étais leurrée sur les intentions et les sentiments véritables du capitaine de Lignerac ? Après tout, j'étais dix, onze, voire douze ans plus jeune que lui. Ne me considérait-il pas comme une enfant à protéger plutôt que comme une femme à épouser ?

* * *

Si nous croyions, au départ, parcourir un Paris se remettant de la folie de la nuit, prenant soudain conscience du mal propagé, de l'horreur des gestes accomplis, nous nous trompions lourdement. Les atrocités se poursuivaient, s'amplifiaient même, s'il était possible.

Légitimés par les proches du duc de Guise – héros des Parisiens – qui appelaient aux meurtres, par les références au roi qui justifiait et réclamait le soulèvement, stimulés par les prêches des curés et des moines qui continuaient de demander la mort des hérétiques et l'éradication de leur foi sacrilège, exaltés par la présence des reîtres allemands et des gardes suisses – des brutes forcenées, les plus motivés sans doute à casser du huguenot –, enthousiasmés peut-être par la déculpabilisation, la griserie d'accomplir l'innommable, de piller sans vergogne ni risque de répression, d'assouvir un fantasme sanguinaire, enflammés par le défi de faire plus que le voisin, de se vanter plus tard d'avoir davantage répondu aux incitations de la noblesse, enfiévrés ensuite du plaisir nouveau que leur procurait cette liberté étrange de tuer, de torturer, pour en constater les effets, pour repousser leurs propres limites, et puis pour imiter l'autre simplement, se persuader d'appartenir à un groupe, prouver leur allégeance, leur religion…, les gens, à la faveur de tous ces éléments inédits et enivrants, persévéraient dans leurs crimes gratuits. Et je finis par comprendre comment un être comme Joseph, influençable, faible dans ses opinions, pouvait se laisser prendre au jeu en dépit de la solide éducation contraire dispensée par nos parents.

Dans chaque quartier traversé, là où des portes marquées à la craie béaient en vomissant des morts et des pillards, les abominations se répétaient, toujours plus barbares : ici, les cadavres nus étaient émasculés ; là, on en répandait les entrailles ; là encore, des enfants de moins de dix ans étaient conviés à participer à la boucherie ; plus loin, on les invitait à achever eux-mêmes à coups de poignard les huguenots qui n'avaient point tout à fait agonisé.

— Hé, vous autres ! Catholiques ou protestants ? Jurez que vous…

— Vive la messe ! répliqua mon père en présentant au reître qui nous abordait une image de la Vierge Marie.

On se désintéressa de nous.

Je baissai les yeux, je ne voulais plus être témoin de ce monde dans lequel on baignait. Mon père serrait les dents, Joseph restait de marbre, Martin pleurait.

Et pourtant, le comble de l'horreur n'était point encore atteint. Nous le découvrîmes lorsque nous arrivâmes au cimetière des Saints-Innocents.

67

Le cimetière des Saints-Innocents

Afin de cacher ne serait-ce qu'un peu le lieu d'où nous arrivions, nous passâmes par les rues Quiquetonne et Comte-d'Artois, coupâmes par celles de la Fromagerie et de la Lingerie, pour finalement gagner le cimetière des Saints-Innocents par la rue de la Ferronnerie. Nous entrâmes par le charnier des Lingères et longeâmes la tour Notre-Dame-des-Bois. Nous nous retrouvâmes au cœur d'un véritable essaim de mendiants, d'infirmes et d'éplorés, d'écoliers, de clercs et de scribes. Nous croisâmes également diseurs de bonne aventure, apothicaires, barbiers, tapissiers, bourreliers, selliers, cordiers, éperonniers, même des cervoisiers. Sans compter les mégissiers, tanneurs, drapiers, chaussiers, changeurs, huchiers, orfèvres… tous proposant leurs produits et leurs services à la criée, parmi les badauds. Des reîtres allemands, membres de la milice agissant à titre de police de la ville, patrouillaient de manière plus ou moins officielle, mais leur présence ne semblait guère décourager les tire-laine et les chapardeurs, qu'il était facile de repérer au milieu des étals.

Le cimetière lui-même était un large espace de terre desséchée, couvert d'immondices, empestant la pourriture et la mort, bordé par les préaux des galeries des charniers. L'arrière de l'église des Innocents fermait tout le côté nord, et l'on pouvait y distinguer les minces ouvertures par lesquelles les recluses – des femmes condamnées à être emmurées vivantes, de gré ou de force – recevaient à manger et à boire selon le bon plaisir des passants.

Dans le prêchoir, au centre de la place, un franciscain – reconnaissable à sa bure marron – haranguait une foule animée. D'autres religieux à la robe de même facture l'entouraient. On se pressait autour de la petite construction en pierres, et les vociférations du prédicateur ne semblaient guère importuner les familles qui, penchées au-dessus de croix de bois çà et là, pleuraient leurs disparus. À quelques endroits, des sépultures étaient creusées, désertes, portes ouvertes en attente des corps disposés à rejoindre l'au-delà. Des chiens et des porcs erraient au milieu des malpropretés, le museau au sol, se disputant à l'occasion un morceau de chair arraché à quelque fosse mal comblée.

— C'est de la famille ?

Un reître s'avançait vers nous. Il avait appuyé une main sur le pommeau de son épée et glissé l'autre sous la large ceinture de cuir qui le ceignait à la taille.

— C'est mon cousin, mentit mon père. Il a été tué cette nuit avec sa femme et ses enfants.

— Huguenots ? demanda le milicien en plissant le nez de dégoût par-dessus les ridelles de la charrette.

— Non. On les a occis parce que des voisins les ont accusés à tort. M'est avis qu'on en voulait à leur mobilier.

L'Allemand cracha par terre sans montrer plus de compassion que s'il avait contemplé le cadavre d'un chien.

— Ce sont des choses qui arrivent. Où aimeriez-vous les enterrer ?

— L'endroit le plus discret possible.

— Normalement, c'est le curé, là-bas, avec les franciscains, qui oriente les familles. Seulement, aujourd'hui, il est comme excité, le bonhomme.

— On voit bien ça, rétorqua mon père en essayant d'exprimer la même désinvolture et le même dégoût que le milicien. Je suppose que ce sont les événements de cette nuit qui énervent tout ce beau monde.

— Indirectement, répliqua le reître d'un ton mystérieux. Enfin. Donnez-moi quelques sols et je vous laisse libres d'aller où bon vous semblera pour ensevelir vos proches.

— À vous ? Et combien il me faudra offrir au curé, en plus ?

L'Allemand souleva son morion pour se frotter énergiquement le crâne avec la main droite. Je présumai que les poux devaient fort l'accabler. Il répondit en haussant les épaules :

— Ce sera à vous de voir à ce moment-là. Mais si vous faites vite, tandis qu'il est si occupé là-bas, il se trouvera devant le fait accompli et ne pourra qu'accepter ce que vous lui proposerez. Il n'est pas assez vaillant pour prendre la pelle et déterrer vos morts. Je vous recommande l'angle du charnier, derrière l'échoppe du potier.

Tandis que papa puisait dans sa bourse pour soudoyer le milicien, Joseph nous surprit tous en s'exclamant :

— L'aubépine !

De l'index, il désignait un arbrisseau qui jurait par sa verdure au milieu du décor autrement ocre qui nous entourait. La fameuse aubépine ; je l'avais oubliée. Elle s'élevait non loin du prêchoir et, avec tout ce monde autour, il n'était pas facile de l'apercevoir. Je notai alors combien nombreuses étaient les têtes qui la considéraient.

— Eh bien, quoi ? ronchonna mon père en replaçant l'aumônière à sa ceinture sans trop prêter attention à ce qui intriguait Joseph.

— L'aubépine, répéta le reître, qui ne dissimulait pas sa satisfaction en empochant les pièces de cuivre qu'il venait de recevoir. Elle a fleuri par miracle au cours de la nuit.

— L'aubépine bourgeonne en mai, pas en août, riposta papa, qui ne s'intéressait toujours pas à l'arbrisseau, mais fixait plutôt l'angle du charnier que lui avait désigné l'Allemand.

— Voilà le miracle ! s'exclama Joseph, qui semblait avoir oublié son attitude boudeuse. Cette plante mourait ; je l'ai vue hier.

Il se tourna vers moi avant de continuer :

— Tu te souviens de ce que je t'ai dit ?

Puis il se précipita vers le prêchoir en nous sommant :

— Attendez-moi !

— Joseph !

Mais le temps que notre père se rendît compte que mon frère était parti et le rappelât, celui-ci avait déjà disparu au milieu des badauds. Martin était resté seul à tenir les bridons de l'âne.

68

La renaissance de l'aubépine

— Approchons-nous aussi, père, dis-je. S'il y a un phénomène mystérieux, je suis avide de le connaître.

Nous nous frayâmes un chemin parmi les curieux en nous aidant de la charrette. Devant nous, la fameuse aubépine finit par apparaître, écrasée par le poids de centaines de petites fleurs blanches.

— Drôle d'époque pour s'épanouir, souffla mon père avec une intonation qui n'exprimait guère plus qu'un vague étonnement. Mais y a-t-il de quoi en faire un tel plat ?

— Dieu nous parle par cet arbre ! lança le curé d'une voix puissante comme s'il avait entendu l'interrogation de mon père. Dieu est content.

Il s'agissait d'un homme malingre, le crâne dénudé, les sourcils grisonnants qui se rejoignaient au centre, épais comme une touffe de mauvaises herbes. Ses paupières étaient largement fendues et donnaient l'impression de toucher les tempes. À l'inverse, son nez était fort court et relevé pareil au groin d'un cochon. Tandis qu'il s'exprimait, sa bouche se tordait selon des courbes inusitées, mais sans doute était-ce dû aux profondes cicatrices qui le défiguraient de la joue droite jusqu'au menton.

Si j'avais entendu sa voix sans l'apercevoir, j'aurais juré qu'elle émanait d'une poitrine trois fois plus volumineuse. La foule buvait ses paroles tandis qu'il la haranguait en agitant un index perclus d'arthrite, les jointures si démesurées par rapport au reste qu'on aurait dit les grains d'un chapelet.

— L'aubépine, qui se mourait de l'hérésie véhiculée par tous ces huguenots venus des provinces, se nourrit maintenant du sang qui a été versé cette nuit. De quel meilleur symbole divin avions-nous besoin pour percevoir la douleur de Jésus notre Christ ? Lui qui a donné son propre sang pour nous, comment peut-il ne point souffrir de la présence des suppôts du démon calviniste qui empoisonnent nos rues ?

— Miracle ! murmurait une marchande, ici.

— Miracle ! répétait une deuxième, là, d'une intonation plus forte.

— Miracle ! reprenaient un étalier, une prostituée, un mendiant, un cul-de-jatte, un aveugle, une vieillarde... qui se relançaient le mot comme si, à force de le clamer, il acquérait davantage d'authenticité ou de légitimité.

Soudain, non loin de moi, il y eut une bousculade, et je dus faire deux pas de côté pour permettre à une paysanne de se déplacer, un coq serré contre sa ronde poitrine. Elle-même livrait passage à trois autres spectateurs qu'un garçon – douze ans ? treize ans ? – venait de repousser. Je ne l'avais pas vu arriver, mais je devinai aux quatre déguenillés qui surgissaient derrière lui qu'on le poursuivait depuis je ne savais où.

— Arrêtez-le ! Arrêtez-le ! hurlait un des loqueteux. C'est un huguenot ! Une saleté de parpaillot qu'on a surpris à côté.

— Il était caché sous sa mère en faisant le mort, précisa l'un de ses compagnons. C'est une famille de la religion. Mais arrêtez-le, corbleu !

L'adolescent disparut au cœur de la foule. Il avait bien tenté de s'en éloigner, mais plusieurs spectateurs, s'ils ne voulaient pas participer à son arrestation, ne firent pas moins en sorte de l'empêcher de s'écarter de l'attroupement. La bousculade augmenta et, pendant plusieurs secondes, nous ne distinguâmes que les crânes qui s'agitaient devant nous.

— Je le tiens !

J'entendis mon père grogner à mon côté. Comme moi, il venait de reconnaître la voix de Joseph. Un poursuivant s'approchait de lui.

— Merci, garçon. Et toi, par ici ! Par ici !

Le jeune huguenot réapparut, la tête coincée sous le bras du déguenillé à qui Joseph l'avait remis. Mon père saisit mon frère par le coude pour le ramener auprès de nous.

— Toi, ne lâche plus la bride de cette bourrique, ou je te jure que je te mets une claque, grinça-t-il dans une menace bien peu usitée dans sa bouche.

— Eh bien, monsieur le curé ? lança le loqueteux à l'adresse du prêtre auprès de l'arbrisseau. Que commande Dieu, maintenant ?

— Mais de le tuer ! répondit le religieux sans hésitation. N'est-ce point ce que je m'époumone à vous expliquer depuis que cette aubépine a refleuri ?

— Mais oui, le tuer ! approuva un franciscain qui, avec quatre de ses pareils, observait la scène du haut du prêchoir. Appliquons la justice de Dieu ! Et qui mieux qu'un enfant innocent peut la rendre ?

— Bonne idée ! avalisa le curé à son tour.

Il se mit à tourner sur lui-même.

— Des enfants ! Où y a-t-il des enfants ici ?

— Mon fils ! répondit un homme en soulevant un marmot de cinq ou six ans au bout de ses bras.

— Ma fille ! surenchérit son voisin en désignant une partie de l'assistance que je ne pouvais apercevoir.

En moins d'une minute, on rassembla une douzaine de gamins dont le plus vieux avait peut-être dix ans. Ils formèrent un demi-cercle autour du huguenot que l'un des guenillous immobilisait au sol, un genou enfoncé dans les omoplates. La foule grognait, ricanait parfois ; nulle part je ne vis de visage compatissant.

Martin n'osait regarder aucun de nous, et moins encore le simulacre de procès qui se préparait. Il avait posé son front sur la tête de l'âne et lui caressait l'encolure d'une main, les pupilles vers la terre. J'allais suggérer à mon père de nous éloigner quand un des enfants se mit à crier.

— Le diable ! C'est le diable ! prétendit-il en désignant le pauvre huguenot dont le visage était couvert de la saleté du sol.

— Pourquoi ? demanda un homme. Pourquoi dis-tu ça ?

— Il pue ! Il sent la mort !

— C'est le soufre, affirma un franciscain. C'est l'odeur de l'enfer.

— C'est bien, mais ce n'est point suffisant, avertit le curé. Les autres ? Que pensent les autres enfants ?

— Es-tu protestant ? s'enquit l'un des plus vieux en se donnant des airs d'importance, le dos cambré, l'index pointé vers la victime à terre. Vas-tu à la messe ?

L'accusé, la bouche pleine de sable, n'émit qu'un grognement qui pouvait tout aussi bien exprimer la peur que la douleur. Des spectateurs s'entreregardèrent, cherchant chez leur voisin leur propre appréhension, leur propre confusion… ou leur propre plaisir d'assister à un supplice public.

— As-tu communié ? s'informa une petite fille à qui la mère venait de souffler la question à l'oreille.

— Jure que tu t'amendes, lança le curé sans attendre une éventuelle réaction. Jure que tu crois en la sainte Église catholique, apostolique et romaine, sinon ces âmes pures, ces enfants par qui Dieu t'interpelle, te condamneront à la mort.

Il y eut un bref silence pendant lequel la foule retint sa respiration, espérant l'aveu d'innocence – ou de culpabilité. Cependant, le garçon se contenta de rester muet, incapable peut-être de renier sa foi réformée, ou incapable de répondre tout court.

— Il refuse ! Il refuse ! scanda le prêtre.

— Il refuse Dieu et la vraie religion ! renchérirent les franciscains.

— Le verdict ? s'informa le poursuivant qui maintenait sa proie au sol en regardant les gamins. Quel est votre verdict ?

Les petits échangèrent quelques œillades embarrassées, ne sachant trop ce qu'on exigeait d'eux, aussi fut-ce celui qui me paraissait le plus vieux et qui avait posé la première question qui répliqua :

— La punition !

L'intonation incertaine pouvait tout aussi bien exprimer une interrogation qu'une affirmation.

— La mort ! interpréta le guenillou en se redressant et en tirant sa victime par le col. Voilà une vraie sentence !

— Le jugement de Dieu est tombé ! confirma l'ecclésiastique.

— À mort le huguenot ! clamèrent plusieurs spectateurs.

— Mais point n'importe comment ni par n'importe qui, précisa le religieux. Les enfants doivent appliquer la décision. C'est Dieu qui agira encore, mais par leurs mains, maintenant.

— Va et tue ! ordonna le père du plus âgé des gamins. Le curé le dit. Dieu veut frapper par ton bras.

— Mais… mais comment ? balbutia le marmot à mi-voix.

— Fais-le périr ! lança une mère à sa fillette.

— Aide-toi de tes amis, claironna une troisième à son rejeton de sept ou huit ans.

— Prends cette pierre, proposa un autre à un autre. Lance-la-lui. Lapidez-le.

Je n'en pouvais plus. J'allais hurler à cette multitude tout le mépris qu'elle m'inspirait quand mon père s'ébranla vers l'avant – la figure si tordue que je le reconnaissais à peine –, arracha les brides aux garçons et clama avec véhémence, les dents serrées :

— Venez ! Pardieu ! Ne restons point çà !

Il tira si fort sur les rênes que l'animal brailla de douleur. La charrette grinça dans le mouvement, et nous nous éloignâmes sous l'indifférence totale de la foule. Nous nous dirigeâmes vers l'angle que nous avait recommandé le reître tandis que criaillements et rugissements éclataient dans notre dos.

Lorsque, après quelques toises, je risquai un œil par-dessus mon épaule, je ne vis du huguenot qu'un corps désarticulé dans la fange ensanglantée, frappé à coups de pierres par des âmes innocentes à qui on inculquait un nouveau plaisir fondé sur la sauvagerie et le meurtre.

69

L'impossible retour

À notre départ du cimetière des Saints-Innocents, Martin dirigeait l'âne, Joseph marchait à côté de la charrette – une main sur les aideaux – tandis que papa et moi étions assis à l'arrière de la voiture, les pieds pendants. Mon père opta pour le même trajet qu'à l'aller, mais dès que nous nous retrouvâmes dans la rue de la Ferronnerie, nous comprîmes que le retour serait beaucoup plus pénible. Les Parisiens, d'abord étonnés, puis apeurés par les cadavres qui s'étaient accumulés au cours de la nuit, avaient maintenant pris de l'assurance. En bons catholiques cherchant à exprimer leur foi – et à profiter du pillage chez leurs voisins huguenots –, ils avaient quitté leur logis pour envahir les artères de la ville.

Les groupes chahuteurs, rieurs ou vociférateurs se faisaient de plus en plus denses, et nous fûmes repoussés vers la rue des Chaps. Il faut avouer que notre attelage était un sérieux handicap pour manœuvrer dans ce flot humain. Je me dis que l'oncle Jacques et Antoine, avec leur navire sur les vagues tumultueuses menant aux grandes pêcheries du Nouveau Monde, devaient connaître les mêmes exaspérations et insuccès lorsque les vents et les courants étaient contraires à leur course.

— Essayons de remonter vers la rue Sainte-Catherine, suggéra mon père. Peut-être pourrons-nous contourner l'église des Saints-Innocents, passer devant le Sépulcre et regagner notre chemin par la rue de la Truanderie.

Mais nous fûmes si bien écartés de notre nouveau trajet que nous nous retrouvâmes rue des Lavandières, puis exactement à l'opposé de notre but, en direction des rives de la Seine.

— Voyons le bon côté des choses, dis-je à mon père en m'efforçant de chasser sa mauvaise humeur. Le long des quais, nous avons plus large pour tirer la charrette.

Je déchantai rapidement. Nous avions plus large, certes, mais par quelque mystère, des groupes plus imposants se massaient sur les berges du fleuve. Nous n'avancions pas plus vite. « Heureusement, songeai-je, nous nous dirigeons dans la bonne direction. »

D'interminables traînées de sang émergeant du cœur des ruelles maculaient le sol. On avait l'impression que la capitale n'était plus qu'une plaie géante, saignant par toutes ses veines, les sillons macabres s'épanchant vers le cours d'eau.

— On charroie les cadavres jusque dans la Seine, annonça Joseph, qui n'ouvrait la bouche que lorsqu'il était témoin de scènes le réjouissant.

Sa constatation, hélas, n'était que trop vraie. Le fleuve, rouge à force de boire le sang de la ville, charriait des corps par dizaines, leur peau marquée des violets et des bleus des sévices de la nuit. Hommes, femmes, enfants, vieillards…, tous âges et toutes conditions confondus, ils symbolisaient, à la fois, l'humanité et l'inhumanité.

— Et voilà qu'ils se livrent à une célébration, là-bas ! grogna mon père en désignant du menton un groupe qui se démarquait des autres.

On y chantait et tapait des mains. Un flûtiste soufflait une musique entraînante, et je vis deux ou trois filles dénudées qui, serrées dans les bras de coquins, dansaient une mauvaise pantomime.

— De vulgaires barbares, conclus-je avec un mépris qui ne me ressemblait pas. Des bêtes en mal de distraction. Comment peut-on faire la fête alors que…

Martin, de l'avant de notre attelage, se tourna vers moi. Sa voix était entrecoupée de hoquets quand il déclara :

— Ce sont des… des cadavres. Les hommes dansent avec des femmes mortes.

J'écarquillai les yeux ; le garçon avait raison. Je n'avais même pas remarqué tant une pareille situation relevait de l'ignominie, de l'odieux, du sordide… Un des bouffons éclata de rire, bouche grande ouverte vers le ciel – ce qui nous permit de voir ses gencives édentées. Sa « partenaire » bascula vers l'arrière, reins cambrés, bras ballants. Il la souleva du mieux que le lui autorisaient ses muscles maigres, la traîna sur trois pas, les pieds de la défunte balayant le pavé du quai. Puis, parvenu sur le rebord, il la lança dans le fleuve.

Dans un crescendo d'images dignes de l'enfer, je vis un homme, braies aux genoux, s'agiter entre les cuisses d'une dépouille mortelle, des jeunes filles émasculer des victimes à l'aide de couteaux de cuisine, des adolescents trancher la tête des cadavres avant de les jeter dans la Seine, des enfants laisser les parents guider leur main pour poignarder des suppliciés encore vivants…

Non ! Non, ce n'était point là le Paris dans lequel je comptais vivre, le monde que je souhaitais offrir à Marie, ma petite adoptée. Non ! Je voulais pour elle un univers dans lequel ses pupilles n'auraient pas à contempler de pareilles horreurs.

Je vomis.

Quand mes spasmes se furent calmés, mon père, mâchoires soudées et yeux enflammés, me réconforta en silence, son bras autour de mes épaules. Avant d'appuyer ma tempe contre lui et de me laisser envelopper par sa présence protectrice, je jetai une œillade à Joseph et Martin.

Je notai le nez du fils de notre cuisinière orienté vers le sol, ses deux mains serrant la bride de l'âne comme s'il s'y accrochait.

Joseph, quant à lui, tournait son regard en tous sens, un pli étrange à la commissure de ses lèvres, comme un sourire de contentement.

70

Les Gardes Françaises

Tout le long de la Seine, les scènes d'horreur se succédèrent. Aux corps qu'on traînait au sol s'ajoutaient ceux – souvent animés – qu'on pendait par le cou aux fenêtres, aux murs et aux arbres. À la hauteur de Saint-Germain-l'Auxerrois, je finis par remarquer un détail qui m'avait échappé jusqu'alors : aucun bateau ne sillonnait les eaux. Lorsque je m'y intéressai de plus près, je vis qu'on les avait bloqués par des chaînes et qu'il n'était point possible de les utiliser. Je me rappelai que Jean Le Charron, prévôt des marchands, avait mentionné quelque chose à ce propos lors du Conseil que j'avais espionné. Je n'avais pas compris pourquoi à ce moment-là.

Maintenant, je m'expliquais ses terribles intentions. Il voulait empêcher les huguenots de fuir par le fleuve et de chercher refuge sur l'autre berge. C'était d'autant plus évident que, dans le voisinage du Louvre où nous nous trouvions alors, les cadavres se multipliaient. Plusieurs victimes avaient été rattrapées et tuées sur les quais mêmes.

Un coup de feu me fit sursauter.

— Là-bas ! indiqua mon père, le tronc à demi tordu vers l'avant de la charrette.

Des miliciens secondés par des gardes suisses et des mousquetaires venaient d'abattre une femme qui nageait au milieu des dépouilles flottantes. Quelques-uns de ses confrères en religion, plus chanceux, avaient atteint la rive opposée et échappaient aux arquebuses et aux arbalètes en se fondant dans les rues à la hauteur de l'église des Augustins ou de la tour de Nesle.

Une seconde salve éclata; on visait des toits où des fuyards avaient été repérés. Je vis un corps glisser sur les tuiles d'un versant, heurter une corniche, basculer sur le faîtage adjacent et disparaître derrière le couronnement d'un terrasson. Deux autres ombres s'évanouirent parmi les cheminées et les combles.

La silhouette de l'église Saint-Germain-l'Auxerrois dessinait contre le ciel les lignes autrefois sacrées de son architecture. Cependant, pour l'heure, à cause de son bourdon qui avait déclenché l'hallali, le bâtiment ne m'inspirait plus la vénération, mais le dégoût et l'effroi.

Je continuais de balayer les hauteurs du regard, imitant en cela les tireurs aux couleurs des Guise, quand mes yeux se posèrent sur les remparts du Louvre. Là encore, au milieu des créneaux, des fusiliers couchaient en joue des huguenots ayant trouvé refuge sur les toits avoisinants.

— Et quand ces idiots manquent leur cible, ironisa mon père, je présume qu'un bon catholique allant à la messe tous les dimanches n'est pas à l'abri de recevoir la balle perdue.

— Oh, mon Dieu! laissai-je échapper en plaçant une main sur ma bouche.

Mon père tourna vers moi une expression surprise.

— Eh bien?

— Là, père, à cette fenêtre du château. Voyez-vous?

Il suivit des yeux la ligne invisible que traçait mon index jusqu'à une tour de logis marquant un angle de la résidence royale. L'un des châssis était ouvert, et je pouvais y distinguer une silhouette qui m'était devenue familière.

— Je ne vois point, avoua papa.

Sa vision avait baissé durant les derniers mois; je l'avais constaté à de nombreuses reprises quand il s'agissait de lui faire repérer les détails ou défauts sur certains tissus. Joseph et Martin s'intéressaient également à ce que je désignais. Ce fut mon frère qui expliqua:

— Je l'aperçois. C'est un tireur qui s'est assis sur le rebord de la fenêtre et qui vise dans la cour. Là, il a fait feu ! Vous voyez, père ?

— Je vois le nuage de fumée. Ah ! Et on vient d'entendre la détonation.

— Quelqu'un lui donne un autre fusil, continua d'expliquer Joseph. Son écuyer, sans doute… ou son page… qui recharge à mesure pour que son maître…

— C'est le baron de Retz.

Tous trois se tournèrent vers moi.

— Tu es sûre ? s'étonna mon père. Tu es en mesure de reconnaître le baron de Retz ?

— Je l'ai rencontré déjà.

— Même le baron de Retz tire sur des gens désarmés à partir d'un point privilégié, se désola papa en hochant la tête.

— Non, père.

Il me renvoya un regard médusé.

— Tu viens de dire…

— Le baron de Retz est celui qui charge les fusils pour l'autre.

— H… hein ?

— Celui qui tire est le roi.

* * *

Dès lors qu'ils étaient légitimés dans leurs actes les plus horribles par l'exemple royal, comment faire entendre raison même aux moins extrémistes de nos concitoyens ? À Joseph ?

Je n'avais plus qu'une hâte, qu'une envie : retrouver bien vite la normalité de la maison familiale, la sécurité qu'elle supposait, et bercer contre mon cœur la petite fille que j'avais choisi de chérir.

Nous allions faire bifurquer notre attelage pour nous engager dans une ouverture donnant sur la rue des Poulies quand, soudain, une compagnie de trois soldats des Gardes Françaises nous bloqua le passage. Sabre au poing dégoulinant de sang, les cavaliers portaient cuirasse et casque, et la crosse d'un pétrinal était visible à l'arçon de leur selle.

— Holà, toi, l'homme ! claironna le premier de la troupe. Nous réclamons ta charrette.

De son épée, il désigna l'artère d'où lui et ses camarades arrivaient. Il expliqua d'un ton à l'agacement contenu :

— Il y a une montagne de cadavres, par là. Avec cette chaleur, dès ce soir, l'odeur sera insupportable. Sans parler des contagions. Alors, pousse-toi, qu'on utilise ta voiture pour les amener ici et les balancer à la flotte. Et tant qu'à y être, on réquisitionne aussi tes deux garçons.

J'essayai d'ignorer l'expression réjouie que Joseph peinait à masquer tandis que notre père ripostait :

— Eh bien, vous n'aviez qu'à n'en point tuer autant. Nous pareil, nous avons nos besoins. Nous sommes fournisseurs officiels des tissus du palais et notre charrette sert Sa Majesté le roi.

— Précisément, la meilleure façon pour toi de servir Sa Majesté, aujourd'hui, est de transporter des cadavres d'hérétiques, s'impatienta le militaire en approchant sa monture afin que nous soyons à portée de son épée. Aussi, dégage !

— Père, faisons ce qu'il dit ! suggérai-je en sautant à terre. Les esprits sont trop échauffés ce matin pour que nous puissions nous opposer à quelque assassin armé.

— Voilà qui est parlé ! approuva le soldat. Allez, vieux bouc, suis les conseils de ta jolie fille et pousse-toi. Et puisque tu es mercier, profites-en pour remplir tes stocks en pillant les maisons huguenotes, là-bas. Comme ça, ta charrette, quand on en aura terminé, elle ne rentrera pas vide chez toi.

Je connaissais assez mon père pour savoir quand il était près d'exploser, et là, je me doutais que la limite de sa patience était atteinte. Je m'empressai donc de le tirer par le bras pour le faire descendre à son tour de la voiture.

— Voilà, voilà, monsieur! me hâtai-je de lancer à l'adresse du militaire. Prenez, et nous attendrons ici que vous nous rameniez le tout. Mais nous comptons sur vous pour que personne ne nous dérobe notre bien.

Le membre des Gardes Françaises se détourna en haussant les épaules. Il répliqua:

— Puisque les deux garçons viennent avec nous...

Père ne disait plus rien et c'était beaucoup mieux ainsi. Il se contenta de serrer les mâchoires et les poings tandis que je l'entraînais à l'écart. Martin nous jeta un regard terrorisé au moment où les trois cavaliers entourèrent l'attelage. Je lui retournai un sourire d'encouragement auquel il répondit en prenant une grande respiration, comme quelqu'un qui s'apprêterait à s'immerger dans l'eau. Je le vis, en compagnie d'un Joseph au dos cambré, disparaître au cœur des rues voisines.

— Allons nous asseoir là, proposa mon père d'un ton las en me désignant le muret de protection d'un quai.

J'allais m'engager sur ses pas quand, soudain, en provenance d'une foule à laquelle je n'avais prêté que bien peu d'attention, j'entendis crier mon nom:

— Anne! Mademoiselle Anne!

Au son de cette voix, je ne pus m'empêcher de sursauter. Je me retournai vivement.

— Antoine!

71

La patache enchaînée

— Ah ben, si c'est-y point mam'zelle Anne pis son père ! se réjouit à son tour l'oncle Jacques en arrivant derrière son neveu. M'est un plaisir d'rencontrer que'ques gens normaux dans c'te merdier qu'est dev'nu Paris.

— Monsieur, répondis-je simplement en faisant, par réflexe, une amorce de courbette et en inclinant le menton.

Décidément, mon court séjour à la cour avait déjà modelé certaines de mes réactions.

— La v'là qui m'rend hommage comme si j'étais un seigneur ! Mam'zelle Anne, z'êtes la plus charmante nièce qu'un vieil oncle puisse souhaiter.

Je rougis moins du compliment que du fait que ledit oncle ne semblait pas être au courant de la brouille qui m'opposait à Antoine. Je n'osai point le détromper. Mon père et le marin se saluèrent, puis ce dernier poursuivit :

— J'espère juste que c'est point not' Antoine, avec ses ambitions récentes, qu'a eu le mauvais dessein d'vous inculquer que'ques singeries d'la cour, hein ? Dis qu'c'est point toi, mon coquin.

Et il donna du coude contre l'épaule de son neveu.

— Je… J'ai déjà exprimé à Mlle Anne tous les regrets que m'avait causés mon bref aveuglement, répliqua Antoine en ne se risquant pas à me dévisager, mais en inclinant le chef vers mon père.

Il avait échangé ses vêtements maculés de sang pour d'autres, tachetés de la suie de la forge, mais qui me paraissaient éclatants de propreté.

— Et tu n'as pas encore idée de l'importance à accorder auxdits regrets, ripostai-je avec amertume – et en constatant après-coup que, une fois de plus, je l'avais tutoyé spontanément. À cause de jeunes hommes de peu d'esprit de ton acabit, qui se sont laissé séduire par de belles paroles, Jehan Brissier est mort. De même que son père, sa mère, ses deux frères et une sœur. Nous venons de les inhumer.

Antoine me jeta un regard plus surpris que douloureux.

— Jehan ? Le... le petit huguenot qui nous a accompagnés au Louvre ?

— Seule une nouveau-née a pu échapper au massacre.

— Je... je l'ignorais. Je... je suis désolé.

Devais-je mentionner aussi que Joseph, qui tenait Antoine en haute estime, était celui qui avait poignardé le doux Brissier ? J'en étais encore à m'interroger quand mon père, d'une voix sévère, affirma :

— J'ai agréé à la demande d'Anne de ne plus t'épouser, Antoine. En dépit des immenses qualités qui me font t'apprécier, le bonheur de ma fille passe en premier lieu. Puisqu'il lui répugne de côtoyer des gens qui se sont lavé les mains dans le sang chrétien, je ne peux l'obliger à lier le reste de son existence à un jeune homme s'étant laissé enjôler par les discours du duc de Guise et de sa clique d'extrémistes.

L'oncle Jacques redressa ses fortes épaules de surprise puis, ses deux poings appuyés sur ses hanches, se tourna à demi vers son neveu.

— Qu'ouïs-je ? Tu ne t'étais point vanté de... Jarnidieu ! V'là l'pourquoi de ton air défait qu'tu traînes depuis l'matin. Moé qui pensais qu't'avais des r'mords pour nous avoir causé tant d'inquiétude ! T'as perdu l'estime de mam'zelle Anne ?

Je ne permis point à Antoine de se justifier et déclarai :

— Et non seulement il a commis des gestes que je ne saurais pardonner, mais par son exemple, il a également convaincu mon frère de se laisser séduire par la propagande catholique. Cette nuit, Joseph a tué aussi.

Le petit soubresaut que je surpris du coin de l'œil chez mon père trahit la souffrance que ce rappel faisait subir à son cœur, mais je voulais placer Antoine devant l'ampleur de sa propre responsabilité. Sa décision personnelle n'avait pas engagé que son âme, elle avait en plus influé sur celle d'un garçon de son entourage.

— Jo... Joseph a participé aux... affrontements ? bégaya Antoine, qui s'efforçait d'ignorer les regards à la fois étonnés et outrés de son parent à côté de lui. Mais... il devait seulement marquer les portes des maisons dont il avait identifié les occupants.

— Joseph a tué Jehan Brissier.

Le râle de douleur quasi imperceptible que mon père laissa échapper me parut un hurlement affreux. J'avais l'impression d'être le bourreau qui se plaisait à farfouiller de son couteau dans une plaie déjà largement ouverte. Comme je m'en voulais ! Mais comme je retirais également de la satisfaction à voir la mine d'Antoine se décomposer et celle de l'oncle Jacques se renfrogner ! J'aspirais à ce que les Dubois et leur parentèle connaissent tout le poids des décisions frivoles prises par un certain membre de leur famille... et à ce qu'ils portent le fardeau collectif des remords.

— Mam'zelle..., commença lentement l'oncle Jacques en faisant un pas vers moi, moins pour m'approcher que pour tourner le dos à son neveu et, ainsi, de manière symbolique, se dissocier de ses actes. Antoine pis moé, on était v'nus icitte su'ces quais pour s'assurer qu'la patache d'mon ami du Havre-de-Grâce, la *Très Sainte Vierge Marie*, était point endommagée par ces maudites chaînes que l'prévôt a fait poser par ses manouvriers. En même temps, mam'zelle, c'est d'préparer mes agrès, d'ravauder mes voiles avant de r'partir de Paris pour aller hiverner là où c'est qu'la religion, c'est point un sujet pour vous faire mettre un couteau sur la gorge. J'ai mon bateau d'pêche qui m'attend dans l'Nord, pis j'ai rien qui m'retient dans c'te ville.

— Tant mieux pour vous, répliquai-je sans top comprendre où il voulait en venir.

— V'là c'que j'vous propose, mam'zelle, pour vous consoler des déceptions des dernières heures pis pour que mon n'veu s'amende un brin du mal qu'il a répandu dans ses entours : si vous connaissez des familles de huguenots qui veulent échapper à la folie de la capitale, j'm'engage, avec Antoine, à les emmener dans des villes plus au nord, jusqu'au Havre-de-Grâce, si c'est leur désir, afin d'leur offrir une vie meilleure.

Il se tourna vers Antoine et, sourcils froncés, demanda :

— Que t'en semble, l'neveu ?

— Je vous remercie, mon oncle, de me fournir une occasion de me racheter auprès de Mlle Anne.

Mon père allait émettre quelque protestation ou acquiescement lorsque sept ou huit manifestants l'en empêchèrent en passant bruyamment au milieu de nous. Du sang maculait leurs vilaines chemises. Leurs rires gras et leurs yeux fous me redonnèrent un instant la nausée devant les horreurs qui se poursuivaient à quelques pas de nous – et que nous ignorions comme s'il s'agissait là de la routine. Quand ils se furent éloignés, l'oncle reprit :

— Vous savez, mam'zelle Anne, j'vous réclame point, à cause qu'on aura secouru que'ques réformés, d'accepter par la suite d'offrir vot' main à Antoine si vous persistez à estimer qu'il la mérite point, mais j'vous d'manderais juste de ne plus éprouver de dégoût pour not' famille. Parce que le dégoût, v'nant d'quelqu'un d'bien comme vous, mam'zelle, c'est vraiment…

Il hochait du chef, ne sachant plus comment poursuivre, et son désarroi était d'une franchise telle que je m'en sentis émue. Je n'aurais pas été honnête de continuer à entretenir cet ébranlement.

Je franchis les deux pas qui me séparaient de lui pour saisir l'une de ses grosses mains dans les miennes.

— Merci, monsieur Jacques. Votre proposition et, surtout, votre sincérité me font chaud au cœur dans cette ville où j'ai l'impression que tous les catholiques ont perdu la tête. Je ne vous demande point de mettre un tel projet à exécution, car il vous coûterait force deniers, et il pourrait en particulier vous attirer l'hostilité des guisards. Mais merci de l'avoir suggéré.

— Je soutiens mon oncle, mademoiselle Anne, s'empressa de répliquer Antoine en s'avançant à son tour. Je lui suis d'ailleurs d'une reconnaissance infinie de m'offrir de la sorte un moyen de redresser les torts que j'ai causés par ma folie.

Il se tourna vers mon père tandis que j'abandonnais la main du marin.

— Monsieur Sagedieu, sachez que je veux consacrer tous les jours que Dieu me prêtera à regagner l'amour de votre fille et à faire en sorte que, non seulement vous me jugiez digne d'elle, mais considériez que son bonheur ne dépend plus que de mon attachement envers elle et les vôtres.

Je notai les efforts que fit mon père pour se redonner une contenance devant ces mots qui rassemblaient à la fois tant d'abnégation et d'engagement. Il finit par déclarer :

— Peut-être ignorez-vous, jeune homme, que le capitaine des gardes de Sa Majesté la reine Élisabeth d'Autriche a émis le désir de venir présenter ses hommages à Anne. Cela ouvre à ma fille la perspective d'une existence à la cour.

Antoine répliqua avec une promptitude qui ne manqua point de m'étonner – ainsi qu'avec un aplomb et des paroles qui me rappelèrent pourquoi il m'avait jadis tant charmée :

— Je n'en serai que plus ardent dans mes efforts pour reconquérir le cœur de votre fille, monsieur.

Et dans le regard qu'il me jeta à cet instant, aussi bref fût-il, je pus facilement déceler à quel point il n'était pas dupe, combien il se savait posséder des atouts et connaissait les questionnements de mon âme : est-ce que la vie à la cour convenait à une jeune fille méprisant la mièvrerie et la morgue des nobles ? est-ce que les mœurs de la courtisanerie ne finiraient point par me rebuter des antichambres des palais ? et surtout, surtout, quel était le sentiment véritable qu'entretenait pour moi le capitaine de Lignerac ?

72

Le hayon vers le fleuve

Antoine et l'oncle Jacques, après bien d'autres civilités, venaient à peine de s'en retourner vers la patache enchaînée quand nous vîmes notre charrette percer la foule et avancer de ses grandes roues grinçantes en direction des quais. Encadrés par les Gardes Françaises, Martin et Joseph guidaient l'âne qui peinait à tirer son lourd chargement de cadavres.

Ces derniers, tous dénudés, certains émasculés, d'autres étêtés, hommes ou femmes, enfants ou vieillards, dépassaient des ridelles en un amas de chairs, de viscères et de sang, dans une image digne d'un tableau représentant les enfers.

Martin eut pour nous un petit geste de la main et un sourire triste, ce qui jura avec l'air martial que se donnait Joseph et le rictus de contentement qui le défigurait. Mon frère non seulement me fâchait fort, mais commençait à me dégoûter. Je demandai un rapide pardon à Dieu, car ce n'était point là, pour une chrétienne, un sentiment convenable à l'égard d'un proche, pire encore, d'un parent.

Le hayon tourné en direction du fleuve, nous vîmes mon frère et le fils de la cuisinière, sous les instances des Gardes Françaises, grimper sur la pile de dépouilles mortelles et, une à une, les lancer à l'eau. Une fois la charrette vidée de son contenu macabre, mon père et moi nous approchâmes, croyant pouvoir revenir à la boutique avec notre attelage – quoique sans nous rasseoir sur la voiture, car le châssis en était rouge de sang, sans compter que de longues cascatelles pourpres gouttaient toujours à l'arrière. Hélas, le lieutenant des cavaliers nous détrompa :

— On a deux ou trois charrois de plus à faire. Attendez ici ou filez chez vous. On vous retournera votre fichue charrette quand on en aura terminé.

— Si on allait à la maison, père ? suggérai-je quand chevaux et âne repartirent pour un nouveau chargement funèbre. Je n'en puis plus de tous ces morts et de cette odeur qui prend à la tête. Et puis, j'aimerais bercer Marie dans mes bras, ne serait-ce que pour éprouver un brin d'amour et d'humanité contre mon cœur.

Mon père approuva d'un simple mouvement du menton, et nous nous engageâmes en direction de la rue de l'Autruche, qui nous ferait longer le Louvre, lieu maudit où toute cette folie avait pris naissance.

* * *

Une fois à la maison, je fus accueillie par une petite Marie gazouillante que ma mère me tendit, le visage rayonnant.

— Elle n'a pas mangé depuis ce matin, me dit-elle, mais elle ne semble point avoir encore faim. Tu peux attendre. Quand les rumeurs dans notre rue se seront calmées, j'irai rencontrer la Pelletier du cul-de-sac. Il paraît qu'elle allaite toujours son dernier-né. Son mari étant mort depuis deux mois, elle accepterait peut-être une charge de nourrice.

— Je prends sur moi de payer, mère. Avec mes gages de la mercerie.

— Nous verrons.

— Vous croyez que d'éventuels parrain et marraine finiront par venir la réclamer ? lui demandai-je.

Elle haussa les épaules en faisant une moue.

— Qui sait ? Si Dieu l'a mise dans nos mains lors de circonstances tragiques, sans doute est-ce en raison d'un dessein particulier qu'il a réservé pour elle… à travers nous.

— Ou pour *nous* à travers *elle*.

— Comme éprouver notre foi et notre charité chrétienne ? Oui, peut-être aussi. Dans les deux cas, à nous d'être dignes de la confiance que le Seigneur place en nous.

Déjà, en dépit de la « bouche supplémentaire à nourrir », ma bonne et douce maman semblait se réjouir de son nouveau rôle de grand-mère. Et, déjà, j'en étais persuadée, si on venait réclamer la fillette, elle en ressentirait un profond chagrin.

— Et Joseph ? demandai-je.

Ma mère tiqua avant de répondre :

— Espérons que Dieu l'aidera à laver son âme de la suie des mauvais conseils qui l'ont séduit.

— Je veux dire : Joseph acceptera-t-il la présence de cette enfant au milieu de notre famille ? Du moins, tant que je ne serai point mariée, tant que je vivrai parmi vous ? Il la hait simplement à cause de ses parents.

Maman caressait des doigts la joue de Marie. Sans me regarder, elle répondit :

— Joseph est notre seul fils, celui sur qui repose tout l'honneur à venir de notre famille. C'est à travers lui que le nom Sagedieu rayonnera et traversera les siècles. J'espère que ce sera en symbolisant la dignité, la droiture et l'honnêteté.

— Cela ne répond point à ma question, mère.

Elle délaissa Marie pour lever ses petits yeux perçants sur moi. Elle dit :

— Je ne sais point, Anne. Ton frère a vieilli d'un seul coup. En trois jours, il a tellement changé que j'ignore si mon fils est le même que celui que j'ai nourri au sein. Avant cette nuit de fous que nous venons de vivre, j'aurais parié tout ce que je possède que jamais, au grand jamais mon garçon pourrait frapper quelqu'un.

Elle reposa les pupilles sur Marie et la caressa de nouveau avec les doigts avant de poursuivre :

— Cette enfant représente le mal qu'il a fait. Tous les jours, elle le lui rappellera. En même temps, elle constitue la seule planche de salut pour son âme. Par les soins à lui prodiguer. Mais en aura-t-il conscience ?

* * *

Le reste de ce dimanche 24 août 1572 se passa comme il avait débuté : avec des rues agitées et une grande confusion. Ce fut donc mon père, sur la fin de l'après-midi, avant le crépuscule, qui se rendit chez la veuve Pelletier afin de lui proposer une charge de nourrice. À son retour, il nous parut un brin rasséréné.

— Il y a moins de fièvre dans le quartier, annonça-t-il. Je suppose que toute cette folie touche à son terme. N'empêche que j'ai dû insister drôlement pour que la Pelletier m'ouvre, non point sa porte, mais son volet du deuxième étage. Il semble que sa voisine immédiate était huguenote, et que, par trois fois depuis le matin, on s'est trompé d'adresse pour cogner chez elle. Pour un peu, c'est la Pelletier qu'on violait et égorgeait.

— Et sa voisine ? s'informa ma mère.

— Morte, que crois-tu ?

— Et pour Marie ? m'enquis-je plutôt – car j'avais eu un peu de difficulté à la nourrir un quart d'heure plus tôt.

— Ça va, elle accepte. Mais il a fallu que je lui promette non seulement des gages, mais aussi une robe et des rideaux. Et ce n'est point elle qui se déplacera, ce sera toi. Tu devras te rendre chez elle deux fois par jour.

— J'y consens.

Père soupira bruyamment en jetant un œil vers l'entrée comme s'il lui était possible d'apercevoir la rue à travers la cloison de bois. Il laissa échapper :

— Seigneur Jésus ! Comment les Parisiens pourront-ils désormais se regarder en face en sachant que le passant croisé est soit un assassin, soit un survivant qui n'aspire qu'à la vengeance ?

Ces questions sans réponses, je préférais les chasser de mon esprit. Aussi, mon nouveau bébé dans les bras, pris-je congé de mes parents pour m'enfermer dans ma chambre. Je soufflai les horreurs hors de ma tête en me complaisant dans le souvenir de la silhouette et des traits, et des yeux et des lèvres d'Armand de Lignerac, capitaine des gardes de la reine.

73

La nourrice

Lorsque je m'éveillai, le soleil ne perçait point encore. Une simple lueur filtrait à travers les volets de la chambre que je partageais avec Delphine. Marie dormait profondément dans une boîte transformée pour l'occasion en berceau. Plusieurs fois au cours de la nuit, j'avais dû l'alimenter en lui offrant à téter l'extrémité d'une corne dans laquelle j'avais versé une part de mes maigres portions de lait de chèvre.

— Du lait de brebis ayant brouté des violettes serait plus nourrissant, avait indiqué ma mère, la veille, mais en ces temps de disette…

Chaque fois, les rots de satisfaction de la fillette m'avaient émue. Comme je l'aimais déjà ! Était-ce ainsi quand les enfants naissaient de notre propre sein, ou l'amour était-il plus fort encore ?

J'avais très peu dormi. Pendant les moments où l'appétit de Marie me donnait quelque répit, les rues continuaient de résonner des cris des Parisiens chassant le huguenot. Aux guisards avait succédé tout un chacun. Les hurlements se réclamaient du roi et de la messe, mais je persistais à croire que la frustration était l'aiguillon principal des actes des catholiques. Après des mois de quasi-famine, d'inflation, de mécontentement général à l'égard des nobles, après des semaines d'une chaleur accablante, de pénurie d'eau, de colère sourde et impuissante, il paraissait bon aux gens du commun de se procurer un défouloir. Et si ledit défouloir s'avérait en plus la cause de tous les problèmes, chacun trouvait alors une double satisfaction à poursuivre les violences que la noblesse avait déclenchées.

Je profitai du sommeil de Marie pour faire mes ablutions matinales. Je passai une main dans les cheveux ébouriffés de Delphine lorsqu'elle vint réclamer le pot de chambre après moi, puis croisai ma mère au moment où je m'ébranlais vers la cuisine.

— Et la petite ? demanda-t-elle.

— Elle dort toujours.

— Je l'ai entendue au moins quatre fois, cette nuit.

— C'est pourquoi elle dort toujours, conclus-je en laissant échapper un rire léger.

Mon amusement s'évanouit rapidement lorsque je rencontrai Joseph et sa mine mauvaise. Il grappillait ce qui restait de miettes de fromage de la veille – car Martin n'était point encore allé au moulin, et notre cuisinière s'affairait à ses corvées personnelles deux pièces plus loin.

— Bonjour, Joseph.

Il grogna en guise de réponse.

— Les cris de la rue t'ont-ils tenu éveillé ?

Deuxième grognement.

— Et les pleurs de Marie ?

Cette fois, il ne maugréa point, mais me jeta un regard équivoque. J'essayai de conserver un ton désinvolte en poursuivant :

— Il est normal pour elle d'être braillarde pour l'instant, car tout est inédit : les odeurs, les sons, la couche, la nourriture même. Cependant, dès qu'elle sera accoutumée à son environnement…

— Tu ne vas quand même pas la garder pour de vrai ?

Je restai coite de longues secondes avant de répliquer :

— Pourquoi pas ? Il lui faut de nouveaux parents maintenant que… que…

— Tu ne penses pas que Paris, que le royaume, a suffisamment souffert de notre tolérance envers les hérétiques ?

Tu ne penses pas qu'il est temps que nous répondions à l'appel de Dieu ? que nous nous souciions du mécontentement divin ?

Il réemploya ce déhanchement d'homme d'épée qui conférait un air ridicule à cet adolescent encore revêtu de sa robe de chambre.

— Dieu exige que nous tuions des enfants ? Vas-tu...

Je m'interrompis pour déglutir avant de reprendre :

— Vas-tu essayer de faire disparaître mon bébé, Joseph ?

— Ce n'est point *ton* bébé. C'est une poupée qui remplace tes jouets de petite fille. Pourquoi n'empruntes-tu pas plutôt celle de Delphine ?

— Je ne prête pas ma poupée, lança notre sœur benjamine, qui entrait dans la pièce à la seconde même en quête de la carafe d'eau fraîche.

— Joseph, réponds-moi : chercheras-tu à t'en prendre à Marie ?

— Cette enfant n'a pas sa place ici, c'est tout ce que j'ai à dire.

Je restai interdite le temps de saisir tout le potentiel de menaces que pouvait contenir son intervention, aussi fut-ce Delphine qui riposta pour moi :

— Pourquoi ?

— Toi, ne te mêle point des affaires des grands, lui rétorqua Joseph en la renvoyant d'une légère tape sur le côté de la tête.

— C'est exactement ce que je te répète depuis hier, fit la voix grave de notre père, que nous n'avions pas entendu arriver. Laissons les grands se disputer entre eux.

Ce qui rejoignait également la conclusion à laquelle Antoine était venu, songeai-je tandis que papa reprenait :

— Nul ne tuera personne dans cette maison. Dieu n'exige jamais une telle extrémité, quelles que soient les circonstances.

— Dans la Bible, père..., commença Joseph.

— Tu as lu la Bible, Joseph ?

— Non, mais les prêcheurs disent que…

— Le mérite d'un homme intelligent est de forger son opinion en fonction de ses propres réflexions et non à l'écoute des harangues des beaux parleurs. Mon fils est-il un homme intelligent ?

La seconde de silence qui s'ensuivit fut rompue par notre mère qui entrait dans la pièce à son tour.

— Doux Jésus ! Voilà qui est fort matin pour des discours. Avec le retard pris hier, il y a beaucoup à faire dans la boutique. Allez donc y dépenser vos énergies.

J'aurais plutôt préféré que l'on se consacre à convaincre Joseph, sinon d'aimer Marie, du moins de tolérer sa présence parmi nous, mais l'enfant, justement, venait de se mettre à réclamer sa tétée.

* * *

Père préféra garder Joseph auprès de lui pour l'instant, aussi demanda-t-il à Martin de m'escorter chez la veuve Pelletier. Le cul-de-sac se trouvait au coin de la rue, donc tout près, cependant avec le ressac des agitations nocturnes, il valait mieux qu'une jeune femme et son bébé fussent accompagnés pour circuler au milieu des pourfendeurs d'hérétiques.

— Hé, toi, la jolie ! La messe ou la mort ?

— Laisse, je la connais. C'est la fille du mercier. Ils sont catholiques. Bonjour, mademoiselle.

— Et le garçon ?

— Catholique également.

Ils étaient quatre abrutis à nous considérer, assis sur la margelle d'un puits à sec. Si l'un d'eux avait prétendu me connaître, il ne s'étonna point du poupon enveloppé de langes contre ma poitrine.

En passant devant le logis des Brissier, je détournai pudiquement les yeux. Par un réflexe idiot, mais compréhensible, je plaçai une main sur les paupières de Marie afin de l'empêcher, elle aussi, de voir son ancienne habitation. Comme si l'enfant pouvait la reconnaître !

Dans le quartier, toutes les entrées qui avaient affiché une croix blanche, l'avant-veille au soir, étaient défoncées. Des taches de sang brun tavelaient les murs et les pavés, et, à l'occasion, un cadavre dépouillé de tout gisait encore dans un escalier ou pendait au rebord d'un châssis.

La Pelletier nous dévisagea de longues secondes du haut de sa fenêtre avant de se résoudre à descendre nous ouvrir au rez-de-chaussée. Il s'agissait d'une femme dans la trentaine, ossue, aussi large que sa porte, aux seins comme des barriques. C'était à se demander comment elle pouvait conserver une telle corpulence avec la disette qui nous accablait et le prix du pain qui ne cessait de grimper. Autour d'elle, cinq marmots couraient en chahutant, et je me dis que s'ils étaient si bien nourris, peut-être les rumeurs que j'avais ouïes à propos des à-côtés peu chrétiens auxquels la veuve s'était résignée... Mais cela ne me regardait point.

— Vous avez les gages ? s'enquit-elle en guise de salutations.

Sur une table branlante, tout près d'un bébé d'environ six mois, Martin déposa les tissus promis par mon père.

— C'est tout ?

Et je rajoutai les pièces de cuivre équivalant au montant prévu pour l'usufruit des mamelles gorgées de lait.

Au moins, la femme s'y connaissait en enfants. Je la trouvai d'une grande efficacité pour manipuler Marie et faire taire ses pleurs. De plus, elle n'était point avare de ses tétins. La veuve patienta jusqu'à ce que la fillette eût fini de boire et s'assura qu'elle était endormie avant de me la remettre. Ma petite ronronnait comme un chaton lorsque je la ramenai à la maison. Le bébé pelotonné contre mon cœur, j'estimai mes seins sacrément menus après avoir contemplé l'énorme poitrine de la nourrice.

* * *

Corinne fit savoir par un jeune messager – son cousin – qu'elle ne se présenterait point à la mercerie ce jour-là. Quelques minutes plus tard, c'était au tour de Myriam d'agir exactement de la même façon. Nous n'avions pas le quart de nos employées et servantes habituelles – dont la jeune Léontine, qui affichait une mine morose depuis que Joseph ne tournait plus autour d'elle autant qu'avant.

— Corinne et Myriam ne vivent aucun deuil, fit ma mère, mais je peux comprendre les parents qui refusent d'envoyer leurs filles courir les rues.

— Maman, badinai-je un brin, Corinne est mariée avec trois enfants.

— Je peux comprendre les maris aussi, répliqua-t-elle.

Les employées ne nous manquèrent guère puisque, sans clients pour interrompre notre travail, nous pûmes rattraper le retard sur les tâches en attente. Il devait être près de midi, et j'étais en train d'enseigner à Delphine la manière de réparer un pongé gâté par le sel des navires, quand la porte du commerce s'ouvrit sur un jeune garçon fort bien vêtu.

— Je cherche Mlle Anne Sagedieu, affirma-t-il en se plaçant face à mon père, mais en lorgnant dans ma direction. J'ai un message pour elle.

— Tu la vois là. Parle, garçon.

Le commissionnaire se sentit alors autorisé à se diriger vers moi. Il tira un pli de la poche intérieure de sa veste.

— Sa Majesté la reine désire que je vous remette ceci, mademoiselle.

— Euh…, oui, bien sûr, balbutiai-je. Mer… ci.

Il restait là à me regarder triturer entre mes doigts le vélin cacheté de cire. Je levai les sourcils vers lui en guise d'interrogation.

— Vous savez lire, mademoiselle ?

— Pour sûr.

— Je dois attendre une réponse.

— Ah. Ce n'est point qu'un simple mot, alors, supposai-je en brisant le sceau, c'est une demande.

— Un sauf-conduit. Sa Majesté aimerait que vous veniez la rejoindre au Louvre, et je dois l'aviser du moment dont vous m'aurez dit qu'il vous conviendrait, mademoiselle.

XXIe siècle au Québec

74

Les prénoms éparpillés

Mon père exhibe devant mon nez le mulot au corps raidi. Son thorax est écrasé sous le ressort du piège que j'avais posé dans le garage.

— Ce curé est vraiment un crétin, dit-il, la mine sérieuse, mais il est en droit de reprendre possession de livres qui lui appartiennent.

— Tu es sûr ?

— Hélas.

Il dégage la bestiole, qui tombe dans le conteneur à déchets. Du bout de l'index, il redispose l'appât – un rien de beurre d'arachide – sur le plateau prévu à cet effet puis, avec prudence, replace le mécanisme.

— Ce mulot ne doit pas être seul. D'habitude, ça se tient en couple, remarque-t-il en remettant la souricière à sa place, le long du mur.

— Que suggères-tu, alors ? que je demande en me désintéressant de ses observations éthologiques. À propos du curé ?

— Je ne crois pas qu'il y ait quoi que ce soit à entreprendre. J'ai peur qu'il te faille trouver une autre distraction pour occuper tes vacances. Pourquoi ne chercherais-tu pas des activités charmantes à partager avec la jolie Marie-Maude Ferrillon, par exemple ?

Je manque de m'étouffer. Comment peut-il savoir ?

— Marie-Mau… D'où sors-tu une idée pareille ?

Il place sa main sur mon omoplate pour m'inviter à franchir la porte intérieure qui sépare le garage de la maison. Il réplique pendant que nous passons à la cuisine :

— Elle est jolie, non ? Et elle te plaît bien ?

— Il y a plein de jolies filles à Saint-Barthélémy.

— Je te l'accorde. Mais celle-là t'intéresse plus que les autres.

— Je me demande bien où tu vas chercher ça.

— Peut-être sur tes signets, tes cahiers de notes et même sur les couvertures de certains vieux bouquins que tu laisses traîner partout dans la maison avec le prénom « Marie-Maude » griffonné dessus. Ou peut-être également sur l'écran de veille de ton ordinateur, qui fait virevolter ce même prénom dans tous les sens et dans toutes les polices de caractères, mille fois par jour, et qu'on aperçoit à travers la porte toujours entrouverte de ta chambre.

Je crois que je rougis jusqu'à la pointe des cheveux. Je réponds en balbutiant :

— Je n'ai pas... Il y a des jours qu'on ne s'est pas vus ni parlé. Elle n'a aucun... Je ne pense pas qu'elle s'intéresse à moi. Elle m'aurait appelé, sinon.

— Tu lui as téléphoné, toi ?

— Oh, papa, oublions Marie-Maude, veux-tu ? Je te parle du curé, là, de ce...

— Justement. Je te parle du curé aussi.

Je tourne les paumes de mes mains en direction du plafond en fronçant les sourcils dans une expression signifiant « Mais ça n'a aucun rapport ! ». Mon paternel reprend :

— Le père de Marie-Maude, Michel Ferrillon...

— Eh bien ?

— Il est marguillier ; je présume qu'il possède une certaine influence auprès de l'abbé Dion. Pourquoi ne lui présenterais-tu pas ton affaire et ne chercherais-tu pas à le convaincre d'appuyer ta position ?

— Tu crois que c'est possible ?

— Plus, en tout cas, que si tu ne fais rien. Si ton cas le séduit, peut-être même pourrait-il entraîner d'autres membres du conseil de la fabrique à vous soutenir.

Pour la première fois de la journée, je me sens un brin regonflé. Enfin, il y aurait une piste de solution au problème qui, non seulement fait avorter le projet auquel j'ai consacré mes vacances, mais me révolte par son intolérance, son muselage. Tout en répliquant à mon père, je hoche la tête, ma lèvre inférieure coincée entre mes dents :

— Ça ne coûte pas grand-chose d'essayer, en effet.

— Et ça te procure le prétexte parfait pour aller rôder dans le voisinage de la jolie Marie-Maude.

* * *

Une fois de plus, c'est la mère de Marie-Maude qui m'accueille à la porte de la maison. J'en suis surpris, car j'ai raccroché le téléphone dix minutes plus tôt à peine et c'est son père lui-même qui m'avait répondu. Je me figurais que ce serait lui qui me recevrait, mais bon, ça n'a pas plus d'importance que ça.

Sur le visage de Mme Ferrillon, je suis encore étonné de reconnaître des traits qui ressemblent à ceux de maman.

— Entre, mon grand, entre. Michel t'attend dans le bureau, au deuxième.

Même atmosphère sereine, même crucifix sur le mur, même musique d'ambiance…

— Merci, madame… Marie-Josée.

Elle rit, ce qui, comme la fois précédente, gomme toute comparaison avec ma mère.

Je m'attaque aux marches de l'escalier qui mène à l'étage supérieur et qui, pareil à celui du soubassement, est de bois verni. La voix de la femme m'arrête :

— Oh ! Et en redescendant, Félix, ne manque pas de te rendre au sous-sol. Marie-Maude serait très, mais très déçue si tu repartais sans lui dire au revoir.

— D'ac… d'accord, madame Marie-Josée.

Michel Ferrillon me reçoit dans une petite chambre aménagée en cabinet de travail. Il y a un bureau minuscule sur lequel un ancien moniteur d'ordinateur – du temps des écrans cathodiques – prend toute la place. C'est à peine si le clavier préhistorique peut tenir sans tomber, et je me demande comment on peut manipuler la souris sur la surface étroite à côté.

L'homme m'accueille avec un bref mouvement de tête et en retirant ses lunettes, qui lui laissent une marque sur le nez. Il est du même âge que papa – si je me souviens bien –, mais paraît beaucoup plus vieux à cause de son crâne chauve. Il est comptable pour l'entreprise de transformation des fruits de mer, au village. Cependant, je crois qu'il accepte des contrats de particuliers pour des déclarations fiscales, des tenues de livres simples et autres trucs du genre.

Enfin, du peu que je connais de lui, il y a une chose dont je suis certain pour l'avoir entendue de la bouche même de Marie-Maude : il est grognon, et j'ai tout intérêt à ne pas le froisser.

— Bonsoir, monsieur Ferrillon.

— Bonsoir, garçon. Tu désirais me parler ? Ne tarde pas, j'ai beaucoup de travail en retard.

En disant cela, il lorgne à demi un amas de papiers posés directement par terre au pied du bureau.

— Oui, monsieur, bien sûr, je comprends. Voilà…

Et je lui expose rapidement les faits qui me préoccupent.

— Qu'as-tu découvert, à la fin, dans ces… chroniques ? demande-t-il.

— Je ne veux rien dévoiler pour l'instant, monsieur. C'est un secret que je garde…

Le rouge qui monte à ses joues et les flammes que je vois soudain pétiller dans son regard me rappellent d'y aller avec circonspection. Aussi, je m'empresse d'ajouter :

— Mais je vous assure que lorsque j'aurai colligé tous les détails, je me ferai une joie de partager mes connaissances avec toute la population de l'île.

Le feu s'éteint avec la même brusquerie qu'il s'est allumé.

— Bon, finit-il par lâcher après plusieurs secondes de silence pendant lesquelles ses yeux se sont attardés sur les moindres tics de mon visage. Ce curé commence à m'irriter sérieusement. Il est temps de réprimer un peu ses manières de dictateur.

— Vous allez l'obliger à remettre les chroniques à la bibliothèque ?

— Doucement, je n'ai pas ce pouvoir.

— Ah... ah non ?

— Les marguilliers sont des conseillers ; ils n'ont pas autorité sur le prêtre, qui relève, lui, de l'évêché.

— Que pouvons-nous faire, alors ?

Il frotte la marque sur son nez avec deux doigts en plissant les paupières. En plus de la calvitie qui le vieillit, sa figure me paraît plus ridée que celle de papa. Il replace les lunettes devant ses yeux, grogne deux, trois secondes – Marie-Maude a donc raison – comme si cela devait l'aider à réfléchir, puis affirme :

— Je n'ai pas de contact efficace aux bureaux de l'évêque. Je vais plutôt... je vais m'adresser à Victor et lui demander de m'épauler.

— Victor ?

— Victor Chastagnier, le pasteur. On est très proches. Ensemble, on va secouer ce petit rond-de-cuir sacerdotal.

Sortant de la bouche d'un comptable, l'épithète pour qualifier le curé me semble moins comique que douteuse. Mais je me garde bien de le préciser. Je m'informe :

— Et vous croyez que d'utiliser les arguments venant du chef de la communauté réformée saura convaincre ce catholique borné de revenir sur sa décision ?

Me figurant qu'il va lever le ton pour affirmer sa détermination à combattre le religieux aux « manières de dictateur », je suis surpris de l'entendre soupirer. Les deux mains sur ses cuisses comme pour supporter un poids devenu trop lourd sur ses épaules, il lâche :

— Tout dépendra de l'intérêt que Victor portera à tes recherches…

— Je vois.

— … et de son envie d'en découdre avec son rival en confession.

75

La poitrine dans une souricière

— Oh, je suis contente de te voir, Félix. Comment vas-tu ?

Marie-Maude est magnifique dans cette petite robe d'intérieur qui moule ses formes et dont la couleur met en valeur sa chevelure foncée. Elle se détourne une ou deux secondes, le temps d'éteindre le logiciel de clavardage qu'elle utilisait. Ça me permet d'admirer une jolie broche qui retient les cheveux sur sa nuque. La même lampe au néon que la fois précédente est allumée sur le bureau.

— Je vais bien. Et toi ? Tes préparatifs pour l'oral en français ?

— C'était ce matin, répond-elle en fermant le poing et en grimaçant en signe de victoire. Je crois que j'ai livré une performance plus qu'acceptable. Il y avait le prof, le conseiller pédagogique et les huit autres étudiants qui, comme moi, se tapent du français et des maths intensifs depuis la mi-juin.

— Ce matin ? Désolé, j'ignorais que c'était si tôt. Sinon, je t'aurais téléphoné hier soir pour te souhaiter bonne chance.

— Mais non, quel besoin ? C'est fini et j'en suis bien soulagée. Maintenant, je peux me consacrer à de vraies vacances.

J'aime vraiment son sourire. Nous nous observons en silence pendant deux ou trois longues secondes, et je me demande si, comme moi, elle éprouve ce mélange d'embarras et de plaisir d'être en présence de l'autre. Est-ce le moment idéal pour franchir le pas qui la sépare de moi, me pencher vers elle et l'embrasser ? Comment réagirait…

— Tu as su pour Soltana ? s'enquiert-elle en tuant dans l'œuf mes ambitions charnelles. Que le cousin de son père est le terroriste qui a fait exploser la centrale électrique au New Jersey ?

Je rougis légèrement en imaginant qu'elle aurait pu deviner mes pensées, puis, comme je cherche encore à revenir dans la réalité, elle répond pour moi :

— Bien sûr. Tout le monde est au courant. C'est terrible, pas vrai ? Quel salaud, celui-là ! Le cousin, pas le père. Le pire, c'est que les Mansouri étaient déjà considérés comme des extraterrestres ; maintenant, tout le village va les bouder. Je me demande comment Soltana se sent. J'ai essayé de l'appeler, mais plus personne ne décroche le téléphone là-bas. Demain, j'irai la voir chez elle.

— Je l'ai aperçue hier, dis-je, quand elle sortait de l'épicerie, avant le bulletin télévisé. Son père avait déjà dû informer la police de la lettre qu'il avait reçue, et Soltana savait que le ciel s'apprêtait à tomber sur la tête de sa famille. Elle a fait semblant de ne pas me reconnaître.

— Viens avec moi, alors. Demain. En début d'après-midi.

— Je veux bien.

Elle me sourit en inclinant un peu le menton. La lampe découpe une large bande de lumière laiteuse qui suit fidèlement les lignes de sa silhouette splendide. Je la trouve vraiment, vraiment…

— Tu es chouette, Félix. Merci.

Et c'est elle qui franchit le pas qui nous sépare pour m'embrasser.

Bon, pas sur les lèvres, sur la joue. Mais n'empêche. Je sens mon souffle s'interrompre comme si je venais de tomber dans une piscine.

Tandis que j'amorce un mouvement pour l'enserrer contre moi, elle me saisit l'avant-bras pour m'entraîner vers l'escalier. Ah ? Je croyais…

— Puisque c'est sur ton chemin, je t'attendrai ici. Pas plus tard que treize heures, d'accord ?

— D'a… d'accord.

— À demain, Félix. Et merci encore.

— À… à demain.

Et même si je ressors de la maison transporté en partie par l'haleine du baiser de Marie-Maude qui embrase toujours ma joue, je ne peux m'empêcher d'éprouver un vague désenchantement à l'idée qu'elle m'ait donné un rapide congé.

Désirait-elle me voir uniquement pour me convaincre de l'accompagner lors d'une visite qui l'angoisse un peu – car comment savoir de quelle façon elle sera accueillie chez les Mansouri si ceux-ci refusent l'entrée à quiconque sera soupçonné de vouloir alimenter les potins du village ? Ou ressent-elle pour moi un attrait si fort qu'elle ignore comment le gérer ? Que, dans l'ignorance, elle préfère éloigner la source de sa confusion ?

Je me sens comme un mulot, la poitrine dans une souricière.

* * *

Le lendemain, je passe une partie de l'avant-midi à décider de ce que je dois porter pour accompagner Marie-Maude : jeans, oui, pas celui-ci, celui-là plutôt ; t-shirt à l'emblème d'un groupe rock satanique, non, quand même, qui sait comment des musulmans… ; une chemise un peu ajustée – j'ai forci des épaules, je l'ai déjà dit –, mais dont la couleur foncée fait ressortir mes yeux… Et je me bats avec la brosse à cheveux pour convaincre ma tignasse de se contenter de reposer sur mon crâne et non pas de flotter autour de moi comme le pavillon d'un vaisseau de guerre.

— Allô, Félix !

— Bonjour, Marie-Maude.

— Qu'est-il arrivé à tes cheveux ?

— Qu'est-ce qu'il… Je les ai peignés.

— C'est sans doute ça. Tu viens ?

Elle descend le perron, et je note qu'elle porte la même jolie broche que la veille. Elle s'apprête à m'entraîner avec elle dans la rue quand la porte de la maison s'ouvre de nouveau et que la tête chauve de Michel Ferrillon apparaît dans l'embrasure.

— Félix.

— Bonjour, monsieur.

— Je voulais te dire…

Avec l'index, il replace les lunettes sur son nez en faisant une grimace embarrassée. Il poursuit :

— Ce matin, le pasteur et moi, nous sommes allés voir l'abbé Dion.

— Déjà ?

Il fait un mouvement vif de la main devant son visage pour souligner que ce détail importe peu.

— Oui. Je savais que le curé devait partir aujourd'hui pour trois jours afin de visiter les paroisses à l'extrémité opposée de l'île. Je tenais à récupérer tes documents avant son départ.

— Vous les avez, alors ? Oh, merci, je…

— Non. Je ne les ai pas.

Il refait le même geste avec la main, mais pour indiquer cette fois qu'il est désappointé.

— Navré, Félix. Le dictateur nous a écoutés poliment, mais il n'a pas changé une molécule de son opinion. Même les arguments musclés de Victor n'ont pas su ébranler sa mauvaise foi. Il me reste une carte à jouer : convaincre les deux autres marguilliers qui siègent au conseil de m'appuyer, mais ça ne sera pas avant que le prêtre revienne de sa tournée.

— Son discours est incohérent, à l'abbé ! que je lance avec une agressivité qui trahit mon abattement. Il m'a dit que, catholiques et réformés, nous devions rester unis devant la menace islamique ! Ç'aurait été une belle occasion de s'unir, justement, en répondant à une demande que le pasteur soutenait.

— Il faut croire que le général en chef de la paroisse ne juge pas les Mansouri si dangereux, finalement…

Michel Ferrillon plisse les paupières derrière ses lunettes pour mieux me fixer. Il conclut :

— Ou alors, ce que tu as découvert est vraiment… dramatique.

Et il disparaît derrière la porte avant même que je sois revenu un tant soit peu de ma déception pour au moins le remercier de ses efforts.

— Mon père doit vraiment t'apprécier pour se donner tout ce mal pour toi, dit la voix de Marie-Maude, à mon côté.

Je tourne la tête vers elle tout en peinant à reprendre une expression dans laquelle mon abattement ne se lirait pas.

— Allons-y ! propose-t-elle en se saisissant de mon avant-bras comme elle l'a fait la veille.

Août 1572 en France

76

Lendemain de massacre

En ce lundi suivant la Saint-Barthélémy, vers le milieu de l'après-midi, moi, Anne Sagedieu, obéissant à un pli de la reine de France, je me retrouvai de nouveau à la porte du Louvre. Trois gardes de la compagnie des cent archers, envoyés par Élisabeth d'Autriche, me servaient d'escorte.

Je m'étais coiffée assez simplement en renvoyant ma chevelure sur la nuque, à l'exception d'une mèche que je laissais pendre sur ma tempe afin de masquer ma blessure. Les magnifiques peignes offerts par ma royale amie me servaient à retenir le tout. Afin de la lui remettre, je ne portais pas la robe qu'Élisabeth m'avait prêtée. J'avais plutôt pris soin de la laver et la transportais dans une boîte. Cependant, pour ne point paraître trop « paysanne », je m'étais quand même revêtue de ma meilleure toilette, en fait un habit prévu pour une cliente de ma taille qui tardait à venir le chercher : une jupe longue de bon drap, marron, un corsage blanc cassé – presque beige – assorti d'un bustier de même teinte, fort serré à la ceinture. Voilà qui était un peu chaud au cœur de la canicule, mais qui accentuait le galbe de ma silhouette et me seyait fort bien. Je me dis que si je croisais le capitaine de ses gardes…

Je rougis rien qu'à la pensée de l'entrevoir.

Puis je rougis de mes pensées frivoles. Car il y avait tellement plus grave pour l'heure. En traversant Paris, j'avais pu me rendre compte que la cité vibrait encore des appels aux meurtres et que, dans ses rues, continuaient de tomber les huguenots. Pourtant, un édit royal crié par des hérauts envoyés aux quatre coins de la ville réclamait la fin du soulèvement. Charles IX affirmait avoir mis fin à un complot des réformés à l'intérieur du Louvre et que, la situation étant désormais bien en main, il était inutile de poursuivre les massacres. Les églises entonnaient maintenant des *Te Deum* et les clochers avaient tu leurs hallalis. De toute évidence, le peuple avait trop soif de sang pour répondre aussi aisément aux ordres de son monarque.

Au pied des remparts du Louvre, des cadavres gisaient toujours en amas macabres, çà et là. On semblait s'être rebuté d'envoyer les dépouilles au fleuve, car la Seine, à son plus bas niveau depuis des semaines, se contentait de rouler paisiblement les corps et de les ramener invariablement sur les berges. Les passeurs, dont les embarcations avaient été désenchaînées, peinaient beaucoup à manœuvrer leurs esquifs à coups de rames et de gaffes dans le charnier flottant. Je ne pus résister à l'envie de rechercher la patache de l'oncle Jacques qui était amarrée, la veille, à la hauteur de la rue des Poulies. Mais à cette distance, ce n'était point possible de la voir.

À la porte du palais, les hallebardiers suisses étaient épaulés par des archers de la garde écossaise – ces derniers comptant plus de Français que d'Écossais en dépit de leur nom – et scrutaient rigoureusement les permissions de circuler des visiteurs.

Avec le sauf-conduit de la reine, j'entrai sans encombre.

Pour la millième fois en trois jours, je traversai les préaux et les couloirs du Louvre, avec lesquels je commençais à me familiariser. L'atmosphère était frénétique : des pages couraient çà, des gentilshommes se consultaient là, des suivantes se réconfortaient ici… Je reconnus au passage Mme de Ramefort, ce qui ramena à ma mémoire la pauvre Ninon dont j'avais assisté au viol. J'en ressentis encore un grand chagrin mêlé d'horreur et de rage impuissante. J'en glisserais un mot à Élisabeth afin qu'elle punisse les Suisses ayant refusé de venir en aide à la gentille aide-lingère.

— Par ici, mademoiselle, je vous prie.

Les gardes qui m'accompagnaient m'avaient confiée aux soins d'un page qui nous attendait à l'entrée de l'aile donnant sur les appartements de la reine de France.

— Sa Majesté m'a demandé de vous conduire auprès d'elle par un chemin détourné afin que ses dames d'honneur ne vous voient point.

— Dans les circonstances qui ébranlent la capitale, les courtisans n'auraient-ils pas mieux à faire que de hanter les antichambres du palais ?

Le garçon ralentit le pas pour se tourner à demi vers moi. De toute évidence, il retenait un sourire amusé.

— Mademoiselle a trop d'esprit pour être appréciée des proches de Sa Majesté. Je comprends que cette dernière recommande de les éviter.

Il avait une quinzaine d'années, les cheveux blonds et bouclés, le teint frais, les mains blanches… Il prit une expression plus sérieuse avant de poursuivre :

— Cependant, en de telles circonstances, justement, les courtisans sont plus actifs que jamais, car les occasions sont belles d'afficher leurs préoccupations pour la sécurité des grands qu'ils cherchent à flatter.

— Je trouve que, toi aussi, tu as trop d'esprit pour être un simple page.

Il me renvoya une œillade moqueuse.

— Mademoiselle possède aussi quelque talent pour la flatterie.

Par des couloirs réservés aux domestiques, nous arrivâmes à une porte sobre décorée d'une seule moulure. Le serviteur gratta le bois. Nous entendîmes des pas de l'autre côté, puis la serrure cliqueta. Quand l'embrasure s'élargit, je ne distinguai que le bras du soldat en faction, mais c'était suffisant pour reconnaître les couleurs de l'uniforme royal.

— Je vous laisse ici, mademoiselle. Ce fut un plaisir de vous accompagner.

Le page s'éclipsa et je m'engageai dans le passage devant moi. Je me retrouvai dans un salon sombre, aux rideaux à peine entrebâillés. Sur le mur le plus éloigné, une deuxième entrée donnait sur une pièce beaucoup plus éclairée.

— Mademoiselle Anne, c'est une joie de vous revoir.

Je sursautai vivement en levant le nez vers celui qui m'avait ouvert. Je ne l'avais point remarqué : c'était le capitaine des gardes lui-même !

— Mons… monsieur de Ligne… rac, balbutiai-je comme une idiote, la gorge sèche, les lèvres tremblantes, les jambes vacillantes. Je… Vous… Il…

— J'étais si ravi d'apprendre que Sa Majesté vous avait invitée à venir que j'ai proposé de vous accueillir moi-même plutôt que de dépêcher l'un de mes hommes.

Malgré le demi-jour, je pouvais noter que ses traits étaient reposés. Je présumai que, depuis notre dernière rencontre, il avait eu le loisir de dormir quelques heures.

— Vous… m'en voyez fla… flattée, monsieur.

Il ne souriait point – cela semblait fort rare chez lui, je l'avais déjà constaté –, mais il affichait un net contentement, ne serait-ce que dans l'ardeur du regard qu'il posait sur moi. Je le trouvai beau, comme toujours.

— Votre blessure à la tempe ne paraît plus. Vous fait-elle encore souffrir ?

J'étais ravie qu'il s'en informât.

— Non, grâce à Dieu.

— J'en suis fort aise.

Il recula d'un pas comme pour mieux m'observer, mais ses yeux restaient rivés sur mon visage, et j'eus soudain la désagréable impression de n'avoir point passé suffisamment de temps à soigner ma coiffure, ma vêture…

— Vous êtes la preuve, mademoiselle, que les portes du paradis sont moins bien gardées que celles du Louvre.

— Par… pardon?

— On y laisse facilement sortir les anges.

Je ne fus point certaine d'apprécier le compliment puisque le roi avait usé d'une comparaison similaire à mon endroit, et son esprit m'avait paru bien perturbé.

Sans doute mon malaise transparut-il sur ma figure, car l'officier tiqua légèrement d'un sourcil, et la commissure de ses lèvres s'affaissa un brin. Se ressaisissant après ce qui lui sembla probablement une marque de faiblesse, il bomba le torse et déclara:

— Mais je manque à mon devoir. Sa Majesté languit de vous revoir, et je suis là à la faire attendre. Si vous voulez bien m'accompagner…

De la main, il m'indiqua la porte ouverte à l'autre bout de la pièce. Je m'engageai à sa suite en maudissant ma timidité et mon absence de tact devant ses compliments. Après tout, cela devait lui demander beaucoup d'efforts de jouer les galants; c'était si contraire à sa personnalité.

— *Anne, meine Liebe! ¡Que placer!*

Dès que j'eus franchi l'entrée, je fus accueillie par Élisabeth elle-même et son indissociable comtesse d'Arenberg. Elles se trouvaient dans un petit salon de lecture, richement décoré et meublé, avec une large étagère aux montants ouvrés et dont les tablettes supportaient reliures de cuir et rouleaux de parchemin. En dépit de l'opulence du lieu, les circonstances ne prédisposaient point les lectrices à se concentrer sur leurs ouvrages. Un livre reposait à l'envers sur les genoux de la comtesse, tandis qu'Élisabeth, debout, avait déposé le sien sur une table voisine.

— Madame, répliquai-je en m'inclinant avec gravité, mais point avec toute la grâce que j'aurais souhaitée à cause de la boîte dans mes mains.

Autour des deux nobles gravitait un quatuor de dames de compagnie, quelques baronnes d'Autriche sûrement, attachées à la comtesse plutôt qu'à la reine elle-même, car lorsqu'elles échangèrent entre elles, aucune n'usa du français. Je reconnus aussi la petite fille d'une douzaine d'années qui, l'autre nuit, tenait le chandelier pour sa maîtresse.

Marguerite de La Marck-Arenberg eut un geste de la main qui eut pour effet de faire s'envoler les suivantes comme feuilles en automne. Dès que celles-ci se furent inclinées et eurent quitté la pièce, la physionomie des deux femmes se détendit pour prendre une façon beaucoup plus ouverte. Il restait trois gardes suisses, que le capitaine dispersa d'ordres muets derrière autant de portes. Lui-même, s'il choisit de ne point déserter le salon, se cantonna dans l'angle le plus retiré. À aucun moment il ne reposa les yeux sur moi, et je me demandai si c'était par réserve à cause de la présence de la reine ou parce que ma réaction antérieure l'avait désappointé.

— Anne, qu'est donc cette boîte ? s'informa Élisabeth par la bouche de la comtesse.

Bien que je n'eusse rien saisi des paroles de mon amie, j'avais décelé dans son ton une désinvolture un brin forcée. On sentait la tension dans laquelle baignait le palais.

D'une main distraite, elle caressait la rondeur de son ventre, et nul besoin d'être sage-femme pour comprendre que les événements récents devaient éprouver fort sa grossesse. Ses joues me parurent bien pâles également, contrairement à ses paupières, qui étaient trop rouges.

— La robe que Votre Majesté m'a si gentiment prêtée et que je lui rapporte.

Élisabeth parut si déçue que je me demandai un instant si elle ne me l'avait pas donnée sans que j'eusse capté ce détail ou qu'on me l'eût bien traduit. Mais Marguerite de La Marck-Arenberg me confia plutôt :

— Sa Majesté aimerait comprendre comment il se fait que vous la vouvoyiez à présent, tandis que, lors de votre dernière rencontre – à laquelle je n'ai point assisté –, vous vous tutoyiez comme deux sœurs.

Dans une impulsion commune, Élisabeth et moi nous précipitâmes dans les bras l'une de l'autre et, faisant fi des sourcils froncés – quoique indulgents – de la comtesse d'Arenberg et de la mine étonnée du capitaine de Lignerac, nous mîmes à nous échanger les plus sincères promesses d'affection, tremblantes et au bord des larmes, chacune dans sa langue, mais chacune parfaitement réceptive à la sympathie émanant de sa complice. Nous étions à la fois réjouies et attristées d'être réunies, car les circonstances qui nous liaient découlaient de la situation dans le Louvre, dans Paris et dans le royaume, et lesdites circonstances avaient pour base le massacre de milliers d'innocents.

77
Six mains ensemble

Assises l'une en face de l'autre, nos quatre mains liées comme une gifle aux conventions sociales qui nous séparaient à cause de nos naissances, nous nous mîmes à conférer sans discontinuer. La comtesse d'Arenberg traduisait pour chacune de nous dans nos langues respectives, à tour de rôle, si finement et si rapidement que nous finîmes par l'ignorer, par ne plus tenir compte du délai qui espaçait nos échanges, ce qui s'avérait tout à l'honneur de cette dame dévouée. Bien qu'elle fût en désaccord avec cette sympathie qui nous unissait, Élisabeth et moi, jamais elle ne le laissait transparaître et elle interprétait nos paroles sans la moindre remarque personnelle ni le plus infime soupir d'agacement.

À la demande de ma royale amie, je commençai à lui narrer les péripéties qui m'avaient absorbée la veille. Elle s'étonna soudain :

— Tu dis que les soldats renvoyés par toi avaient refusé de porter secours à une jeune fille qui se faisait violer ? Même si tu le leur commandais ?

— Ils ne te l'ont point raconté ?

— Non, pas un mot sur ce sujet. Ils ont simplement mentionné que…

Élisabeth éleva la voix pour s'adresser à de Lignerac, à l'autre bout de la pièce. La comtesse d'Arenberg traduisit :

— Capitaine, les gardes congédiés l'autre nuit par Mlle Anne vous ont-ils fait rapport ?

— Si fait, madame.

— Ont-ils porté à votre attention un viol auquel ils ont assisté et contre lequel ils ne sont point intervenus ?

— Ils m'ont signalé avoir été témoins de nombreux troubles dans le palais, madame, mais sans préciser les détails.

— Vous voudrez bien les interroger à ce sujet, capitaine.

— Je suis aux ordres de Votre Majesté.

— Et s'il s'avère qu'ils ont refusé d'obéir à Mlle Anne, les punir sévèrement.

— Non, non ! intervins-je. Ne les punissez pas pour ne m'avoir point obéi, mais pour avoir dédaigné de venir en aide à la jeune femme brutalisée.

— Punir sévèrement comment, madame ? demanda de Lignerac.

Élisabeth me renvoya une expression muette qui signifiait « Tu as une idée, toi ? ». Je suggérai :

— Comme s'ils avaient violé et tué eux-mêmes.

De Lignerac tiqua de nouveau en posant les yeux sur moi pour la première fois depuis notre bref échange dans la pièce à côté. Je présumai que mon ordonnance dépassait ce qu'on prescrivait habituellement en telle matière.

— J'agirai selon le bon plaisir de Sa Majesté.

Puis Élisabeth et moi reprîmes notre conversation à deux – toujours à travers la bouche de la comtesse. Je m'informai :

— Et toi ? T'es-tu sentie menacée au milieu de ces violences qui ont ensanglanté le palais ?

— Non, car je bénéficie d'une protection sans faille. Cependant, te dire combien j'ai eu peur pour d'autres...

— Le roi, par exemple ?

— Le roi, oh oui ! Et je crains sans cesse. Non point tant pour sa sécurité physique que pour le salut de son âme. Sais-tu qu'il a usé d'une arquebuse pour tirer sur des fuyards à partir de son balcon, et qu'il proférait des jurons parce qu'il n'en touchait point assez ?

— Je… Mon père et moi l'avons aperçu du bord de la Seine, hier.

— Et ce matin, avec la reine mère, Margot et plusieurs dames de la cour, nous sommes allés constater les ravages au pied des remparts.

Élisabeth se signa avant de poursuivre :

— Que Dieu nous pardonne ! J'ai vu, de mes yeux vu les atrocités perpétrées par les nôtres, les catholiques, abominations que mon époux a cautionnées. Mais pis que tout, Anne, c'était moins tous ces corps nus, mutilés, qui me faisaient horreur que les rires et les commentaires des courtisans qui nous entouraient. Le plaisir qu'exprimaient nos suivants m'a montré l'abîme qui sépare ceux dont la croyance diffère de l'autre, en dépit du fait que nous adorons tous le même Dieu.

Elle avait les yeux pleins de larmes lorsqu'elle ajouta :

— Tu comprends, Anne ? Avec des dames de compagnie de cette sorte, à qui puis-je confier les véritables tourments de mon cœur ?

Elle plaça les doigts sur le bras de Marguerite de La Marck-Arenberg pour répondre à sa propre question :

— Je n'ai que ma brave comtesse et toi. Si vous saviez comme vous m'êtes précieuses !

Je notai que la voix de notre traductrice tremblotait d'une émotion égale à celle que je partageais avec Élisabeth. Nous nous retrouvâmes vitement les six mains entrelacées. Pour m'éviter de verser des larmes, je changeai de sujet et m'informai :

— Et Marguerite ? Comment se porte-t-elle ? Et son époux ?

— Le roi de Navarre et son cousin le prince de Condé sont en sécurité dans une pièce attenante aux appartements de Charles. Prisonniers peut-être, mais en sécurité. Margot, quant à elle, a regagné ses propres quartiers, où des archers veillent en permanence.

Élisabeth renifla en redressant les épaules. Il lui fallut un certain effort pour dessiner un sourire à la commissure de ses lèvres. Néanmoins, elle y parvint et enchaîna :

— Mais parlons de choses plus… moins difficiles. Dis-moi : ton joli promis, l'as-tu retrouvé ? S'est-il excusé du souci qu'il t'a causé ?

Je dus me faire violence pour ne point lorgner du côté du capitaine de Lignerac. Je confirmai à mi-voix :

— Oui, ma chère amie. Oui, à tes deux questions.

— À la bonne heure. J'en suis aise pour toi.

— Malgré cela, je lui ai signifié la rupture de notre engagement.

— Tu ne l'épouseras plus ?

J'aurais tant aimé vérifier si l'officier tendait l'oreille pour mieux saisir ce que nous disions, s'il se trahissait en montrant de l'intérêt pour un propos qui, par la bande, devait le toucher également, mais je n'osais point. Je répondis quand même fort assez pour qu'il entende :

— Non. J'ai décidé de ne plus l'épouser étant donné qu'il a participé aux exactions, et sous de mauvais prétextes.

Les joues d'Élisabeth avaient regagné quelques couleurs et ses yeux exprimaient enfin d'autres sentiments que l'horreur et le chagrin.

— Dis-m'en plus.

Le sujet, frivole, l'aidait à oublier un moment les affres qui agitaient son âme. Je me résolus à poursuivre sur ce thème puisqu'il l'apaisait. Cependant, je ne pouvais m'exécuter en présence du capitaine des gardes.

Comme je tournais en partie le dos à l'officier, je masquai ma main devant mon buste et, d'un index discret, le désignai à Élisabeth. « Li-Gne-Rac », articulai-je sans un son, mais dans un mouvement de lèvres facile à lire. Mon amie eut un léger hochement de tête pour me signifier qu'elle avait compris.

— Capitaine ?

— Madame.

— Vous serait-il possible de continuer à faire le guet à partir de l'antichambre ?

— J'ai déjà placé dix de mes hommes dans cette pièce, madame.

— Et dans le boudoir par où vous avez fait s'introduire Mlle Anne ?

— Il n'y a qu'une porte pour les domestiques, madame, et l'entrée de cette section de vos appartements est également protégée par plusieurs soldats.

— Je vois…, hésita Élisabeth, qui ne savait pas quelle excuse invoquer pour renvoyer son gardien sans froisser son orgueil.

Toutefois, en digne gentilhomme, c'est l'officier lui-même – sans doute conscient du malaise qui me gagnerait si nous devions aborder le sujet de mes amours – qui trouva le prétexte pour quitter la bibliothèque.

— Cependant, avec la permission de Votre Majesté, il me siérait d'aller m'assurer que toutes mes exigences en matière de sécurité ont été respectées. J'en ai pour un bon quart d'heure.

— Un quart d'heure est parfait, capitaine. Faites.

Une fois notre protecteur sorti, je m'empressai de raconter à Élisabeth les derniers détails concernant ma relation avec Antoine. Elle réagissait aux paroles que lui traduisait la comtesse en me regardant avec des yeux toujours plus grands ouverts et une bouche qui, peu à peu, forma un O majuscule.

— Et tu lui as dit que tu en aimais un autre ? finit-elle par répliquer lorsque je n'ajoutai plus rien sur le sujet.

— Sans détour.

— Mais c'est faux, bien sûr.

— Non, c'est vrai.

— Comment, c'est vrai ?

— Je crois, oui. Je pense être tombée amoureuse d'un autre.

— Mais enfin, Anne, c'est trop fou. Voilà deux jours à peine… Qui ? Qui peut avoir dérobé aussi rapidement et facilement l'attachement que tu cultivais pour cet Antoine ? Ce doit être quelqu'un de fort bien.

— Tu n'as pas idée. Il est…

Je ne trouvais pas les mots. J'étais tellement dépassée moi-même par la situation ! Élisabeth insista :

— Allons, Anne ! Ne me cache pas ce détail si excitant. Qui est cet homme ayant su, en si peu de temps, t'arracher à tes certitudes ? Pas quelqu'un de la cour, tout de même ?

— Si.

— Si ? Mais… mais qui ?

Elle porta soudain la main à sa bouche. En pointant l'index dans la direction de la pièce où avait disparu de Lignerac, elle laissa échapper :

— Non !

— Si, répétai-je.

— Mon capitaine des gardes ?

— Je vise trop haut, pas vrai ?

— Non. Pas du tout. C'est seulement… Mon capitaine des gardes ?

Elle n'en revenait pas.

— Et il t'aime aussi ? Il t'a fait une déclaration ?

— Il m'a demandé la permission de repasser chez moi dans quelques jours afin de rencontrer mon père et de me présenter ses hommages.

Sans compter que, quelques minutes plus tôt, il m'avait comparée à un ange, mais ce détail, je préférai le garder pour moi. Je poursuivis devant une Élisabeth au comble de l'ébahissement :

— Je sais qu'il appartient à ton service et qu'il ne peut se marier sans recevoir ton assentiment, mais j'espère que, le cas échéant, tu ne verras point d'inconvénient à ce que ton premier officier se lie à une roturière.

— Anne, ne dis pas de sottises ! J'en serai ravie. C'est seulement…

— Seulement ?

Elle mordillait sa lèvre inférieure.

— C'est seulement que je me demande si je me reprocherai de vous avoir mis en présence l'un de l'autre, le capitaine et toi. De n'être point étrangère à la rupture entre Antoine et toi.

— Si c'est pour le mieux, qu'importe la rupture ? Au contraire, je ne te remercierai jamais assez de m'avoir permis de m'éloigner plus facilement d'un garçon qui, finalement, ne s'avérait point digne des attentes que j'avais placées en lui.

— Si c'est pour le mieux, oui. Espérons que ce soit pour le mieux.

78
La marraine

Une fois le capitaine des gardes revenu dans la pièce, nous continuâmes de conférer, et je confiai à Élisabeth, sans rien lui cacher, le reste des derniers événements : la folie meurtrière de mon frère Joseph, l'assassinat de nos voisins, la fillette récupérée près de sa mère égorgée, mon engagement à l'adopter et à la faire baptiser dans la foi catholique.

— Excellente idée, approuva la reine de France. Ce sera la meilleure façon de la protéger de l'extrémisme papiste. Comme tu es bonne et digne d'être mon amie !

La comtesse d'Arenberg se pencha vers moi pour ajouter ces mots de son cru :

— Et permettez-moi, mademoiselle Anne, d'exprimer ma propre admiration devant votre grandeur d'âme.

— Merci, madame. Je ne fais rien de plus que répondre au devoir de tout chrétien mis en présence de la détresse d'autrui.

Puis la femme se remit à traduire nos propos et à me tutoyer afin de mieux rendre le lien qui nous attachait, Élisabeth et moi.

— Comment l'appelleras-tu ? s'informa la souveraine.

— J'avais pensé à Marie, un nom bien catholique.

— Bonne idée.

— Et en fonction de sa marraine, j'ajouterai un second prénom. Marie-Élisabeth, par exemple.

— Marie-Élis… Tu me demandes d'être sa marraine ?

— Je sais que tu es reine et qu'elle n'est que roturière, mais si tu acceptais, ce serait un honneur pour ma famille et moi.

— Qu'est-ce que tu racontes ? L'honneur est pour moi. Être choisie pour marraine d'une enfant bénéficiant de tant de dévouement me fait profiter d'une part de la grâce divine qui rejaillit sur ta personne. Merci, Anne. Merci pour ce beau gage d'amitié.

— J'espère que d'être mère célibataire, fût-ce mère adoptive, n'écartera point de moi quelque prétendant éventuel, dis-je en haussant un brin le ton afin que, de sa position, le capitaine de Lignerac entende chaque mot.

— Celui qui refuserait de t'épouser pour un détail de cette sorte, de toute façon, ne mériterait point ton cœur, répliqua Élisabeth sur le même ton, ce qui incita la comtesse à parler plus fort également.

Puis nous échangeâmes un sourire complice. Cela faisait du bien d'oublier, pour un instant, toute l'horreur qui régnait hors les murs du Louvre.

Un domestique apparut à l'entrée de la pièce que je connaissais déjà pour y avoir été accueillie par Élisabeth et sa jeune servante, la veille. C'était cette petite antichambre donnant sur la grande.

— Sa Majesté le roi demande à être introduit auprès de Sa Majesté son épouse.

— Le roi ? s'étonna Élisabeth. Eh bien..., ne le faites point attendre.

— Ainsi que Sa Majesté la reine mère, poursuivit le valet.

— Voilà de la visite de qualité, murmura la comtesse d'Arenberg à mon intention et sans traduire à sa souveraine.

— Et Sa Majesté la reine de Navarre, finit d'énumérer le domestique.

Élisabeth se redressa en plaçant machinalement les deux mains sur chaque côté de sa coiffure, comme pour s'assurer de son maintien, puis les reposa sur son ventre rond. Je m'empressai de me mettre debout à mon tour et, désignant la pièce par où j'étais arrivée, proposai :

— Je vais prendre congé. Je vais sortir par...

— Non, Anne, m'interrompit Élisabeth, qui n'avait pas eu besoin de traduction pour comprendre.

Cinq doigts sur mon poignet, elle expliqua :

— Je veux que les plus grands du palais te voient en ma compagnie et saisissent que je t'ai choisie pour amie. Cela incitera mes dames d'atour à mieux accepter ta présence auprès de moi.

Puis la comtesse se pencha à mon oreille pour ajouter :

— Ce sera déjà un détail de moins dont il faudra se préoccuper si vous devenez Mme de Lignerac.

* * *

Le roi entra en premier dans les appartements de son épouse. Il portait un béret noir un peu avachi, tacheté de la poussière des rues. Son pourpoint était ouvert sur une chemise de soie qui aurait pu forcer l'admiration, mais elle était si malpropre que l'effet du moiré tombait à plat. Ses trousses et ses chausses étaient à l'avenant. La puissante odeur de cheval qui le précédait indiquait sans ambages que Sa Majesté arrivait d'une cavalcade.

À un pas derrière lui se découpait la silhouette noire de Catherine de Médicis, auguste et solennelle comme toutes les fois où je l'avais croisée. Le tissu sombre de son vêtement de deuil perpétuel détonnait sous le médaillon d'or à sa poitrine et sous la collerette à la blancheur impeccable. Sa chevelure était à demi dissimulée sous un serre-tête appareillé à sa robe.

Suivait Marguerite, richement habillée : fraise à godrons, guimpe de belle facture, manches à gigot, plis roulottés... Ses cheveux étaient coiffés en raquette – mode incontournable à la cour, sans doute pour imiter Élisabeth – et elle agitait sous son nez un éventail splendidement orné.

Autour des trois Majestés se pressait la faune de courtisans qui les entouraient de coutume, mêlés les uns aux autres dans un désordre bruissant, et talonnés de près par les suivants d'Élisabeth d'Autriche, qui se refusaient à rester à l'écart dans l'antichambre. Si chacun s'inclina en présence de la reine de France, c'est sur moi que se posèrent tous les regards en se relevant, réunissant expressions d'étonnement et d'envie.

Élisabeth baissa un brin le menton en saluant en retour tandis que la comtesse d'Arenberg se courbait profondément.

— Madame, s'exclama le roi en prenant la parole en premier, je suis tout aussi surpris qu'enthousiasmé de vous trouver en compagnie de cette personne dont j'ai oublié le nom, mais qui possède à la fois la beauté et le charme d'un ange du paradis.

Encore cette comparaison ! Si on ne cessait pas bientôt, je finirais par y croire. Je comprenais combien il pouvait être facile de se laisser séduire par un beau discours quand il correspondait à ce qui était agréable à l'oreille. Je saisissais pourquoi les grands toléraient l'hypocrisie des compliments de leurs suivants : sans en être dupes, ils s'y complaisaient. Je présumai que Joseph et Antoine étaient victimes du même sentiment d'importance généré par ces cajoleries verbales.

— Anne Sagedieu, de la maison de tissus Sagedieu, si je ne m'abuse, hasarda la reine mère sans même donner l'impression de réfléchir.

— Pour servir Vos Majestés, répliquai-je en m'inclinant une deuxième fois.

— Il me semble que je vous trouve souvent sur mon chemin, mademoiselle. Et sans que vous fussiez de noble naissance.

— La Providence est bonne envers moi, madame, improvisai-je avec plus ou moins de bonheur. Et Sa Majesté la reine de France également, qui s'est prise d'affection pour mon humble personne.

— Et avec raison, avec raison ! s'exclama Charles IX, s'empressant de réagir avant que sa mère ne parle de nouveau – et peut-être avec moins d'indulgence, cette fois. Je suis ravi qu'une jeune femme avec cette fraîcheur vienne ensoleiller les couloirs un peu austères du palais.

— Surtout en ces jours-ci, mon frère, intervint Marguerite de Valois. J'approuve votre enthousiasme concernant Mlle Sagedieu.

Catherine de Médicis tourna vaguement les yeux vers sa fille, mais sans pivoter tout à fait ni la regarder directement. Une seconde de silence s'ensuivit, et les courtisans en profitèrent pour exprimer leur adhésion aux louanges de Leurs Majestés en chuchotant volontairement trop fort.

— C'est vrai qu'elle est charmante.

— On a tout de suite envie de s'en faire une amie.

— Elle s'habille bien pour une bourgeoise.

— On reconnaît la mercière de bon goût.

Mais même si ces compliments avaient été autant de verres de cristal remplis du meilleur nectar, je n'aurais point osé y boire, de peur d'être empoisonnée.

— Nous arrivons du cimetière des Saints-Innocents, madame, expliqua le roi à Élisabeth – en se désintéressant enfin de ma personne. Je suis fort aise de vous avoir convaincue de ne point nous y suivre. Les rues de Paris, avec leurs trous et leurs bosses, ne sont point recommandées dans votre état. Vous auriez pu y perdre l'héritier de France.

— Toutefois, poursuivit Catherine de Médicis sans laisser à sa bru le loisir de répliquer, nous nous en serions voulu de retourner en nos quartiers sans vous confirmer que le prodige annoncé n'est point une fantaisie née dans l'esprit de quelques exaltés. Une aubépine miraculeuse a bien fleuri dans ce lieu de mort. Nous pouvons affirmer en toute certitude que Dieu est content de nous.

— Ah, ma chère épouse! s'exclama Charles IX, rayonnant. C'était merveille que de contempler de nos yeux ce phénomène divin, d'écouter les harangues favorables de nos bons prêtres et de recevoir les louanges du peuple chrétien de Paris pour notre acte de foi. « Vive le roi! » criait-on. « Vive la messe! »

— Cela vous aurait plu, mademoiselle Sagedieu, revint à la charge Catherine de Médicis. La prochaine fois, nous songerons à vous demander de nous accompagner.

— Votre Majesté est bien bonne également à mon endroit, rétorquai-je avec une nouvelle courbette. En compagnie de mon père, hier, j'ai eu le loisir d'observer le phénomène.

— Vous êtes allée au cimetière des Saints-Innocents?

— Si fait, madame.

— Pour voir l'aubépine miraculeuse?

Je faillis répondre que mes proches et moi nous y étions rendus pour ensevelir des voisins, mais me rappelai à temps que ces derniers étaient huguenots. Je sentis le rouge s'attaquer à mes joues lorsque je repris la parole:

— Pour assister au prodige, madame, en effet. Mon frère en avait entendu parler.

Devant les dizaines de regards fixés sur moi, je me demandai s'il n'y aurait pas un courtisan qui, jaloux et soucieux de me surprendre à mentir, entreprendrait une enquête personnelle sur moi et découvrirait les raisons véritables de ma présence au cimetière des Saints-Innocents. En ce cas, ce serait moins la réaction d'Élisabeth – déjà au courant – que celle des autres puissants de la cour qu'il me faudrait craindre.

Qu'arriverait-il à Marie si on apprenait qu'elle était née de parents huguenots? Comment serais-je perçue si on savait que Jehan Brissier, le frère de ma fille adoptive, avait été assassiné par mon propre frère à moi?

Je dus combattre soudain l'instinctive, l'impérieuse, l'insurmontable envie de laisser là tout ce rassemblement de dissimulateurs et de sournois afin de courir jusqu'à la maison pour prendre sur mon cœur l'enfant que Dieu avait placée sous ma protection.

79

La déclaration du capitaine des gardes

Je quittai le Louvre un peu avant que les clochers sonnent les vêpres. Le jour tombant avait apporté un peu de calme dans les rues de Paris, mais il fallait pécher par excès d'optimisme pour croire que cela durerait jusqu'au matin.

Élisabeth d'Autriche, coquine, avait demandé à de Lignerac de me servir d'escorte en lieu et place des trois gardes qui m'avaient accompagnée à l'aller. Le capitaine avait accepté sans sourciller, les appartements de la reine étant sécurisés par un important corps d'archers. Toutefois, bien malin qui aurait pu reconnaître la satisfaction ou le déplaisir dans l'attitude réservée et froide de l'officier. En me retrouvant une fois de plus à chevaucher la jument d'Élisabeth aux côtés du nerveux coursier de mon protecteur, je me demandai jusqu'à quel point il affectionnait ma compagnie. Ses élans de réjouissance lors de nos retrouvailles, plus tôt, me semblaient déjà bien loin. Une certaine déception m'envahit lorsque je songeai que, à l'image d'un adolescent immature, il boudait peut-être à cause de ma réaction mitigée quand il m'avait comparée à un ange.

Profitant de la largeur de la rue Saint-Honoré et du peu de passants, je laissai sa monture remonter aux côtés de la mienne. Puis je tournai le visage vers lui, considérant qu'il s'agissait là de l'invitation à se déclarer la plus osée que pouvait se permettre une jeune fille bien. De Lignerac mit tout de même plusieurs secondes avant de daigner se rendre compte de mon regard. Son visage noyé de l'ombre que jetaient les larges bords de son chapeau, il finit par s'enquérir :

— Avez-vous mentionné à votre père mon désir de venir le rencontrer ?

— Si fait, monsieur.

— A-t-il montré quelque satisfaction ? Ou du déplaisir, peut-être… puisque vous deviez épouser ce jeune homme et…

Il laissa sa phrase mourir dans une intonation haute, résolu à ne point poursuivre, convaincu qu'elle était assez explicite en dépit des mots manquants. Je mis un moment à répondre, m'entêtant à attendre plus de précisions, espérant accentuer son malaise. Je ne tardai point trop, toutefois, de peur qu'il s'imagine que je manquais d'assurance.

— Mon père s'est d'abord inquiété de l'honnêteté de vos intentions, car de très nombreuses histoires courent sur de jeunes filles qui auraient perdu leur vertu en fréquentant la cour. Cependant, je l'ai rassuré. Je vous sais gentilhomme, monsieur, et mon père a confiance en mon jugement.

— C'est qu'il n'ignore point avoir fait hériter sa fille de sa sagesse.

Pour toute réplique, j'inclinai la tête en esquissant un sourire.

— Vous voulez me faire plaisir, Anne ? demanda-t-il après plusieurs secondes.

— Sans doute, monsieur.

— Ne m'appelez plus « monsieur ». Mon prénom est Armand.

J'inspirai profondément avant d'acquiescer d'un simple mouvement du menton. Je sentais que notre relation acquérait une dimension nouvelle, et cela m'étourdissait un brin.

— Anne, puis-je vous poser une question directe ?

— Je n'espère de vous que cela, mons… Armand.

— M'aimez-vous ?

Grand Dieu ! Que répondrait une jeune fille respectable à une interrogation aussi franche ?

— B… bien sûr, Armand. Votre gentillesse et vo… votre…

— Anne…

Il s'empara de la bride de ma jument pour l'arrêter afin que nous profitions d'une zone vide de tout passant.

— Anne, je vous ai posé une question directe, s'il vous plaît, donnez-moi une réponse directe. M'aimez-vous ?

— Vous… voulez dire de cet amour… de…

— Oui. Vous réjouiriez-vous de m'épouser si j'en faisais la demande à votre père et qu'il acceptait ?

— Monsieur… Armand…, je…

— Je conçois que tout est rapide, que voilà cinq jours à peine, vous vous proposiez d'épouser un autre homme, et moi, j'ignorais jusqu'à votre existence. Mais Anne, les circonstances… Dieu vous a placée sur mon chemin… les huguenots…

Sa phrase était de plus en plus décousue, mais de plus en plus limpide à mon esprit. Il avait raison, oui : voilà peu, rien ne nous disposait lui et moi à nous rencontrer et à tomber amoureux l'un de l'autre. Mon avenir à moi me paraissait simple, couler de source. Maintenant, je n'affectionnais plus celui qui devait partager ma vie, j'avais une enfant, mon cœur battait pour un autre homme…

— Anne, répéta-t-il, m'aimez-vous ?

— Oui, Armand. De toute mon âme.

Il lâcha le bridon pour saisir ma main. Il la porta à ses lèvres, et je sentis sur mes jointures la piqûre des poils de sa moustache. Pendant un instant…, non, une éternité ! je me demandai ce que ce serait que d'éprouver ces mêmes chatouillements sur mon front, mes joues, mes lèvres, mon cou… De mes doigts libres, je m'accrochai au pommeau de la selle afin de ne point tomber de cheval. Souffle, cœur, pensées…, tout se figea en moi, et je ne me préoccupai que d'une chose : combien de temps une jeune fille bien devait-elle laisser sa main contre la bouche de son prétendant ?

— J'ai affronté des armées, Anne, j'ai mené des attaques sur des remparts de villes assiégées, j'ai repoussé des charges de l'intérieur de forteresses prises d'assaut, mais je n'ai jamais combattu de forces supérieures à celle qui m'attire vers vous. Je vous aime.

— J'ai une enfant, maintenant, Armand.

— Je sais, Anne. J'étais présent lorsque vous l'avez arrachée à la mort, lorsque, en dépit de votre frère et des tueurs qui le secondaient, malgré la folie qui nous environnait, vous avez opté pour la bonté et la vie. Je crois bien, d'ailleurs, que c'est à partir de cet instant que j'ai compris à quel point j'étais épris de vous. J'aimerai cette enfant, ne vous tracassez point. Je l'aimerai autant que les autres fils et filles que Dieu voudra bien nous donner.

Les larmes montèrent à mes yeux, mais je me refusai à ce qu'il me vît ainsi. Point que cette émotion qui me bouleversait fût malséante, mais la coquetterie m'interdisait de paraître en pleurs devant cet homme que je trouvais si beau. Je me détournai donc en reprenant ma main… et les rênes de ma jument.

— Pressons-nous, ordonnai-je. Justement, il me tarde de retrouver… ma fille, et l'heure de rendre visite à sa nourrice est largement dépassée.

J'avais failli dire « notre » fille.

80

Marie et Joseph

Une fois à la mercerie, de Lignerac s'empara des rênes de ma jument et, contrairement à mes prévisions, ne mit point pied à terre pour m'aider à descendre de cheval. En fait, il ne semblait point disposé à prendre congé.

— Je vous attends, annonça-t-il simplement. Je ne retourne pas au Louvre maintenant. Je crois que Sa Majesté m'en voudrait si elle savait que je vous ai laissée marcher sans escorte jusque chez la nourrice.

Mais le rictus qui dessinait sur son visage un sourire vaguement moqueur trahissait que c'était plutôt lui qui s'en voudrait. J'eus un mouvement de tête pour acquiescer puis entrai dans la maison. Je trouvai ma mère un brin nerveuse.

— Par les saints apôtres ! Je commençais à m'inquiéter, lança-t-elle en guise d'accueil.

— Pas moi ! affirma Delphine, qui, à ses côtés, me fixait comme pour me défier de lui prouver le contraire.

Je ne me souciai point de l'intervention de ma sœur et répliquai à ma mère :

— Je sais. Élisabeth... Sa Majesté la reine m'a retenue un peu plus longtemps que prévu. Mais en contrepartie, elle fait toujours en sorte que je sois bien escortée. Où est Marie ?

— Elle avait faim, la pauvre petite ! Tu feras une drôle de maman si tu nous l'abandonnes tout le temps.

— Ouais, une drôle de maman ! approuva Delphine.

Je souris en prenant la main de la douce Bernadette Sagedieu.

— Allons, mère, ne jouez point la femme ombrageuse, cela ne vous va pas du tout. Et si Marie a fini par cesser ses pleurs, c'est qu'elle n'avait point si faim. Elle dort ?

— Mais non, il a bien fallu se rendre chez la nourrice.

— Père l'a emmenée chez la veuve Pelletier ? Je suis navrée.

— Non, ton père est chez la famille de Gontran. Il voulait s'assurer que le médecin qu'il a déjà payé pour la jambe brisée de notre serviteur s'était bien…

— Attendez, maman ! Qui a porté Marie chez…

Je m'interrompis, car je venais de comprendre avant même qu'elle réponde.

— Mais… Joseph. Ton frère.

Je me précipitai à l'extérieur pour retrouver un de Lignerac qui me regarda sauter en selle avec une mine complètement abasourdie. En une phrase, tandis que, des pieds, je battais les flancs de ma jument, je lui expliquai la situation. Contrairement à ma pauvre mère, l'officier, en tant qu'homme d'action, n'avait pas besoin d'un long discours pour saisir le danger que courait mon bébé. En trois minutes d'un galop effréné – enfin, qui parut tel à la cavalière improvisée que j'étais –, nous parvînmes en face de la maison de la nourrice.

— Pas trop tôt ! lança-t-elle en manière de salutations du haut de sa fenêtre. Je croyais que vous ne viendriez plus.

— Joseph…, mon frère vous a abandonné l'enfant ? m'enquis-je au pied de mon cheval, face à la porte, déjà. Il a… Marie a terminé son boire ?

— Comment, Marie ? grogna la veuve. Voilà deux heures que je l'attends. Elle n'est point avec vous ?

Mes pires craintes se concrétisaient donc.

— Joseph n'est pas venu ?

— Puisque je vous dis que j'attends !

Je me sentis si étourdie que je faillis tomber sur les genoux contre les mauvais pavés de la rue. Étrangement, ma première pensée fut pour ma mère qui avait trouvé normal de laisser Joseph s'occuper de la petite, ma mère dont la sottise attisa en moi une colère plus forte que l'affolement et la peur.

Comme les parents étaient aveugles devant la bêtise et la malveillance de leurs enfants !

— Venez !

L'ordre de Lignerac claqua comme un fouet. Je me ressaisis et remontai à cheval. Nous reprîmes le chemin inverse dans un galop plus sauvage encore que le précédent.

— Des voisins l'auront peut-être vu, dit l'officier lorsque nous ralentîmes devant la mercerie. Nous saurons quelle direction il a prise. Hé, toi ! Avec le tablier !

Un cordier qui habitait à quatre portes de chez nous se retourna. Il sembla s'alarmer de l'épée au flanc d'Armand, puis, en me reconnaissant la seconde suivante, se calma. C'est moi qui demandai :

— Bonsoir, monsieur Rousset. Avez-vous vu Joseph, mon frère ?

— B'soir, mam'zelle Anne. Joseph ? Ouais. Avec un chiard. Et j'pense qu'c'est çui des Brissier.

— Et où est-il allé ?

— L'noyer, j'espère. Sinon, à quoi ça servirait d'tuer les chiennes si on laisse vivre les chiennées ?

Le cordier m'aurait lancé un caillou que je n'aurais point éprouvé plus de mal. Du coin de l'œil, je vis la main de Lignerac tressauter sur le pommeau de son épée. Je m'empressai d'intervenir :

— Monsieur Rousset, quelle direction Joseph a-t-il prise ?

— Par là, mam'zelle Anne ! répondit-il en désignant du bras le passage adjacent qui plongeait vers les rues Coquillière puis Saint-Honoré. Drette vers l'fleuve.

Sans remercier, sans plus un regard pour le voisin, de Lignerac et moi lançâmes nos montures dans la direction indiquée. En moins de cinq secondes, la croupe du coursier de mon brave officier s'amenuisa au point que je le perdis au coin de la rue de Grenelle. J'étais trop novice en matière d'équitation pour pouvoir songer un seul instant à soutenir son rythme. Je le laissai disparaître, car tous deux, nous savions que le temps pressait.

Je franchis la rue Saint-Honoré avec peine ; de nombreux guisards s'étaient attroupés pour paillarder. Déjà ivres, ils harcelaient les passants de leur « La messe ou la mort ? » avant de partir de grands éclats de rire et de rots vulgaires sans même avoir obtenu de réponse de leurs souffre-douleur apeurés. Après quelques jurons indignes d'une fille de bonne éducation, et même un coup de pied pour éviter que l'un de ces marauds ne s'emparât de la bride de ma jument, je réussis à m'engager dans la rue de l'Autruche.

Ce fut au bout de cette artère que je reconnus le cheval de Lignerac. Il attendait, sans plus de cavalier, à l'angle d'une taverne. Des archers en permission se tenaient à la porte et regardaient vers une zone ombrée dont je ne distinguais rien. À mesure que j'approchais, je replaçai la voix de mon protecteur…

— Parle, sinon je te plante cette épée au travers du corps !

Les soldats n'intervenaient point, preuve qu'ils avaient identifié en de Lignerac un officier des gardes royaux. La scène les intriguait au point qu'ils ne se détournèrent même pas pour s'étonner de voir une jeune fille passer à cheval.

Lorsque l'ombre de l'encoignure que me masquait le coursier se dissipa, que je pus profiter de la faible lumière venant d'une lampe suspendue à l'intérieur d'une fenêtre voisine, je reconnus non seulement de Lignerac, mais la mine défaite de mon frère Joseph. Dos et mains appuyés au mur, il grimaçait de peur ! Même dans cette quasi-obscurité, il m'était possible de discerner la pâleur sur son visage. Je balayai les alentours des yeux. Nulle part, je ne vis Marie.

81
Les pierres

Je sautai en bas de ma monture et me précipitai vers mon cadet. On aurait pu croire que je m'élançais afin de détourner la pointe de la lame de l'officier placée sur sa gorge, mais il n'en était rien. Premièrement, je savais que de Lignerac n'aurait jamais tué le frère de la femme à qui il venait de déclarer sa flamme ; deuxièmement, moi aussi j'aspirais à user d'intimidation pour obliger Joseph à passer aux aveux.

— Marie ! Où est Marie ?

— Parle, te dis-je ! répéta de Lignerac en appuyant plus fortement son épée contre la pomme d'Adam de sa victime.

— Joseph ! Où est ma fille ?

Mon frère tourna vers moi un regard si affolé que, pendant une fraction de seconde, il me fit pitié.

— Je n'ai pas pu, Anne. Je te jure. Je n'ai pas pu.

— Mais parle, bon Dieu ! Où est-elle ?

— Je n'ai pas pu la noyer. Elle m'a souri, tu comprends ? Elle me souriait. Je l'ai laissée près de la Seine. Je l'ai laissée avec des…

Mais, déjà, je m'étais mise à courir, oubliant la jument derrière moi – qui ne m'aurait guère été utile de toute façon étant donné la proximité du fleuve. Elle souriait, avait dit Joseph ! L'enfant n'avait que quelques semaines ! Était-ce possible ?

Je parvins sur la berge et scrutai les alentours en proie à la plus vive agitation. Heureusement, ce soir-là, de nombreuses torches allumées par les bateliers et par les volontaires qui continuaient la macabre tâche de jeter des cadavres à l'eau me donnaient une bonne vue des environs. La lune n'était point visible, et je n'arrivais plus à me souvenir si elle était pleine, si elle devait se lever bientôt... Qu'importait ! Des gens se rassemblaient çà et là, qui pour éviter la touffeur des rues, qui pour manger un quignon de pain, qui pour dormir en groupe afin de n'être point attaqué par quelque truand.

Je repérai des enfants de dix, douze, peut-être treize ans, qui chahutaient en frappant l'un des leurs.

— Fils de catin ! insultait l'un.

— Maudit réformé ! injuriait l'autre.

— Que le diable t'attire dans son enfer ! vociférait un troisième en usant d'une pierre pour battre sa victime.

Je me demandais s'il était de mon devoir d'intervenir quand soudain mon cœur s'arrêta. Plus loin, au milieu d'une seconde bande de gamins – plus jeunes, ceux-là, moins de dix ans –, je venais d'apercevoir un bébé. Ce dernier était posé à même le sol, à un pas de l'eau. Ses langes étaient entrouverts sur son petit corps agité. On l'entourait à sept ou huit en accumulant de gros cailloux qu'on transportait d'un coin de ponton effrité. Il n'y avait aucun adulte à proximité.

Je me troublai moins de reconnaître Marie que de comprendre à quoi s'activaient les bambins. Ils amassaient les pierres sur les langes pour lester le tissu autour de l'enfant et la jeter par après dans le fleuve.

Je me précipitai vers eux.

— Arrêtez ! Laissez cette fillette !

Les gamins figèrent leurs gestes, seize yeux se tournèrent dans ma direction, mais aucun ne s'écarta vraiment de Marie. Lorsque je fus assez près, le plus âgé du groupe, haut comme trois pommes, la bouche plissée dans un simulacre d'expression haineuse, me lança :

— C'est une réformée. Il faut la tuer.

— Et à quoi vois-tu ça, jeune drôle ? Elle a des cornes ?

Je le repoussai d'un mouvement agacé de la main et me penchai sur Marie. J'envoyai un rapide remerciement vers le ciel en constatant qu'elle ne présentait pas la moindre égratignure. Les yeux ouverts, elle souriait.

Elle souriait ! Inconsciente de la mort atroce qui l'attendait ! Et puis elle devait avoir faim, non ? Comme elle me paraissait une petiote dont il était facile de prendre soin ! Quel adorable poupon Dieu avait placé sous ma protection !

Je pris la fillette dans mes bras et me redressai en la serrant sur mon cœur. Elle gazouilla. Je lui chuchotai quelques paroles douces, me sentant encore plus nerveuse – me semblait-il – qu'au moment de la rechercher. Le soulagement se débondait en moi en une effervescence qui…

Je laissai échapper un cri de surprise.

En me retournant, je vis tout à coup le premier groupe d'enfants, ceux entre dix et treize ans, qui s'était approché. Le souffre-douleur gisait plus loin, immobile, mort peut-être. Les nouveaux venus faisaient front commun pour soutenir les prétentions des plus jeunes, qui se trouvaient maintenant ragaillardis par la force du nombre et la taille des plus vieux. Je distinguai deux ou trois filles, aussi sales et mal vêtues, et la mine aussi mauvaise que celle de leurs camarades. Plusieurs caressaient de gros cailloux entre leurs mains.

Je serrai Marie plus fort contre moi.

— C'est mon bébé. Laissez-moi passer.

— C'est l'enfant d'une réformée qui a été massacrée, corrigea le garçon qui me semblait le plus âgé. Celui qui l'a amenée nous l'a dit.

— Non, c'est ma fille.

— Prouve-le !

— Impossible.

— Alors, paie-nous.

— Tuons-les au lieu de perdre du temps, intervint l'une des gamines. Lapidons-les, elle et son fichu bébé !

Elle paraissait plus bête et plus hargneuse encore que son compagnon. J'aurais pourtant cru qu'une future mère ressentirait de la compassion…

— Non, objecta le garçon. Elle a une robe de riche, elle doit avoir de l'argent.

Les plus jeunes commençaient aussi à tourner les pierres dans leurs mains. La panique croissait en moi à proportion de cette agitation.

— Je vous jure, je n'ai pas d'argent. Et cette enfant est catholique. Je suis catholique. Vive la messe ! Vive la messe ! Que Dieu bénisse Marie, la Sainte Vierge, mère de Jésus le Christ !

Le plus vieux parut décontenancé un instant. Je présumai que, s'il aspirait à casser du huguenot, il hésitait à entacher son âme en tuant une famille catholique.

— Qui est le père ? demanda-t-il après un moment.

La question, apparemment simple, me sembla pourtant des plus complexe. Je ne pouvais quand même point répliquer Sagedieu. Antoine Dubois, peut-être ? Je rougis rien qu'à cette pensée…

— Moi ! Armand de Lignerac ! Capitaine des gardes de la reine de France !

Nous sursautâmes tous, les gamins comme moi. Dans le contre-jour des torches à proximité, nous n'avions pas vu approcher mon protecteur, qui avait abandonné les chevaux plus haut – sans doute à la garde de Joseph – pour nous rejoindre à pied.

Son uniforme et son épée – bien que dans son fourreau – eurent un effet explosif sur les enfants. Toutes les pierres tombèrent par terre, et trois au moins, parmi les plus jeunes, déguerpirent à la course.

— Y a-t-il quelqu'un qui a fait du mal à ma fille ? s'informa de Lignerac d'une voix grave en balayant les mômes d'un regard qui me parut d'une férocité un peu fabriquée.

— N… non, monseigneur, balbutia le plus vieux. Nous la gardions ici pour vous afin que, justement, il ne lui arrive rien.

— Je me disais aussi.

Il tira quelques piécettes de sa bourse et les jeta aux pieds des plus âgés avant de m'entraîner avec lui, son bras lourd et assuré autour de mes épaules encore tremblantes.

82

Le projet

La folie qui s'était emparée des Parisiens, l'exutoire aux frustrations, ne s'éteignit point cette nuit-là, ni le lendemain, ni même le surlendemain. En dépit des exhortations royales visant à faire cesser les massacres, ceux-ci mirent plusieurs jours à s'essouffler. Un voyageur qui passa par notre rue affirma à qui voulait l'entendre que, dès le lundi, les tueries avaient ensanglanté Orléans et Meaux, puis Tours, Blois, Amboise... Il faut dire que les meurtres profitaient à plusieurs, parce qu'ils permettaient non seulement de se défouler ou d'exprimer une ferveur religieuse malsaine, mais également de s'approprier les biens des sacrifiés.

— Un frère cadet du père Brissier, catholique, s'est réjoui publiquement de devenir le seul héritier d'un pécule que léguera son aïeul malade.

Mon père fit cette déclaration le mardi 26 août, le jour même où Charles IX tenait un lit de justice pendant lequel Sa Majesté endossait, devant Dieu et les hommes, l'entière responsabilité du massacre. Ma bonne amie Élisabeth d'Autriche aurait de quoi alimenter les demandes de pardon divin dans ses prières à venir.

— De plus, renchérit papa, ce Brissier indigne s'est complètement désintéressé du sort réservé aux corps des martyrs de sa famille. Je présume qu'il a conclu que quelques exaltés les avaient balancés dans la Seine.

— En ce cas, il ignore que Marie est toujours vivante? m'informai-je.

— Sans doute.

— Et qu'elle a droit, elle aussi, à sa part du «pécule»?

Nous nous regardâmes en silence, ma mère, mon père et moi. Même Joseph, qui ne montrait plus d'animosité envers Marie, mais qui n'exprimait pas nécessairement son appui à notre cause, parut tracassé.

— On s'en moque un peu de ce legs qui, de toute manière, ne peut guère être important, finit par affirmer mon père.

— Mais ces Brissier ignorent notre indifférence à ce propos, s'inquiéta ma mère. Un jour ou l'autre, un voisin, un témoin, leur apprendra qu'une nouveau-née a été recueillie par les merciers, et ils risquent de vouloir la réclamer... pour s'en débarrasser.

En temps normal, un tel dessein de la part d'autrui ne nous aurait pas effleuré l'esprit, mais avec ce que les derniers jours nous avaient enseigné de l'âme humaine, nous en arrivions maintenant à ces conclusions extrêmes.

— L'occasion est belle pour faire des affaires, se désola l'un de nos clients avocat. Je connais un plaideur qui a assassiné son adversaire en l'accusant d'hérésie, alors qu'on sait que c'est pour éviter de perdre une cause indéfendable.

— Les créanciers tirent parti des troubles pour reprendre possession de biens qui étaient payés en quasi-totalité, confirma un autre acheteur.

— Je sais un candidat à la charge de secrétaire qui a obligé son prédécesseur à signer le transfert des responsabilités à son avantage. La menace d'une potentielle plainte pour apostasie a servi d'instrument de persuasion.

— On poignarde aussi des catholiques quand ça paie en retour. Un chanoine de ma paroisse a été tué dans sa maison. C'était un drôle au mauvais caractère, et médiocrement agréable aux officiers de la ville. Quelqu'un a profité de l'immunité des massacres pour l'éliminer.

— D'ailleurs, s'il fallait traîner en justice tous les Parisiens coupables de meurtres ou de complicité…

— Faudrait bâtir plusieurs autres Bastille, Châtelet et Montfaucon.

Chaque fois que je quittais le logis pour me rendre chez la veuve Pelletier, soit mon père m'accompagnait, soit c'était Joseph. On aurait aimé convaincre la nourrice de venir elle-même, mais avec son chapelet de gamins et sa peur des rues…

— Il y a un jeune homme qui demande à être reçu, annonça un cousin de Gontran – qui remplaçait notre serviteur le temps que celui-ci se remette de sa jambe cassée.

— Quel jeune homme ? s'enquit mon père en fronçant les sourcils.

Un bon domestique devait toujours s'informer du nom d'un visiteur. Le cousin avait encore beaucoup à apprendre.

— Un forgeron.

Ma mère me lança une rapide œillade. Je m'efforçai de jouer les indifférentes en essuyant une bulle de salive sur la commissure des lèvres de Marie, couchée devant moi sur la table.

— Fais-le attendre dans la boutique, ordonna mon père. Porte-lui aussi un verre de cidre. Je le rejoins bientôt.

Une fois le serviteur sorti, mes deux parents se consultèrent du regard. Leurs interrogations muettes n'étaient point difficiles à entendre : « Que répondre si Antoine demande à parler à Anne ? » ; « Comment lui signifier que ses visites risquent de devenir importunes ? » ; « Que nous n'attendons plus que la déclaration officielle du capitaine des gardes de la reine de France pour transformer l'avenir d'Anne, de la bourgeoisie vers la noblesse ? »

— Allez-y, père, suggérai-je en brisant le silence. S'il demande à me voir, refusez sous prétexte que je suis occupée à endormir Marie. Et ne lui cachez rien de nos nouvelles intentions. Sur ce dernier point, plus vous serez franc et ferme, plus vite il se fera à l'idée de m'avoir perdue, plus vite il fera son deuil… et moins longtemps il souffrira.

Mon père acquiesça de quelques hochements rapides du menton puis, après une profonde inspiration, s'engagea dans l'escalier. Aussitôt, je remis le bébé aux soins de ma mère et, avant que celle-ci trouve à redire, courus me dissimuler à l'angle que faisaient les marches aux trois quarts de la descente afin d'entendre tout sans être vue.

— Bonsoir, Antoine, résonna la voix de mon père.

— Bonsoir, monsieur Sagedieu.

L'intonation de mon ex-promis trahissait un peu de nervosité. Tout de même, je fus étonnée de l'aplomb qui en émanait, aplomb qui s'affirma au fil des échanges.

— Les rues sont-elles toujours agitées ?

— Moins, monsieur. En tout cas, dans le secteur qui sépare votre commerce de la forge.

— Tu transmettras mes salutations à ton père et à ton oncle, deux hommes que je considère beaucoup.

— Je n'y manquerai point, monsieur.

— Je présume maintenant que ta visite a un but, mon garçon. Que puis-je pour toi ?

— Avec mon oncle Jacques, justement, monsieur, je forme un dessein pour lequel je recherche des fonds.

Il y eut une pause de trois ou quatre secondes avant que j'entende mon père répliquer :

— De l'argent ? Vraiment ?

— Si fait, monsieur.

— Et quel est ledit dessein ?

— Ce dont je vous ai parlé sur les rives de la Seine, monsieur. Emmener ailleurs toute famille de la religion réformée qui se sentirait menacée à Paris et exprimerait l'envie d'aller vivre sous des cieux plus cléments. Nous avons déjà des noms. Des voisins, des amis de voisins, et des amis d'amis de voisins.

— Pour racheter la faute que tu as commise et pour laquelle tu ressens du remords ? C'est bien cela ?

— Comme je vous l'ai précédemment confié, monsieur. En effet.

— C'est noble.

— Merci, monsieur.

— Mais irréaliste.

Il y eut une deuxième pause de quelques secondes, puis la voix d'Antoine revint :

— Pourquoi dites-vous cela ?

— La haine et la folie ont gagné d'autres villes, paraît-il : Orléans, Meaux…

— C'est pourquoi il faut plus d'argent que ce que nous pensions investir, ma famille et moi, monsieur. Nous emmènerons les réformés jusqu'au bateau de pêche *Les deux amours*, au Havre-de-Grâce, et de là les embarquerons pour La Rochelle, Calais, voire l'Angleterre. Les coûts sont immenses, c'est vrai, car en plus de l'avitaillement du navire, nous ne voulons point abandonner ces gens sans aucune ressource une fois atteint leur nouveau lieu de résidence.

— Et à combien as-tu évalué les frais d'une telle entreprise ?

— Tout est noté sur ce document que je vous remets, monsieur. Vous pouvez le conserver pour une consultation en détail. Cependant…, permettez…, le montant final estimé est inscrit ici.

— Oh ! C'est cher.

— C'est pourquoi nous avons besoin du soutien de toute personne fortunée sensible à la détresse des réformés. J'ai compris, monsieur – et je sais que c'est là votre opinion –, j'ai compris, dis-je, que, aussi fausse leur croyance puisse-t-elle nous paraître, ces chrétiens ont le droit de vivre sans la peur d'être harcelés, vilipendés, attaqués et tués. Aidez-nous, monsieur. Dieu ne saurait qu'en bénir votre famille déjà si pieuse.

— Et tes propres intentions à toi, Antoine, concernent-elles également Anne ?

— Ce serait mentir que d'affirmer que je ne nourris point l'espoir que, devant mon amendement, votre fille retrouvera l'amour qu'elle entretenait pour moi.

— Elle sera bientôt promise à un officier des gardes royaux, Antoine. J'accepterai la demande qui me sera faite.

— Je suis heureux d'apprendre que ladite demande n'a point encore été présentée, monsieur.

83

Pourquoi aimer un officier

Dans les jours qui suivirent, mon père se pencha de plus en plus sur le projet que lui avait présenté Antoine Dubois. Il en discutait avec ma mère, calculait, rediscutait, recalculait.

— Nous diminuons l'héritage de nos enfants, s'inquiéta maman.

— Mais augmentons les grâces divines sur leur âme.

— Anne est mère, ses responsabilités s'accroissent.

— Si elle se marie avec un officier de la reine, son avenir pécuniaire est assuré.

— Et sa dot ?

— L'une des conditions à l'obtention de sa main sera une dot infime.

— Et Joseph ?

— Il a la mercerie comme garantie. S'il lui fallait un prêt plus tard…

— Toute une vie d'économies pour nos enfants réduite à… quasi rien.

— Nous ne sommes pas encore morts, et Dieu nous a pourvus tous deux d'une santé de fer ; nous avons suffisamment d'années devant nous pour renflouer une partie desdites économies.

— Et nous gagnons notre paradis, pas vrai, Augustin ? ricana ma mère avec un rictus exprimant tant la moquerie que le sérieux.

Mon père, lui, resta grave.

— Et nous traçons pour nos âmes une voie beaucoup plus large en direction du paradis, c'est certain.

Antoine revint deux soirs de suite en compagnie de son oncle Jacques, puis deux soirs de plus la semaine suivante. Avec mon père – et aussi ma mère qui, bien que femme, avait voix au chapitre quand il s'agissait de la fortune familiale –, ils faisaient des calculs, biffaient des articles sur la liste d'avitaillement, ajoutaient des noms sur le registre des ménages ayant demandé à s'embarquer, refaisaient les calculs, biffaient encore, ajoutaient de nouveau, argumentaient parfois, reniflaient souvent, soupiraient toujours.

J'assistais à leurs délibérations, soit retranchée dans une pièce voisine, dissimulée derrière un rideau, soit directement dans le salon d'invités où ils se regroupaient. À aucune occasion Antoine ne mentionna mon nom ni n'entama la moindre démarche pour se rapprocher de moi. Il me saluait d'un hochement de tête poli et d'un « bonsoir, mademoiselle » au moment de prendre congé, et c'était tout. Même si les efforts qu'il déployait pour ce projet charitable visaient à me séduire une seconde fois, à rallumer la flamme qui avait brûlé un moment pour lui dans mon cœur – surtout si ses efforts visaient ce but, devrais-je dire –, je l'admirais pour son dévouement et pour l'acharnement mis en œuvre. J'étais contente pour lui, car en toute sincérité, je pensais que Dieu ne pouvait pas rester insensible à pareille bienveillance. Le Très-Haut pardonnerait un jour à Antoine son instant d'égarement et ses effroyables crimes commis au cours d'un travestissement d'âme passager.

— Si Dieu pardonne, pourquoi pas toi ? me lança à brûle-pourpoint Joseph qui, je le savais, tenait Antoine en grande estime, comme un frère aîné lui servant de modèle.

— Je crois que Dieu a d'autres intentions pour moi.

— Je crois, moi, que tu pèches par ce que tu nous reprochais : tu te complais dans les marques d'admiration reçues des gens de la cour. Aimerais-tu cet officier de la reine s'il n'était qu'un vulgaire forgeron ? S'il ne portait point son bel uniforme ni son épée au côté ?

Cette terrible remarque de Joseph me déstabilisa de nombreuses heures. Je lui avais répliqué : « Tu te trompes ; oui, je l'aimerais autant », mais la vérité était que je ne m'étais jamais arrêtée à un tel questionnement.

Car qu'est-ce qui me plaisait chez Armand ? Son uniforme et son épée ? Certes non. Sa force et son courage ? Très certainement. La beauté des traits de son visage, la tournure de sa silhouette ? À n'en pas douter. La chaleur de ses bras, son odeur d'homme ? À l'évidence. Sa maturité d'homme accompli, notre différence d'âge ? Peut-être. Son attitude réservée, le mystère qui planait sur ce que j'ignorais encore de son passé ? Le souvenir brûlant de ses lèvres sur mes jointures ? Le chatouillement de sa moustache ?

Je m'efforçai d'imaginer Armand, le dos un peu plus rond, revêtu d'un tablier de forgeron, une chemise de coton écru sur les épaules, les doigts refermés sur une masse au lieu d'une lame, la figure et les mains noires de fumée…

Je frissonnai. Je n'étais point certaine d'aimer cette image.

Se pouvait-il alors que Joseph eût raison ?

* * *

Chaque jour, Élisabeth et moi échangions des lettres d'amitié par l'entremise d'un page de sa suite. Nous discutâmes ainsi des états d'âme des gens de la cour après le massacre de la Saint-Barthélémy, de la tristesse de Marguerite qui, souveraine d'un royaume, se trouvait isolée de son mari prisonnier au Louvre, de la force de Catherine de Médicis absorbant les contrecoups et déployant mille trésors de diplomatie afin que n'éclate point une quatrième guerre de religion, et finalement de l'esprit perturbé de ce pauvre Charles IX, roi sans majesté, homme sans robustesse, cœur sans compassion.

Je me dis que si Élisabeth d'Autriche se permettait de telles confidences, c'était que le courrier était sûr, aussi me risquai-je à lui parler du capitaine de ses gardes – même si mes propres préoccupations semblaient à mille lieues des graves sujets en instance. Comme les fois précédentes, mon amie aimait échanger sur cette question frivole, car cela la changeait des soucis plus sombres de la cour.

« Et il m'a baisé la main en affirmant qu'il avait mené des attaques, repoussé des assauts, mais que jamais il n'avait combattu de forces supérieures à celle qui l'attire vers moi. »

« Te voilà bien heureuse de pouvoir te targuer d'un amour aussi vif et sincère, car jamais, quoique reine – *parce que* je suis reine, justement –, je ne pourrais recevoir une déclaration de la sorte sans m'interroger sur le degré véritable de sa bonne foi. Et encore, si je n'étais point mariée ! Mais chez les princes, on n'épouse point qui on aime, mais qui on nous donne. »

Je me sentis bien aise d'avoir les parents qui étaient les miens.

Un après-midi, une semaine exactement après avoir vu le capitaine de Lignerac pour la dernière fois, je reçus un pli signé de sa main et apporté par le même page. La calligraphie en était un peu maladroite, avec des *e* parfois plus grands que des *l*, des *r* qui ressemblaient à des *v*. Cependant, de ces maladresses se dégageait une forme de tendresse. Il suffisait de songer que les doigts qui avaient tracé les mots étaient plus habitués à manier l'épée que la plume.

« Chère Anne,

Voici le premier moment de joie de toute cette journée, de toute cette semaine : je vous écris. Il y a fort à faire autour de Sa Majesté, et, ainsi que vous pouvez vous en douter, le Louvre est toujours grandement agité. Il me paraît bien un siècle que je vous ai vue. Quand donc serai-je votre compagnon de tous les jours ? Quand pourrai-je veiller sur toutes les heures de votre vie et de celle de notre fille? Si vous saviez combien je songe à vous.

Armand»

Lorsque je relevai les yeux du pli, je notai que ma mère m'observait avec une expression de vive inquiétude.

Je n'avais pas remarqué que je m'étais mise à pleurer.

84
Les deux lettres

Ce matin-là, deux lettres furent délivrées chez nous à une heure d'intervalle. Et par le même page ! Ce qui indiquait que le pauvre garçon avait à peine eu le temps de revenir au Louvre qu'on l'avait sommé de retourner à la maison de tissus Sagedieu.

Le premier mot m'était destiné et arborait le sceau d'Élisabeth d'Autriche. Elle me signifiait son désir que je la retrouve au palais le lendemain en matinée. Elle insistait pour que je vienne avec Marie. La boîte contenant la robe que je lui avais rapportée accompagnait le billet. Je reconnus ma propre façon de plier les étoffes dans les cartons. Le vêtement n'avait donc jamais été déballé.

Le second message était adressé à mon père et présentait un sceau différent. Cependant, je le replaçai immédiatement : c'était celui dont usait le capitaine des gardes de la reine.

— Mon père n'est point ici, expliquai-je au page qui avait porté ma réponse à Élisabeth trois quarts d'heure plus tôt. Il est allé rendre visite à la famille d'un serviteur blessé que nous apprécions beaucoup – en fait, il était parti livrer lui-même le reste de pain que nous possédions. Désirez-vous l'attendre ?

Le domestique s'inclina profondément en avançant d'un pas pour me remettre le vélin.

— Cela n'est point nécessaire, mademoiselle. Mes ordres n'exigent pas que je confie la lettre en mains propres à son destinataire. La sachant sous votre responsabilité, je peux prendre congé.

Jamais une heure – le temps que mit mon père à revenir – ne me parut plus longue que celle-là. Je triturais le papier entre mes doigts, posais le pli sur une pile de tissus à mes côtés, le reprenais… Je tentai même de le lire en le plaçant à contre-jour devant une fenêtre, mais rien ne transparaissait. Dès que la porte s'ouvrit sur papa, je me précipitai vers lui.

— Une lettre du capitaine de Lignerac adressée à votre nom, père !

— Que dit-elle ? demanda-t-il en saisissant le document.

— Mais qu'en sais-je ? Je n'ai point brisé le sceau.

Mon père échangea un rictus moqueur avec ma mère, qui venait de s'approcher à son tour, curieuse autant que moi de connaître la teneur du message. Tandis que papa rompait le cachet de cire, maman écarta d'un sourcil sévère les Corinne, Myriam, Léontine et autres servantes qui, justement à ce moment-là, ressentaient le besoin de travailler dans notre coin de la boutique.

Je reconnus l'écriture maladroite de l'officier quand le pli s'ouvrit enfin. La voix grave de mon père chuchota pour ma mère et moi.

« Monsieur,

J'ai l'honneur de solliciter auprès de vous une audience dans laquelle je mise tout mon avenir. Serait-il possible de convenir, à votre gré, que je vienne à votre domicile à jour fermant afin d'en discuter ? Je m'y présenterai à l'heure dite en espérant trouver un ruban de couleur verte noué à une fenêtre. Dans l'éventualité contraire, je passerai mon chemin sans chercher à vous importuner plus avant.

Avec ma plus profonde marque de respect,

Armand Alcide Gaspard de Lignerac, capitaine des gardes

Maison de Sa Majesté Élisabeth, reine de France »

— Quelle charmante façon de faire ! s'enthousiasma ma mère à mi-voix.

— Qu'as-tu à chuchoter ainsi, ma chère épouse ? répliqua mon père, moins pour sa femme que pour les servantes, plus loin. Réjouissons-nous d'une telle demande ! Clamons-la. Les filles, venez ! Venez çà que je vous lise ces bonnes nouvelles.

Et, tandis qu'on me congratulait pour la joyeuse annonce, j'essayais de reprendre mon souffle, étourdie par tous les changements brusques et récents qui survenaient dans ma vie et qui, par la lettre de Lignerac, se concrétisaient.

Je nouai moi-même un magnifique ruban de brocart vert au volet de l'étage, avant de partir chez la veuve Pelletier pour la tétée de midi, escortée de Joseph.

* * *

Mon frère avait changé depuis le jour où il avait abandonné Marie aux gamins sur les berges de la Seine. S'il ne montrait plus aucune animosité envers l'enfant, il restait silencieux, vague, distant. Il ne taquinait plus Delphine, ne paonnait plus devant les servantes, ne fleuretait plus Léontine, ne plastronnait plus avec ce déhanchement affecté de porteur d'épée… Il affichait une mine sombre, des yeux fuyants, une silhouette courbée…

— Joseph.

Et il grommelait souvent en guise de réplique.

— Tu n'es plus le même ces derniers temps. Est-ce que tu m'en veux vraiment pour Marie ? Pour ma décision d'adopter cette orpheline ?

Et il grogna de nouveau, un son qui ressembla à un « non » cette fois.

— Alors, quelque chose te tracasse-t-il ? Dis-moi. Je suis ta sœur aînée, je peux sans doute t'aider.

Nous arrivions au puits sec autour duquel gravitaient toujours les mêmes feignants. Des sans-le-sou qui n'avaient rien à faire sinon d'observer la rue. Ils avaient l'habitude de me voir circuler dans les parages, aussi, dès qu'ils m'eurent reconnue, se désintéressèrent-ils de moi – si l'on exceptait peut-être ces regards un peu appuyés que les garçons jettent souvent aux jolies filles.

— Je n'ai rien, répondit Joseph.

— N'empêche, je te trouve différent.

Grognement. Je repris :

— Il est vrai qu'il y a beaucoup de choses transformées, maintenant, dans cette ville.

Il observa Marie une seconde avant de marmonner :

— Comme tu dis. Toi, tu as changé. Moi, j'ai changé. Antoine également. Pourtant, c'est à lui seul, dirait-on, que tu refuses le pardon, que tu reproches de s'être laissé emporter par la tempête.

— Tu l'aimes bien, n'est-ce pas ?

En guise d'acquiescement, j'eus droit à un grommellement de plus.

— Antoine a ses qualités et ses défauts, il n'est sans doute ni pire ni mieux que les autres, mais il n'est point le garçon dont je suis amoureuse. Je m'en serais aperçue une semaine, un mois, un an après notre mariage, et il aurait été trop tard. Les terribles événements des derniers jours auront eu ce contrecoup heureux pour moi, celui de m'avoir ouvert les yeux avant que nous marchions vers l'autel.

— Et tu vas épouser ce vieux ? Cet... officier de la reine ?

— Je l'aime, Joseph. Je te jure, avec lui, je ne me trompe pas. Je l'aime.

J'attendis qu'il réplique, mais comme il semblait vouloir se réfugier de nouveau dans le mutisme, j'insistai :

— Pourquoi ne l'apprécies-tu point ? Y a-t-il quelque chose que tu sais et que j'ignore ? Y a-t-il quelque chose qu'il t'agréerait de me dire ?

— Il n'est point des nôtres, Anne ! réagit-il avec une note de hargne dans la voix, une bulle de salive à la commissure des lèvres. Ces maudits officiers à la solde du roi sont disposés à trahir leur foi, à trahir les héros de la France, ceux qui nous ont menés aux grandes victoires des dernières guerres…

— Comme les Guise, tu veux dire ?

— Comme les Guise ! Qui ont à cœur de conserver au royaume ses frontières et sa fidélité à Rome. Pourquoi défendre la famille Valois, qui protège les ennemis de Dieu ?

— Le capitaine de Lignerac est catholique.

— Mais sert une cour dont une princesse a épousé un prince réformé.

— Les réformés aussi, comme Coligny et Condé, ont préservé le royaume de l'invasion espagnole.

— Sans respecter leur allégeance au pape.

Notre discussion aurait pu s'éterniser, mais nous étions arrivés chez la veuve Pelletier.

85

Les yeux crotte de chien

En revenant de chez la nourrice, Marie endormie dans mes bras, je cherchai un moyen de renouer la discussion avec Joseph, histoire de lui faire accepter celui qui deviendrait bientôt son beau-frère. Toutefois, je ne trouvais pas les mots pour aborder le sujet sans que cela paraisse du harcèlement de ma part. Je me disais qu'une amorce maladroite ne saurait qu'envenimer les choses. J'en étais encore à mes réflexions quand nous parvînmes à la hauteur du puits.

— Hé, toi, la garce !

Le garçon qui venait de m'interpeller m'était inconnu. Il devait avoir une quinzaine d'années, était vêtu d'une chemise aussi crottée que celles de ses voisins, mais d'un tissu moins usé. Je fis comme si je n'avais pas entendu, mais je sentis Joseph se raidir à mon côté.

— Oh, je te parle, putain réformée ! De qui tiens-tu l'enfant dans tes bras ?

Je pivotai à demi pour constater qu'un groupe de cinq vauriens – dont quatre visages m'étaient familiers – s'approchait de nous.

— Je suis Anne Sagedieu, et tous ici me connaissent, sauf toi. Tous ici peuvent témoigner que je suis catholique. Alors, va harceler quelqu'un d'autre.

— Et ton bébé ? Il est baptisé dans la foi apostolique et romaine ?

La façon dont Joseph s'était placé faisait en sorte que j'étais en partie protégée par son dos. C'était par-dessus son épaule gauche que je pouvais détailler les traits des affreux.

— Qui es-tu pour me poser des questions ?

J'estimai curieux que Joseph restât muet et me demandai si la peur ne l'avait point paralysé.

— Je suis Marjobert Brissier, fils de Théodore Brissier, et si ça se trouve, tu as là sur ta poitrine de souris ma cousine.

Je reçus l'affirmation comme une gifle au visage. La famille Brissier savait ! Ceux qui espéraient hériter de l'aïeul n'ignoraient pas qu'une parente risquait de venir un jour réclamer sa part du legs.

Le dénommé Marjobert jeta un rapide coup d'œil à Joseph, mais puisque je me tenais dans le dos de ce dernier, je ne pouvais pas distinguer son expression. Mon frère manifestait soit de la peur, soit de l'indifférence, car le cousin Brissier s'en désintéressa aussitôt pour me fixer de nouveau avec ses yeux globuleux, couleur de crotte de chien.

Au lieu d'imiter comme Joseph des attitudes de gentilhomme, il tordait ses traits dans des grimaces mauvaises, sans doute remarquées un jour sur quelque malfrat. Mais avec ses pommettes aux rondeurs enfantines, ses dents encore trop grandes dans sa bouche trop petite, il m'apparut plus pitoyable qu'inquiétant.

— Ta cousine, vraiment ? rétorquai-je. De ta famille ? En ce cas, comment est-elle si jolie, et toi, si laid ?

Sans même se soucier de Joseph, et assuré du soutien des quatre complices qui le secondaient, il bondit vers moi. Je vis ses doigts plonger vers mon visage telles les serres d'un rapace se jetant sur sa proie.

Par réflexe, je sautai d'un pas en arrière et, puisque la rue était libre dans la direction qui menait à la mercerie, pivotai dans l'intention de me mettre à courir. Mais je me figeai soudain.

En une fraction de seconde, Joseph, toujours solidement campé sur ses jambes, glissa la main derrière lui et se saisit d'un couteau qu'il dissimulait sous sa large ceinture. D'un geste plus vif encore, il ramena le bras vers l'avant en tournant légèrement l'épaule en direction de mon assaillant.

Je discernai alors Marjobert Brissier qui, au moment de briser net son élan, darda vers mon frère un regard incrédule. Répartis de chaque côté du garçon, vaguement derrière, les quatre voyous qui s'apprêtaient à lui emboîter le pas se figèrent à leur tour.

Brissier baissa le nez pour poser ses yeux crotte de chien sur sa poitrine – que me masquait le dos de Joseph –, puis s'affaissa sans même avoir relevé les paupières. Ce n'est que lorsqu'il roula dans la poussière que je distinguai le jet rouge jaillissant entre les boutons de sa chemise.

— Qui d'autre en veut à ma sœur ou à son bébé ? demanda Joseph en balayant lentement l'air devant lui de la lame poissée de sang de son poignard.

Les quatre vilains restants hésitèrent un moment, se demandant non point s'ils devaient ou non se précipiter sur mon frère, mais plutôt quelle direction choisir pour fuir. Des passants, à distance, ne nous lancèrent qu'un vague coup d'œil presque indifférent, coutumiers depuis la nuit du 24 août des exactions et des meurtres qui secouaient les rues de Paris.

Les affreux finirent par prendre leurs jambes à leur cou, chacun dans une venelle différente.

* * *

À jour fermant, il y avait déjà un moment que ma mère et moi, en compagnie de Delphine et de notre servante la plus jeune, Adèle, attendions dans notre salle de couture – la pièce attenante au petit salon où mon père avait reçu Toussaint Dubois quelques jours auparavant.

— Anne, tu ne vas point nous répéter ton manège de la dernière fois et te tenir accrochée aux rideaux.

— Oh, mère, ne faites point la hargneuse. Je brûle d'entendre ce qu'ils vont se dire.

— Eh bien, viens t'asseoir dans ce fauteuil près de moi. D'ici, je peux percevoir fort distinctement les paroles de ton père en train d'échanger avec le serviteur.

— Tout à l'heure, mère. De toute façon, Armand... le capitaine de Lignerac n'est point arrivé.

— Ah, et voilà Marie qui se réveille! Viens vite la prendre dans tes bras avant qu'elle ne se mette à pleurer.

En montrant plus de contrariété que je n'en ressentais vraiment, je revins vers le fauteuil où je me saisis de Marie, qui reposait sur un amas de tissus. Pour passer le temps, je m'amusai à la faire sourire en lui tapotant le nez et les joues du bout des doigts, en lui chatouillant les côtes, en lui soufflant dans le cou.

Les minutes s'égrenèrent. J'imaginais le ruban vert flottant aux volets de la croisée au gré des caresses de la brise vespérale. Par sa couleur exprimant l'espoir, il invitait mon bel officier à ne point s'attarder au-dehors et à se présenter promptement à la porte.

Mais Armand ne s'annonçait pas. J'entendis bien à trois ou quatre reprises les sabots d'un cheval claquant sur les pavés, mais si la monture hésitait un instant sous la fenêtre – ou paraissait le faire –, elle finissait immanquablement par s'éloigner avant de se fondre dans les bruits du soir. Par la même occasion s'estompait le galop qui s'était emparé un moment de mon cœur.

Puis les minutes se transformèrent en heures, les heures en éternité. Nous renvoyâmes la jeune servante, je nourris Marie au lait de chèvre et, quand minuit sonna au clocher de l'église des Bons-Enfants, mes yeux étaient noyés de larmes. Ma mère tenta d'apaiser mon chagrin par diverses formules de consolation – «Sans doute est-il retenu au service de la reine», «Peut-être a-t-il rencontré quelque coquin à pourfendre ou à faire prisonnier » –, sans grand succès, il faut l'avouer. Nous sursautâmes vivement quand, soudain, mon père entra dans la salle de couture en tirant brusquement les rideaux.

Son regard exprimait tant de colère que je craignis un instant qu'il ne se fâchât définitivement contre celui qui n'avait point su tenir sa promesse. Mais ce qu'il déclara était tout sauf ce à quoi je m'attendais.

— Quelqu'un a enlevé le ruban des volets ! siffla-t-il entre ses dents serrées.

86

Le mal de Joseph

Nos soupçons tombèrent bien sûr sur Joseph, qui refusa de répondre à notre interrogatoire. Nous l'avions trouvé dans sa chambre, où une lime et de la gratture d'acier trahissaient qu'il avait passé une partie de la soirée à affiler la lame de son couteau.

Au retour de notre visite chez la nourrice, il n'avait pas dit un mot à propos de l'altercation avec Marjobert Brissier et du meurtre qui en avait résulté. C'était moi qui, encore ébranlée, avais conté toute l'histoire à nos parents. Je ne sais si je devenais aussi mauvaise que le reste des Parisiens, mais je ne ressentais nul remords après ces faits. D'accord, Joseph avait agi pour me protéger, mais était-il nécessaire de pousser la défense jusqu'à poignarder l'attaquant au cœur? Venions-nous de déclencher une guerre de familles avec cet homicide?

Non, conclus-je. La riposte de Joseph n'avait rien de disproportionné, car sa victime s'apprêtait à me faire un très mauvais parti. Et si un conflit venait à séparer à jamais les Brissier des Sagedieu, c'était la résultante de l'acte d'amour que j'avais eu, moi, envers Marie, et non du réflexe de Joseph envers le cousin Marjobert.

— Oui ou non, Joseph, as-tu dénoué le ruban qu'Anne avait attaché aux volets pour inviter le capitaine des gardes de la reine à venir nous demander sa main?

Mon frère, assis sur son lit, se contenta de fixer le plancher de bois nu, muet. Je vis que son couteau reposait, nettoyé et poli, sur un coin du coffre où était rangé son linge de corps.

— Qu'importe, père, finis-je par intervenir. Le mal est fait. Demain, je serai chez la reine, je croiserai son premier officier et je l'informerai que, par quelque hasard inattendu, la bande de tissu liée à la fenêtre s'est détachée pour se perdre dans la brise du soir. Il comprendra.

N'empêche que, cette nuit-là, bien que bercée par la douce respiration de Marie à mes côtés, je dormis fort peu. Je ne pouvais m'empêcher de penser qu'Armand souffrait sans doute de la même insomnie en se demandant pourquoi on avait refusé qu'il vînt présenter ses hommages. Quelle terrible déception devait éroder son cœur en ce moment ! Oh, méchant Joseph ! Comme je t'en voulais de nous avoir privés d'une veillée qui s'annonçait si riche de bonheur.

Heureusement que la reine m'avait invitée au Louvre pour les heures suivantes, sinon je n'aurais pu survivre à des jours d'incertitude sans pouvoir aviser Armand de la méprise de la soirée.

* * *

Avec l'escorte habituelle dépêchée par Élisabeth d'Autriche, je revins au Louvre revêtue de la magnifique robe offerte par ma royale amie. Je m'étais également coiffée de ses riches peignes et portais Marie enveloppée dans des langes que j'avais confectionnés la veille avec les plus beaux tissus de notre boutique.

Le même page qui m'avait déjà servi de guide, cette fois-là, me fit passer par l'antichambre principale, sous le nez des courtisans qui y patientaient, et me fit rejoindre les dames d'atour de Sa Majesté. À chaque occasion où je croisais un uniforme de la garde royale, je tentais de reconnaître Armand, mais ne le vis nulle part. Ce qui aurait pu se révéler une source de chagrin croissant s'avérait plutôt un facteur d'irritation, une colère presque, orientée vers mon frère Joseph.

Élisabeth m'accueillit avec une chaleur certaine, mais sans la familiarité qui caractérisait d'habitude nos rencontres. À un clin d'œil discret qu'elle me lança à un moment, je compris qu'elle s'efforçait d'éviter d'attiser les jalousies couvant toujours chez les suivantes. La comtesse d'Arenberg usa de la même discrétion.

Afin de démontrer que la reine et moi partagions tout de même un point commun qui ne touchait aucune autre dame du moment, Élisabeth s'appliqua à caresser son ventre rond plus que de coutume tout en s'intéressant à Marie. Ce lien enfant à naître et nouveau-née faisait de nous des complices, créait un rapprochement que pouvaient envier, mais non contester les suivantes, toutes baronnes, marquises ou comtesses fussent-elles.

— N'est-elle pas adorable ! se pâmait l'une sans même regarder Marie.

— Comme cela me rappelle ma propre fille, dont Sa Majesté se souvient sans doute, puisque je la lui avais présentée il n'y a point si longtemps lorsque...

— Voyez ses yeux ! Elle paraît si intelligente ! On ne la croirait point issue du... de...

— Et j'ai accepté d'être sa marraine, déclara Élisabeth d'Autriche dans la stupéfaction générale.

On ne savait plus comment s'attirer les regards bienveillants de la reine.

— Et vous avez adopté cette orpheline, chère mademoiselle Sagedieu ? Quelle générosité de cœur !

— Sans être encore mariée ? Vos parents n'ont point préféré la prendre eux-mêmes dans leur giron ?

— Mais peut-être êtes-vous promise ?

— Mais certainement, quelle idée ! Elle est si jolie. Parlez-nous de votre futur, m'amie.

Leurs flèches déguisées en sucres d'orge me dardaient intensément. J'aurais aimé leur crier que oui, oui, oui, j'avais un promis ! Qu'il était capitaine des gardes de Sa Majesté et que, quoique je fusse roturière, cette conjoncture générait une connivence entre la reine et moi ! Que oui, j'avais un fiancé de haut lignage, à la position enviable et enviée, et que… que…

Mais la bêtise de Joseph me privait de ce moment de plaisir et de victoire !

— Madame la marquise, auriez-vous l'amabilité d'inviter ces dames à se retirer ? demanda tout à coup la comtesse d'Arenberg à la courtisane la plus près. Sa Majesté ressent une brusque fatigue.

— C'est un honneur que vous me faites, madame, répliqua la noble en rougissant un brin. Et avec la permission de Sa Majesté, je me ferai un devoir de rester auprès d'elle afin de m'assurer qu'elle…

— Non, l'interrompit en français Élisabeth, qui avait sans doute anticipé la proposition.

Puis Marguerite de La Marck-Arenberg ajouta :

— Ma présence et celle de Mlle Sagedieu suffiront largement.

— Mais ne craignez-vous point que le bébé de Mlle Sagedieu importune Sa Majesté et nuise à son repos ?

— Au contraire, répondit Élisabeth par l'entremise de sa principale dame de compagnie. La proximité d'une enfant, surtout aussi paisible que celle-ci, ne sera qu'un bercement supplémentaire.

La marquise me jeta un regard affûté comme le poignard de Joseph, étira un sourire si forcé que j'eus l'impression de contempler une mauvaise poupée, puis invita ses pairs à lui emboîter le pas. Il y eut un silence poli suivi du bruissement des robes quand les femmes se prosternèrent pour saluer puis qu'elles s'ébranlèrent vers l'antichambre. Dans la pièce où seules nous trois restâmes, il fallut s'habituer à l'accalmie qui, pendant un moment, nous parut plus menaçante qu'apaisante.

— *¡Por fin!* finit par s'exclamer Élisabeth en espagnol. Anne, *amiga mia, como* ta amitié a manqué moi *durante la semana! Dime cómo estas. ¿Qué pasó otra vez?*

— Élisabeth, moi également, je brûlais de te revoir. Mais, dis-moi, où est Armand? Où est passé ton capitaine des gardes?

La comtesse d'Arenberg eut à peine le temps de traduire qu'Élisabeth répondit:

— Eh bien…, en mission.

— En mission? Quelle mission?

— Une simple reconnaissance d'une durée de quelques jours. Ne t'a-t-il point avisée? On craint que les Anglais profitent des troubles et se servent du prétexte de la religion pour fomenter des émeutes supplémentaires à Calais et en d'autres villes du Nord.

Je me sentis aussi soulagée que déçue. Voilà peut-être la raison pour laquelle Armand ne s'était point présenté à la maison, la veille. Peut-être n'avait-il pas su que le ruban…

— Quand le roi a-t-il annoncé cette affectation à ton capitaine?

— Ce n'est point le roi. M. de Lignerac m'a demandé l'autorisation de se porter volontaire.

— Volontaire? Mais… mais pourq… Il t'a abandonnée? Toi? Toi, au service de qui il se fait un point d'honneur d'offrir sa vie? Quand a-t-il réclamé cette charge?

— Ce matin, fort tôt. Il a aussitôt rassemblé des hommes et il est parti.

Je me sentis étourdie au point qu'il me fallut déposer Marie sur les coussins d'un fauteuil. Je ne savais trop si je devais me réjouir ou me désoler de la nouvelle. Armand était donc toujours à Paris, la veille, aussi était-il venu à la mercerie. Il avait dû être dévasté de ne point trouver le ruban aux volets du logis, dévasté au point… au point de fuir Paris, de s'éloigner de la reine! Sa détresse devant ce qu'il croyait être l'impossibilité de m'épouser m'enchantait au même titre qu'elle me terrifiait. Je devais l'informer au plus tôt de ce qui s'était passé, lui faire comprendre que non seulement mon père approuvait sa demande, mais que moi – moi ! –, je n'aspirais à rien de plus beau, à rien de plus grand dans ma vie !

— Anne, qu'est-il arrivé ?

Je contai à Élisabeth et à sa dame d'atour les événements de la veille. Toutes deux, à mon image, se réjouissaient et se désolaient des circonstances.

— Bien, finit par lâcher ma royale amie. Ne nous alarmons point de ce qui ne sera qu'un délai de quelques jours dans nos expectations. Lorsque mon capitaine sera de retour, je l'entretiendrai personnellement de la situation.

Je tentai de puiser du réconfort dans ses paroles et repoussai les autres questionnements qui minaient ma quiétude : qu'arriverait-il quand mon frère et mon bel officier seraient mis en présence l'un de l'autre ? Quelles menaces planaient sur Marie venant des membres restants de sa véritable famille ? Et surtout, surtout, quels dangers courait le capitaine de Lignerac à chevaucher par les chemins d'une France au ventre grondant des prémices d'une nouvelle guerre civile, et dont les ennemis puissants par-delà la Manche et les Pyrénées n'attendaient que l'occasion de l'attaquer ?

87

Une nuit au palais

— Anne, reste avec moi ce soir, suggéra Élisabeth d'Autriche. Margot ressent le devoir de côtoyer son époux prisonnier, et je me languis d'une amie avec qui prier et oublier les horreurs de la Saint-Barthélémy.

— J'aimerais bien, Élisabeth, tu le sais, mais il y a Marie…

— Une nourrice est déjà au palais pour le cas où l'héritier de France arriverait trop tôt. Mme Richard. Elle vient d'Orléans. Ses mamelles sont généreuses, son sang exempt de toute maladie. Marie ne pourra qu'en profiter.

— Si tu étais une simple amie, je déclinerais, car mes parents ont besoin de moi à la boutique de tissus, mais puisque tu es la reine…

Un nuage sombre traversa le regard d'Élisabeth d'Autriche.

— Non, Anne. Je veux que tu restes avec moi parce que je suis ta camarade, ta sœur, pas parce que je suis ta souveraine.

— Excuse-moi, je mentais à ma reine. Je brûle aussi de passer du temps avec toi.

— Surtout que, en tant que future marraine, j'ai bien le droit de profiter un peu de ma filleule, non ? Et nous parlerons de ton beau capitaine.

— Oh oui, mon beau capitaine.

— Alors, tout est dit. Viens avec moi dans le boudoir. Écris un mot à tes parents pour les rassurer. Je le ferai porter par le page habituel et je lui adjoindrai deux filles de Mme Percheron, les plus habiles avec les étoffes. Elles auront mission de te remplacer à la mercerie pour un jour ou deux. De plus, pour me faire pardonner de t'arracher à eux, je ferai suivre quelques vivres de mes cuisines personnelles.

— La reine n'a pas à se faire pardonner quoi que ce soit…, mais mon amie, si.

Comme deux gamines, nous éclatâmes de rire et j'exécutai ce que ma sœur de cœur me recommandait. La décision était bonne, car je passai une fort agréable soirée. La fatigue de ma nuit blanche précédente me rattrapa quand Saint-Germain-l'Auxerrois sonna minuit. Je me serais endormie là si Marie n'avait réclamé une tétée. Je me retrouvai avec la nourrice Richard tandis qu'Élisabeth, dans ses quartiers avec ses dames d'atour, se pliait au rituel du coucher.

Cependant, dès que tout son monde fut renvoyé à ses appartements, elle ressortit du lit et, Marie endormie dans un ber à mes côtés, nous priâmes ensemble un moment – car Élisabeth était fort pieuse, un modèle pour moi. Par la suite, je n'avais plus sommeil. Sans plus la comtesse pour traduire, Élisabeth et moi échangeâmes dans une langue torturée qui n'était ni du français ni de l'espagnol, et qui nous obligeait à user de nombreuses mimiques, ce qui nous faisait pouffer de rire la plupart du temps – sauf quand nous évoquions les horreurs des derniers jours. Mais qu'avions-nous besoin d'interprétation quand nos quatre mains liées, nos regards attentifs et l'attachement démesuré que nous ressentions l'une pour l'autre parlaient à notre place ! Élisabeth était ce coup de foudre amical qui durait toute une vie. En cette soirée-là, j'étais persuadée que nous vieillirions toujours complices, toujours privilégiées, toujours ensemble.

Dieu que je me trompais !

* * *

Sans trop savoir à quel moment, je m'endormis sur le lourd canapé où nous conférions. Ce furent les pleurs de Marie qui me réveillèrent plus que Saint-Germain-l'Auxerrois carillonnant prime. Élisabeth avait retrouvé son lit au fond de la pièce. Je titubai jusque chez la nourrice, qui m'attendait dans une salle attenante.

J'y retournai plus tard pendant que, dans sa chambre, Élisabeth se soumettait au cérémonial du lever de la reine et de son habillage par ses dames d'atour. J'envoyai une nouvelle note à mes parents pour les aviser que ma royale amie avait demandé à ce que je reste toute cette journée encore auprès d'elle. Il était possible que j'assiste à la visite du roi, aussi en profiterais-je pour solliciter le rappel du capitaine de Lignerac.

Le page habituel fut chargé de porter le message. Il revint à peine une demi-heure plus tard, rouge, essoufflé, en proie à une vive agitation. Tandis qu'il chuchotait quelque chose à Marguerite de La Marck-Arenberg, je me dis qu'il avait dû être témoin de quelque horreur dont les rues de Paris ne cessaient de nous émouvoir.

Lorsque, incliné, il se retira en reculant, j'éprouvai une étrange sensation. Le regard de la comtesse ne m'effleura qu'une fraction de seconde tandis qu'elle se tournait vers Élisabeth, mais ce fut suffisant pour que j'y décèle une lumière funeste. Quelque chose de grave s'annonçait. La femme murmura à son tour à l'oreille de sa souveraine, et cette dernière, contrairement à sa première dame, ne put s'empêcher de me fixer directement.

Je serrai malgré moi la menotte de Marie, qui gazouillait sur ma poitrine. Le doux visage de mon amie se défaisait à mesure que s'insinuait dans son cœur l'horreur dont on venait de l'informer et dont il lui faudrait à son tour m'accabler.

Tous les possibles – et impossibles – du monde se bousculèrent dans mon esprit tandis que j'observais la précipitation avec laquelle on renvoyait certains courtisans – parmi les plus inférieurs en rang. Ils n'étaient point tous sortis que j'étais déjà sous l'œil curieux et avide des dames de compagnie les plus importantes, qui avaient bien flairé le malheur qui s'annonçait. On se pourléchait à l'avance en feignant des mines contrites.

Marguerite de La Marck-Arenberg m'invita à l'écart. Je la suivis telle une marionnette dont on tire toutes les ficelles à la fois. Je ne sentais plus mon visage, comme si tout le sang s'en était retiré. Ne point connaître ce qu'on s'apprêtait à me notifier me semblait pire que de souffrir la mauvaise nouvelle elle-même.

Je ne résistai point quand une servante, sous l'ordre discret de la comtesse, m'enleva Marie des bras. Sage précaution ; il n'aurait plus manqué que le choc que j'attendais me la fît tomber des mains.

— Mademoiselle Anne, j'ai à vous communiquer une bien, bien triste annonce vous concernant.

Je me laissai glisser sur le canapé voisin pour mieux encaisser les paroles qui me poignarderaient.

XXIe siècle au Québec

88

Chez les « terroristes »

— Soltana est dehors.

De l'index, Marie-Maude indique la silhouette assise sur une balancelle près du gros peuplier dans la cour des Mansouri. Notre amie, vêtue d'un jeans, d'un chandail jaune, et coiffée d'un voile à la couleur assortie, lit. Le fourre-tout duquel je l'ai vu extirper son livre quand nous étions sur la plage repose sur la pelouse, à proximité. Adossée à l'un des accoudoirs, les pieds sur le siège, les genoux remontés pour servir d'appui à son roman, la musulmane ne nous aperçoit que lorsque nous franchissons le portillon de la clôture. Si elle voulait se défiler pour ne pas affronter le regard de ses copains, il est trop tard.

Mais je ne crois pas que ce soit le cas, car elle nous regarde approcher avec une véritable expression de soulagement. Elle se redresse et dépose le bouquin directement sur le sac par terre. Marie-Maude et moi prenons place à sa gauche – Marie-Maude au milieu de nous trois.

À une fenêtre de la maison, je remarque un visage de femme qui nous observe. Le peu de cheveux que je distingue disparaît vite sous un foulard rapidement noué. Trois secondes après, les deux fillettes que j'ai déjà rencontrées sortent pour venir s'installer dans notre voisinage avec leur poupée. Elles ne nous prêtent aucune attention, mais je les soupçonne d'avoir pour mission de nous espionner un brin.

— Je suis contente de vous voir, dit Soltana une fois les salutations expédiées. Je savais bien que vous étiez de vrais amis, que vous ne croyiez pas que nous sommes ces monstres que les journaux et la télé décrivent.

— Ils vous ont nommés ? que je m'étonne en remarquant combien elle a les yeux rouges.

— Oui, bien sûr, mais ce n'est pas là ce qui nous blesse. C'est plus quand les journalistes ajoutent « musulman » chaque fois qu'ils écrivent le mot « terroriste » ou « extrémiste », c'est toute notre communauté qui est ciblée. Pire : c'est toute notre culture.

— Ne t'en fais pas, la rassure Marie-Maude en entourant les épaules de Soltana avec son bras, ça ne durera qu'un temps. Les gens d'ici…

— Tu penses ? l'interrompt la Maghrébine d'un ton un peu sec. Même nos voisins immédiats nous jettent des regards accusateurs comme si c'était nous qui avions fait exploser la centrale électrique américaine. Ce matin, il y avait deux voitures et un camion de police devant chez nous. Je n'ose plus m'aventurer en dehors de la cour.

— Les policiers sont venus vous interroger ? demande Marie-Maude.

— Ils ont surtout harcelé mon père. C'est à lui que le cousin Ouadi a adressé sa fameuse lettre. Mais si papa était son complice, il n'aurait pas alerté les autorités sitôt la lettre reçue ! Les agents ont fouillé partout, ont pris tous nos ordinateurs… Encore un peu et ils vidaient ma bibliothèque de ses romans, ces idiots.

— Et il est où, là, ton père ?

— Chez mon oncle, son frère, répond Soltana en indiquant du pouce la direction de la rue voisine où se trouve la demeure de Mohamed Mansouri. La police finit de perquisitionner à son domicile à lui aussi.

Nous restons un instant silencieux, Soltana fixant le creux de ses paumes, Marie-Maude, la haie qui délimite un côté de la propriété, moi, les bardeaux de la maison.

À la même fenêtre que plus tôt, le foulard revient, et deux yeux flous nous observent avant de disparaître de nouveau.

— Vous avez lu la lettre ? demande soudainement Soltana. Les journaux l'ont reprise dans son intégralité.

Avant même que Marie-Maude ou moi ne trouvions les mots pour refuser, Soltana se penche sur le fourre-tout à nos pieds et en tire un cahier d'un quotidien de Québec, en date de ce matin.

— Je vais la lire pour vous. Vous verrez, c'est complètement fou. Je ne comprends pas que, bien que nous soyons une famille aux comportements tout à fait normaux, on nous associe à ces divagations.

— Oui, oui, d'accord, approuve Marie-Maude, mais sans guère d'enthousiasme dans la voix et en me jetant un coup d'œil perplexe.

— Soltana !

La femme au foulard vient d'apparaître sur le seuil de la maison.

— Oui, maman ?

— Ce n'est pas une bonne idée.

Soltana nous regarde à tour de rôle, Marie-Maude et moi, puis rétorque à sa mère :

— Avec eux, oui. Ce sont de vrais amis.

Je ne sais pas si je dois réagir, répliquer de quelque manière que ce soit. Avant que je trouve une formule brillante, la musulmane est retournée à l'intérieur.

— « Cher cousin, commence Soltana, tu croiras que je suis fou, que je ne pense jamais à mes proches, mais au contraire. Je n'oublie pas que ta mère a remplacé ma mère quand je n'étais pas encore un homme. Toutefois, depuis que nous nous sommes perdus de vue, je suis devenu l'épée d'Allah, le glaive vengeur des tenants du Prophète. »

S'ensuit un texte interminable sur la grandeur de Dieu, ses bienfaits, l'urgence d'en finir avec le djihad et de débarrasser l'univers des infidèles. Entre deux virgules, le terroriste parle de beauté et de violence, de sang et de ciel bleu, de générosité et de meurtres… À aucun moment, il ne dresse le moindre constat de peines, de deuils, de souffrances…, ne mentionnant que son affliction de devoir vivre au milieu de la société occidentale et de ses valeurs à mille années-lumière de ses propres préoccupations.

— Selon moi, un cas typique de narcissisme doublé d'égoïsme chronique, que j'échappe à voix haute au moment où Soltana fait une pause.

L'instant qui suit, je regrette de n'avoir pas su tenir ma langue, de peur d'avoir insulté Soltana et, par le fait même, choqué Marie-Maude. Mais à mon plus grand soulagement, la musulmane me retourne un sourire – triste, certes, mais un sourire quand même. Elle réplique :

— Exactement, Félix. Ce cousin de mon père n'a jamais pensé qu'à lui. Et même le jour précédant son suicide, en nous envoyant ce message rempli de lui-même, il ne songe pas une seconde à l'enfer qu'il ouvre sous les pieds des autres.

La main de Marie-Maude se pose un moment sur la mienne, et j'en ressens une décharge électrique. Elle entrouvre la bouche pour prononcer une formule d'encouragement quelconque à l'intention de Soltana, mais cette dernière, implacable, reprend le journal pour débiter très rapidement les dernières courtes phrases de la lettre.

Et j'en éprouve une autre décharge électrique.

— Relis-moi ça, tu veux bien ?

La musulmane lève vers moi un regard surpris tandis que Marie-Maude me renvoie une expression perplexe. J'insiste :

— Soltana, répète lentement la fin de ce message.

— *Inch'Allah ?*

— Non, non, juste avant… En fait, le paragraphe entier.

Elle s'exécute en me jetant par intervalles des battements de cils intrigués.

— Sacripant de curé ! que je m'exclame lorsqu'elle termine sa lecture.

— Qu'est-ce qui t'arrive ? s'informe Marie-Maude. Qu'est-ce que l'abbé Dion a…

Je quitte la balancelle et entreprends de faire les cent pas devant les deux adolescentes. La contrariété m'empêche de rester en place.

— Mais enfin, Félix, insiste Marie-Maude, pourquoi tu t'énerves tout à coup ?

— Les chroniques de la paroisse, que je rétorque, mystérieux ; j'en ai absolument besoin.

Je m'immobilise pour pointer mon index vers le journal que Soltana tient toujours entre ses mains.

— Cette lettre… ce dernier paragraphe…

— Eh bien ?

— Tout le village doit savoir. Je dois informer tout le monde.

— À quel propos ?

— Non. Il me faut les volumes. Je dois vérifier. Ah, ce sacripant de curé qui…

Je termine ma phrase dans un râlement rageur. Les deux filles s'observent un moment, s'interrogeant de façon muette sur ma réaction, sur l'importance qu'elles doivent y accorder. Finalement, Marie-Maude pousse un soupir sonore – comme pour bien montrer que mon attitude l'agace un peu – puis, se levant à son tour, s'approche de moi et rive profondément ses grands yeux noirs aux miens.

— C'est important à ce point, Félix ? Tu le jures ?

— Important à cent pour cent.

Elle se mordille la lèvre en me regardant de plus en plus intensément. Soltana se met aussi debout, intriguée maintenant non plus par mon comportement, mais par celui de notre amie commune.

— Très bien, finit par lâcher Marie-Maude. Voici. L'an dernier, l'abbé Dion a été absent de Saint-Barthélémy, car il a dû assister une de ses sœurs, mourante, quelque part dans la région de Montréal. Les marguilliers avaient la responsabilité de veiller sur les biens de l'église durant son voyage.

Elle fait une pause. Je fronce les sourcils et secoue la tête pour lui indiquer que je ne comprends pas où elle veut en venir et pour l'inviter à continuer. Elle reprend :

— Mon père a toujours le double des clés. Elles sont rangées dans un tiroir de son bureau. Pendant l'absence de l'abbé Dion au cours des trois prochains jours, il m'est possible de subtiliser le trousseau afin d'aller « emprunter » discrètement les volumes au presbytère. Tu t'empresseras de numériser ce que tu jugeras pertinent, et nous remettrons les livres en place avant le retour du curé.

89

Le fanatisme et le sang

Dans la petite quincaillerie du village, je dévalise le pan de mur où sont accrochées les souricières à vendre. J'essaie aussi de comprendre les traductions bizarres en français qui accompagnent un autre produit, mais j'abdique devant la médiocrité du texte. Si les fabricants avaient du respect pour la langue de leurs clients francophones, ils utiliseraient les services d'un professionnel comme mon père et non un traducteur automatique ridicule.

— Ridicule, oui !

Je sursaute presque en entendant la réplique de la caissière, plus loin, qui semble avoir lu dans mes pensées. Mais je constate rapidement que ses préoccupations sont à mille années-lumière des miennes. Elle discute avec un acheteur que je reconnais être le propriétaire de la plus grosse épicerie du village.

— Ces maudits islamistes font semblant de vouloir se fondre dans la vie de notre communauté, dit la femme, mais en réalité, c'est pour mieux la détruire de l'intérieur.

— Je commence sérieusement à penser à leur refuser l'entrée de mon magasin, renchérit l'épicier. Je me fous pas mal de leur argent. Si tous les commerçants, nous agissons de même, ils ne pourront plus se procurer le nécessaire pour vivre.

— C'est légal, ça ? s'informe la caissière.

— Je vais vérifier, mais si c'est possible, quant à moi, je leur refuse toute denrée. Une fois bien affamés, ils sacreront leur camp de l'île.

Je suis si abasourdi par la dureté de ces propos et la haine que j'y détecte que je mets un moment avant de me rendre compte que la caissière s'adresse à moi.

— Eh bien, mon grand? dit-elle. Pourquoi tu me fixes comme ça? As-tu trouvé tout ce que tu veux ou tu cherches quelque chose en particulier?

Me sachant incapable de répondre sans impolitesse, je sors en omettant de saluer, abandonnant derrière moi les souricières sur le mur.

* * *

Si j'avais des réticences à m'introduire de nuit dans le presbytère pour subtiliser les trois volumes, mon passage à la quincaillerie me convainc de l'urgence d'agir. Avec Marie-Maude comme complice, entrer dans le bâtiment fermé, trouver les livres et les dérober est un jeu d'enfant. En deux nuits blanches, enfermé dans ma chambre, j'ai le temps de numériser tout ce qui me semble essentiel. Quand le curé revient de son voyage à l'autre extrémité de l'île, les documents ont déjà retrouvé leur place dans le cabinet du presbytère.

Et je suis prêt à passer à l'action.

— Papa?

Mon père reste les pupilles fixées sur l'écran de son ordinateur, ses lunettes de presbyte sur le bout du nez. Un texte en anglais défile lentement.

— Papa, j'aimerais te parler de quelque chose.

— Hummm…

— C'est important.

Ses yeux se tournent vers moi, mais son cerveau met encore un moment avant de s'intéresser à ce que j'ai à dire.

— Trop important pour attendre demain? Je dois remettre ce document à…

— Papa, c'est tout mon été qui le justifie, tout le travail de recherche que j'ai effectué…

— Comme ma traduction, finalement.

— C'est aussi tout Saint-Barthélémy que je m'apprête à ébranler.

— Bon, très bien, je t'écoute.

Je pousse un soupir, m'assois sur la chaise en bois qui jouxte le bureau. Dans mes mains, je tiens deux cent huit feuilles, le résultat du blitz de numérisation des dernières heures. Je déclare :

— Ce serait bien d'écrire un long article dans le journal local ou – mieux ! – de convoquer la population à une rencontre publique dans la salle municipale. J'ai des choses à dire, à révéler.

— À révéler ?

— Des informations qui n'ont pas été cachées, mais perdues au fil des siècles. Notre communauté ignore ses racines.

— Nous sommes des descendants de colons venus de France pour bâtir une société axée sur la tolérance religieuse.

— Nos véritables origines découlent du schisme de Luther et de Calvin au XVIe siècle. Nous sommes les enfants du refus. *Des* refus. Refus d'abord d'accepter la croyance de l'autre ; refus ensuite des violences engendrées.

Mon père me fixe un instant avant de dire :

— Les musulmans ? Tu comptes te servir des idéaux de nos ancêtres catholiques et réformés pour nous persuader de passer outre à nos choix actuels en matière de laïcité, et de répondre ainsi à la demande des Mansouri ?

— Entre autres, papa.

— Entre autres ? De quoi d'autre veux-tu donc nous convaincre ?

— Pas convaincre qui que ce soit, papa. Seulement renseigner. Apprendre à chacun d'où nous venons.

— Et d'où venons-nous ? D'une idée charmante, non ? Le désir de fonder un monde meilleur, loin des préjugés.

— Loin des préjugés, tu l'as dit.

— Cependant, pas au point de laisser tomber nos récents principes laïques.

— Avant d'être ancrées dans la tolérance, papa, les valeurs de nos ancêtres s'abreuvaient à de tout autres sources.

— Qui sont ?

— Saint-Barthélémy-de-la-Côte-Nord est né du fanatisme et du sang.

— Mais encore ?

Quand j'ai terminé d'expliquer à mon père ce que mes recherches m'ont permis de découvrir, celui-ci a déposé ses lunettes sur le bureau et frotte énergiquement la racine de son nez avec le pouce et l'index.

— Le curé n'a pas tort, finalement, Félix. C'est explosif, ton truc.

— Mais nous ne pouvons pas rester dans l'ignorance, pas vrai ? Tout le monde doit savoir.

— Je le crois aussi, oui.

— Ça va brasser par moments, hein ?

— Je le crois aussi, oui, répète-t-il.

Je baisse les yeux sur le paquet de feuilles posé sur mes cuisses. Je me sens étourdi de longues secondes en prenant conscience du tsunami que je vais déclencher dans la paroisse quand les gens apprendront les détails relatifs à certains d'entre eux… ou du moins, à certains de leurs ancêtres directs.

— Il en résultera quoi, tu penses ?

Mon père hausse les épaules avant de croiser les mains derrière sa tête et de se laisser aller contre le dossier de son fauteuil. Il réplique :

— Soit une plus grande tolérance de la part de tout le monde…

Il inspire profondément avant d'achever sa phrase :

— … soit une brouille monumentale qui divisera la communauté pour les mois, voire les années à venir.

Août 1572 en France

90

Du sang sur la soie

Élisabeth d'Autriche dépêcha douze soldats des Gardes Françaises pour accompagner le carrosse mis à ma disposition. Nous galopâmes à bride abattue jusqu'à la mercerie, où de nombreux curieux s'étaient amassés. Les soldats s'empressèrent de dégager le passage puis de bloquer la rue. En courant, je pénétrai dans la boutique par la porte entrebâillée.

La scène n'avait rien de réel à mes yeux. Si tous les éléments, les meubles, les étagères, les piles de tissus, m'étaient familiers, l'ordre dans lequel je les retrouvais n'avait rien d'habituel. Tout était sens dessus dessous, le vulgaire avec le riche, le propre avec le taché, le bois avec l'étoffe... Le saccage frappait par son ampleur et la férocité dont on avait usé.

Sur des brocarts de soie jaune, je repérai de larges traces de sang. Sous l'amas, une main dépassait. Je pliai les genoux. Je replaçai Myriam, la gorge entaillée d'une oreille à l'autre.

Je courus à l'escalier pour monter à l'étage, étroitement encadrée par les gardes d'Élisabeth. Dès le seuil du petit salon, je me heurtai au cadavre de Léontine, notre jeune servante si amoureuse de Joseph. Elle était adossée au chambranle de la porte, les yeux ouverts, la tête inclinée sur sa poitrine comme si, incrédule, elle contemplait la plaie béante à son buste.

— Pèèère !

Le corps de papa embrassait une table contre laquelle il était tombé. La flaque de sang autour de lui était si large que je m'étonnai qu'elle pût provenir d'une seule personne. Je m'élançai pour le prendre dans mes bras, mais son poids me renversa. Je me retrouvai assise par terre, avec mon père qui m'étreignait, ses prunelles vides pareilles à des billes de verre.

Ce furent les gardes qui vinrent me tirer de ma mauvaise position. Sitôt debout, je me mis à la recherche de ma mère. En premier lieu, je trouvai Corinne puis Lisette, Fernande, Sidonie… Elles avaient sans doute tenté de se réfugier dans nos quartiers privés quand les assassins avaient envahi le commerce.

— Oh, Martin…, grand Dieu, Martin…

Je découvris d'abord sa tête près d'un escabeau avant de repérer son tronc à l'autre bout de la pièce. La cuisinière gisait à côté.

Dans la salle de couture, la lumière pénétrait moins bien, aussi pensai-je de prime abord qu'elle était vide – quoique fort en désordre. Puis je vis une jambe émerger de sous un tapis.

— Mère !

Elle avait un regard identique à celui de mon père, fixant un monde où je n'étais point encore invitée. Quand je reconnus le corps délicat de Delphine, mes mollets vacillèrent et je me laissai tomber à terre. Même elle, les assassins ne l'avaient point épargnée. Elle avait une blessure à la hauteur du cœur qui avait peu saigné. Peut-être était-elle morte très rapidement, sans souffrir.

Je saisis son visage dans mes mains et plaçai sa tête sur mes genoux. Je caressai doucement ses joues en sanglotant. Avec une étonnante clairvoyance, je songeai que je ne vivais que le premier choc, que je n'avais point pris tout à fait conscience de la perte terrible dont j'étais victime. Comme l'insecte qui se battait contre un vent croissant en anticipant l'orage, j'aurais bientôt à subir le déchaînement des pluies furieuses. Oui, j'étais consciente que le pire suivrait, que cette journée ne serait que le point de transition entre ma vie d'avant et celle à venir. Que la chute ne faisait que commencer.

— Mademoiselle…

L'un des gardes était incliné sur un amas sombre au bout de la pièce.

— Un jeune homme, mademoiselle. Il vit toujours.

Je me relevai pour me précipiter vers lui. C'était Joseph.

Ce dernier m'observa avec des yeux agités, respirant à peine, la poitrine et le ventre lacérés. Une dague était encore plantée dans son dos. Un inconnu gisait non loin, le poignard de mon frère dans la gorge. Ils s'étaient sans doute entretués… ou un complice du criminel avait porté secours à son compagnon, mais trop tard.

— A… Anne…

— Shhh… Ne parle pas, petit frère. Garde tes forces.

— Les Bri… Brissier, Anne. Ce s… sont les Brissier…

— Ne parle pas.

— Ils sont venus ven… venger…

— Shhh…

— C'est ma faute. Je n'aurais point dû occire le… ce…

— Non, c'est la mienne. C'est moi qui ai pris leur enfant. C'est elle qu'ils cherchaient.

— Non, tu as b… bien fait, Anne. Tu as sauvé Marie. Ils v… venaient pour la tuer.

Je constatai que mes mâchoires me faisaient mal à force de les serrer l'une contre l'autre. Je ne pleurais plus.

— Anne, le ruban…, ce… ce n'est pas moi…

— Je t'en prie, Joseph, arrête… Je te pardonne…, je te…

Sa main, poissée de sang, se referma autour de mon bras avec une énergie dont je ne l'aurais plus cru capable.

— Ce n'est pas moi, Anne, te dis-je.

Il inspira profondément tandis que ses doigts se relâchaient. J'eus l'impression qu'il lui avait fallu puiser la quasi-totalité des forces qui lui restaient pour m'interrompre. Il reprit d'une voix à peine audible :

— C'est Léontine. C'est par elle que... que des voisins – je ne sais lesquels –, complices des Brissier, ont appris l'affaire du ruban. Puisque Léontine... était furieuse contre moi, elle s'est laissé convaincre de... de ne point permettre à notre maison de devenir trop puissante..., de s'allier à un capitaine des gardes royaux.

— C'est stupide ! La reine est déjà mon amie.

— Ce n'est qu... qu'une gamine, elle n'a point saisi ce qu'impliquait un mauvais tour de cette sorte. Seu... seule une chose lui importait : se... se venger de moi en faisant de la peine à toute la famille.

— Petite idiote...

— C'est elle qui a ouvert aux Brissier. La porte était... verrouillée comme tous les soirs.

Je frottai mes joues pour soulager la douleur à mes mâchoires. Tandis que le corps entier de Joseph se mettait à trembler près de moi, je marmonnai :

— Cela ne l'a guère servie, la jeune sotte. J'ai vu son cadavre à côté.

Joseph expira si profondément et mit tant de temps à respirer de nouveau que je pensai qu'il venait de rendre l'âme à son tour. Je collai mes lèvres à son front et sanglotai :

— Oh, Joseph, pardonne-moi d'avoir douté de toi. Oh, mon petit frère. Je suis tellement..., tellement navrée. Que ne te défendais-tu point, aussi ?

Il répliqua de manière presque inaudible :

— Qui m'aurait cru, Anne ?

— Pardonne-moi.

— Oui..., oui, si tu me fais une pro... promesse.

— Dis. D'avance, je promets.

— Devant Dieu ? Devant ton frère qui se meurt ?

— Je jure, Joseph, devant Dieu et devant ton âme.

— Pars, Anne.

— Quoi ?

— Pars. Quitte Paris. Et va là où tu vivras sans crainte pour ta vie, sans crainte pour celle de Marie.

— Mais Élisab… la reine ? Et le capitaine de…

— Tu es trop b… bien, trop généreuse pour ce monde-là, Anne. Si… si ce ne sont les rois eux-mêmes, ce sont leurs courtisans… qui te tueront. Ne m… meurs pas à ton tour. C'est la promesse que j'exige de toi.

91

Les liens éternels

Élisabeth d'Autriche exigea que je reste au Louvre les jours suivants. Il n'était plus question de m'exposer au danger en m'abandonnant seule dans la propriété familiale. Mon père, ma mère, ma sœur et mon frère furent mis en terre au cimetière des Saints-Innocents, près de la tombe des parents de Marie. Nos deux lignées étaient désormais unies jusqu'au jugement dernier, tant par leurs dépouilles que par la relation qui me liait à mon enfant.

Une compagnie d'archers dépêchée par Sa Majesté Charles IX retrouva quelques voisins et trois ou quatre Brissier qu'on soupçonnait d'avoir participé au massacre des miens. Lorsque j'entendis les récits des procès expédiés en quelques questions et des verdicts qui aboutissaient tous à un coup de poignard, devant ce qui me sembla davantage tenir de la vengeance que de la justice, j'exigeai qu'on cesse de chercher les coupables. Ma royale et pieuse amie m'encouragea dans cette décision et, à ma demande – et à sa grande joie –, elle m'enseigna la prière. Deux nonnes n'auraient point pratiqué plus de dévotion que nous.

Les Dubois m'inondèrent de lettres de condoléances et de soutien. Celles de l'oncle Jacques étaient si sincères dans leur mauvaise tournure et leur français boiteux que ce furent les plus touchantes du lot. Je ne croyais point qu'il les rédigeait lui-même, car il m'aurait étonné que le brave marin sût lire, encore plus écrire. Toutefois, l'orgueil faisait en sorte qu'il n'usait point des services du même écrivain qu'Antoine. Sans doute ses messages étaient-ils griffonnés par un collègue à lui, vaguement familiarisé avec l'alphabet, meilleur dans le maniement des drisses et des timons que de la plume.

Puis, si c'était possible, les malheurs s'accrurent. La liquidation de ce qui restait des étoffes non abîmées ne remboursa point entièrement les créanciers. Il me fallut mettre la boutique en vente. Avec les vautours qui s'étaient multipliés pour s'emparer des biens des victimes du massacre de la Saint-Barthélémy, le prix obtenu me permit à peine d'effacer l'ardoise. Il ne subsista qu'une maigre réserve avec laquelle Marie et moi pouvions espérer survivre quelques mois.

L'entente entre mes parents et les Dubois pour leur projet de fonder une communauté de huguenots qui auraient fui les exactions tombait à plat. Je n'avais pas les ressources pour faire respecter la parole de mon père. La lettre que j'envoyai en ce sens à Antoine me déchirait. J'avais l'impression de lui interdire même de s'amender. Un peu comme pour Joseph, dont j'avais obtenu le pardon et qui avait reçu le mien à l'instant de mourir entre mes bras.

Mon cœur pouvait-il être lacéré davantage ?

Hélas, oui. Ce fut le matin où Élisabeth m'apprit que son capitaine des gardes, parti en mission de reconnaissance dans le Nord, avait été fait prisonnier par les Anglais.

La rançon demandée pour sa libération équivalait à celle d'un prince du sang. Les négociations s'annonçaient ardues. Au moins, j'avais l'autorisation de lui écrire, et un messager anglais me garantit – en fait, garantit à Élisabeth d'Autriche – qu'il remettrait personnellement mes plis entre les mains de mon amoureux.

Nous baptisâmes Marie dans une chapelle privée des appartements de la reine à la fin de septembre. Comme prévu, mon amie accepta d'être la marraine, et elle offrit en cadeau une garde-robe complète de petite fille, entre six mois et six ans. Voilà un souci de moins dont j'aurais à m'embarrasser.

Vers la mi-octobre, près de deux mois après le massacre de la Saint-Barthélémy, tout le royaume grondait de colère. Les catholiques continuaient d'exterminer les réformés par toutes les villes de France, sauf celles où les huguenots étaient majoritaires. Des nouvelles, toujours plus affreuses, provenaient de Bourges, Saumur, Angers, Lyon, Troyes, Rouen, Romans, Bordeaux, Toulouse, Gaillac, Albi, Rabastens... On rapporta aussi des violences à Valence, Orange, Agen, Blaye, Moissac, Condom, Dax, Saint-Sever, Bazas, et encore à Tours, Blois, Vendôme, Amboise, Beaugency, Jargeau, Soissons, Montreuil, Poitiers, Parthenay... La haine régnait. La religion était instrument de meurtres.

Les princes du sang huguenots, pressés de toutes parts, s'inclinèrent. Henri de Condé céda le premier. Le 18 septembre, il renia sa foi protestante. Henri de Navarre, le mari de Margot, abjura à son tour huit jours plus tard. L'union de notre chère Marguerite avec son époux fut enfin validée par les autorités catholiques.

Pendant ce temps, Élisabeth d'Autriche, près d'accoucher, restait au lit. Il était devenu difficile de maintenir nos relations privilégiées, car les courtisans se refusaient à s'éloigner d'elle afin d'assister à la naissance du – qui sait – dauphin de France. Les attentions polies dont je bénéficiais ne me laissaient point dupe, et je savais bien que les nobles autour de nous ne rêvaient que de l'occasion susceptible de me faire plonger en dehors du cercle des intimes de Sa Majesté.

J'avais bien quelques amis dans ce monde empoisonné, comme l'aimable comtesse Marguerite de La Marck-Arenberg, ou encore Gabriel, ce favori parmi les mignons du duc Henri d'Anjou. Il y avait aussi quelques pages au service d'Élisabeth, sans oublier Marguerite de Navarre – mais je la voyais fort peu, car elle devait gérer ses propres problèmes, ne serait-ce que celui de son époux prisonnier dans les appartements du roi.

J'espérais toujours recevoir une première lettre du capitaine de Lignerac, je pleurais mes proches qui me manquaient terriblement, et je me raccrochais aux seules choses qui m'apportaient du réconfort: les actes de foi, mon enfant… et la famille Dubois. Je me remis à aller les voir de temps en temps, encouragée en cela qu'on me réservait chaque fois un accueil digne de la plus auguste invitée. De plus, Antoine se faisait discret et jamais il ne cherchait à profiter de ma présence pour m'imposer ses velléités d'épousailles. L'oncle Jacques surtout me couvait d'une affection toute paternelle et ce fut lui qui put se targuer d'être à l'origine des premiers éclats de rire de Marie un jour qu'il lui soufflait dans les mains.

Bien sûr, on s'avérait fort déçus de ne plus pouvoir concrétiser le projet d'offrir aux huguenots parisiens et aux catholiques modérés un havre où ils pourraient vivre ensemble et en paix – entreprise appelée le *Grand Éloignement* –, mais nul ne m'en faisait reproche. Antoine avait simplement redoublé d'efforts pour aller à la rencontre de bailleurs de fonds potentiels. Voilà qui était tout à son honneur et qui lui attirait sans nul doute les grâces divines.

Cette période de ma vie qui oscillait entre le chagrin intense et les petites joies du quotidien prit une toute nouvelle tournure le jour où Élisabeth accoucha.

* * *

Au lieu d'offrir au royaume de Charles IX l'héritier attendu, mon amie donna naissance à une fillette chétive, affectée sans doute par les tourments qui accablaient l'âme de sa mère depuis les terribles événements de l'été.

Les courtisans chuchotèrent, la reine mère s'avéra déçue…

— Que l'on annonce par tout le pays que la nouvelle princesse de France est fort belle, grasse et d'un teint de santé qui fait envie !

On entreprit des pourparlers pour convaincre Élisabeth d'Angleterre d'être la marraine de l'enfant. Je m'en réjouissais. Toutes ces tractations politiques visant la paix ne pouvaient qu'être bénéfiques à la libération du capitaine des gardes de la reine de France, mon aimé, mon vaillant, mon malheureux Armand.

Dans la première semaine de novembre, je reçus enfin une lettre de lui.

92
La lettre

Ma très chère Anne,

Combien il me fut à la fois doux et pénible d'apprendre qu'il y avait eu méprise ce terrible soir où je ne découvris point le ruban espéré à la fenêtre de votre logis. Ce terrible soir où je crus ma vie finie ! Deux choix seulement s'offrirent alors à mon cœur fracassé : la mort ou l'exil. Puisque partir était également mourir, mais sans le déshonneur du suicide et peut-être avec la gloire de tomber au combat, j'ai opté pour cette décision. Combien je le regrette maintenant, car chaque minute perdue au fond de mon cachot me prive de moments précieux à vous serrer dans mes bras !

Je vous rassure immédiatement sur mes conditions de détention : on me traite bien. Ma fortune personnelle me permet de bénéficier de marques d'attention de la part de mes geôliers, aussi ai-je à manger chaque jour et puis-je boire du vin. Toutefois, mon plus grand bonheur, faut-il le préciser, est de disposer de papier et d'encre afin de vous écrire. Un généreux pourboire à notre intermédiaire me garantit que vous recevrez mes lettres et que je pourrai me réjouir des vôtres. Ne vous lassez donc point de correspondre.

Je pense à vous chaque minute. Vous m'habitez dès le réveil et c'est avec peine, le soir, au moment de m'endormir, que je m'arrache à votre souvenir. Heureusement, mes nuits aussi sont pleines de vous.

La situation dans le Nord est inquiétante. De nombreux huguenots réclament la protection de l'Angleterre antipapiste afin d'échapper à la folie catholique. Les Espagnols se délectent de savoir que nos velléités de libérer les Flandres luthériennes se sont évanouies. Nos déchirures comblent d'aise nos pires ennemis. La France ressemble à un loup malade offrant sa gorge meurtrie aux gueules des carnassiers. Quoique la reine Élisabeth d'Angleterre ait accepté d'être la marraine de la princesse de France, la souveraine craint trop que l'Espagne s'allie à Sa Majesté Charles pour baisser la garde. J'appréhende de devoir rester encore un moment dans les cachots anglais.

Lorsque je serai enfin de retour à Paris, je ferai en sorte d'entreprendre toutes les démarches pour faire de vous ma légitime épouse. Vous n'aurez alors plus rien à redouter des courtisans qui vous jalousent et des ennemis de votre famille qui pourraient de nouveau chercher à s'en prendre à Marie. Sa Majesté la reine de France, Sa Majesté le roi Charles, vous et notre fille; voilà dans l'ordre les priorités que défendra mon épée.

Anne, pensez à moi avec la même force que je pense à vous, espérez-moi avec la même ardeur que j'attends ma libération, et dès que Dieu le permettra, je réaliserai toutes les promesses que renferme cette lettre.

Je vous aime et vous aimerai jusqu'à la mort.

Armand

* * *

Je serrais encore contre mon cœur les mots de mon capitaine des gardes quand, en parcourant les couloirs du Louvre, je croisai Henri de Guise. Il y avait un moment que je n'avais eu l'occasion de rencontrer le beau noble. Ses malheureuses initiatives ayant mené au massacre de la

Saint-Barthélémy avaient fait de lui une présence peu appréciée dans les entours du roi Charles. À ses côtés marchaient Henri d'Anjou, éternel rival de son frère royal, et toute la suite d'écuyers et de courtisans coutumiers des deux ducs – dont mon bon ami Gabriel.

— Mademoiselle Sagedieu ! s'exclama Guise en me reconnaissant. Les rumeurs disent donc vrai. Vous voilà une véritable habituée de ce palais.

— Monseigneur, répliquai-je avec une courbette.

Je ne pus m'empêcher de jeter un rapide coup d'œil à la main qu'il avait si détestablement posée sur mon sein. Je rougis à la pensée qu'il fût en train de fixer ma poitrine en se délectant de ce souvenir. Je me résolus ainsi à le regarder dans les yeux.

— Je vous félicite de votre ascension, reprit-il. Pour une roturière de votre espèce, se mettre en relation aussi étroite avec une reine de France…

— Mon frère y est sans doute pour quelque chose, supposa Henri d'Anjou sans même me gratifier d'une œillade. C'est un cas classique : avoir une maîtresse dans l'entourage immédiat de sa propre épouse, non seulement éloigne les soupçons, mais garde l'amante à portée de main.

— Monseigneur se trompe. Je…

— Anne, ma poule, il y a un moment que je t'ai vue, tu es absolument resplendissante ! me coupa Gabriel en s'approchant et en me donnant deux forts baisers sur les joues. Comme je suis aise de te trouver si bien en dépit des malheurs qui t'ont frappée.

Puis, à mon oreille, il murmura rapidement :

— Ne joue pas leur jeu. Ignore-les.

Et, à voix haute, il reprit :

— J'ai appris que la reine avait accepté que le capitaine de Lignerac fasse de toi son épouse. Quel plaisir ce sera, ma poule, de te savoir si bien protégée et de te croiser plus souvent !

— Mer… Merci, Gabriel.

— De Lignerac ? Vraiment ? sembla s'étonner Guise. N'est-ce point cet officier prisonnier des Anglais ?

— Si fait, monseigneur, répliqua Gabriel à ma place. Dès qu'on se sera entendus sur le montant de la rançon, le capitaine de Lignerac reviendra à Paris et, entre autres, pourra se marier avec cette chère Anne.

Henri de Guise, cette fois, parut m'observer avec moins de mépris. Je présumai qu'il voyait s'enfuir la promesse qu'il m'avait grincée, cette fameuse veille de la Saint-Barthélémy : « Mais nous trouverons sûrement un moment, quand tout sera terminé, afin que je puisse m'assurer de la qualité de la promise d'un de mes… protégés. »

— Et ce jeune garçon que vous deviez épouser ? Cet écuyer que vous avez convaincu d'abandonner mon service alors qu'il m'était si utile ?

— C'est un ami, monseigneur. Un bon ami, sans plus.

— Maîtresse du roi, sans doute ancienne maîtresse de votre ex-écuyer, et bientôt épouse d'un capitaine des gardes royaux, lâcha le duc d'Anjou sans me regarder, dans une expression de profond dégoût. Je connais d'excellentes putains qui ont eu moins de succès.

Les rires des suivants me heurtèrent plus sûrement qu'une gifle, et j'allais répliquer quand un signe discret de Gabriel m'arrêta de nouveau. Je me contentai donc de m'incliner et plaquai mon dos à un mur pour permettre au groupe de poursuivre son chemin. Je continuai à fixer le plancher jusqu'à ce que les esclaffements et les railleries eussent disparu au bout du couloir.

Je m'efforçai aussitôt d'oublier ces humiliations en cherchant à me convaincre de leur insignifiance. De toute façon, elles provenaient de gens pour qui je n'avais aucune considération.

J'y serais peut-être parvenue si, hélas ! pendant les jours qui suivirent, le roi Charles IX ne s'était point remis à s'intéresser à ma personne d'un peu trop près.

93

Les avances royales

C'était un dimanche. Avec la comtesse d'Arenberg et les autres dames d'atour d'Élisabeth, je revenais de la messe. Le roi, en compagnie de sa faune habituelle, nous croisa, car il n'assistait pratiquement jamais aux offices aux côtés de son épouse – en fait, leur relation ressemblait davantage à celle de deux employés d'une même entreprise qu'à celle d'un mari et d'une femme.

— M'amie! Depuis la naissance de notre chère enfant, je vous trouve un teint des plus resplendissant.

Le compliment ne trompait personne; Élisabeth nous paraissait toujours plus ravagée. En tant que confidente, je savais que c'était moins sa maternité que ses remords de n'avoir pas su empêcher les massacres de la Saint-Barthélémy qui pâlissaient ses joues et cernaient ses paupières.

— Mademoiselle Sagedieu...

Je sursautai, car, inclinée, je n'avais pas remarqué que le roi s'était autant approché de moi.

— Vous que j'ai toujours grand plaisir à savoir dans le Louvre, je vous crois responsable des bontés divines dont nous bénéficions.

Un courtisan murmura à son voisin, suffisamment fort pour que Charles IX entende:

— Je suis plutôt d'avis que ce sont les décisions de Sa Majesté visant à balayer les huguenots du royaume qui sont responsables des bontés divines.

— Votre Majesté est trop indulgente à mon... Hii!

J'eus droit à un regard sombre du roi lorsque je laissai échapper mon cri de surprise. Tandis que le courtisan avait attiré l'attention sur lui, un autre avait rapidement glissé un billet dans mon décolleté.

— Ça va, mademoiselle ?

— Ou… oui, Sire. Que Votre Majesté me pardonne. Un hoquet.

Il se pencha à mon oreille et chuchota :

— Que personne ne voie ce mot.

Et, après les salutations et compliments d'usage, toute la suite royale abandonna celle d'Élisabeth d'Autriche pour s'ébranler vers les quartiers de Charles IX.

* * *

Le billet était rédigé d'une plume nerveuse, un peu tremblotante, moins par manque d'aisance que par la diligence dont on avait usé. Sans doute Charles IX l'avait-il griffonné rapidement sur le coin d'une table.

Mademoiselle, il agréerait à votre roi que vous veniez le retrouver en ses quartiers à l'heure où vous prenez habituellement congé de la reine.

Vous gardez le secret.

C.

Je n'appréciai pas du tout l'invitation. Ce n'était point que je craignais pour ma vertu, Charles IX avait déjà démontré qu'il s'intéressait à moi seulement pour mon humeur sereine. Cependant, déjà que de méchantes rumeurs circulaient dans le palais, je ne souhaitais pas qu'on me surprenne en compagnie de Sa Majesté. Et puis, rien que le fait de devoir cacher la chose à Élisabeth me répugnait.

Enfin, me dis-je, après ma visite, j'évaluerais la pertinence de tout raconter à ma fidèle amie.

Vers onze heures du soir, en quittant les quartiers d'Élisabeth, je me dirigeai donc discrètement non point vers ma chambre, mais chez le roi. À mi-chemin, un page de Charles IX m'attendait. Muet, il me précéda jusqu'à la porte principale des appartements de Sa Majesté. Il me livra passage sans que j'eusse à justifier ma présence aux gardes en faction.

Je trouvai le roi assis au bureau de son cabinet, où, à la lumière d'une seule chandelle, il feuilletait un livre illustré sur la chasse – l'unique vrai plaisir de Charles IX.

— Mademoiselle Sagedieu, m'accueillit-il, le sourcil vaguement froncé, comme s'il ne se souvenait plus m'avoir fait mander.

— Sire.

Il se leva, et je constatai qu'il n'était revêtu que d'une robe de chambre un peu grande pour lui, ce qui atténuait encore le peu de majesté dont il pouvait se targuer. Ses paupières étaient rouges, et il les frotta d'un index tremblant. Il referma le livre d'une main tout en saisissant le chandelier de l'autre.

— Je suis aise que vous ayez accepté mon invitation.

— Les désirs d'un roi sont les devoirs de ses sujets.

Il eut un geste pour les valets présents, qui s'éclipsèrent avec la célérité et le silence d'une plume livrée au vent.

— Suivez-moi.

Il m'entraîna vers la pièce attenante que je reconnus pour être sa chambre. J'hésitai sur le seuil.

— Vous n'entrez point ?

— Que Votre Majesté me pardonne, je suis fort intimidée.

Il me tendit cinq doigts émaciés et tremblotants.

— Donnez-moi votre main. En compagnie de son souverain, nul n'a à craindre quoi que ce soit. Fût-il un ange du paradis.

Je retins un soupir d'appréhension et lui emboitai le pas. Je n'aimais pas qu'il semble vouloir me conduire en direction de la couche au dessus-de-lit fleurdelisé.

— Je vous sens résister, Anne.

— Que Votre Majesté me…

Cette fois, je réprimai le cri de surprise qui m'avait échappé au moment de recevoir le billet sur mon sein. Mais je ne me sentais pas moins stupéfaite. Les deux mains de Charles IX, avec la même impudeur que celle du duc de Guise, venaient de se plaquer sur mon petit buste.

— Sire… Votre…

Je manquais de souffle et n'osais point inspirer trop profondément, car il me semblait que gonfler ma poitrine serait une invitation à aller plus avant. Je rondis le dos dans un réflexe pour rentrer mes seins.

— Vous êtes un ange, Anne, rabâcha-t-il en triturant mes rondeurs avec maladresse, en les tordant presque. Dieu vous a envoyée à moi, moins pour me guider dans mes décisions difficiles que pour apaiser mes nuits peuplées encore du souvenir des cris des hérétiques.

— Votre Majesté se trom… est trop généreuse à mon endroit. Je ne suis qu'une vulgaire mercière bénéficiant des faveurs de sa souveraine.

— Non. Dieu vous a mise sur ma route pour m'inspirer, répliqua-t-il en retirant ses mains.

— Je ne demande pas mieux, Sire, mais vous inspirer de pieuses et florissantes pensées. Point ces envies que suscitent les courtisanes, ces fantaisies qui ne font que perdre les âmes.

Il ricana en feignant de s'intéresser à un détail sur le tableau accroché au mur devant lui. Le bout de son index suivait la ligne d'un arbre au tronc tordu.

— Vous croyez que Dieu interdit aux rois de trouver du plaisir en dehors du lit conjugal ? s'informa-t-il après un silence qui me parut une éternité.

— Je n'oserais préjuger les desseins de Dieu, Sire, surtout en ce qui concerne les souverains. Mais je ne pense point que ma personne soit si intimement liée à une âme comme celle de Votre Majesté, sacrée par les huiles papales.

— Vous me paraissez pourtant fort proche de la reine.

— Je ne partage point sa couche, Sire.

Il éclata d'un rire vulgaire, et je regrettai ma réplique. Après coup, elle ne me semblait point de la meilleure inspiration.

— Vous devriez, hoqueta-t-il en continuant de rire grossièrement. Il me semble que ce serait là une scène des plus charmante…

Je détournai le regard quand je m'aperçus qu'il avait une main à la hauteur de son entrejambe. Une bosse grandissante sous sa chemise de nuit m'apparut du pire augure. Je tentai un argument désespéré :

— Votre Majesté n'ignore point que la reine a accepté que son capitaine des gardes m'épouse.

— Je suis le roi. J'ai préséance, rétorqua-t-il sans se démonter, presque avec lassitude.

Par réflexe, je reculai d'un pas lorsque je remarquai qu'il retirait sa main de son entrejambe afin que je puisse mieux observer ce que, de toute évidence, il s'efforçait de m'exhiber.

— Que Votre Majesté me pardonne, mais ce soir, je suis indisposée.

Cette fois, la déclaration porta ses fruits. Il se figea un moment et, même si je ne regardais pas directement son bas-ventre, je pouvais constater l'atténuation de son excitation. Il se détourna pour marcher jusqu'à une porte qu'il ouvrit doucement.

Je retins un sursaut en voyant entrer deux énormes aboyeurs qui lui firent la fête en le léchant au visage et aux mains.

— Paix, les chiens ! murmura-t-il. Paix.

Les bêtes tournèrent autour de lui puis se dirigèrent vers moi. Elles me léchèrent les mains à mon tour et la plus hardie enfouit son museau entre mes cuisses. Je présumai que Charles IX n'avait point besoin d'une meilleure confirmation de ce que j'avançais.

— Quel dommage ! se désola-t-il enfin.

Il ne s'approcha pas de moi, comme si le simple fait d'évoquer les règles me souillait à ses yeux. Je n'allais pas m'en plaindre.

— Dès que vous serez dispose, reprit-il en me désignant la porte, après-demain, la nuit suivante, j'aimerais que vous reveniez. À cette même heure. Les femmes sont toujours plus accueillantes et chaudes après leurs menstrues. Et surtout, j'exige de vous la discrétion la plus complète. Je vous interdis d'en glisser le moindre mot à la reine.

Tandis que, le cœur battant, la respiration haletante, l'âme bouleversée, je revenais dans mes quartiers, attenants à ceux d'Élisabeth, je me demandais bien comment il me serait possible de me tirer de ce mauvais pas. Non seulement je n'avais aucune intention de me plier à la concupiscence du roi, mais je ne voulais surtout pas être celle qui serait responsable de sa trahison envers son épouse.

Si je ne pouvais me confier à Élisabeth, qui pourrait me sortir de ce bourbier ?

Le salut me vint le surlendemain, et d'une personne dont je n'aurais jamais espéré le secours.

94

Les petits bâtards

Pendant les deux jours qui suivirent ma visite à Charles IX, je priai, priai, priai pour que notre monarque à l'esprit instable m'oublie ou quitte le palais. J'avais même envisagé de fuir le Louvre pour quelques jours, de demander l'hospitalité aux Dubois, par exemple, afin d'échapper à mon puissant prétendant. Je n'aurais point eu de remords à dénoncer carrément le roi et à tout révéler à son épouse… s'il ne s'était agi du roi, justement. Lors d'un prêche récent, le chapelain du château nous avait rappelé le caractère sacré de Sa Majesté et le péché mortel qu'était la trahison de son souverain.

J'assistais à une soirée chantante dans le grand salon en compagnie d'une trentaine de courtisans appartenant aux trois reines qui habitaient au Louvre. Une dame d'atour de Marguerite – dont le nom m'échappait sans cesse – se faisait une joie d'étaler ses talents de cantatrice chaque fois que l'occasion se présentait. À un moment donné, pendant une envolée vocale, une certaine Marie Bochetel se pencha à mon oreille pour me confier :

— Mademoiselle Sagedieu, à la prochaine pause, Sa Majesté la reine mère se réjouirait que vous veniez lui présenter vos civilités.

— Sa Majesté la reine Catherine ? m'étonnai-je à mi-voix.

— Je ne connais qu'une reine mère, mademoiselle.

— J'y… je n'y manquerai point.

Assise dans un épais fauteuil qui me tournait le dos aux trois quarts, Élisabeth d'Autriche, afin de m'interroger du regard, se détourna autant qu'elle put du clavecin sans paraître inconvenante. Je pinçai mon lobe d'oreille entre deux doigts, code secret entre nous qui désignait Catherine de Médicis.

Mon amie fit mine de gratter la peau délicate sous son œil – procédé pour inviter à la vigilance – puis revint fixer son attention sur la chanteuse et son instrument.

Je me présentai à Catherine de Médicis dès que l'artiste formula le désir de reposer sa gorge un brin. Après ma plus respectueuse révérence, j'attendis que la veuve de Henri II m'adresse la parole.

— Mademoiselle Sagedieu ! Cette nouvelle robe, cadeau de Sa Majesté le roi, paraît-il, met votre petit buste en valeur.

Je rougis comme un coquelicot avant de répliquer sans relever l'insinuation :

— Madame, je suis fort aise de vous trouver chaque jour avec le meilleur teint et la mine radieuse.

— Quelle excellente courtisane vous faites !

Sa voix n'exprimait ni malice ni mépris ; une simple constatation. D'un seul doigt, et avec un regard oblique, elle renvoya ses suivantes à l'écart. Le vide s'étant fait autour de nous, elle m'invita à m'asseoir dans le fauteuil voisin du sien. Penchée à demi, elle murmura :

— Le roi Charles parle souvent de vous, mademoiselle.

— Votre Majesté m'en voit honorée.

— Je veux dire *trop* souvent, mademoiselle Sagedieu.

— L'amitié dont Sa Majesté me gratifie est une…

— Brisons-là, voulez-vous ? Je connais les liens exacts qui vous unissent à mon fils. J'ai mes espions. Je sais aussi les réticences qui vous font redouter la soirée de demain ou d'après-demain, quand vous n'aurez plus de prétextes pour repousser les avances du roi.

J'étais estomaquée. Élisabeth elle-même ignorait tout de ces tourments qui me rongeaient les sangs.

— Fort bien, madame, concédai-je sans plus enrober de sucre ni mes paroles ni mon intonation. Puisque Votre Majesté est si bien renseignée, elle ne doit point ignorer non plus l'affliction qui m'accable et la loyauté dont j'ai fait preuve en ne révélant rien à Sa Majesté la reine Élisabeth.

— Vous me plaisez, mademoiselle Sagedieu.

Je fixai Catherine de Médicis dans les yeux et n'y décelai point d'ironie. Elle formulait une opinion sincère. Elle reprit :

— J'ai pour vous de la sympathie..., en même temps que j'ai de l'ambition pour mes fils et pour le royaume de France. Or, vous ne faites point partie de ces aspirations et y êtes encore moins désirable.

Encore là, je ne relevai ni animosité ni colère. Était-elle à ce point dissimulatrice qu'elle pouvait exprimer l'ennui que lui causait ma présence sans trahir d'hostilité à mon endroit ?

— Qu'espère de moi Votre Majesté ?

De ses doigts dodus, Catherine de Médicis lissa d'un geste distrait la frange des dentelles à ses poignets.

— Après le concert, je vous attendrai dans mon cabinet. J'ai une proposition à vous faire.

— Et si Sa Majesté la reine Élisabeth s'étonne que je ne la retrouve point en ses quartiers ?

— Nous n'avons rien à lui cacher. Vous lui raconterez à votre retour.

* * *

— Hector de Maniquet, vous connaissez ?

— Non, madame.

Catherine de Médicis eut pour moi une grimace qui évoquait sans doute un sourire. Les deux seules dames d'atour autorisées à rester présentes dans ses quartiers pendant notre entretien étaient les plus estimées. Il s'agissait de femmes dans la quarantaine qui demeuraient en retrait à l'autre bout de la pièce. Cependant, en dépit de leur air indifférent, je savais que leurs oreilles indiscrètes ne perdaient rien des échanges entre la reine mère et moi.

— C'est le maître d'hôtel de Marguerite ; c'est aussi un confident du roi. Et vous connaissez Mlle Marie Touchet, n'est-ce pas ? J'en ai fait mention devant vous, cette nuit où je vous ai surprise avec le roi.

— Surprise en tout bien tout honneur, madame.

— Certes. Cependant – j'avais raison de le craindre, nous le savons maintenant –, Charles n'a point vos principes en matière de fidélité. Par une personne proche de maître Maniquet, je viens d'apprendre que Mlle Touchet attend un enfant. Un bâtard royal.

La reine mère avait prononcé les derniers mots les dents serrées, des bulles de salive à la commissure des lèvres. Cette fois, plus de froide constatation ; elle peinait à masquer le mépris, voire la haine, que suscitaient en elle les relations extraconjugales de son fils.

— Vous voyez ? reprit-elle en adoucissant ses traits. En dépit des efforts de mon royal garçon et de ceux des coquins à sa solde, j'ai appris ce qu'on s'emploiera à me cacher jusqu'à ce qu'il ne soit plus possible de dissimuler la grossesse. Je vous promets que l'annonce scandalisera la cour…, où Mlle Touchet a de nombreux ennemis, ai-je besoin de le préciser.

— Je n'ai point ce genre d'ambitions, madame. Puisque Votre Majesté sait tout, elle ne peut ignorer que les desseins que je conçois pour ma personne sont infiniment plus modestes.

— Oh, je le sais, n'ayez crainte. Toutefois, j'ai déjà été fort échaudée par les caprices de l'actuelle maîtresse de Charles, une huguenote… Vous étiez instruite du fait que Marie Touchet se réclame de la religion réformée ?

— Je ne suis guère au courant des potins de la cour, madame.

— Qu'importe. J'ai été fort échaudée, disais-je, car c'est à cause de l'influence de la Touchet que Charles s'est rapproché de Coligny. On a vu à quel point cela a compliqué notre politique, et jusqu'à quels extrêmes nous avons été poussés.

Je ne comprenais plus tellement où la reine mère voulait en venir et commençais à sentir un brin d'angoisse m'envahir. Je ne savais pas par quel détour ramener la conversation sur le sujet qui me touchait directement. C'est alors que, en me vrillant de ses yeux perçants, Catherine de Médicis déclara :

— Je n'ai point ambition d'attendre que, de gré ou de force, Charles fasse de vous une seconde Touchet. Je n'ai point envie de surveiller encore plus de grossesses illégitimes et, d'ici quinze, vingt ans, de retrouver le royaume aux prises avec les luttes intestines de petits princes bâtards. Surtout s'ils devaient disputer le trône aux éventuels fils d'Élisabeth d'Autriche.

— Je… je ne demande pas mieux, madame.

— Fort bien. Ainsi, vous ne trouverez rien à redire à la proposition que je vais vous faire.

95

La proposition

Les instructions que m'avait adressées Catherine de Médicis étaient on ne peut plus claires : je devais tout raconter moi-même à Élisabeth d'Autriche. Selon elle, se conformer à un ordre de la reine mère s'avérait aussi sacré qu'obéir à son roi. Je n'en étais point certaine, mais il n'était pas question que j'aille en débattre avec le chapelain du château.

— Et si c'était un garçon ?

Élisabeth était catastrophée. Elle pleurait à chaudes larmes dans mes bras tandis que Marguerite de La Marck-Arenberg, assise dans un lourd fauteuil, les mains jointes sur ses genoux, gardait la tête basse, les joues rose vif. Dans deux bers disposés près d'elle, nos Marie-Élisabeth – pour Élisabeth d'Autriche et Élisabeth d'Angleterre – dormaient de conserve comme des petites sœurs.

— Un bâtard reste un bâtard, la rassura la comtesse. Un mâle né hors mariage ne peut prétendre au trône.

— Mais il serait le fils aîné de mon époux, celui pour qui il entretiendra à jamais une affection particulière. Et puisque cet enfant sera issu de la femme dont il est amoureux…

La Marck-Arenberg soupira et dit en français uniquement à mon intention :

— Si la Touchet donne un fils au roi, cela accentuera la pression sur Sa Majesté la reine pour qu'elle accouche d'un garçon, la prochaine fois.

— Pour cela, il faudrait d'abord qu'il visite mon lit ! se plaignit Élisabeth, qui n'avait pas eu besoin de traduction – son français s'améliorait chaque jour.

Elle hoqueta un brin pour maîtriser ses sanglots. Puis, en serrant mes mains plus fort entre les siennes, elle se redressa. Ses yeux rivés aux miens, elle déclara :

— Sans compter que tu ne seras plus ici pour me soutenir.

— Je suis désolée.

— Ce n'est point ta faute. Il vaut mieux pour toi, de toute façon, que tu ne restes pas à portée des griffes de ces mâles du Louvre. Ils sont trop puissants, et nous, femmes, avons trop peu de pouvoir à leur opposer.

— Sauf la reine Catherine.

— Ma belle-mère possède une force dont je ne disposerai jamais.

Nous nous attardâmes encore un moment dans les bras l'une de l'autre sous le regard attendri de la comtesse d'Arenberg.

— Et où vous réfugierez-vous, mademoiselle ? me demanda celle-ci après un silence qui commençait peut-être à lui peser.

— Chez les Dubois. Il faudra cependant que ça demeure un secret. Vous seules êtes mises au courant. Le roi lui-même... le roi *surtout* devra l'ignorer.

— Sous le même toit que ton ancien amoureux, ne put s'empêcher de souligner Élisabeth en cherchant dans mes yeux noyés de larmes une appréhension que je ne ressentais pourtant pas.

— Je ne chômerai point de tout l'hiver, spécifiai-je en évitant de m'attarder sur le détail soulevé par mon amie. Il y aura beaucoup à faire pour préparer le *Grand Éloignement* du printemps. De nombreuses familles ont démontré leur intérêt pour le projet.

— Et tu les suivras alors sur la grande mer ? Jusqu'aux terres nouvelles ?

Nous frissonnâmes toutes deux à cet énoncé. Je hochai rapidement la tête pour acquiescer.

— Jusqu'en Amérique, oui. C'est là la condition imposée par la reine Catherine pour qu'elle débloque les fonds nécessaires à l'entreprise des Dubois. Je dois les accompagner… et ne plus jamais revenir.

Élisabeth posa les yeux sur un angle du plancher et resta un moment ainsi à fixer un monde à l'intérieur d'elle. Ses doigts tremblaient entre les miens. Je frémissais aussi, mais en dépit de mon affliction, j'étais heureuse d'être l'instrument permettant à l'oncle Jacques et à Antoine de relancer leur louable projet.

Après plusieurs secondes, je repris :

— Il vaut mieux que je parte, Élisabeth. Pour ma vertu, pour la sécurité de Marie… et puis pour les huguenots qui se sentent menacés. Ma petite personne est tellement secondaire. Il me semble que Dieu ne saurait me pardonner si je refusais l'offre généreuse de ta belle-mère.

— Tu es une sainte, Anne, finit par lâcher Élisabeth par la bouche de la comtesse d'Arenberg. Et je le pense aussi sincèrement, ajouta cette dernière.

— Non, je suis une femme effrayée, c'est tout. Perdue dans une tourmente où l'a jetée la folie des hommes.

— Et qu'arrivera-t-il à mon capitaine des gardes, le jour où, enfin libéré des Anglais, il reviendra au Louvre ? Que lui dirai-je à ton propos ?

Pour toute réponse, j'éclatai en sanglots. Armand l'avait précisé dans sa lettre : son épée, dans l'ordre, défendait la reine et le roi, ensuite moi et Marie.

Il ne me reviendrait pas.

* * *

Je partis le matin suivant, très tôt, avec le peu que je possédais.

— Je te ferai parvenir secrètement beaucoup de biens qui te seront utiles, à toi et aux familles que tu aides, me murmura Marguerite de La Marck-Arenberg en traduisant les paroles d'Élisabeth.

Aux portes du palais, retranchés dans une encoignure afin qu'on ne les remarque point trop, l'oncle Jacques et Antoine m'attendaient. Je les rejoignis, et ils m'accueillirent avec le même silence qu'on observe à l'église pour ne point briser la solennité des pensées. Avant de disparaître à leur suite en abandonnant le Louvre derrière moi, je jetai un dernier coup d'œil en direction des fenêtres de la reine de France.

J'aperçus Élisabeth à sa croisée. Elle ne m'envoya pas un signe de la main ni ne fit le moindre geste indiquant qu'elle m'avait reconnue.

Je ne devais plus jamais la revoir.

* * *

Aussi, très cher Armand, ne t'ai-je rien caché. Tous les détails des feuilles précédentes ont pour but de t'expliquer les tenants et aboutissants de mon départ. S'il t'arrivait de rejoindre Paris ou le Havre-de-Grâce avant avril, avant que Les deux amours *ne prenne la mer, viens, cours, vole jusqu'à moi. Je t'attends avec le même espoir que toujours, avec la même violence que celle qui nous pousse hors du royaume.*

Je sais, ton honneur fera en sorte de t'obliger à rester auprès de la reine pour la protéger. Ton honneur fera aussi en sorte de t'interdire de te lier à une femme ayant trahi le roi. Oui, peut-être ai-je fait de moi-même ton ennemie. Mais sache que je n'ai jamais renié ni la reine ni les sentiments que j'éprouve pour toi.

Quoi que tu penses, Armand, quoi que tu envisages, je t'attendrai. Jamais je n'épouserai un autre homme que toi. Jamais je n'offrirai à Marie un autre père que toi. Où que je sois, où que tu sois, dans le Vieux ou le Nouveau Monde, avec un océan entre nous deux.

Je t'attendrai.

XXIe siècle au Québec

96
La convocation

Je ne sais trop pourquoi, je me sens moins intimidé de me retrouver devant des centaines de concitoyens sur l'estrade de la salle communautaire Antoine-Dubois que face à la trentaine de copains de ma classe de français. Peut-être parce que, cette fois, je parle d'un sujet que je connais sur le bout des doigts.

Tout le gratin de notre village et des municipalités aux autres extrémités de l'île a répondu à l'appel que mon père a rédigé dans le journal du coin : « Importante conférence de Félix Fontaine sur des découvertes historiques récentes touchant les origines des paroisses de Saint-Barthélémy-de-la-Côte-Nord. » J'aurais pu garder ces informations pour préparer l'exposé de français le plus génial de toute la province de Québec, mais le temps pressait. Avec les événements qui ont secoué nos collectivités, avec l'animosité qui affecte chaque jour davantage les Mansouri, il fallait que je passe à l'acte sans délai, avant que ces deux familles se voient contraintes de quitter la région à cause du mal qu'on dit d'elles.

— Notre communauté a une icône, une véritable idole : Antoine Dubois.

Crachée avec force par les haut-parleurs, ma voix emplit la salle. Ça m'a pris un moment pour m'y habituer lorsque, une heure plus tôt, j'ai commencé ma lecture de textes choisis d'Anne Sagedieu. J'avais l'impression de crier contre les gens présents.

— L'inventaire des lieux qui témoignent de l'admiration que nous avons entretenue au fil des siècles pour l'un des premiers fondateurs de notre circonscription est facile à faire : hormis la salle dans laquelle nous nous trouvons en ce moment, il y a aussi l'artère principale de notre village, la rue Antoine-Dubois, puis le parc Dubois, l'aréna Dubois, le cimetière Antoine-Dubois, la zec Antoine-Dubois…

Un projecteur dont on se sert pour les présentations théâtrales m'aveugle un brin, mais je parviens à distinguer les visages de certains de mes concitoyens. Le maire, par exemple, en compagnie de la totalité des échevins et des marguilliers… Plusieurs de leurs épouses sont mêlées à eux. Tout ce monde est assis dans les premières rangées. Les autres figures, je les repère ici et là, quand le contre-jour me le permet. Je peux même voir des gens que je sais appartenir aux autres paroisses de l'île, notamment des édiles et des adolescents qui fréquentent l'école secondaire.

Dans le coin le plus reculé, lorsque la porte du hall d'entrée s'ouvre à l'occasion, à la lumière de l'embrasure, je reconnais la silhouette de l'abbé Dion. Ce dernier a beau vouloir se faire discret, il n'a pas pu résister à l'envie d'entendre ce que j'avais à dire des informations connues de nous deux et, surtout, de savoir comment ses ouailles y réagiront. Il me paraît fulminer. Je présume qu'il continue à se torturer l'esprit à propos de la façon dont j'ai pu obtenir copie des livres auxquels il m'a si cavalièrement refusé l'accès. Mais peut-être s'imagine-t-il que je les ai numérisés avant de lui demander la permission. La pauvre Mme Karine doit se faire harceler de questions sur le sujet.

Et, parlant d'elle, je la retrouve complètement à l'autre bout de la salle, en compagnie d'un pilier de la taverne locale, qui semble lui obéir au doigt et à l'œil. Elle est moins esseulée que je le pensais, après tout. À quelques bancs sur leur droite, le pasteur Victor Chastagnier a regroupé sa famille et plusieurs fidèles de la communauté protestante. Ceux-ci démontrent un intérêt infini pour ma prestation.

Les Mansouri sont venus aussi. Les deux maris avec leurs épouses et leurs enfants. Je reconnais les fillettes. Je suis soufflé par le courage de ces gens, car les regards venimeux et les affirmations de curiosité malsaine ne manquent pas à leur endroit. Ils se sont réunis sur les sièges des deux premières rangées à ma droite.

Mon père et Marie-Maude – ma belle Marie-Maude – se trouvent avec eux pour les soutenir dans ce moment difficile. Surtout Soltana qui, depuis le début de ma présentation, me fixe avec une expression que je ne parviens pas vraiment à définir. Admiration ? Reconnaissance ? Ou… contrariété ?

— Et pourtant, pourtant…, résonne ma voix dans tous les angles de la salle. Pourtant, notre figure de proue, notre emblème local, notre plus grand personnage historique a livré un combat qui ressemble à s'y méprendre à celui du… *terroriste* Ouadi Mansouri.

Le silence est complet. Pas même une quinte de toux vient troubler le temps de pause que je prends avant de poursuivre :

— Permettez-moi de vous relire ce passage, qui n'est certes pas écrit de la main d'Antoine Dubois, mais que ce dernier a narré à Anne Sagedieu. À ce moment-là, il commençait à douter de ses convictions concernant le meurtre des réformés et il cherchait à se justifier devant sa conscience.

Je me racle la gorge, lève une page numérisée devant moi et lis :

— « [Parce que le protestant qu'Antoine s'apprêtait à tuer connaissait lui aussi une femme qui s'appelait Anne], tout à coup, il prenait un visage humain. En dépit de son hérésie, quelque part, il avait une mère qui l'attendait, un père, des sœurs et des frères sûrement, une épouse sans doute, des enfants peut-être… Une famille, des amis, qui l'espéreraient en vain.

À jamais.

Pour la première fois, l'esprit de son ennemi interpellait Antoine.

Afin de chasser le goût de vomi qui montait dans sa gorge, en gestes rageurs, il renfonça sa lame dans la poitrine du huguenot. "Ne manquerait plus, songea-t-il, que je remette en question la mission, le rôle que Dieu m'a confiés par l'entremise du duc de Guise et de ses fidèles catholiques. Avec ma croix blanche et mon poignard, je suis l'instrument du divin, le bras de Jésus. Je suis béni." Et promis au paradis.»

Je lève les yeux de ma feuille et constate avec satisfaction que toute la salle me fixe, hypnotisée. Je saisis un deuxième document et poursuis :

— Vous avez tous ici, sans nul doute, lu dans les journaux la lettre que le terroriste Ouadi Mansouri a fait parvenir à son cousin, notre concitoyen, M. Rachid Mansouri. Permettez-moi maintenant de vous relire sa conclusion : « Ne manquerait plus, cher cousin, que je me laisse attendrir par les images larmoyantes de nos écrans de télévision. À quoi bon s'attrister de la mort des impies quand elle répond au désir d'Allah ! Je n'ai pas le droit de m'émouvoir ni de fléchir ; je suis le bras armé de Dieu, je suis son instrument. C'est par moi qu'il fauche les infidèles. Ainsi, je suis béni et promis au paradis ! *Inch'Allah !* »

Même silence, mêmes regards hypnotiques. Je conclus :

— Faites vous-mêmes le rapprochement entre les idées qui emplissaient la tête de notre ancêtre et celles d'un terroriste moderne. Il n'y a pas de différence. Notre communauté, un modèle de tolérance, a été construite à partir du fanatisme religieux. Voilà son aspect lumineux. Mais la laisserons-nous se détruire maintenant par le côté sombre de ce même fanatisme ? Laisserons-nous mourir les idéaux qui nous gouvernent depuis plus de quatre cents ans parce que certains de nos concitoyens ont une foi différente de la nôtre ? Ou, pis encore, parce qu'un homme étranger à notre collectivité a envoyé une lettre ? Parce qu'un homme étranger a agi avec un moment d'égarement identique à celui qu'a connu notre figure historique la plus vénérée ?

Je sursaute violemment et, avec moi, une partie de la salle. Dans l'angle où se sont regroupés les tenants de la foi protestante, un cri a éclaté :

— Bravo !

Je mets tout de même une bonne seconde avant de comprendre que cette réaction m'est favorable.

Un homme se lève et commence à applaudir. Le pasteur Victor Chastagnier. L'instant d'après, dans la première rangée, c'est M. Ferrillon qui l'imite, puis les marguilliers et les édiles municipaux, puis…

Mon père, en compagnie de Marie-Maude et des familles Mansouri, suit le mouvement. Je ressens un intense soulagement en même temps que mes jambes vacillent. J'ai joué un jeu dangereux en défendant l'indéfendable par le biais de la figure la plus idolâtrée de notre histoire locale. Mais j'ai gagné mon pari et, maintenant, la tension qui me soutenait m'abandonne. Avant de m'effondrer, j'ai intérêt à descendre de scène et à aller retrouver papa.

Au moment de quitter l'estrade, je plisse les paupières dans l'espoir de capter la réaction de l'abbé Dion, à l'arrière. À cause du projecteur et des silhouettes qui se sont levées, je n'arrive pas à le repérer.

Peut-être a-t-il déjà déserté la salle.

97

Le fermail des Marie

Marie-Maude est resplendissante. Une partie de la lumière du projecteur tombe sur elle et enflamme la broche dans ses cheveux. Ses prunelles brillent du même éclat, ses dents, sa peau… Au milieu des musulmans, en compagnie de son père et du mien, elle m'accueille de deux baisers bien sonores sur mes joues.

Pourtant, étrangement, ce n'est pas elle que je cherche. J'ai perdu Soltana des yeux et, en dépit des sourires que me jettent ses parents, l'idée qu'elle ait quitté la place, mécontente de ma présentation, me terrifie. L'impression est si soudaine, si inattendue, que je m'en sens étourdi.

Soltana ! Tout à coup, je découvre combien son absence a libéré d'espace dans ma poitrine. Combien s'est creusé un profond fossé que sa présence seule saurait combler.

Peut-être tout le trac qui m'agite en ce moment est-il en grande partie responsable de mon malaise, mais je suis persuadé que si mon amie musulmane ne revient pas bientôt m'exprimer sa satisfaction – ou son pardon, si je l'ai déçue –, je n'y survivrai pas.

— Merci, mon garçon ! me lance Rachid Mansouri en me secouant d'une vigoureuse poignée de main. Tout n'est pas perdu dans notre monde de fous tant qu'il y aura de jeunes hommes comme toi.

— Je suis… Merci, monsieur.

Puis vient le tour de Mohamed Mansouri, qui me manifeste la même reconnaissance que son frère, puis les épouses, puis mon père, fier de moi, qui m'entoure de ses bras et me colle contre lui.

— C'est toi qui as raison, murmure-t-il à mon oreille. Je redemanderai un vote au conseil municipal. Ce serait bien que les musulmans puissent bénéficier d'un lieu de culte. On a bien nos églises et nos temples, nous.

— Faudra aussi trouver un terrain pour un troisième cimetière, papa.

Il m'éloigne de lui avec ses dix doigts solidement agrippés à mes épaules. Ses yeux me fixent avec une expression de profonde contrariété, mais sa bouche est tordue à demi dans un sourire moqueur.

— Et quoi encore ! grogne-t-il. Tant qu'à y être, pourquoi pas…

Il s'interrompt pour permettre à Michel Ferrillon de me serrer la main à son tour. Le père de Marie-Maude cache difficilement son plaisir devant le pied de nez fait au prêtre.

— Je comprends qu'un pareil message de tolérance ne pouvait pas convenir à notre brave dictateur, s'esclaffe-t-il. Le pauvre ! Lui qui s'émeut de voir des non-chrétiens devenir des concitoyens à part entière. Bien fait pour lui.

Marie-Maude s'est approchée de nouveau. Elle farfouille dans ses cheveux à la hauteur de sa broche. Quand elle la détache, de larges mèches brunes viennent flotter contre sa joue.

— Regarde, Félix. Ce fermail, je l'ai hérité de ma grand-mère. Dans ma famille, on se le transmet d'aïeule en petite-fille depuis des générations.

Je baisse les yeux sur le bijou. De près, il est encore plus beau avec ses lignes ouvragées, ses pierres incrustées.

— Tu veux dire… Marie-Maude, ce fermail, c'est…

— Il s'agit de l'un des deux peignes qu'Élisabeth d'Autriche a donnés à Anne Sagedieu, avant qu'elle-même le remette à la fille de Marie-Élisabeth qui, elle aussi… Enfin, jusqu'à moi.

Je n'avais pas allumé : la fille adoptée par Anne Sagedieu…

— Je suis la descendante directe de Marie Brissier.

Je ne sais trop si c'est parce que, depuis des semaines, à force de lire les écrits d'Anne Sagedieu, j'ai un peu l'impression de la côtoyer, elle et ses proches, mais il me semble soudain reconnaître en Marie-Maude le fantôme de quelqu'un dont je recherchais désespérément la présence. Inconsciemment, bien sûr. Était-ce là ce qui m'attirait chez elle alors que je croyais en être amoureux ?

— Dans ma famille, depuis toujours, c'est une tradition : les filles portent un prénom composé qui commence par Marie. Ma mère, Marie-Josée, puis ma grand-mère, Marie-Marthe, mon arrière-grand-mère, Marie-Odile, etcétéra.

Je suis encore en plein cœur de cette nouvelle tourmente qui vient de s'élever en moi quand je sens ma main être saisie par des doigts délicats. Je baisse les yeux et trouve Soltana. Sa petite sœur et sa cousine sont autour d'elle, et l'une des fillettes se mouche dans l'un de ces papiers-mouchoirs rudes des toilettes publiques.

La musulmane se dresse sur le bout des pieds et, si elle m'embrasse sur la joue, elle touche de si près la commissure de mes lèvres que j'ai davantage l'impression d'un baiser sur la bouche. Par réflexe, je regarde vers son père. Ce dernier, les yeux mouillés, continue de me sourire, sa mine exprimant toujours la plus profonde gratitude.

Eh bien ! Moi qui me serais plutôt attendu à un coup de poignard…

La tension tombe d'un seul coup. Comme une corde qui lâche. D'admirer l'un des peignes d'Élisabeth d'Autriche dans la main de Marie-Maude, puis de comprendre la véritable source de mon attirance pour elle, de découvrir le besoin que j'éprouve de savoir Soltana à mes côtés, sans compter tout ce trac de la soirée, c'est plus que je ne peux en supporter. J'éclate en sanglots.

Comme un idiot.

Décidément, il me reste beaucoup à apprendre. Sur les musulmans… et sur mon cœur, surtout.

Épilogue

Moi, Anne Sagedieu, je suis maintenant une vieille femme. J'en ai vu passer, des vagues, sous la coque des navires. J'en ai vu, des nations étranges, des peuplements, des amitiés bafouées, des guerres, des meurtres, des fuites, des repeuplements... J'en ai vu, du pays, hors du pays.

Et beaucoup de ceux que j'ai aimés ne sont plus là, aujourd'hui.

L'Amérique ne fut point cette terre de promesses annoncée. Combien de déceptions, nous, participants du *Grand Éloignement*, avons-nous connues ! Parmi les tribus indiennes, à travers l'animosité des Anglais, au milieu de la méfiance et du rejet de nos propres compatriotes qui, sous l'égide d'un brave homme, pourtant, Samuel de Champlain, refusaient que des huguenots s'établissent sur les terres nouvelles...

Démotivés, plusieurs d'entre nous ont préféré retourner en France... et se battre. Se battre pour garder la foi réformée dans le royaume de nos pères, défendre les villes assiégées par les armées catholiques arborant les couleurs des Guise – et financées par des dons espagnols.

Avec les années, nous ne sommes restés qu'une poignée dans le Nouveau Monde et avons fini par trouver refuge sur une île isolée au nord de ce fleuve immense servant de porte d'entrée au Canada. Notre sort est si peu enviable qu'il suscite l'indifférence à Tadoussac et à Québec. Ceux qui ambitionnent davantage de tirer profit des pelleteries que de bâtir une société innovatrice se désintéressent bien de nous. N'empêche que, en dépit des conditions climatiques extrêmes, nous avons réussi à dompter cette terre, à exploiter les ressources de ses eaux, et à vivre du continent. Voilà maintenant de nombreuses années que nous prospérons. Nous avons enfin trouvé le lieu que Dieu désirait nous voir fonder.

Nous l'avons nommé Saint-Barthélémy. Cela coulait de source.

Et, à l'entrée de chacun des deux cimetières, le catholique et le protestant, nous entretenons une aubépine.

* * *

Marie-Élisabeth est devenue une femme merveilleuse, bonne et dévote. Comme tous les parents, je pourrais abuser des superlatifs pour parler d'elle. Toutefois, je n'en ferai rien. Je ne la crois ni laide ni jolie, ni plus forte ni plus brave que la plus modeste représentante de cette communauté, mais je n'ai rien à dire de mal de mon enfant. Elle m'a aimée comme une fille se doit d'aimer sa mère, nous avons pleuré, prié, ri ensemble, comme toutes les femmes d'une même famille qui s'apprécient.

Un jour, je lui ai raconté par le menu ses origines, sans rien omettre, ni la haine qui animait alors Paris ni le meurtre de ses proches par mon frère et ses comparses. Nous avons sangloté un moment puis n'en avons jamais reparlé. Pour Marie-Élisabeth, je suis la seule parente qu'elle connaisse, et ces histoires que je lui ai narrées paraissent sans doute appartenir à quelque autre Parisienne dont elle ne partage point les souvenirs. Son monde à elle est ces communautés que nous avons formées, défaites et reformées au gré de l'animosité que suscitait notre présence sur les terres nouvelles.

Elle s'est mariée à seize ans, le 20 octobre 1588, tandis que nous en étions encore à chercher une terre où nous établir. Son mari est un garçon de son âge, fort et travailleur, qui a largement contribué depuis à fonder puis maintenir Saint-Barthélémy.

* * *

Antoine ne s'est jamais marié. Toute son existence, le fils du forgeron a été fidèle à son amour pour moi, payant fort cher, même aux yeux de Dieu, les moments d'égarement qui le firent s'acoquiner quelques heures avec les guisards et le poussèrent aux meurtres de huguenots. Il a refusé toutes les avances des parents des filles de la colonie pour se consacrer au nouveau combat dans lequel il s'était engagé : offrir un havre aux réformés menacés et prouver que l'on pouvait cohabiter en harmonie en dépit de religions différentes.

Nous sommes restés les meilleurs amis du monde, car toute ma vie, je l'ai admiré pour son dévouement et pour ses nobles principes. Cependant, plus jamais je ne suis parvenue à l'aimer de cet amour qui m'attirait vers lui à dix-sept ans.

Nous l'avons mis en terre l'an dernier. Encore vigoureux la veille de son décès, il ne donnait pas l'impression de vivre ses dernières heures. Dieu, considérant sans doute qu'il avait suffisamment payé pour ses fautes, était disposé à l'accueillir dans son paradis.

L'oncle Jacques est mort aussi, quelques mois plus tôt, bêtement, un jour de pêche. Le vent ne soufflait point si fort, pourtant, et le ciel était d'un bleu intense. On a retrouvé sa chaloupe à la dérive sans plus aucune trace de lui. Comme si, une fois au large, des anges étaient descendus du firmament pour l'emporter. Quelqu'un a formulé cette image à voix haute, et le prêtre qui présidait les obsèques l'a reprise au moment du prêche. La légende a enflé d'elle-même. Si un homme méritait d'atteindre le paradis de cette façon, c'est bien ce brave marin – qui, comme tous ceux de sa race, ne savait pas nager. Il me manque beaucoup.

Avec le temps, j'avais fini par le considérer comme ce père que je n'avais plus.

Par des voyageurs de passage dans l'un ou l'autre de nos établissements, nous avons appris les nombreux bouleversements qui secouèrent la France dans les mois ayant suivi notre départ. Ainsi, nous sûmes la mort du roi Charles IX, survenue deux ans après le massacre de la Saint-Barthélémy, et le retour d'Élisabeth d'Autriche dans son pays d'origine, un an de veuvage plus tard – tandis qu'elle abandonnait le royaume à sa trop puissante belle-mère. Marie-Élisabeth de France, la fille que ma royale amie dut laisser derrière elle, seule enfant légitime de Charles IX, mourut à l'âge de six ans et deux jours. Déjà, le duc d'Anjou était sacré souverain sous le titre de Henri III.

Marie Touchet, la maîtresse de Charles IX, accoucha d'un garçon trois mois après le baptême de Marie-Élisabeth. La discrète ennemie de Catherine de Médicis a nommé son fils Charles. Ce dernier, depuis, est devenu duc d'Angoulême. Bâtard, il ne pourra jamais prétendre au trône.

Au large de Saint-Barthélémy-de-la-Côte-Nord, les navires en partance de l'Amérique ou en provenance de l'Europe font souvent relâche pour s'avitailler en denrées fraîches et en eau. Nous en profitons pour envoyer des nouvelles ou en recevoir du pays. Il peut s'écouler parfois plus d'un an avant d'obtenir réponse à un pli, mais au moins, les informations nous parviennent avec régularité. Il est vrai aussi que, lorsque nous apprenons les guerres, décès et autres événements marquants, l'Europe pense déjà à bien autre chose.

Grâce à mes échanges de lettres avec mon ami Gabriel – plus influent que jamais après que son duc fut devenu roi de France –, je reçus des nouvelles de la personne qui compte le plus pour moi après Marie-Élisabeth.

Armand Alcide Gaspard de Lignerac, mon beau capitaine des gardes, fut libéré par les Anglais durant l'été ayant suivi notre exode pour l'Amérique. Comme je m'en doutais, il resta fidèle à Élisabeth d'Autriche jusqu'à son départ de France en 1576. Je crus alors qu'il viendrait peut-être nous rejoindre, mais le nouveau roi le retint à son service.

En 1589, la même année que le décès de Catherine de Médicis, Henri III disparut sans descendance. Puisque son frère cadet François d'Alençon était mort cinq ans plus tôt, le règne des Valois prit fin. Commença alors celui des Bourbons.

Henri de Navarre devint Henri IV de France, et mon amie Marguerite, la reine. À l'instar de sa gentille belle-sœur, notre brave Margot ne sut jamais vraiment imposer son pouvoir à la cour et ne vécut point non plus le grand amour auprès de son époux. Il lui arriva même d'avoir à trouver refuge au château d'Agen où, incidemment, les cinq cents lances de sa protection avaient à leur tête le vaillant de Lignerac.

Mon capitaine des gardes, après bien des péripéties, fut l'ennemi puis l'allié du nouveau souverain – qui changea de religion presque aussi souvent que de maîtresse, ce qui n'était pas peu dire, selon Gabriel.

Hormis mes échanges avec le mignon de Henri d'Anjou, combien de fois écrivis-je à Armand ? Je ne pense pas savoir compter jusque-là. Chaque fois que j'avais l'occasion de croiser l'équipage d'un navire en partance pour la France, je plaçais sous la responsabilité de quelque marin qui m'en paraissait digne les lettres que j'avais rédigées dans les mois précédents. Dans chacune de celles s'adressant à lui, je réitérais mon amour à Armand, je donnais des nouvelles de Marie-Élisabeth, mais surtout, surtout, je tentais de le convaincre de venir nous rejoindre afin que nous puissions enfin former cette famille dont nous rêvions au milieu des morts de la Saint-Barthélémy.

M'est-il arrivé de songer à retraverser la mer océane afin de rechercher mon bel officier dans le Vieux Monde? Dame, oui! Des milliers de fois. Cependant, il ne me sembla point que c'était là le dessein que Dieu concevait pour moi. Il me suffisait de regarder les artisans du *Grand Éloignement* se démener dans mon voisinage pour comprendre que ma place était au milieu de ces volontaires, pieux, et dévoués à une cause bien plus importante que les tourments de mon cœur.

Armand recevait-il mes plis? Je l'ignorais, car jamais je n'y obtenais réponse. Je me disais que, peut-être, une fois sur deux, une fois sur trois, l'un de mes envois tombait entre ses mains, mais que ses mots à lui ne trouvaient point le marin digne de confiance pour me rendre la pareille.

Pendant des années, chaque printemps, dès que les glaces permettaient le passage des navires, je scrutais le carré de mer que ma fenêtre découpait près du banc de bois. Si une voile se profilait à l'horizon, je courais aussitôt au port, dans l'espoir d'un pli, d'un message transmis de vive voix, ou de simples nouvelles qui m'auraient renseignée sur les derniers exploits de mon beau capitaine.

À l'approche de l'hiver, quand ma croisée givrait et que le fleuve se refermait, je restais à patienter jusqu'au printemps. J'attendais que le soleil redécoupe la mer à côté du banc de bois. Dans la communauté, j'acquis alors plusieurs surnoms: «la jeune fille à sa fenêtre», puis «la femme à sa fenêtre» et, enfin, «la vieillarde à sa fenêtre».

* * *

Un printemps, alors que surgissait la première voile européenne annonçant la saison des pêches et des fourrures, comme de coutume, je me précipitai au quai. Comme de coutume, j'espérai un mot qui ne vint point. Cependant, cette fois-là, une surprise m'attendait.

Dans la chaloupe qui reliait le navire au port, un homme se tenait debout, les amples bords de son chapeau battant sous la brise. Malgré son lourd manteau de peau, je pouvais deviner sa silhouette élancée, ses épaules larges, son maintien solide. Une épée pendait à sa hanche. Une fine moustache grisonnante s'apparentait aux cheveux un peu longs qui s'agitaient derrière ses oreilles.

En dépit des années, des rides et des meurtrissures, nous nous reconnûmes immédiatement. Nulle parole ne s'avéra nécessaire pour nous rapprivoiser. Je m'approchai de lui et, lorsqu'il m'ouvrit les bras, je me laissai simplement couler contre sa poitrine. Son odeur me ramena quarante ans en arrière.

Nous demeurâmes ainsi un long moment, muets et immobiles, au milieu des marins qui déchargeaient la chaloupe sur le quai de Saint-Barthélémy-de-la-Côte-Nord.

Le matin suivant, en dépit du fait qu'il était tôt en saison, les deux aubépines des cimetières avaient fleuri.

Mot de l'auteur

Élisabeth d'Autriche, en tant que reine de France, avait effectivement à son service un capitaine des gardes qui était baron de Lignerac, maître de plusieurs seigneuries, chevalier de l'Ordre du roi et gentilhomme de la Chambre. Toutefois, son prénom n'était pas Armand Alcide Gaspard, mais François-Robert. La raison de cette distance prise avec l'Histoire est que la personnalité de la figure authentique ne correspondait pas exactement à celle du roman. Le véritable capitaine des gardes de l'épouse de Charles IX était un peu moins fidèle à ses allégeances politiques et un peu plus opportuniste.

Après bien des péripéties – dont une fuite à cheval épique avec la reine Margot en croupe –, le véritable de Lignerac se distancia d'abord du roi Henri IV avant de se rallier à ses couleurs.

L'ancien capitaine des gardes de la reine Élisabeth d'Autriche fut un chaud partisan de la Ligue, dans laquelle il entraîna sa famille – dont ses frères, moins puissants, mais aussi opportunistes que lui. Néanmoins courageux, il défendit Lyon, Ivry, Fère… Il se maria deux fois ; à Françoise de Scorailles en 1544, puis à Catherine de Hautefort en 1575. Il mourut au château de Saint-Quentin en 1613.

La personnalité des autres figures historiques est plus proche de la réalité. La reine Élisabeth d'Autriche, entre autres, douce et pieuse, fut durement éprouvée par les initiatives ayant mené au massacre de la Saint-Barthélémy. Puisque son rôle est nul dans l'élaboration du carnage – du fait qu'on l'a tenue dans l'ignorance – et négligeable dans les actions qui s'ensuivirent, les romanciers se sont rarement intéressés à sa personne. Or, Élisabeth d'Autriche nous apparaît comme l'exemple parfait d'une adolescente à peine émergée de l'enfance et poussée devant des responsabilités démesurées. Ne serait-ce que pour illustrer l'impuissance des… puissants, il valait la peine de raconter son histoire.

Henri de Guise, après de nombreux exploits dignes de son caractère violent, mourut assassiné en 1588 sur ordre de son complice de jadis, Henri d'Anjou, devenu le roi Henri III.

Et ledit Henri III périt lui-même en 1589 sous les coups d'un moine fanatique à la solde de la famille de Guise.

Cet ouvrage composé en Adobe Caslon Pro corps 12 a été achevé d'imprimer au Québec
sur les presses de Marquis Imprimeur le dix-huit mars deux mille quatorze
pour le compte de VLB éditeur.